LE DRAME

COLLECTION U/SÉRIE « LETTRES FRANÇAISES »

La collection U, *dans ses séries « Lettres Françaises », « Société politique » « Histoire contemporaine », « Idées politiques », s'adresse d'abord aux étudiants qui entrent dans l'enseignement supérieur. Ces étudiants doivent à la fois s'initier à des méthodes de travail nouvelles et disposer d'ouvrages de synthèse.*

La série « Lettres Françaises » se propose un triple but : présenter, selon des perspectives et un regroupement nouveaux, les données de l'histoire littéraire la plus récente ; procurer une suite de réflexions critiques sur la définition, les caractères et les problèmes d'un genre ; fournir un large choix d'extraits pour la lecture et l'explication, et faire sentir à travers leur succession la continuité et les métamorphoses d'un domaine littéraire. Chacun de nos manuels doit ainsi se composer de trois parties : une histoire du genre ; un recueil de textes et de documents puisés dans les écrits théoriques et critiques des auteurs ou de leurs contemporains (essais, manifestes, préfaces...) ; une anthologie de pages caractéristiques, empruntées tantôt aux grandes œuvres, tantôt à d'autres moins connues.

Déjà paru :

Michel LIOURE	*Le Drame*
Jacques MOREL	*La Tragédie*
Pierre VOLTZ	*La Comédie*
Jean EHRARD et Guy PALMADE	*L'Histoire*
Henri COULET	*Le Roman jusqu'à la Révolution*
Michel RAIMOND	*Le Roman depuis la Révolution*
Henri LEMAITRE	*La Poésie depuis Baudelaire*
Roger FAYOLLE	*La Critique littéraire*

En préparation :

Jean-Charles PAYEN et Jean-Pierre CHAUVEAU	*La Poésie jusqu'à Baudelaire*

Série « Idées politiques » :

Raymond WEIL	*Politique d'Aristote*
Claude NICOLET	*Les Idées politiques à Rome sous la République*
René TAVENEAUX	*Jansénisme et Politique*
Jacques TRUCHET	*Politique de Bossuet*
Marcel MERLE	*Pacifisme et Internationalisme XVIIᵉ-XXᵉ siècles*
Jean EHRARD	*Politique de Montesquieu*
René POMEAU	*Politique de Voltaire*
Jacques GODECHOT	*La Pensée révolutionnaire (1780-1799)*
Jacques DROZ	*Le Romantisme politique en Allemagne*
G. DUPUIS, J. GEORGEL, J. MOREAU	*Politique de Chateaubriand*
Michel ARNAUD	*Politique d'Auguste Comte*
Raoul GIRARDET	*Le Nationalisme français (1871-1914)*
Hélène CARRÈRE D'ENCAUSSE et Stuart SCHRAM	*Le Marxisme et l'Asie (1853-1964)*
Stuart SCHRAM	*Mao Tse-toung*

Hors série :

Jean BAYET	*Littérature latine*
Maurice GRAMMONT	*Petit traité de versification française*
Joseph ANGLADE	*Grammaire élémentaire de l'ancien français*
Yves LE HIR	*Analyses stylistiques*

Collection **U**

Série " Lettres Françaises " sous la direction de Robert Mauzi

MICHEL LIOURE   Maître-assistant
à la Faculté des Lettres de Clermont-Ferrand

LE DRAME

Troisième édition, revue et mise a jour 1968

LIBRAIRIE ARMAND COLIN

103, Boulevard Saint-Michel - Paris 5e

© 1963   Librairie Armand Colin

SOMMAIRE

Première Partie

HISTOIRE D'UN GENRE

DRAMATIQUE

Tout dans la poésie moderne débouche sur le drame.
V. HUGO, Préface de Cromwell.

*Depuis la fin du XVIIe siècle jusqu'à nos jours, le drame
a régné presque exclusivement sur la scène française.*
P.-A. TOUCHARD, Dionysos, Apologie pour le théatre.

Le drame est l'image la plus fidèle de la civilisation.
LAMARTINE, Les destinées de la poésie.

Le drame, tas confus de membres et d'idées.
Paul CLAUDEL, *Journal*, 1948.

Les textes cités dans la deuxième et troisième partie sont numérotés : ceux de
l'anthologie théorique et critique en chiffres arabes, ceux de l'anthologie dramatique
en chiffres romains.

DRAME ET THÉÂTRE

Le paradoxe du drame, en France, est de ne se point confondre avec le théâtre.

L'étymologie affirme cependant leur identité. Drame signifie action, et l'action est avec le spectacle la matière même du théâtre. « L'essence du théâtre, écrit M. Henri Gouhier dans *Le Théâtre et l'existence*. tient en deux mots : τὸ δρᾶμα ou l'action, τὸ θέατρον, le lieu où l'on voit[1]. » La *Poétique* d'Aristote repose sur la même définition : le drame est l'imitation de personnages agissants[2]. La notion de drame, dépouillée de toute signification particulière, englobe donc tragédie et comédie, Sophocle et Aristophane. A la racine même des théories occidentales du théâtre, qui ne font que refléter l'état de choses spontanément créé par l'expérience, *le drame n'existe pas en tant que genre dramatique spécifique.*

L'originalité du drame français réside donc dans son historicité et sa spécificité. Tous nos grands dramaturges n'ont point écrit de drames, et dans l'histoire de notre théâtre, le drame fit une tardive et laborieuse apparition. Le XVIIe siècle ignore jusqu'au mot de drame[3]. Les expressions modernes de drame cornélien ou drame racinien trahissent, par cet abus de

---

1. Henri GOUHIER. *Le Théâtre et l'existence* (Paris, Aubier, 1952), p. 13.
2. ARISTOTE, *Poétique*, 1448 a.
3. Il apparaît, dans quelques cas, au sens étymologique et général de pièce dramatique. Cf. Gunnar von PROSCHWITZ, « Le mot « drame » et ses changements de valeur, du « Diable Boiteux » à « La Comédie Humaine », *Cahiers de l'Association Internationale des Études françaises*, nº 16, mars 1964.

langage, le secret désir de combler une lacune de notre théâtre, et, en nimbant nos purs chefs-d'œuvre de quelque sombre halo, de dresser, face aux cimes grandioses du drame shakespearien ou eschyléen, le majestueux édifice de la tragédie. Mais replacé dans le contexte dramatique français, le drame n'apparaît plus, auprès de l'altière tragédie et de la franche comédie, que comme un moment ou une forme — souvent médiocres — de notre histoire dramatique. Si les œuvres théâtrales, d'Eschyle à Euripide, de Corneille à Racine, de Molière à Marivaux, révèlent une constante interférence du tragique et du comique et démentent l'exclusivité des deux catégories primitives, l'affirmation théorique du drame au xviiie siècle n'en est pas moins une véritable création. En se définissant comme genre en marge de la tragédie comme de la comédie, le drame ne se réfère pas à une forme primitive de l'art dramatique : *il se pose en s'opposant et se constitue spontanément.* L'un des principaux théoriciens du drame bourgeois, Louis-Sébastien Mercier, a beau rappeler que le terme de drame est « le mot collectif, le mot originel, le mot propre » et affirmer que « c'est le titre le plus honorable que l'on puisse donner à une pièce de théâtre », il ne l'applique pas moins à un « nouveau genre »[1] (Texte 6). La littérature n'est certes pas le domaine des générations spontanées, et la naissance du drame au xviiie siècle, annoncée par de nombreux symptômes, s'intègre dans un courant dramatique aisément discernable. Mais la situation du drame dans le théâtre français explique les ambitions et les luttes d'un genre apparemment mineur et privé du prestige qu'il connaît dans d'autres nations.

Ainsi déterminé, le drame n'en est pas moins difficile à saisir dans son ensemble. Ses contours mêmes et ses limites sont mal définis. Dans son *William Shakespeare*, Victor Hugo s'étonne de « l'immensité » et de « l'ubiquité » du drame : « C'est une étrange forme d'art que le drame. Son diamètre va des *Sept chefs devant Thèbes* au *Philosophe sans le savoir*, et de Brid'oison à Œdipe. Thyeste en est, Turcaret aussi. Si vous voulez le définir, mettez dans votre définition Électre et Marton[2]. » (Texte 18). Un siècle après que le maître du drame romantique eut écrit ces lignes, la superficie du drame s'est encore accrue, la liste des héros singulièrement enrichie. Au drame bourgeois et romantique se sont adjoints le drame symboliste et toutes les formes du drame contemporain : à côté d'*Hernani* et de *Chatterton*, il faut placer *Tête d'Or* et *L'Oiseau bleu*, *La Reine morte* et *Les Séquestrés d'Altona*. D'autres Œdipes et d'autres Électres sont nés, modernes victimes d'une éternelle angoisse. Auprès de Doña Sol, bien des gracieuses et douloureuses silhouettes sont venues grossir le cortège des amantes infortunées : Maleine et Mélisande, Violaine et Prouhèze, Mariana et Inès de Castro. Mais le drame accueille aussi les truculences de la Mère Ubu, et le cynisme des héroïnes sartriennes.

Entre des œuvres d'inspiration, de teneur et de tonalité si diverses, existe-t-il un dénominateur commun, une technique ou un style spécifiques

---

1. Mercier, *Du théâtre*, chap. viii.
2. V. Hugo, *William Shakespeare*, 1re partie, livre IV.

qui établissent une parenté spirituelle ou artistique? Peut-on légitimement définir un genre « dramatique » aussi nettement déterminé que le genre tragique ou le genre comique? Ou, si l'on récuse la rigueur du concept de genre, peut-on distinguer une « catégorie » dramatique à laquelle appartiendraient, selon leur résonance, toute une gamme d'œuvres théâtrales? Dans son livre sur *Le Théâtre et l'existence*, M. Gouhier définit « la mort comme principe du dramatique[1] ». Dans un monde où la mort conserve son mystère et son pathétique, où aucune transcendance tragique ne vient en justifier le scandale ou en atténuer l'horreur, un dénouement mortel ou une simple menace de mort constituerait la catégorie du dramatique (Texte 27). Cette analyse rend compte de la plupart des œuvres relevant du drame : la présence de la mort détermine le climat d'*Hernani* et de *Marie Tudor*, de *Chatterton* et de *Lorenzaccio*, de *L'Otage*, *La Reine morte* et *Les Mains sales*. Mais une telle définition exclut bien des drames bourgeois, qui sont la forme originelle du drame français, et dont le pathétique repose le plus souvent sur des infortunes plus bénignes. Surtout le critère de la catégorie semble impuissant à rendre compte en profondeur de l'originalité d'un genre, de la qualité du ton et du style qui constitue l'unité artistique du drame. Comme la notion de genre, la notion de catégorie est trop abstraite pour embrasser l'infinie diversité des œuvres. *Les drames débordent le dramatique*, et plus que tout autre genre, résistent au schématisme des étiquettes et des formules.

Si le drame échappe à une définition rigoureuse, n'est-ce pas parce qu'il se définit essentiellement par son refus de la notion même de genre ? Si le drame au XVIIIe siècle s'oppose à la tragédie comme à la comédie, c'est moins pour délimiter un nouveau champ dramatique que pour unir, au nom de la vérité et de la vie, les registres complémentaires du sérieux et du plaisant (Textes 1 et 6). La distinction des genres remonte très haut dans le temps : Aristote la présente comme un fait et l'érige en principe. Les théoriciens de la Renaissance et du classicisme en confirmèrent l'autorité et en codifièrent les préceptes. Rompre avec une si longue et prestigieuse tradition impliquait un choix hardi. Car la distinction des genres, comme toutes les règles classiques, n'est pas une arbitraire minutie technique, mais repose sur une conception cohérente de l'esthétique et du plaisir dramatiques. L'unité du ton préserve en effet l'unité d'impression. De même que la mélodie musicale naît de la plénitude de la note et de la perfection de l'accord, la qualité de l'émotion dramatique est fonction de sa pureté. La distinction des genres appartient donc à ce réseau de conventions qui, selon Valéry, procèdent « d'une antique, subtile et profonde entente des conditions de la jouissance intellectuelle *sans mélange*[2] ». *A cette esthétique de la pureté, le drame oppose le goût de l'intensité ;* à la saveur de l'unité, il préfère le piquant de la variété ; aux recherches exquises, les jouissances immédiates ; aux raffinements de l'art, la chaleur de la vie.

---

1. Henri GOUHIER, *op. cit.*, p. 76.
2. Paul VALÉRY, *Situation de Baudelaire*, dans *Variétés* (*Œuvres*, Bibliothèque de la Pléiade, t. I, p. 605).

Il existe donc une esthétique du drame. En fait, cette esthétique n'est que la somme des tendances qui se trouvent à l'état latent et sous une forme diffuse dans la plupart des œuvres dramatiques. La pureté absolue n'est qu'un idéal, miraculeusement réalisé dans les chefs-d'œuvre classiques. Le théâtre grec, les comédies de Térence, les « mystères » médiévaux, les comédies de Corneille, le *Dom Juan* de Molière, offrent au drame autant de précédents que Diderot, Mercier, Hugo, ne manqueront pas d'invoquer (Textes 1 et 6). Mais de ces tendances éparses, souvent inavouées, parfois inconscientes, les théoriciens du drame ont été les premiers à constituer un système dramatique.

Le drame n'est donc qu'une tentation théâtrale perpétuelle, longtemps refusée au nom d'une exigence de pureté esthétique, assouvie et cultivée pour satisfaire la sensibilité moderne. Constante dramatique et phénomène historique, événement littéraire et doctrine esthétique : tel est le drame, et telles sont les données qu'il convient de saisir simultanément pour dégager, dans leur richesse et dans leur complexité, l'originalité et la signification artistiques du drame.

LE DRAME BOURGEOIS

1. Naissance du drame

Le drame et les Lumières   Parmi les « sottises de toute espèce » enfantées par son « siècle barbare », le Bartholo du *Barbier de Séville* énumère : « la liberté de penser, l'attraction, l'électricité, le tolérantisme, l'inoculation, le quinquina, l'encyclopédie et les drames[1]. » Cet hommage involontaire n'est pas moins flatteur pour le siècle que pour le drame, ainsi promu au rang des plus nobles conquêtes des Lumières. Sous l'apparent désordre d'une ironique juxtaposition, Beaumarchais nous invite à découvrir un ordre profond, à relier des séries parallèles ou convergentes, à saisir l'unité sous la diversité. Dans une telle perspective, le drame n'apparaît plus comme une innovation littéraire isolée, un épisode de notre histoire dramatique, mais comme une forme particulière de l'immense mouvement spirituel qui anime toute une époque. Profondément inséré dans un contexte intellectuel et moral, à la jonction de l'histoire des idées et de l'histoire du théâtre, il se révèle *une création originale du XVIIIe siècle.*

---

1. BEAUMARCHAIS, *Le Barbier de Séville*, I, 3.

Le terme même est daté : son apparition au Dictionnaire de l'Académie, en 1762, est contemporaine des premiers succès du genre à la scène. L'intuition, la définition et la mise en œuvre de la nouvelle formule dramatique appartiennent aux meilleurs esprits du temps. Le drame est né du même génie qui conçut l'Encyclopédie : une étroite parenté unit ainsi ces formes d'art et de pensée également représentatives de l'esprit du siècle. Presque tous les « dramatistes » sont attachés, de près ou de loin, au parti philosophique. Les ennemis du drame ne s'y trompèrent point, et ne séparèrent pas sa cause de celle des encyclopédistes : si la première des *Petites Lettres sur de grands philosophes* est consacrée à l'auteur de l'*Encyclopédie*, Palissot s'en prend dans la seconde au créateur du drame. *Le Fils naturel* est dénoncé comme une intolérable incursion des philosophes dans le jardin des Lettres, une tentative d'annexion de l'art dramatique par les sectateurs des Lumières. Œuvre des philosophes et de leurs amis, le drame ne pouvait manquer d'être l'expression privilégiée de leur pensée : à ce titre encore *il est inséparable d'un siècle et d'un esprit.*

Drame et public   Mais autant qu'à l'auteur, le théâtre appartient au public, dont l'attente et les goûts modèlent la forme et la teneur des œuvres. L'éclosion et le succès du drame sont fonction des coordonnées littéraires et sociales du siècle, de la qualité de l'audience, des acquisitions de la culture. Le drame bourgeois ne s'adresse pas à l'assistance aristocratique de Versailles, mais à ces nouveaux privilégiés de la fortune et de la culture que l'essor du commerce et de l'industrie hisse au faîte de la société. Le choix des rôles, les axiomes moraux, le ton du dialogue, tout dans le drame révèle la complaisance envers cette grande ou moyenne bourgeoisie à laquelle appartiennent, de fait ou de cœur, la plupart des écrivains, et dont l'influence grandissante dans la nation détermine l'évolution générale du goût. *Le drame, au XVIIIe siècle, est fondamentalement bourgeois.*

Dans la salle comme sur la scène, une place doit être faite au peuple. Initié aux mystères du monde parisien, un Saint-Preux dénonce l'artifice et l'asphyxie d'un théâtre clos où une société choisie se donne en spectacle à elle-même : « Maintenant on copie au théâtre les conversations d'une centaine de maisons de Paris. Hors de cela, on n'y apprend rien des mœurs des Français. Il y a dans cette grande ville cinq ou six cent mille âmes dont il n'est jamais question sur la scène. Molière osa peindre des bourgeois et des artisans aussi bien que des marquis ; Socrate faisait parler des cochers, menuisiers, cordonniers, maçons. Mais les auteurs d'aujourd'hui, qui sont des gens d'un autre air, se croiraient déshonorés s'ils savaient ce qui se passe au comptoir d'un marchand ou dans la boutique d'un ouvrier ; il ne leur faut que des interlocuteurs illustres et ils cherchent dans le rang de leurs personnages l'élévation qu'ils ne peuvent tirer de leur génie. Les spectateurs eux-mêmes sont devenus si délicats, qu'ils craindraient de se compromettre à la comédie comme en visite, et ne daigneraient pas aller voir en représentation des gens de moindre condition qu'eux. Ils sont comme les seuls habitants de la terre : tout le reste n'est rien à leurs yeux... C'est pour eux uniquement que sont faits les spectacles ; ils s'y montrent à la fois comme représentés au milieu du théâtre, et comme représentants aux deux côtés ; ils sont personnages sur la scène, et comédiens sur les bancs[1]. » De tels spectacles ne sont, selon le mot de Mercier, que des « chambrées[2] ». Pour aérer la salle et revivifier la scène, il faut que le poète dramatique travaille pour le peuple (Texte 6). Délaissant un public sclérosé, le drame s'adresse à des spectateurs moins sensibles aux raffinements de la culture et de la pensée qu'aux conflits moraux et aux problèmes quotidiens de la vie moderne, plus avides des émotions du cœur que des plaisirs de l'esprit.

La critique du théâtre classique

L'extension du public comme l'évolution des idées exigeaient un renouvellement du théâtre. Vers le milieu du siècle, les chefs-d'œuvre de Corneille et de Racine apparaissent singulièrement démodés. La tradition classique ne suscite plus qu'un morne ennui ou de froides imitations. Les succès personnels de Voltaire ne peuvent sauver un genre condamné par l'évolution du goût, et contribuent même à orienter le théâtre vers de nouvelles formes. La tragédie classique est la plus grande victime de cette désaffection, et les réquisitoires sont légion. La critique s'élève jusque dans les circonstances les plus inattendues : les licencieuses confidences des *Bijoux indiscrets* s'interrompent un instant pour laisser place à un grave « Entretien sur les Lettres », au cours duquel la favorite Mirzoza incrimine la complexité de l'intrigue, l'invraisemblance des épisodes et des dénouements, l'artifice du dialogue et de la déclamation[3]. Saint-Preux n'est pas moins sévère dans *La Nouvelle Héloïse*. Inactuelles et indifférentes, nos tragédies ne sont que de creuses déclamations : « En général, il y a beaucoup de discours et peu d'action sur la scène française... Racine et Corneille, avec tout leur génie, ne sont eux-mêmes que des parleurs ; et leur successeur est le premier qui, à l'imitation des Anglais, ait osé mettre quelquefois la scène en représentation. Communément, tout se passe en beaux dialogues bien agencés, bien ronflants, où l'on voit d'abord que le premier soin de chaque interlocuteur est toujours celui de briller[1]. » Mais les plus furieux assauts sont livrés par Louis-Sébastien Mercier. Cinquante ans avant la *Préface de Cromwell*, son *Nouvel Examen de la tragédie française* (1778) dénonce toutes les tares de la dramaturgie classique : servilité des auteurs envers la tragédie antique et les pédantesques théories d'Aristote, convention et complication d'une intrigue aussi monotone qu'invraisemblable, absurdité des deux unités de temps et de lieu qui rétrécissent et falsifient l'action, extravagance d'une psychologie qui méconnaît les nuances intermédiaires entre le tragique et le plaisant, grandiloquence d'un « parlage » intarissable asservi à la tyrannie de la rime et à la manie de la tirade.

La comédie n'est guère mieux traitée. Si la mémoire de Molière est universellement respectée, si chacun s'accorde à louer la vérité de ses

---

1. J.-J. ROUSSEAU, *La Nouvelle Héloïse*, IIe partie, lettre 17.
2. MERCIER, *Du Théâtre, Epître dédicatoire à mon frère*, Amsterdam, 1773, p. VII.
3. DIDEROT, *Les Bijoux indiscrets*, chap. XXXVIII.

peintures, et la hardiesse de sa pensée, Mercier lui reproche cependant d'avoir sacrifié l'action aux caractères, le naturel à la farce, et surtout la vertu au comique. La *Lettre à d'Alembert* résume tous les griefs que les vertueux dramaturges du XVIIIe siècle accumulent contre ce maître « de vice et de mauvaises mœurs » : recherche du rire aux dépens de la morale, stigmatisation du ridicule au profit de l'odieux, complaisance aux exigences mondaines au préjudice des droits de la conscience. De tels reproches témoignent d'une inaptitude foncière à goûter la franche gaîté de la comédie, et d'une surprenante avidité de prédication morale. Ni la verve de Regnard, ni le mordant de Lesage, ni la subtilité de Marivaux ne pouvaient satisfaire la pudibonde gravité du public bourgeois. Entre l'héroïsme emphatique et gratuit de la tragédie et la libre fantaisie de la comédie, le spectateur attendait *un théâtre vrai, où revivent les situations et les sentiments de la vie quotidienne,* où le sérieux soit tempéré par le plaisant, le rire humanisé par l'émotion.

Les innovations dramatiques de Voltaire

C'est de la comédie que vint l'impulsion rénovatrice. Prisonnière d'une tradition plus rigoureuse, la tragédie se prêtait mal aux assouplissements exigés par le goût bourgeois. Les innovations dramatiques de Voltaire, l'accroissement de la part du spectacle, l'élargissement de la scène, les libertés prosodiques, préparent l'avènement du drame romantique plus que l'éclosion du drame bourgeois. En revanche la prédication philosophique, l'exploitation de la scène au service d'une idéologie sociale, religieuse ou humanitaire, répondaient à l'attente d'un siècle plus curieux de pensée que d'art. *Les comédies de Voltaire sont bien davantage dans la ligne dramatique de l'époque.* Parmi les œuvres les plus représentatives du genre nouveau, Beaumarchais cite *Nanine, L'Enfant prodigue* et *L'Écossaise*[1] (Texte 3). L'actualité de l'intrigue, la moralité de l'intention, la familiarité du ton, avaient de quoi séduire et attendrir. Surtout Voltaire pressentait tout le parti qu'un auteur habile pouvait tirer de la juxtaposition du comique et du sérieux. Tout en condamnant le mélange des genres, il loue les attraits d'un « genre mixte », qui concilie le plaisir du sourire et celui de l'émotion sans tomber dans la monstruosité d'une comédie sans comique[2].

La comédie larmoyante

Dans cette voie, Voltaire n'était ni le premier ni le plus audacieux. S'il tente d'opposer l'alternance des tons à la confusion des genres, c'est parce qu'il a été précédé dans cette tentative par Nivelle de La Chaussée, dont *les comédies « larmoyantes » sont le véritable prélude du drame.* Le romanesque, la sensibilité, la moralité déploient dans ce théâtre toutes leurs grâces surannées. La modernité des sujets, l'appel aux larmes, l'exaltation de la vertu, ravirent

---

1. BEAUMARCHAIS, *Essai sur le genre dramatique sérieux.*
2. Cf. préfaces de *L'Enfant prodigue, Nanine, L'Écossaise.*

les contemporains. *Le Préjugé à la mode* en 1735, *Mélanide* en 1741, *L'École des mères* en 1744, *La Gouvernante* en 1747 obtinrent le plus vif succès. L'antipathie des critiques traditionnels, la défiance jalouse de Voltaire, l'hostilité même du roi ne tinrent pas contre le suffrage des femmes et les larmes des spectateurs. L'entrée de La Chaussée à l'Académie, en 1736, est la consécration officielle du nouveau genre, dont nul ne conteste plus la réussite et l'originalité. Il restait à baptiser ce nouveau-venu. Après le triomphe de *Mélanide*, l'abbé Desfontaine ne lui refuse plus que l'appellation de comédie. Il suggère « romanédie », « drame romanesque », ou « drame » [1] : c'était la reconnaissance officielle du troisième genre dramatique. Il ne lui manquait plus désormais qu'une définition théorique et un langage spécifique : les essais critiques de la deuxième moitié du siècle et l'introduction de la prose dans le dialogue achèveront de parfaire le drame.

Les modèles étrangers

Dans la genèse du drame, une part non négligeable revient aussi à l'influence étrangère. Le prestige de Richardson ne s'exerce pas moins sur le théâtre que sur le roman : Clarisse Harlowe et Pamela sont les héroïnes de maints drames, et Mercier loue la perspicacité du romancier et la vérité de ses caractères. Si Voltaire et Marmontel se détournent devant les barbares audaces de Shakespeare, Mercier, toujours à l'avant-garde, lui prodigue les plus chaleureux éloges et ne cesse de proposer en exemple la liberté et la grandeur de son art. Certaines pièces contemporaines suscitent en France de nombreuses et triomphales adaptations. *Le Marchand de Londres ou L'Histoire de Georges Barnwell*, de Lillo, et *Le Joueur*, d'Edward Moore, sont cités par Diderot comme le modèle de la tragédie domestique et bourgeoise, et fréquemment transposés sur la scène française avec les aménagements exigés par les bienséances. La violence et le réalisme de certaines scènes, sagement édulcorées dans les adaptations françaises, le spectacle des funestes suites de la débauche qui conduit ses victimes de la déchéance au meurtre et à la mort, impressionnèrent les lecteurs et engagèrent les auteurs dans la voie d'une peinture plus crue et d'une intrigue plus sombre.

Parmi les auteurs étrangers qu'il érige en modèles, Mercier cite Calderon et Lope de Vega, Shakespeare et Goldoni, mais aucun dramaturge allemand (Texte 6). A la date de son *Du Théâtre, ou Nouvel Essai sur l'art dramatique* (1773), *le théâtre allemand est encore mal connu en France.* Si Lessing traduit les *Entretiens* sur *Le Fils naturel* et se déclare l'admirateur reconnaissant de Diderot, en revanche ni ses drames ni sa *Dramaturgie de Hambourg* ne connurent en France une réelle audience. Les premières réalisations du « Sturm und Drang » demeurent inconnues ou peu goûtées. *Goetz de Berlichingen, Stella* et *Clavigo* ne suscitent que méfiance. *Les Brigands* de Schiller, traduits en 1785, n'eurent de portée que sur le mélodrame et, bien plus tard, sur le drame romantique.

---

1. ABBÉ DESFONTAINE, *Observations*, XXV, 25.

L'œuvre dramatique de Diderot

Des tendances éparses, des influences diverses, des réussites isolées, ne constituaient ni une école ni un genre. Voltaire, Destouches, La Chaussée, attentifs à l'évolution du goût et aux prédilections du public, étaient peu soucieux de codifier les caractères spontanés de leur art. *Le nouveau genre avait ses poètes, mais il lui manquait une poétique : l'originalité de Diderot fut de la lui apporter.* Ce qui fonde le drame, ce n'est pas *Le Fils naturel*, mais la publication simultanée du *Fils naturel* et des *Entretiens avec Dorval* sur *Le Fils naturel* (1757). Le drame de Diderot, modestement intitulé comédie, n'était ni le pionnier ni le chef-d'œuvre du genre : la *Cénie* de Madame de Graffigny, acclamée en 1750, *Silvie ou Le Jaloux*, de Landois, dès 1742, offraient les premiers exemples de tragédies bourgeoises en prose. Mais jamais ce théâtre révolutionnaire n'avait suscité une réflexion critique et une justification théorique de l'ampleur des *Entretiens*. Cet essai est une longue analyse de la technique et des intentions de l'œuvre qu'il introduit. Mais au-delà de l'apologie personnelle, Diderot tente une définition systématique du théâtre moderne. Face à la poétique des genres traditionnels, il entend dresser la poétique du « genre sérieux ». Joignant l'exemple au précepte et étayant l'œuvre par la théorie, il offrait la plus cohérente démonstration du nouvel art dramatique (Texte 1).

Aussi la publication du *Fils naturel* fut-elle accueillie comme un événement capital de l'histoire dramatique. Le parti philosophique exulte. Dans sa *Correspondance littéraire* du 1er mars, Grimm salue « le maître absolu du théâtre ». Le clan adverse contre-attaque vigoureusement : dans la seconde des *Petites Lettres sur de grands philosophes*, Palissot dénonce la propagande de la « cabale » et la médiocrité réelle de la pièce qui éclipse *Phèdre*, *Athalie* et *Alzire*, et « que dans quelques maisons on appelait le *livre* par excellence » ; en fait, annonce l'exergue emprunté à Horace, « Fabula nullius veneris, sine pondere et arte ». Non sans quelque joyeuse désinvolture, Collé joindra le chef-d'œuvre à son recueil personnel de « monstres dramatiques ».

A ces critiques, Diderot répondit par une nouvelle conjuration de la théorie et de l'œuvre. Un paragraphe des *Entretiens* déplorait que l'intéressante condition de père de famille n'eût tenté aucun dramaturge : l'année suivante, cette lacune fut comblée. Mais au *Père de famille* (Texte I), Diderot adjoignait un *Discours sur la poésie dramatique*, ou de façon plus systématique encore que dans les *Entretiens*, il exposait la théorie du genre sérieux et justifiait les innovations théâtrales des dramaturges modernes.

Cette fois cependant fut franchi le grand pas qui sépare le livre de la scène. La pièce eut en 1761 les honneurs du Théâtre-Français, et sept représentations, chiffre honorable pour l'époque, prouvèrent la faveur du public. En 1769, une reprise triomphale démontra l'immense vogue d'un genre désormais acclimaté. Si l'on en croit les *Mémoires secrets* (IV, 10 août 1769), l'on comptait dans la salle « autant de mouchoirs que de spectateurs », et Duclos s'écriait : « Trois pièces comme cela par an, tueront la tragédie[1]. » Ce fut là le couronnement de la carrière dramatique de Diderot. Au lendemain de ce triomphe, une unique représentation du *Fils naturel*, gâchée par l'hostilité des comédiens, échoua sur la plus grande scène parisienne.

Le drame devant la critique

Dans l'histoire du mouvement dramatique, *la qualité des œuvres de Diderot importe infiniment moins que leur puissance d'impulsion*. La voie était frayée, jalonnée, et conduisait au succès. Dans *l'Essai sur le genre dramatique sérieux* qui introduit son drame *Eugénie* (1767), Beaumarchais proclame l'influence déterminante de Diderot, et, sans s'attacher au succès personnel de son œuvre, analyse longuement les réactions diverses suscitées par le nouveau genre : « J'ai vu des gens se fâcher de bonne foi de voir que le genre dramatique sérieux se faisait des partisans. « Un genre équivoque ! disaient-ils, on ne sait ce que c'est. Qu'est-ce qu'une pièce dans laquelle il n'y a pas le mot pour rire ? où cinq mortels actes d'une prose traînante, sans sel comique, sans maximes, sans caractères, nous tiennent suspendus au fil d'un événement romanesque qui n'a souvent pas plus de vraisemblance que de réalité ? N'est-ce pas ouvrir la porte à la licence et favoriser la paresse que de souffrir de tels ouvrages ? La facilité de la prose dégoûtera nos jeunes gens du travail pénible des vers, et notre théâtre retombera bientôt dans la barbarie, d'où nos poètes ont eu tant de peine à le tirer. Ce n'est pas que quelques-unes de ces pièces ne m'aient attendri, je ne sais comment ; mais c'est qu'il serait affreux qu'un pareil genre prît : outre qu'il ne convient point du tout à notre nation, chacun sait ce qu'en ont pensé des auteurs célèbres, dont l'opinion fait autorité. Ils l'ont proscrit comme un genre également désavoué de Melpomène et de Thalie. Faudra-t-il créer une muse nouvelle pour présider à ce cothurne trivial, à ce comique échassé ? Tragi-comédie, tragédie bourgeoise, comédie larmoyante, on ne sait quel nom donner à ces productions monstrueuses. » C'est l'éternel combat de la tradition contre la nouveauté, des doctes contre les honnêtes gens, du plaisir de la critique contre le plaisir du spectacle. C'est aussi *un nouvel épisode de la querelle des Anciens et des Modernes*, de la règle et du génie : « J'entends citer partout de grands mots et mettre en avant, contre le genre sérieux, Aristote, les anciens, les poétiques, l'usage du théâtre, les règles, et surtout les règles, cet éternel lieu commun des critiques, cet épouvantail des esprits ordinaires. En quel genre a-t-on vu les règles produire des chefs-d'œuvre ? »

Les salles

Les résistances de la critique et le poids de la tradition n'étaient pas les seuls obstacles au plein succès du drame. Outre les railleries des pamphlétaires, les piqûres de la presse, les turbulences et les fausses pudeurs du parterre, le drame se

---

1. DIDEROT, à Sophie Volland, 23 août 1769, édition Assézat-Tourneux (Garnier), tome XIX, p. 314.

heurtait aux préventions de certains comédiens, peu soucieux de compromettre dans un registre larmoyant leur fantaisie comique ou leur dignité tragique. De plus le statut des théâtres au XVIIIe siècle handicapait gravement le nouveau genre : évincé à la fois du Théâtre-Français, fief des pièces traditionnelles, et du Théâtre-Italien, spécialisé dans les comédies italiennes et les opéras comiques, le drame était repoussé vers les scènes du boulevard et condamné à se plier aux exigences d'un public populaire peu soucieux de tenue littéraire. *Dès les premières années de son histoire, le drame était ainsi orienté vers le mélodrame,* et le choix de la salle déterminait le ton de la pièce. L'échec du *Fils naturel* accrut encore la défiance des Comédiens Français, et le succès du *Philosophe sans le savoir* (Texte II) de Sedaine en 1765 ne suffit pas à vaincre la prévention et la morgue de la première troupe parisienne. Les scènes de province se montraient souvent plus accueillantes : c'est ainsi qu'un des chefs-d'œuvre du drame, *La Brouette du vinaigrier* (Texte IV) de Mercier, et bien d'autres pièces du même auteur, furent acclamées en province, puis sur de petites scènes parisiennes, sans jamais parvenir à forcer le seuil de la Comédie-Française. Lorsqu'en 1780 le Théâtre-Italien reconquit le privilège de jouer des pièces françaises, ce fut un nouvel asile offert au drame, où les pièces de Mercier, Sedaine, Collé, connurent de beaux triomphes. Enfin, certaines scènes privées accueillaient les nouveautés que leur hardiesse ou leur licence excluaient des salles officielles. Nobles et grands seigneurs, financiers et magistrats jouent et font jouer des pièces inédites, souvent très libres et parfois touchantes, où la reine elle-même ne dédaignait pas de tenir un rôle de soubrette.

La censure C'était là un heureux subterfuge pour déjouer *les rigueurs de la censure.* Les ambitions « philosophiques » du drame l'exposaient en effet particulièrement aux interdictions officielles. Dans un siècle où le goût de la critique n'a d'égale que l'ombrageuse défiance du pouvoir, les partis pris sociaux et politiques des auteurs ne manquaient pas de susciter les soupçons. Une pièce apparemment aussi innocente que *Le Philosophe sans le savoir* ne fut autorisée qu'après l'épreuve d'une représentation privée. *La Partie de chasse de Henri IV* de Charles Collé se heurta à une opposition de quinze ans : comme toutes les pièces dont ce roi populaire était le héros, l'œuvre contenait une critique indirecte du monarque régnant. Jouée dès 1762 chez le duc d'Orléans, elle dut attendre l'avènement de Louis XVI, en 1774, pour obtenir l'autorisation du gouvernement : double symbole de la destinée politique de la pièce. Renonçant d'avance aux honneurs de la scène, Mercier ne publie que pour les lecteurs, et sous le couvert de la clandestinité, ceux de ses drames historiques qui, comme *La mort de Louis XI* ou *Jean Hennuyer, évêque de Lizieux* (Texte III), sont les plus chargés d'allusions politiques ou religieuses. La révolution et le décret sur la liberté des théâtres, en 1791, révélèrent bien des œuvres subversives auxquelles seule la passion politique pouvait prêter un éphémère intérêt d'actualité.

Triomphe du drame   Malgré tant de résistances, le drame répondait trop aux préoccupations et à la sensibilité de l'époque pour ne pas triompher de toutes les réticences littéraires ou politiques. Un bonheur inégal, des mésaventures répétées, n'infléchirent pas une évolution dramatique si étroitement liée au mouvement des esprits. *Tout au long de la deuxième moitié du siècle, la fréquence et la faveur du drame sont en progression constante*, tandis que le déclin des genres classiques ne cesse de s'affirmer. « Le temps de la révolution est arrivé, écrit triomphalement Mercier dans son *Nouvel Examen de la tragédie française*, elle est commencée depuis quelque temps dans tous les bons esprits. »

Si le drame a conquis les applaudissements du public, les plus hautes autorités littéraires ne restent pas indifférentes à sa réussite. L'élection académique de Marmontel, Saurin, Sedaine, tous favorables aux idées nouvelles, équivaut à la consécration officielle du genre. Dans leur discours de réception, Buffon en 1775, Condorcet en 1782, louent hautement les ambitions et les réalisations du drame. Auprès de si élogieuses approbations, confirmant l'admiration spontanée du public, que comptaient les railleries des journalistes réactionnaires, la bouderie de quelques acteurs et les criardes protestations de pédants fidèles aux traditions classiques ?

A aucun moment, le drame n'a suscité les véhémentes batailles qui jalonneront l'histoire du drame romantique. Aucune « première » ne marqua la victoire ou la défaite définitive du genre. Si le triomphe ne fut jamais exaltant, si la faveur s'imposa lentement, au moins la conquête de l'opinion demeura-t-elle constamment progressive, et le succès se révéla-t-il durablement acquis. Un tel renversement des traditions les plus fermement fondées ne s'explique que par la complicité latente du public et une évolution spontanée du goût. Dans l'histoire du théâtre au XVIIIe siècle, *la théorie n'a pas précédé les œuvres, mais seulement érigé en système les tendances instinctives du drame moderne*. Les manifestes comptèrent moins que les pièces : aussi ce théâtre demeure-t-il inséparable de la génération de philosophes et d'âmes sensibles qui permirent son éclosion et favorisèrent son essor.

Ce théâtre vivant est aussi un théâtre mouvant, à la recherche de sa forme. Sollicité par des traditions et des tendances très diverses, le drame est une expérience dramatique hardie, dont les recherches et les fluctuations obéissent à un légitime désir de modernité et d'originalité. Si contestables que paraissent au lecteur moderne — car il n'y a plus guère de spectateurs ! — les principes esthétiques du drame, les auteurs du XVIIIe siècle ont cependant tenté de créer un art dramatique dont il importe de définir les ambitions et les limites.

2. Le réalisme dramatique

Malgré la diversité des œuvres et la multiplicité des théories, le drame au XVIIIe siècle obéit dans son ensemble à un programme cohérent. Adapté aux exigences d'un public bourgeois ou populaire, *il réunit les trois vertus cardinales de vérité, sensibilité, moralité,* propres à flatter le triple instinct de réalisme, d'attendrissement et de sécurité qui préserve le confort intellectuel et moral du spectateur.

L'ambition majeure du drame est une restauration de la vérité sur la scène. Non pas la vérité de Racine et de Molière, vérité abstraite et profonde, vérité d'excellence d'autant plus pure qu'elle est plus dépouillée des scories de la réalité : mais la vérité concrète, particulière, quotidienne, la rugueuse, banale et imparfaite vérité de l'existence. Rarement dans l'histoire des Lettres l'on vit pareille fidélité de principe à la doctrine aristotélicienne de la μίμησις. Les dramaturges du XVIIIe siècle, si prompts à rejeter les entraves des règles et à incriminer la servilité des Classiques à l'égard du vieux théoricien, se doutèrent-ils jamais de leur propre conformisme, de leur scrupuleuse soumission à l'axiome fondamental de la *Poétique* ? « Ut pictura poesis », auraient-ils dit plus volontiers : à condition toutefois que la peinture ne se hasarde pas dans d'aventureuses recherches de couleur ou de dessin, que le tableau ne rappelle rien de la palette et offre la plus exacte reproduction de la réalité. Le théâtre doit être, selon Beaumarchais, « le tableau fidèle des actions des hommes[1] » (Texte 3). Mercier fait écho : « On peut définir la poésie dramatique l'imitation des choses, et surtout celle des hommes[2] » (Texte 6). En un langage qui évoque, mais non sans de frappantes dissonances, certaines formules classiques, Diderot exprime dans *Les Bijoux indiscrets* le credo du drame réaliste : « Je n'entends point les règles, continua la favorite, et moins encore les mots savants dans lesquels on les a conçues ; mais je sais qu'il n'y a que le vrai qui plaise et qui touche. Je sais encore que la perfection d'un spectacle consiste dans l'imitation si exacte d'une action, que le spectateur, trompé, sans interruption, s'imagine assister à l'action même[3]. »

L'illusion dramatique

Car *le but suprême de l'imitation est l'illusion.* C'est l'authenticité de l'illusion qui garantit l'achèvement de l'imitation. Le théâtre tend ainsi vers une pure transparence, et sa perfection réside dans son propre effacement : la rampe abolie, tout voile levé, la fiction triomphe dans l'oubli de ses mensonges. Tel est l'aboutissement du théâtre réaliste, et tel le principe du drame. Les plus clairvoyants parmi les auteurs sauvegardent les droits de la stylisation

---

1. BEAUMARCHAIS, *Essai sur le genre dramatique sérieux.*
2. MERCIER, *Du théâtre,* chap. VIII.
3. DIDEROT, *Les Bijoux indiscrets,* chap. XXXVIII.

dramatique : comme plus tard Hugo dont il annonce tant de traits, Mercier proscrit « cette imitation absolue, qui enlèverait à l'art ses ressources et sa couleur magique[1] ». Mais la plupart ignorent ou réprouvent cette « infidélité à la vie » en laquelle Thierry Maulnier voit la marque du théâtre racinien[2], et qui est en réalité le fondement même de tout art dramatique. « Entre la loge et la scène », loin de dresser l'obstacle magique de la rampe ou du rideau, ils créent une confusion, recherchent une ressemblance, établissent un jeu de miroir. La scène n'est que le prolongement de la salle, le lieu où se déroule un épisode de la vie quotidienne. Contrairement au précepte racinien, le héros du drame ne doit pas être regardé « d'un autre œil[3] » que nous regardons l'homme de la rue : dépouillé de toute dignité et de toute distance, il doit offrir au spectateur un visage actuel et familier, le visage humain sans aucun masque.

La fusion des tons

Dans la mesure où tragédie et comédie sont deux formes d'art, c'est-à-dire de stylisation et, selon la formule de Gide, d' « exagération »[4], l'esthétique du drame leur est également opposée. La distinction même des genres est contraire au principe de fidélité aux aspects quotidiens de l'existence : la pureté et la rigueur tragiques, la gratuité et la fantaisie comiques, sont incompatibles avec la lourdeur et l'inachevé de l'expérience vécue. La grimace comique n'est pas moins inhumaine que l'héroïsme tragique : ce sont deux formes de dérobade devant l'infinie complexité du vrai. A la facilité d'une monochromie aux tons criards, le drame oppose les subtilités du dégradé, les finesses d'un délicat mariage des couleurs. Car la brutale juxtaposition de genres opposés ne vaut pas mieux que l'uniformité de ton. Les théoriciens sont unanimes à condamner un mélange hétérogène dont les éléments se heurtent sans se fondre. Diderot comme Mercier reconnaissent l'irréductibilité des genres extrêmes et réprouvent les impurs contrastes de la tragi-comédie. Plus exigeants que leurs successeurs romantiques, plus étroitement fidèles aux principes du réalisme, *ils renoncent aux prestiges du sublime comme aux attraits du grotesque*, ne croient pas trouver la vérité dans le rapprochement des extrêmes, mais dans les zones intermédiaires de la vie et de l'âme. L'art consiste non pas à peindre les formes paroxystiques de la passion ou l'exaspération exceptionnelle des caractères, mais à saisir la perpétuelle instabilité de l'être, les fluctuations du cœur et les nuances de la nature (Textes 6 et 7).

**La peinture
du monde moderne**

Ce parti-pris de réalisme impliquait *une nouvelle orientation dans le choix des sujets et des personnages*. Plus de héros ni de demi-dieux, de royaumes éloignés ni de princesses de légende, de conquêtes ou d'exploits fabuleux. De tous ces vieux oripeaux de l'arsenal tragique, la Déclaration des Droits du spectateur moderne

---

1. MERCIER, *Du théâtre*, chap. XII.
2. THIERRY MAULNIER, *Racine* (Paris, Gallimard, 1958), **chap. II**, p. 54.
3. RACINE, Préface de *Bajazet*.
4. André GIDE, *Journal* 1889-1939, Bibliothèque de La Pléiade, p. 33.

a purgé la scène : « Que me font à moi, sujet paisible d'un État monarchique du XVIIIe siècle, les révolutions d'Athènes et de Rome ?[1] » (Texte 3). Le drame sera l'épopée du monde moderne, et le dramaturge son héraut. Dans son *Nouvel Examen de la tragédie française*, Mercier, avec un enthousiasme de Renaissant, exalte l'immense et grandiose fresque offerte au pinceau du dramaturge moderne : « Quoi ! nous sommes au milieu de l'Europe, scène vaste et imposante des événements les plus variés et les plus étonnants, et nous n'aurions pas un art dramatique à nous ! et nous ne pourrions composer sans le secours des Grecs, des Romains, des Babyloniens, des Thraces etc... nous irions chercher un Agamemnon, un Œdipe, un Oreste etc. Nous avons découvert l'Amérique, et cette découverte subite a créé mille nouveaux rapports ; nous avons l'imprimerie, la poudre à canon, les postes, la boussole, etc., et avec les idées nouvelles et fécondes qui en résultent, nous n'aurions par un Art dramatique à nous ! Nous sommes environnés de toutes les sciences, de tous les arts, miracles multipliés de l'industrie humaine ; nous habitons une capitale peuplée de huit cent mille âmes, où la prodigieuse inégalité de fortunes, la variété des états, des opinions, des caractères, forme les contrastes les plus énergiques ; et tandis que mille personnages nous environnent avec leurs traits caractéristiques, appellent la chaleur de nos pinceaux et nous commandent la vérité, nous quitterions aveuglément une Nature vivante, où tous les muscles sont enflés et saillants, pleins de vie et d'expression, pour aller dessiner un cadavre Grec ou Romain, colorer ses joues livides, habiller ses membres froids, le dresser sur ses pieds tout chancelant, et imprimer à cet œil terne, à cette langue glacée, à ces bras raidis, le regard, l'idiome et les gestes qui sont de convenance sur les planches de nos tréteaux ! »

La tragédie domestique

Un tel programme dépassait les ambitions — et le talent — de la plupart. Tout au plus le drame fera-t-il une place à quelques grandes affaires contemporaines, comme le procès de Calas. Plus modestement *le théâtre s'attachera à peindre les humbles péripéties de l'existence moyenne*. Dans la *Lettre modérée* qui préface *Le Barbier de Séville*, Beaumarchais justifie ses « deux tristes drames », *Eugénie* et *Les Deux amis*, contre les préventions d'une critique retardataire et traditionaliste, aveugle à la touchante beauté du pathétique quotidien : « entre la tragédie et la comédie, on n'ignore plus qu'il n'existe rien ; c'est un point décidé, le maître l'a dit, l'école en retentit, et pour moi j'en suis tellement convaincu que, si je voulais aujourd'hui mettre au théâtre une mère éplorée, une épouse trahie, une sœur éperdue, un fils déshérité, pour les présenter décemment au public, je commencerais par leur supposer un beau royaume où ils auraient régné de leur mieux, vers l'un des archipels, ou dans tel autre coin du monde ; certain, après cela, que l'invraisemblance du roman, l'énormité des faits, l'enflure des caractères, le gigantesque des idées et la bouffissure du langage, loin de m'être imputés à reproche, assureraient encore mon succès. Présenter des hommes d'une condition moyenne accablés et

---

1. BEAUMARCHAIS, *Essai sur le genre dramatique sérieux*.

dans le malheur ! Fi donc ! on ne doit jamais les montrer que bafoués. Les citoyens ridicules et les rois malheureux, voilà tout le théâtre existant et possible et je me le tiens pour dit, c'est fait ; je ne veux plus quereller avec personne. » La tragédie moderne ne sera donc ni la tragédie mythologique de la Grèce, ni la tragédie antique du classicisme, ni la tragédie héroïque du XVIIIe siècle, mais, selon une formule chère à Diderot, une « tragédie domestique », retraçant les inquiétudes familières et les malheurs coutumiers de la vie quotidienne. Revers de fortune, conflits familiaux, drames conjugaux, soucis professionnels, déchéances intimes, héroïsmes cachés, constitueront l'inépuisable et monotone fonds du nouveau répertoire (Textes I, IV, V). *Le Fils naturel, Le Père de famille, Le Déserteur, Les Deux amis, L'Indigent*, ces titres de Diderot, Sedaine, Beaumarchais, Mercier, caractérisent le registre courant du drame. Si le romanesque de l'intrigue, la multiplicité des reconnaissances, l'invraisemblance des situations, semblent contredire les exigences de vérité, si ces drames n'ont pas toujours su, selon le précepte de Mercier, « éviter tout ce qui sent le roman », au moins se sont-ils appliqués à respecter le cadre de l'existence quotidienne, à représenter « un beau moment de la vie humaine, qui révèle l'intérieur d'une famille[1] » (Texte 7).

La peinture des conditions

Tandis que la dignité tragique et la fantaisie comique isolent le héros de tout contexte réel et le dépouillent de toute servitude matérielle, le drame s'efforce de saisir l'individu ou le groupe dans l'exercice le plus concret de leurs facultés, dans le vaste et dense réseau de leurs relations personnelles et sociales, dans l'étroit carcan des nécessités premières. Tel est le sens de cette peinture des « conditions » que Diderot et Mercier opposent à celle des caractères (Textes 2 et 7). Substituer la condition au caractère, ce n'est pas sacrifier la psychologie au pittoresque ni l'intimité à l'apparence, mais c'est *préférer le concret à l'abstrait, le particulier à l'universel, le réel au vrai, les hommes à l'Homme ;* c'est tenter de restaurer sur la scène la complexité aux dépens de la pureté, la saveur du vécu sans les prestiges du rêve. Ainsi s'expliquent les tentatives de Diderot dans *Le Père de famille* (Texte I), de Mercier dans *Le Juge*, de Beaumarchais dans *Les Deux amis, ou Le Négociant de Lyon*. Parmi ces diverses conditions, une place de choix doit être réservée à celles dont la gravité, l'éclat et l'actualité offrent au public bourgeois l'image la plus flatteuse de lui-même : ainsi le rôle du négociant fut appelé dans le drame à une singulière fortune. Le Vanderk du *Philosophe sans le savoir* (Texte II), l'Aurelly des *Deux amis*, le Delomer de *La Brouette du vinaigrier*, sont trois dignes représentants de cet « état » dont la puissance financière et sociale fascine la bourgeoisie commerçante du XVIIIe siècle. Mais aucun choix arbitraire, aucune dignité conventionnelle, ne doit restreindre le champ de l'observation : auprès de la bourgeoisie d'affaires et des charges privilégiées, le drame accueille démocratiquement les simples artisans et les plus humbles métiers. « On n'a mis sur la scène jusqu'à présent, écrit Mercier, que les hommes que l'on voit

1. MERCIER, *Du théâtre*, chap. IX.

sur celle du monde ; il reste à y mettre ceux qui vivent dans l'obscurité[1]. »
(Texte 7) Le drame gagnera en pittoresque, en diversité et en profondeur
à montrer « la navette, le marteau, la balance, l'équerre, le quart de cercle,
le ciseau ». Bravant l'indignation des délicats, Mercier donnera l'exemple en
faisant rouler sur la scène *La Brouette du vinaigrier* (Texte IV).

Le réalisme scénique

La vérité du spectacle ne tient pas moins à
l'animation de la scène qu'à l'humanité
des personnages. Secondant en cela l'effort de Voltaire dans la tragédie, les
auteurs de drames furent très attentifs à doter leurs pièces de la vie scénique.
Leur conception du théâtre est plus dramatique que littéraire : « On juge
trop des pièces de théâtre dans la solitude du cabinet, écrit Mercier... Mais
il faut avouer (quoi qu'on exige aujourd'hui), que le drame est fait pour la
représentation, et non pour la lecture[2]. » *Dans l'art dramatique du XVIIIᵉ siècle,
le décor, le costume, mais aussi le jeu, la mimique, la déclamation, prennent
une place privilégiée.* Au lieu abstrait de la pièce classique succède le cadre
vivant du drame, souvent précisé par les indications les plus minutieuses.
Le troisième acte de *La Partie de chasse de Henri IV* nous introduit
dans « l'intérieur d'un meunier » : « L'on voit au fond une table longue de
cinq pieds sur trois et demi de largeur, sur laquelle le couvert est mis. La
nappe et les serviettes sont de grosse toile jaune ; à chaque extrémité, une
pinte en plomb. Les assiettes, de terre commune. Au lieu de verres, des
timbales et des gobelets d'argent, pareils à ceux de nos bateliers ; des
fourchettes d'acier. Sur le devant, deux escabelles, près de l'une est un rouet
à filer, au pied de l'autre est un sac de blé sur lequel est empreint le nom de
Michau[3]. » Dans *L'Indigent*, Mercier entend suggérer la misère par le décor :
« Le théâtre représente une misérable salle basse sans cheminée. Les tabourets
sont dépaillés. Les meubles sont d'un bois usé. Un morceau de tapisserie
cache un grabat. On voit d'un côté un métier de tisserand ; au-dessous d'un
vitrage vieux, dont la moitié est réparée avec du papier, on aperçoit dans un
petit cabinet, dont la porte est entrouverte, le pied d'un petit lit[4]. »

La pantomime

*Mais le décor importe peu auprès de la
mimique.* Diderot consacre à la pantomime
l'un des plus longs chapitres de son essai *Sur la poésie dramatique :* « J'ai dit
que la pantomime est une portion du drame ; que l'auteur s'en doit occuper
sérieusement ; que si elle ne lui est pas familière et présente, il ne saura ni
commencer, ni conduire, ni terminer sa scène avec quelque vérité ; et que le
geste doit s'écrire souvent à la place du discours. J'ajoute qu'il y a des scènes
entières où il est infiniment plus naturel aux personnages de se mouvoir
que de parler[5]. » Dans ses drames, Diderot se plaît à noter chaque détail des

---

1. MERCIER, *Du théâtre*, chap. IX.
2. MERCIER, *Du théâtre*, chap. XXV.
3. COLLÉ, *La Partie de chasse de Henri IV*, acte III.
4. MERCIER, *L'Indigent*, acte I.
5. DIDEROT, *Sur la poésie dramatique*, chap. XXI.

attitudes et des expressions, à insérer dans la trame du dialogue de véritables scènes muettes, des « tableaux » à la manière de Greuze où le geste est plus éloquent que la parole (Texte 1). Beaumarchais va même jusqu'à tenter, dans *Eugénie*, de relier les actes par des « jeux d'entr'acte » qui masqueraient l'artificielle rupture de l'action : « Tout ce qui tend à donner de la vérité, explique-t-il, est précieux dans un drame sérieux, et l'illusion tient plus aux petites choses qu'aux grandes[1]. » De telles recherches ne sauraient paraître puériles aux dramaturges et metteurs en scènes modernes qui, bien que plus conscients du caractère conventionnel du théâtre, n'en ont pas moins tenté d'accroître dans la représentation la part du spectacle et de prêter au texte la vie du geste et l'éclat de la décoration.

Le langage prosaïque

L'ultime problème du réalisme dramatique est celui du langage. *L'exigence de vérité et de naturel devait nécessairement conduire le drame vers la prose.* Dès 1730, La Motte avait tenté d'introduire la prose dans sa tragédie d'*Œdipe* : mais Voltaire au nom du plaisir poétique, Beaumarchais au nom de la grandeur épique, sont unanimes à condamner cette innovation. Dans les *Entretiens*, Diderot, sans aborder de front le problème, reconnaît que « la tragédie domestique [lui] semble exclure la versification[2] » et appelle de ses vœux « le premier poète qui nous fera pleurer avec de la prose[3] ». *Le Fils naturel* et *Le Père de famille* avaient résolu expérimentalement le problème. Beaumarchais opte aussi en faveur de la prose dans ses œuvres dramatiques et justifie son choix dans son *Essai sur le genre dramatique sérieux* : « Le genre sérieux, qui tient le milieu entre les deux autres, devant nous montrer les hommes absolument tels qu'ils sont, ne peut pas se permettre la plus légère liberté contre le langage, les mœurs ou le costume de ceux qu'il met en scène. » Au nom du naturel, de la vérité et de l'illusion, il n'admet donc dans le drame que « le langage vif, pressé, coupé, tumultueux et vrai des passions » (Texte 5). C'est encore Mercier qui, dans son *Nouvel Essai sur l'art dramatique*, apporte les analyses les plus riches et devance singulièrement les développements du *Racine et Shakspeare* de Stendhal. Dénonçant la « tyrannie de la rime » et « l'enchantement » du vers comme également nuisibles au naturel et à l'illusion dramatiques, refusant d'entendre l'acteur dans le personnage et le poète dans son chant, il engage les auteurs à « perfectionner la prose » et à renoncer aux artifices du vers : « Ce n'est pas le *langage des Dieux* mais le langage des hommes qu'il faut produire sur le théâtre ; puisque ce sont des hommes qui parlent, il faut revêtir le drame de la diction qui lui convient[4]. » Ces conceptions ont généralement prévalu : si bien des drames demeurent versifiés, la plupart des chefs-d'œuvre du genre, les pièces de Diderot, Sedaine, Beaumarchais, Mercier, ont imposé la prose sur la scène et, là encore, frayé la voie au théâtre contemporain.

---

1. BEAUMARCHAIS, *Eugénie*, acte I, « jeu d'entr'acte ».
2. DIDEROT, *Entretiens avec Dorval*, 3e entretien.
3. DIDEROT, *Entretiens avec Dorval*, 2e entretien.
4. MERCIER, *Du théâtre*, chap. XXVI.

3. L'esthétique de la sensibilité

Quelle que soit son importance dans l'esthétique du drame, la vérité des sujets, des caractères et du langage n'est qu'un moyen au service d'une fin. L'éternelle règle du théâtre est de plaire et de toucher, et seuls varient, en fonction des exigences du public, les procédés mis en œuvre pour obtenir l'adhésion des spectateurs. Or le spectateur du XVIIIe siècle, noble ou bourgeois, attend d'être ému et convaincu. *L'attendrissement et la persuasion sont les buts suprêmes du drame,* et la vérité des personnages et des dialogues n'a d'autre mérite que de susciter cette émotion et ce consentement. Loin d'être une fin en soi, le réalisme dramatique n'est donc qu'un instrument au service du pathétique et du didactisme.

Le postulat du drame est l'identité de l'émotion théâtrale et de l'émotion quotidienne. Les larmes versées au théâtre sont celles mêmes que nous verserions sur un événement semblable survenu dans la vie. Telle est la donnée fondamentale du problème, ainsi résumée par Beaumarchais : « Est-il permis d'essayer d'intéresser un peuple au théâtre et de faire couler ses larmes sur un événement tel qu'en le supposant véritable et passé sous ses yeux entre des citoyens il ne manquerait jamais de produire cet effet sur lui ?[1] » Le drame sera donc d'autant plus émouvant qu'il retracera des malheurs plus communs, dont les coups menacent ou affectent chacun de nous. C'est l'erreur du poète tragique, pense Beaumarchais, de croire que l'horrible et l'extraordinaire touchent plus que le banal et le familier. La source de l'intérêt dramatique réside dans le sentiment universel de communion, de sympathie avec le personnage souffrant, et c'est « un principe certain de l'art qu'il n'y a ni moralité ni intérêt au théâtre sans un secret rapport du sujet dramatique à nous ». L'attendrissement du spectateur est donc la suprême réussite du drame, car il garantit la vérité et la moralité du sujet (Texte 3).

L'attendrissement   *Le véritable plaisir du théâtre est le plaisir des larmes.* La terreur et la pitié tragique oppressent le cœur sans l'émouvoir profondément. Le rire continu dessèche au lieu de détendre. Mais l'âme sensible trouve dans l'attendrissement la source de jouissances bouleversantes et exaltantes. La gratuité du spectacle offre l'unique alliance de l'émotion de l'âme dans la sécurité de l'esprit, de l'assouvissement de la sensibilité et de la compassion dans la tranquillité de la conscience et la satisfaction de soi : « Les larmes qu'on verse au théâtre, écrit Beaumarchais dans la préface de *La Mère coupable,* sur des maux simulés qui ne font pas le mal de la réalité cruelle, sont bien douces. » Le pathétique

---

1. BEAUMARCHAIS, *Essai sur le genre dramatique sérieux.*

du drame bourgeois réalise à sa manière cette alliance du mouvement et du repos, de l'exaltation et de la sérénité, de l'effusion et de la paix, qui est le secret du bonheur tel que le conçoivent les âmes sensibles du XVIIIe siècle (Texte 4).

Innombrables sont les jouissances de la sensibilité. Le tableau des malheurs de la vertu n'est pas moins attendrissant que celui de son triomphe. Le drame aime à faire alterner ces deux spectacles également émouvants et édifiants. Dans *Eugénie, Les Deux amis, La Mère coupable* (Texte V), Beaumarchais fait succéder aux souffrances des bons le repentir des méchants, et tout finit, sinon par des chansons comme dans *Le Mariage de Figaro*, du moins par la réconciliation générale et des promesses de bonheur. La plupart des drames du XVIIIe siècle ne sont dramatiques que dans le nœud de l'intrigue, et le dénouement appelle non le rire impur et immoral, mais ces larmes de joie qui, succédant aux voluptés de la compassion, portent à son comble la douce émotion de l'attendrissement.

Le pathétique et l'horreur

Pour accentuer le pathétique et exciter la sensibilité, l'auteur ne reculera pas devant les scènes violentes et fera appel à *la puissance émotive du spectacle*. Foin des timidités de la décence, des pudeurs de la bienséance, qui ne font que limiter le plaisir dramatique et affadir l'émotion théâtrale. « S'il se présente une scène pathétique, écrit Mercier dans son *Nouvel essai*, le poète doit la saisir de préférence. Rien n'entre plus avant dans le cœur de l'homme que la pitié. Est-il un mouvement plus délicieux que de sentir son âme s'écouler, se fondre sous les impressions de cette passion généreuse ? Où est le malheureux qui n'a pas senti cette douce et intime chaleur, qui dilate la partie de nous-même la plus auguste et la plus sensible ? Si vous avez à me faire entendre les soupirs de l'infortuné, amenez-le sous mes yeux, que je voie les lambeaux qui le couvrent, que j'entende ses gémissements : cet œil sombre, cette pâleur qui couvre ce corps tremblant, ces cheveux qui cachent ce front baissé, me dérobent le visage d'un frère... Je les écarte, je tombe dans ses bras, je pleure, et je sens avec volupté que je suis homme ! »[1]. Récusant les délicatesses du goût féminin, Mercier veut entrouvrir la scène aux bas-fonds de la misère humaine : « Je mépriserai donc ces froids critiques, qui savent tout hors l'art de sentir vivement ; et que n'ai-je assez de talent pour porter sous les yeux du riche le tableau d'un hôpital, où souvent celui-ci a abandonné son bienfaiteur ou son père ? Je ferais frémir le cœur que la compassion la plus vulgaire n'a jamais pu ébranler. En offrant l'histoire de tant de dureté, le bonheur des méchants, ou, pour mieux dire, leur calme affreux, serait du moins interrompu pendant quelques heures. Un hôpital ! dira-t-on ?... Oui, et si l'on me fâche je transporterai la scène à Bicêtre. Je révélerai ce qu'on ignore, ou ce qu'on oublie[1]. » A défaut de tant d'audace, Mercier a cependant montré le misérable foyer de *L'Indigent* et fait frémir les spectateurs par le

---

1. MERCIER, *Du théâtre*, chap. XI.

sombre dénouement du *Déserteur*, si sombre, raconte-t-on, qu'à la prière de la reine Marie-Antoinette, plus qu'à demi pâmée d'horreur, l'on dut soustraire in extremis le héros au peloton d'exécution que commandait son propre père. Dans cette voie, Mercier demeure très réservé auprès de Baculard d'Arnaud, champion du « genre sombre », qui, dans la préface du *Comte de Comminges*, promet au spectateur des « horreurs délicieuses pour l'âme ». Le pathétique macabre de son *Euphémie* (1768) et les lugubres horreurs du *Comte de Comminges*, représenté en 1790, ne provoquent plus les larmes mais les convulsions. Le goût morbide de l'émotion forte, flatté déjà par les tragédies de Crébillon, exacerbé par les drames noirs de de Belloy et Baculard d'Arnaud, acheminait peu à peu le théâtre et le public vers les poignants attraits du mélodrame.

4. La moralité

Sensibilité et moralité

Malgré cette recherche de l'horreur et ce recours aux puissances émotives du spectacle, *le pathétique du drame n'est jamais pur, il s'y mêle toujours une intention morale.* Déjà en 1732, dans la préface du *Glorieux*, Destouches rappelait le précepte d'Horace : « Omne punctum tulit qui miscuit utile dulci. » Plus que jamais le théâtre est considéré comme un enseignement vivant, une école de grandeur d'âme, où la sensibilité ne doit être émue que pour ouvrir le cœur aux leçons de la vertu. « Qu'est-ce que l'art dramatique? écrit Mercier. C'est celui qui par excellence exerce toute notre sensibilité, met en action ces riches facultés que nous avons reçues de la nature, ouvre les trésors du cœur humain, féconde sa pitié, sa commisération, nous apprend à être honnêtes et vertueux[1]. » Dans son discours *Sur la poésie dramatique*, Diderot consacre un chapitre au « drame moral », un autre au « drame philosophique[2] ». L'objet d'une composition dramatique, déclare-t-il dans le troisième *Entretien*, est « d'inspirer aux hommes l'amour de la vertu, l'horreur du vice ». La violence de l'émotion sera donc justifiée dans la mesure où elle garantit la profondeur de l'impression et la portée de la leçon. Car jamais autant qu'au XVIIIᵉ siècle la sensibilité n'a été investie d'une aussi souveraine efficacité morale. La vertu est fille du cœur plus encore que de la raison. Malgré l'argumentation de Rousseau qui, dans la *Lettre à d'Alembert*, dénonce le sophisme et l'hypocrisie d'une bonne conscience acquise à peu de frais, les auteurs dramatiques ne cessent de lier sinon de confondre sensibilité et bonté, attendrissement et vertu. « On pourrait juger de l'âme de chaque homme, écrit imperturbablement Mercier, par le degré d'émotion qu'il manifeste au théâtre[3]. » Beaumarchais ne raisonne pas autrement dans son

---

1. MERCIER, *Du théâtre*, chap. I.
2. DIDEROT, *Sur la poésie dramatique*, chap. III et IV.
3. MERCIER, *Du théâtre*, chap. I.

Essai sur le genre dramatique sérieux : « Je sors du spectacle meilleur que je n'y suis entré, par cela seul que j'ai été attendri » (Texte 4). La préface de *La Mère coupable* exploite le même thème : « On est meilleur quand on se sent pleurer. On se trouve si bon après la compassion. »

La leçon morale
Le drame sera donc la parabole de l'évangile philosophique et bourgeois. « Le drame, écrivait Mercier, ne doit pas être un cours de morale ; mais je ne hais point qu'elle y soit répandue ; dût-on en blâmer un peu la profusion[1]. » Jamais souhait ne fut mieux exaucé. *Tout le drame du XVIIIe siècle retentit de l'hymne à la vertu :* « Ne vivre, ne respirer que pour elle ; s'enivrer de sa douce vapeur ; et trouver la fin de ses jours dans cette ivresse ![2] » L'exaltation de Constance, dans *Le Fils naturel*, donne le ton, et les disciples de Diderot le suivront dans cette voie. Les deux premiers drames de Beaumarchais résonnent des mêmes louanges ; *Eugénie* s'achève sur cette édifiante moralité : « N'oubliez donc jamais qu'il n'y a de vrais biens sur la terre, que dans l'exercice de la vertu[3]. » Dans *les Deux Amis*, l'euphorie du dénouement ne fait pas oublier les bienfaits de la leçon : « Quelle joie, mes amis, de penser qu'un jour aussi orageux pour le bonheur, n'a pas été tout à fait perdu pour la vertu[4]. » Les héros du drame sont tous d'honnêtes gens que la malchance ou l'imprudence ont placés dans une situation délicate ou douloureuse, mais dont la probité et les mérites triompheront de tous les obstacles. Certaines âmes, égarées par la passion ou l'ambition, mais touchées par l'exemple de leurs victimes, céderont à la spontanéité de leur nature et retrouveront le droit chemin de la vertu. Les pervers, que la bassesse ou la méchanceté rend insensibles aux attraits d'une vie vertueuse, sombreront dans le ridicule ou l'ignominie. Quelques titres donnent la mesure de cet engouement pour le spectacle attendrissant de la bonté : à quelques années d'intervalle, Florian donne successivement *Le Bon Ménage, La Bonne Mère, Le Bon Fils* et *Le Bon Père*. Dans la liste des drames reviennent constamment des sous-titres significatifs : *La Femme comme il y en a peu, La Fille comme il y en a peu, Le Père comme il y en a peu* etc. *La Vertu persécutée* et *La Vertu récompensée* forment les deux volets d'un diptyque que résume symboliquement le sous-titre du *Fils naturel : Les Épreuves de la vertu.*

La leçon sociale
Cette leçon de morale bourgeoise ne constitue pas le seul enseignement du drame au XVIIIe siècle. Des vertus familiales, le ton s'élève parfois jusqu'aux vertus sociales, et le drame délaisse l'exaltation de l'idéal personnel pour combattre le préjugé universel. Ainsi *Le Fils naturel* prétend-il aborder une question de morale sociale qui sera soulevée à nouveau, un siècle plus tard, par Alexandre Dumas fils. *Le Philosophe sans le savoir* condamne l'absurdité

---

1. MERCIER, *Du théâtre*, chap. XII.
2. DIDEROT, *Le Fils naturel*, IV, 3.
3. BEAUMARCHAIS, *Eugénie*, V, 9.
4. BEAUMARCHAIS, *Les Deux Amis*, V, 11.

du duel qui expose deux vies sous prétexte de réparer une insolence. Plus hardi, Mercier ose poser le problème de l'inégalité des fortunes. *L'Indigent* dénonce le scandale de la misère et la dureté des riches. Dans *La Brouette du vinaigrier* (Texte IV), la légèreté du ton ne dissimule pas une vive critique de la toute-puissance de l'argent dont l'attrait divise les hommes, isole les classes et brime les intérêts du cœur. Ainsi le poète dramatique sera vraiment, selon le souhait de Mercier, le « législateur », le « bienfaiteur », « l'interprète des malheureux, l'orateur public des opprimés[1] ». Le drame ne sera plus bourgeois, mais populaire, peignant la vie laborieuse du peuple, retraçant ses souffrances et ses humiliations, exaltant sa dignité et ses vertus obscures, soutenant ses légitimes revendications, contribuant à son élévation intellectuelle et morale.

La leçon politique

A la limite, le drame s'élève du social au politique. Si Diderot et Beaumarchais se cantonnent dans les conflits familiaux et les drames du cœur, Mercier, Collé, d'autres encore entreprennent l'éducation des peuples et des rois. « L'intérêt politique, écrit Mercier dans un chapitre de son *Nouvel Essai*, ne sera pas mis à l'écart. Ces exemples frappants, qui retracent la destinée des empires et qui servent de leçons aux rois et aux hommes, ne sont pas étrangers au drame[2]. » Les auteurs du XVIIIe siècle ont pressenti tout le parti que l'histoire pouvait offrir au dramaturge épris de pensée politique. La vogue des « drames historiques », dans les dernières années de la monarchie et sous la Révolution, tient au goût éternel de l'allusion contemporaine, de la critique du présent à la lueur du passé. Ainsi *La Partie de chasse de Henri IV* n'exaltait-elle le bon roi que pour dénigrer indirectement la morgue de Louis XV : interdite par la censure, acclamée à l'avènement de Louis XVI, elle symbolise par sa destinée théâtrale les rancœurs et les espoirs d'un peuple. *La Mort de Louis XI*, de Mercier, fustige la royauté en la personne du tyran. Plus hardiment encore, son *Jean Hennuyer, évêque de Lizieux* est un farouche réquisitoire contre l'intolérance et l'arbitraire royal : le politique ici rejoint le religieux, et le drame est l'expression de la pensée philosophique sur la tolérance et la liberté de conscience (Texte III).

La leçon philosophique

La philosophie du drame n'est autre en effet que celle des Lumières. Les préceptes moraux, politiques et religieux reposent sur les axiomes fondamentaux des « philosophes » : bonté de la Nature, liberté de l'individu, respect de la conscience, excellence de la raison, transcendance de la société. C'est au nom de ces principes que le Père de famille de Diderot comme le Vinaigrier de Mercier condamnent la réclusion des filles et la vie conventuelle, les préjugés de classe et le despotisme paternel (Textes I et IV). La morale du drame est celle de la Nature, parce que la Nature est infaillible : « Ce sont les misérables conventions qui pervertissent l'homme, et non la nature

---

1. MERCIER, *Du théâtre*, chap. I, XIII, XI.
2. MERCIER, *Du théâtre*, chap. XIV.

humaine qu'il faut accuser », écrit Diderot dans son essai *Sur la poésie dramatique*[1]. Ainsi des drames comme *La Jeune indienne* de Chamfort, illustrant le mythe du bon sauvage, opposeront-ils à la perversion du civilisé les vertus naïves de la nature. Sous le vernis mondain et les préjugés sociaux affleure en l'homme un fonds inaltérable de bonté, de moralité et d'attendrissement que le drame a pour mission de révéler et de cultiver. « Ma morale, écrit Mercier, est celle qui parle au cœur de l'homme, qui établit dans son esprit nettement et sans sophismes, les idées de la vertu et du vice, qui sans déifier les passions leur donne cette liberté qui émane du ressort primitif de la nature. Ma morale, avouée par la raison, rejette tout ce qu'elle n'adopte pas, bannit les préjugés fâcheux, embrasse des maximes simples et lumineuses, et préfère cette douceur facile et riante à cette austérité repoussante, qui traite la faiblesse comme le crime et faute de poids et de mesure invite à la révolte en passant les bornes[2]. » C'est bien là la morale « naturelle », à la fois rationnelle et instinctive, ennemie des dogmes et des interdits, que philosophes et âmes sensibles s'accordent à substituer aux « préjugés » sociaux et religieux.

5. Importance du drame

Le reflet d'un siècle

L'alliance du réalisme, du moralisme et de la sensiblerie est à la fois la marque et la tare du drame. Dès le XVIIIe siècle, des critiques avisés contestent la valeur esthétique et dramatique de ces partis pris, dénoncent l'impureté fondamentale d'un genre dont les ambitions et les techniques sont contradictoires, où le romanesque nuit à la vraisemblance, où l'attendrissement tient lieu de psychologie, où la prédication morale et philosophique altère la vérité des caractères. Le drame a-t-il même réussi à être ce tableau d'un siècle, ce témoignage sur la vie quotidienne, que ses auteurs ont espéré léguer à la postérité ? (Texte 6). Sa valeur documentaire est mince, bien inférieure à la foisonnante richesse du roman contemporain. La peinture des conditions ne s'est guère aventurée dans les zones inexplorées des activités humaines, et la vie spirituelle du siècle n'est pas mieux retracée que sa vie sociale. Mais peut-être la signification et la teneur historiques du drame ne doivent-elles pas être recherchées dans son contenu, son matériau dramatique, mais dans la nature de l'émotion dramatique qu'il entend susciter. Le drame est l'expression, l'émanation et le reflet de la société qui lui a donné naissance, non parce qu'il en offre une peinture directe, mais parce qu'il en flatte les goûts, les idées et les mœurs. C'est le succès du drame au XVIIIe siècle qui garantit la valeur de son témoignage historique. Dans cette perspective,

---

1. DIDEROT, *Sur la poésie dramatique*, chap. II.
2. MERCIER, *Du théâtre*, chap. XIX.

rien n'est plus révélateur que le drame sur l'idéal social de la bourgeoisie, le lyrisme humanitaire des esprits éclairés, le moralisme ostentatoire des philosophes. Mais par-dessus tout, *le ton et le style du drame sont l'éloquent témoignage de la sensibilité du siècle*, de son irrésistible propension à l'attendrissement, de son goût effréné des larmes, de sa passion de sentiment, de son invincible tendance à confondre les voluptés de l'émotion et les joies de la conscience. A cet égard, le théâtre du XVIIIe siècle n'est pas moins significatif que son roman, et les larmes du spectateur, comme celles du lecteur, révèlent l'âme du siècle.

La postérité du drame L'intérêt documentaire du drame ne rachète évidemment pas sa médiocrité esthétique, mais l'échec littéraire du genre n'a pas compromis le succès de sa formule dramatique. Loin d'être un phénomène isolé et sans lendemain, une parenthèse dans l'histoire du théâtre français, *le drame est l'amorce de tout le mouvement dramatique contemporain*. Sa postérité est impressionnante. Du *Fils naturel* à *Hernani*, le lien semble ténu, et cependant le drame bourgeois a frayé la voie au drame romantique. Le *Nouvel Essai sur l'art dramatique* annonce bien des développements de *Racine et Shakspeare* et de la *Préface de Cromwell*. Le drame historique était promis à une brillante fortune. Les romantiques eux-mêmes ne s'y sont pas trompés, et ont reconnu en Diderot. Sedaine, Mercier, leurs authentiques précurseurs. Dans son *Histoire de l'art dramatique*, à la date du 29 mai 1848, Théophile Gautier, l'un des plus vaillants défenseurs du drame romantique, célébrera « cette école du drame vrai, inaugurée brillamment, le siècle dernier, par Diderot, Mercier et Beaumarchais[1] ». Plus franchement encore, Musset, dans un article publié à la *Revue des deux mondes* le 1er novembre 1838, reconnaîtra la dette romantique envers le drame bourgeois, auquel il accorde une place de choix dans l'évolution du théâtre français : « Lorsque Marmontel proposa de changer de décorations à chaque acte ; lorsque l'Encyclopédie osa dire que la pièce anglaise de *Beverley* était aussi tragique qu'*Œdipe ;* lorsque Diderot voulut prouver que les malheurs d'un simple particulier pouvaient être aussi intéressants que ceux des rois, tout cela parut une décadence, et tout cela n'était que la préface du romantisme[2]. » Malgré d'immenses différences dans la conception et la mise en œuvre, les caractères et le style, les principes fondamentaux du drame bourgeois — vérité, modernité, moralité — seront à la base des ambitions romantiques.

Par delà ses successeurs immédiats, c'est tout le théâtre moderne et contemporain qui apparaît en germe dans le drame bourgeois. Non seulement la comédie de mœurs, de Scribe à Émile Augier, de Henri Becque à André Roussin, dérive du drame par sa prédilection pour les héros de condition médiocre et les situations à la fois quotidiennes et romanesques, par sa technique de la tragédie domestique et l'alliance du pathétique sentimental

---

1. Th. GAUTIER, *Histoire de l'art dramatique* (Paris, Hetzel, 1858-1859), tome V, p. 273.
2. MUSSET, *Œuvres en prose*, Bibliothèque de la Pléiade, p. 916.

à l'éclat de rire. Mais l'héritage essentiel du drame semble être le goût moderne de la pièce à thèse, de la pièce philosophique et morale. Auteurs et spectateurs, unanimes à réprouver, par l'ignorance et le mépris, la manie moralisatrice du drame bourgeois, se montrent également épris de personnages symboliques et de tirades métaphysiques. Si la teneur de l'enseignement a certes bien changé depuis le XVIIIᵉ siècle, si les vertueuses extases des âmes sensibles ont perdu leur saveur auprès de consciences plus raffinées, le principe même du didactisme s'est imposé uniformément.

Le drame bourgeois est donc un événement capital de l'histoire du théâtre. La médiocrité des réalisations compte peu auprès de l'importance des ambitions et de la portée des conséquences. L'avènement du drame bourgeois clôt définitivement en France l'ère du grand théâtre classique, et rejette dans le passé les genres purs de la tragédie et de la comédie. Son succès a modelé la sensibilité et le goût du spectateur, désormais plus attentif à la vérité qu'à l'art, plus accessible à l'émotion qu'à l'admiration. Par l'originalité de ses principes et l'étendue de son influence, *le drame du XVIIIᵉ siècle peut être considéré comme la forme originelle du théâtre moderne*

LE DRAME ROMANTIQUE CHAPITRE II

1. Le mélodrame

Le drame et la Révolution

Des *Entretiens* sur *Le Fils naturel* à la *Préface de Cromwell*, du *Père de famille* à *Hernani*, la distance paraît immense. Le drame de 1830 ne naît pas spontanément du drame de 1760, et, à les confronter directement, leur filiation échappe. Mais entre des théories et des œuvres si dissemblables, l'histoire du théâtre a tissé des liens ininterrompus. *Du drame bourgeois au drame romantique, il existe une incontestable continuité historique, sociologique, esthétique.* Le bouleversement politique et social de la Révolution, loin d'entraver ou d'infléchir l'évolution de la scène française, contribua au contraire à précipiter le mouvement dans une direction déjà définie au XVIIIe siècle, à accentuer encore la courbe des tranformations dramatiques. Le drame bourgeois, par définition, s'adressait à un public plébéien, dont il peignait la condition et célébrait les vertus : la Révolution, proscrivant l'aristocratie et favorisant l'ascension du Tiers-État, remplit les théâtres d'une foule plus sensible aux malheurs du peuple qu'aux infortunes des héros antiques. Le drame bourgeois, pétri de pathétique et d'attendrissement, exigeait une salle prompte à l'émotion et aux larmes : la Révolution, inépuisable pourvoyeuse de terreur et de sang, suscite une assistance avide de situations dramatiques et de sensations fortes. Le drame bourgeois, enfin, tendait au mélodrame : la Révolution, pour un siècle, assure le triomphe du mélodrame.

Or là est le point de jonction entre les deux drames. Héritier des goûts romanesques du drame bourgeois et des audaces du genre sombre, le *mélodrame prépare l'avènement du drame romantique* en modelant un vaste public prêt à applaudir sur les scènes officielles les innovations dramatiques du romantisme. Certes d'autres influences furent à l'origine d'*Hernani* et de *Chatterton* : à partir de 1820, la vogue du théâtre historique, la découverte de Shakespeare et de Schiller, les propres manifestes du romantisme français, furent plus déterminants que le précédent du mélodrame. Mais sous la Révolution et l'Empire, en marge des hymnes patriotiques et des survivances classiques, toute la vie du théâtre s'est réfugiée sur les tréteaux du Boulevard, où triomphe ce genre éminemment populaire et empirique, étranger aux querelles littéraires et insoucieux des canons dogmatiques. Plus tard, lorsque le jeune Cénacle balbutie les premiers rudiments de son système dramatique, le mélodrame lui offre le modèle d'œuvres inlassablement acclamées par les spectateurs. Enfin, au lendemain des chefs-d'œuvre, le drame retourne au mélodrame dont il avait surgi sans jamais rompre ses racines : après *Cromwell* et *Hernani*, viennent *Marie Tudor* et *Angelo* ; après *Henri III et sa cour*, *La Tour de Nesle*, puis l'adaptation des *Trois Mousquetaires. Sous le drame ne cessera jamais d'affleurer le filon primitif du mélodrame.*

Origine du mélodrame

Ce genre, appelé à une immense fortune dramatique, est né d'un étrange mélange de pantomime et d'opérette. Le premier ouvrage baptisé de ce nom est le *Pygmalion* de Jean-Jacques Rousseau, scène lyrique représentée au Théâtre-Français en 1775. Dans ses *Fragments d'observations sur l'Alceste italien de M. le Chevalier Gluck*, Rousseau le définissait conformément à l'étymologie : « un genre de drame dans lequel les paroles et la musique, au lieu de marcher ensemble, se font entendre successivement, et où la phrase parlée est en quelque sorte annoncée et préparée par la phrase musicale[1]. » Mais dès 1802, Guilbert de Pixérécourt et Cuvelier désignent du nom de « mélo-drame » ou « mélodrame » les œuvres qu'ils intitulaient auparavant « drames en prose et à grand spectacle », « pantomimes héroïques », ou même, paradoxalement, « pantomimes dialoguées ». *La musique a donc cédé la place au spectacle, et la mimique au dialogue.* Quand le réalisme et le romanesque, l'émotion et la prédication, héritage du « genre sérieux », eurent envahi le mélodrame, le moderne drame de Boulevard était né.

---

1. Cité dans W.-G. HARTOG, *Guilbert de Pixérécourt* (thèse. Paris, Champion, 1912), p. 40.

Guilbert de Pixérécourt

Le maître du genre fut incontestablement Guilbert de Pixérécourt. « Une âme de feu, un cœur tendre, une imagination ardente, une humeur fière et indépendante[1] » : doué d'un tel caractère, cet aristocrate lorrain, jeté dans l'aventure par la tempête révolutionnaire, était promis au destin d'un héros de mélodrame. Arraché à de paisibles études de droit à l'université de Nancy, il connut brusquement l'émigration, la lutte auprès des Princes, la clandestinité, l'arrestation, l'évasion, la misère et l'amour. Après l'aventure, le succès : 94 pièces jouées, 30.000 représentations à Paris et en province, d'innombrables traductions dans les diverses langues européennes. Directeur du théâtre de la Gaîté de 1825 à 1835, il triomphe également sur le « Boulevard du crime », dont il est le dieu : « Les hommes, les enfants, les jeunes filles, les vieillards, écrit Jules Janin dans son *Histoire de la littérature dramatique*, le suivaient de loin et les mains jointes, quand il daignait se promener lui-même sur le Boulevard du Temple, enveloppé dans le velours de son manteau, et décoré de sa croix de la Légion d'Honneur. On le suivait en silence, on se le montrait d'un geste passionné : c'est lui, le voilà ! le grand punisseur de tous les crimes, le haut justicier qui lit dans les cœurs pervertis[2] ! »

Vogue du mélodrame

Comme ses rivaux Cuvelier et Caigniez, Guilbert de Pixérécourt avait délibérément choisi son public : « J'écris, disait-il, pour ceux qui ne savent pas lire. » Mais des esprits moins frustes étaient sensibles aux charmes de ces spectacles hauts en couleurs. Dans *Victor Hugo raconté par un témoin de sa vie* apparaît la prédilection de l'enfant pour le mélodrame : « On jouait un mélodrame de Pixérécourt : *Les Ruines de Babylone*. C'était très beau… Heureusement que, le lendemain, on donnait la même pièce. Ce n'était pas trop d'une seconde représentation pour en apprécier tous les détails. Cette fois, les trois frères [Hugo] ne perdirent pas un mot du dialogue et revinrent sachant les trois actes par cœur[3]. » En 1846 Gautier, auteur de *La Juive de Constantine*, entonne le même hymne de louange : « O Guilbert de Pixérécourt ! O Caigniez ! O Victor Ducange ! Shakespeares méconnus, Goethes du boulevard du Temple, avec quel soin pieux, quel respect filial, à la lueur déjà pâlissante de la lampe, cette amie nocturne qui semble travailler avec nous, nous avons étudié vos conceptions gigantesques, oubliées de la génération présente ! que de fois l'aurore nous a surpris courbé sur quelque œuvre prodigieuse comme *Les Ruines de Babylone, Hariadan Barberousse, Robert chef de brigands, l'Aqueduc de Cosenza, Tékéli*, et autres pièces admirables ! »[4]. Ce n'est point une boutade, mais *l'enthousiasme complaisant d'une génération* qu'exprime le vers célèbre :

« Vive le mélodrame où Margot a pleuré ! »

---

1. G. DE PIXÉRÉCOURT, *Théâtre choisi*, tome II, cité dans W.-G. HARTOG, *op. cit.*, p. 33.
2. Cité dans W.-G. HARTOG, *op. cit.*, p. 35.
3. *Victor Hugo raconté par un témoin de sa vie*, Paris, Librairie internationale, 1863, tome I, p. 132-133.
4. Th. GAUTIER, *Histoire de l'art dramatique*, tome IV, p. 356 (16 novembre 1846).

Les sources littéraires du mélodrame

Les créateurs du mélodrame se réclament des théoriciens du drame bourgeois, dont ils prétendent réaliser les intentions. Mais plus ambitieusement, dans une brochure intitulée *Guerre au mélodrame* (1818), Guilbert de Pixérécourt jette les yeux plus loin et plus haut. Sans renier l'héritage de Nivelle de La Chaussée, « père du drame », il croit découvrir les véritables ancêtres du mélodrame dans les œuvres d'Eschyle, de Corneille avant *Le Cid*, ou dans les comédies-ballets de Molière : toutes œuvres où se manifeste « la même tendance vers le merveilleux, le même attrait pour le plaisir des yeux », et où l'esthétique moderne est tentée de chercher le « baroque »[1]. Théâtre à sensation, théâtre à grand spectacle, *le mélodrame se range parmi toutes les formes d'art où le cœur et les sens ont plus de part que l'esprit* : par là, il est bien dans la ligne de l'esthétique du drame.

Les inspirations immédiates du mélodrame achèvent de l'apparenter au drame romantique. Parmi les sources les plus fréquemment mises à contribution par le mélodrame viennent d'abord les romans, riches d'aventures et d'incidents surprenants, mêlant la vie à la légende, l'historique au fantastique. Les œuvres les plus célèbres de Guilbert de Pixérécourt, *Coelina ou l'enfant du Mystère*, *La Femme à deux maris*, *Le Pèlerin blanc*, sont empruntées à Ducray-Duminil ; mais il exploite aussi George Sand et Nodier, Jane Porter et Walter Scott, et même la Bible et les *Mille et une Nuits*[2]. L'épopée médiévale et le « genre troubadour », en vogue sous l'Empire et la Restauration, suscitent les mélodrames moyenâgeux de Duval (*Le Prince troubadour, Le Retour du croisé)* et de Caigniez *(Richard et Bradamante ou les Quatre Fils Aymon)*. Le portrait-cachette d'*Hernani* provient peut-être d'une scène du *Raymond* de Pixérécourt[3]. Enfin, comme le drame romantique, le mélodrame est nourri du théâtre allemand. Pixérécourt lit Goethe, Schiller et Kotzebüe. « M. Kotzebüe, écrit Armand Charlemagne dans sa brochure *Le Mélodrame aux Boulevards*, est le Pixérécourt de l'Allemagne comme M. Pixérécourt est le Kotzebüe français[4] ». L'un des premiers mélodrames, le *Robert chef de brigands* de Lamartellière (1793), est une adaptation des *Brigands* de Schiller, si vantés par la critique romantique. De telles influences orientaient nécessairement le mélodrame dans le sens d'une dramaturgie spectaculaire conforme à l'esthétique du drame romantique.

La technique du mélodrame

Le mélodrame est d'abord un drame à grand spectacle. Pixérécourt est le maître de la mise en scène grandiose : un décor fantastique de châteaux forts, de ruines solitaires, de sombres forêts, crée le climat favorable aux effets de terreur. Ce goût du pittoresque n'exclut pas le souci de vérité, le désir de respecter l'exactitude des lieux, des coutumes,

---

1. W.-G. HARTOG, *op. cit.*, p. 51-54.
2. Cf. W.-G. HARTOG, *op. cit.*, ch. III.
3. Cf. Henri JACOUBET, *Le Genre troubadour et les origines du romantisme français*, Paris, Les Belles Lettres, 1929.
4. Cité dans HARTOG, *op. cit.*, p. 49.

du langage, la recherche de cette « couleur locale » chère aux romantiques. Pour satisfaire le public du Boulevard, avide de mouvement et d'émotion, le mélodrame multiplie les coups de théâtre les plus gratuits et les aventures les plus poignantes. A des péripéties fabuleuses s'ajoutent encore les prestiges du merveilleux : côtoyant les tyrans et les bandits, fantômes et vampires font du mélodrame une transposition dramatique du roman noir et du « genre frénétique » cultivé en France, à la suite d'Anne Radcliff et de Byron, par Charles Nodier. Tant d'incidents ne sauraient se dérouler sur le mode tragique : *le foisonnement même de l'action exclut l'unité de ton.* En juxtaposant le rire aux larmes, le grotesque à l'héroïque, le mélodrame imposait d'emblée sur le Boulevard ce mélange des genres que le drame romantique ne fera triompher qu'après de rudes assauts. Les niais de Pixérécourt frayaient la voie aux fous de Victor Hugo.

Pour achever d'intéresser les fibres les plus sensibles du cœur, *le mélodrame doit enfin satisfaire à la morale* par un dénouement terrible au méchant, favorable à l'innocent. Action et caractères étaient ainsi déterminés par un schématisme moral opposant en un conflit aux multiples variations les deux termes d'un éternel diptyque : la vertueuse victime, et le traître sans scrupules succombant à la fin sous les coups d'une justice imprévue et providentielle. Dans ses *Dernières réflexions de l'auteur sur le mélodrame* (1843), Pixérécourt, révolté par l'immoralité du drame romantique, assure avoir mis en œuvre dans ses pièces « des idées religieuses et providentielles et des sentiments moraux », et affirme que « le mélodrame sera toujours un moyen d'instruction pour le peuple[1]. » Ce moralisme enthousiasmait les foules au point que Charles Nodier, dans la préface du *Théâtre choisi* de Pixérécourt, considérant que le mélodrame assainissait les mœurs populaires et vidait les prisons, louait ce théâtre d'avoir pu « suppléer aux instructions de la chaire muette, et porter sous une forme attrayante, qui ne manquait jamais son effet, des leçons graves et profitables dans l'âme des spectateurs[2] ».

L'influence du mélodrame   Plaisir des yeux, goût de l'histoire et de la légende, souci d'exactitude, action mouvementée, appel aux nerfs et aux larmes, prédication morale : autant de traits par lesquels le mélodrame prépare et préfigure le drame romantique. *Public, auteurs, acteurs, se forment à l'école du Boulevard.* Les graves problèmes théoriques — unités, langage, mélange des tons — qui alimentèrent pendant vingt ans le débat entre classiques et romantiques, sont résolus sans ambages pour la joie des spectateurs. De la Révolution à *Hernani*, si l'art et la culture demeurent le privilège des salles officielles, le plaisir dramatique est ressenti plus vivement sur le Boulevard. Que manque-t-il dès lors au mélodrame pour entrer dans l'univers littéraire et forcer les portes des grands théâtres ? — Un certain sens de la mesure, l'abandon de procédés trop

---

1. Cité dans W.-G. HARTOG, *op. cit.*, p. 211-212.
2. *Ibid.*, p. 213.

grossiers, et surtout un style digne de la tradition littéraire. Dès 1804, Geoffroy, dans le *Journal des Débats*, s'inquiète de cette concurrence : le mélodrame, écrit-il, n'est qu'une « tragédie dégénérée » ; mais « si on s'avise d'écrire les mélodrames en vers et en français, si on a l'audace de les jouer passablement, si on les accompagne d'une pompe et d'un spectacle imposant, malheur à la tragédie[1] ! » De plus en plus, la cause du drame tend à se confondre avec celle du mélodrame : « La tragédie et le drame de la nouvelle école, écrit Charles Nodier, ne sont guère autre chose que des mélodrames relevés de la pompe artificielle du lyrisme[2]. » Les critiques en viennent parfois à confondre mélodrame et romantisme, à tel point qu'au lendemain de l'échec d'un mélodrame au théâtre de la Gaîté, on pouvait lire dans le *Journal des Débats* : « Les Romantiques ont été repoussés hier avec pertes au poste de la Gaîté[3]. » En 1826, si le mélodrame historique et le genre frénétique semblent en déclin, un nouveau type de mélodrame, adoptant un ton plus naturel, fondé sur l'observation des mœurs contemporaines, paraît offrir la clef de la réforme théâtrale. Un article du *Mercure du XIXe siècle*, au mois d'avril 1826, permet de mesurer l'évolution du genre : « Le mélodrame n'est plus ce qu'il était lorsqu'il sortit guindé, prétentieux et emphatique des mains créatrices de M. Pixérécourt ; il est devenu plus simple et plus naturel, il a cherché à être vrai... Les rôles de convention ont commencé à faire place aux rôles réels ; c'est ainsi que partout dans la littérature, en haut comme en bas, dans la tragédie comme dans le mélodrame, on veut de la vérité et du naturel[4] ».

Le mélodrame n'est donc ni un phénomène dramatique étranger à la littérature, ni une mode passagère due à la dépravation du goût. Né du drame bourgeois, répondant au désir profond de spectacle et d'émotion, il prépare et accompagne, dans le tumulte du Boulevard, l'éclosion du drame romantique. L'un des premiers drames de Hugo, composé dès l'adolescence, remanié et joué sans succès sous le nom de Paul Foucher en 1828, lui doit beaucoup. Cet *Amy Robsart*, en qui Gautier saluait en 1838 « un des premiers pas que l'école moderne ait fait sur le théâtre »[5], offre tout l'arsenal du mélodrame : château gothique, donjon ruiné, chambres secrètes, fantôme et oubliettes, traîtres, bouffons et nobles cœurs. Le *Henri III et sa cour* d'Alexandre Dumas, première victoire romantique à la scène, s'inspire de la même technique : l'astrologue et ses prédictions, les couloirs secrets et les enlèvements, le piège du jaloux et l'évasion de l'amant, tous les procédés du mélodrame conspirent au succès de cette histoire d'amour greffée sur une intrigue politique. *Jamais, même à l'heure des chefs-d'œuvre, Hugo ni Dumas ne pourront renier l'héritage du mélodrame.*

---

1. Cité dans René BRAY, *Chronologie du Romantisme* (Paris, Boivin, 1932), p. 2.
2. Cité dans Jean GIRAUD, *L'École romantique française* (Paris, Colin, 1927), p. 101.
3. Cité dans René BRAY, *op. cit.*, p. 20.
4. Cité dans A.-E. JENSEN, *L'Évolution du Romantisme. L'année 1826* (Genève, Droz, 1959), p. 304.
5. Th. GAUTIER, *Histoire de l'art dramatique*, tome I, p. 195.

2. Le théâtre historique

Plus éloigné de la scène, mais plus près d'accéder à la dignité littéraire, *le théâtre historique est aussi l'une des formes sous lesquelles s'imposa progressivement le drame romantique.*

Le mélodrame avait largement exploité les ressources de l'histoire médiévale ou contemporaine. Mais le goût de la tragédie nationale remonte bien plus loin. Au XVIIIe siècle Voltaire avait ouvert la voie avec *Tancrède et Adélaïde du Guesclin.* Le président Hénault, Collé, Mercier, Marie-Joseph Chénier enrichirent le répertoire des drames historiques. Au XIXe siècle, le prestige des épopées révolutionnaires et impériales, le développement des recherches historiques, surtout l'influence du théâtre allemand et du roman anglais, suscitèrent en France un goût immodéré pour le spectacle des grands événements nationaux. En 1816, l'auteur anonyme de *La Régénération du théâtre* écrit : « Nos vingt-cinq ans de gloire doivent être pour nous ce qu'était le siège de Troie pour les poètes grecs et le règne de Charlemagne pour les trouvères... Kléber, Murat, Desaix, doivent être nos Ajax, nos Achille, nos Diomède, nos Roger, nos Olivier, nos Maugis[1]... »

La tragédie historique   *La question de la tragédie historique est au cœur des premiers manifestes romantiques.*

En tête de sa traduction française de deux pièces de Manzoni, *Le Comte de Carmagnola et Adelchi,* le jeune historien Fauriel publiait en 1823 la réponse de l'auteur à l'article d'un critique parisien, Chauvet : c'est la fameuse *Lettre à M. C... sur l'unité de temps et de lieu dans la tragédie,* où le chef du romantisme italien, dépassant les limites de l'apologie personnelle, met en cause les principes mêmes de la tragédie classique et définit les canons du drame moderne. La même année, un admirateur et un ami des romantiques milanais, Stendhal, nourri des doctrines du « romanticismo », entreprend dans son *Racine et Shakspeare* un énergique plaidoyer en faveur de la tragédie nationale en prose : « Les règnes de Charles VI, de Charles VII, du noble François Ier, doivent être féconds pour nous en tragédies nationales d'un intérêt profond et durable[2] ». En 1825, dans la seconde partie de son ouvrage, il insiste encore : « J'aimerais à voir, je l'avoue, sur la scène française, la *Mort du duc de Guise à Blois,* ou *Jeanne d'Arc et les Anglais,* ou *L'Assassinat du pont de Montereau ;* ces grands et funestes tableaux, extraits de nos annales, feraient vibrer une corde sensible dans tous les cœurs français, et, suivant les romantiques, les intéresseraient plus que les malheurs d'*Œdipe*[3] ». A ces vœux font écho les déclarations de Duvergier de Hauranne

---

1. Cité dans René BRAY, *op. cit.*, p. 31.
2. STENDHAL, *Racine et Shakespeare*, préface.
3. STENDHAL, *Racine et Shakspeare*, IIe partie, lettre v.

dans *Le Globe* du 24 mars 1825 : « La tragédie historique et libre n'est pas, à coup sûr, le *romantisme* tout entier ; mais elle en est l'une des branches les plus importantes, celle peut-être vers laquelle la direction actuelle des esprits nous pousse le plus irrésistiblement, celle qui nous promet les jouissances les plus vives[1]. » Le 10 juin 1826, le ton est plus affirmatif encore : « S'il est un point sur lequel tout le monde soit aujourd'hui d'accord, c'est la nécessité de remplacer par des tragédies historiques les tragédies mythologiques et purement idéales[2] ». Stendhal exprimait vraiment la tendance la plus générale de l'opinion lorsqu'il écrivait dans son *Racine et Shakspeare* : « La nation a soif de sa tragédie historique[3] ».

Le « théâtre de Clara Gazul »

La première victoire du théâtre historique fut l'œuvre d'un futur romancier, et ne parut pas à la scène. Le vendredi chez Viollet-le-Duc, le dimanche chez son beau-frère Delécluze, se réunissait autour de Henri Beyle un groupe de jeunes écrivains avides de nouveautés, passionnés de littérature étrangère. C'est devant cet auditoire que Mérimée donne lecture d'un *Cromwell* perdu, puis de petites pièces, *Les Espagnols en Danemark, Une femme est un diable, L'Amour africain, Inès Mendo, Le Ciel et l'Enfer*, qui furent publiées en 1825 sous le titre trompeur de *Théâtre de Clara Gazul, comédienne espagnole.* La violence des passions et le naturel du style, l'ambiance historique et la hardiesse technique, séduisirent auditeurs et lecteurs. « Tout cela, note Delécluze dans son *Journal* du 29 mai 1825, a produit beaucoup d'effet sur nos dames. On a pleuré[4]. » Dans une lettre à Xavier de Maistre, le baron de Mareste recommande le *Théâtre de Clara Gazul* comme « le premier essai dans le genre romantique qui ait été fait à Paris[5] ». Après beaucoup de théories, Mérimée apportait en effet une œuvre. « Quel vide dans le camp des classiques ! exulte *Le Globe* du 11 juin 1825. Il leur restait encore une dernière arme : « Produisez donc, disaient-ils aux novateurs, et voyons cette affaire. » Hé bien ! cette arme vient de leur être enlevée ; et voici que sous le nom de *Clara Gazul* un génie indépendant et original trace le chemin, et du premier pas laisse bien loin derrière lui tous les favoris de la Melpomène moderne. Pour peu qu'un tel exemple soit suivi, que deviendront tant d'estimables littérateurs qui se sont fait un honnête revenu en copiant La Harpe et en calquant Racine[6] ? ».

Le théâtre livresque

La voie ainsi frayée fut abondamment suivie. Désormais vont pulluler, sous la plume de Vitet, Roederer, Dittmer et Cavé, Loève-Veymars, Romieu et Vanderburch, les « scènes historiques », « comédies historiques », « esquisses dramatiques et historiques », « scènes contemporaines ». *Ainsi se constitue, en marge de la scène, un répertoire écrit, fidèle à l'idéal nouveau, mais étranger*

---

1. Cité dans P. Trahard, *Le Romantisme défini par* Le Globe, p. 17.
2. *Ibid.*, p. 139.
3. Stendhal, *Racine et Shakspeare*, IIe partie, chap. XI, IX.
4. Delécluze, *Journal* (Paris, Grasset, 1948), p. 220.
5. Cité dans Jules Marsan, *La Bataille romantique* (Paris, Hachette, 1912), p. 136.
6. P. Trahard, *op. cit.*, p. 57.

au théâtre vivant. Delécluze constate ce divorce, non sans en pressentir le danger : « Au train dont les choses vont à présent, note-t-il, il arrivera très prochainement que la partie intelligente de la société, cette petite crête qui domine tout, formera une coterie qui aura ses idées, son langage et ses plaisirs à part. Il est facile de voir déjà que ce que l'on représente journellement sur nos théâtres publics n'a aucun rapport avec les comédies, tragédies, drames que les gens spirituels d'élite lisent avec plaisir. Ceux qui ont entendu, goûté les *théâtres écrits* de *Clara Gazul*, de Leclercq, de Rémusat, ne vont guère au théâtre de la rue de Richelieu et autres. C'est une ère nouvelle dans la littérature dramatique[1] ». En 1827 l'œuvre du maître, le *Cromwell* de Hugo, enrichissait le théâtre historique d'une illustration exemplaire par l'ampleur, la précision et le mouvement du tableau : mais en échappant aux normes de la scène, elle semblait consacrer l'impuissance dramatique du genre. La théorie débordait l'œuvre, la préface éclipsait la pièce : on n'avait pas franchi l'étape des manifestes.

« Henri III et sa cour »

En 1829 cependant, le contact devait renaître entre le livre et la scène. *Le triomphe de « Henri III et sa cour », d'Alexandre Dumas, au Théâtre-Français, fut la première grande soirée romantique.* La tragédie historique en prose apparaissait enfin sur une scène, et, malgré quelques réticences, emportait l'adhésion de la majorité du public. Hugo saluait cette victoire : « La brèche est ouverte : nous passerons[2] », déclarait-il. A la pétition indignée de sept académiciens protestant contre l'avilissement de Melpomène et prescrivant l'ostracisme du drame, Charles X répondit spirituellement : « Je n'ai, comme tous les Français, qu'une place au parterre. » Honnêtement, Dumas reconnaissait sa dette envers les pionniers du théâtre historique : « Je ne me déclarerai pas fondateur d'un genre, écrit-il dans l'avant-propos de sa pièce, parce que, effectivement, je n'ai rien fondé. MM. Victor Hugo, Mérimée, Vitet, Loève-Veymars, Cavé et Dittmer ont fondé avant moi, et mieux que moi ; je les en remercie ; ils m'ont fait ce que je suis ». *Henri III et sa cour* est donc l'aboutissement d'un long effort d'innovation, la confirmation dramatique d'une esthétique jusque-là confinée dans les salons d'avant-garde. Mêlant à un vernis historique superficiel, mais voyant, les attraits traditionnels du mélodrame, exprimant en une prose alerte et familière les violences d'une passion fatale, ce « drame » conjuguait enfin tous les caractères de la tragédie moderne (Texte VI).

L'histoire et la politique

Comment le succès d'une pièce historique a-t-il pu symboliser l'avènement du drame romantique ? Comment l'histoire est-elle devenue la pierre de touche de l'esthétique moderne ? Les raisons de cette collusion ne sont pas toutes d'ordre dramatique. L'histoire est une science à la mode, dont Schiller et Walter Scott ont révélé en France les ressources littéraires. *Les passions*

---

1. DELÉCLUZE, *Journal*, 6 mars 1828, p. 324.
2. Cité dans René BRAY, *op. cit.*, p. 211.

politiques ne sont pas non plus étrangères à cette vogue. Libéraux pour la plupart, les dramaturges romantiques choisissaient dans l'histoire universelle les époques critiques — révolution d'Angleterre, Ligue, Révolution et Empire français — dont la signification politique se prêtait le mieux aux allusions contemporaines : en cela le drame romantique suivait l'exemple des drames historiques du XVIIIe siècle.

L'histoire et l'esthétique   Mais quelles que soient les raisons qui motivaient cet engouement, *la trame historique déterminait le ton et la technique même du drame.* Plus encore que le mélodrame, la tragédie historique semblait exclure les unités de temps et de lieu. Plaider pour la pièce historique, c'était prendre parti contre les entraves des règles classiques. L'échec de la *Jeanne d'Arc* de Soumet, en 1825, avait démontré l'incompatibilité des règles et de la représentation des grands sujets nationaux. « Racine lui-même, lit-on dans *Le Globe* du 7 avril 1825, n'aurait pas fait une bonne tragédie de *Jeanne d'Arc*[1]. » Les règles privent donc le répertoire français de la mise en scène des plus prestigieuses épopées nationales. Les exigences du langage classique et la dignité du style interdisent toute représentation fidèle de la vérité historique : « Comment peindre avec quelque vérité, demande Stendhal dans la préface de *Racine et Shakspeare*, les catastrophes sanglantes narrées par Philippe de Commines, et la chronique scandaleuse de Jean de Troyes, si le mot « pistolet » ne peut absolument pas entrer dans un vers tragique ? » La tragédie historique est donc une démonstration de la vanité et de l'absurdité des règles. Par son scrupule d'exactitude, elle justifie aussi la part du spectacle et de la couleur locale, le pittoresque du langage, du costume et du décor. L'histoire est un gage de vérité et de réalisme : ainsi s'explique, par la conjonction d'un motif et d'une technique, son rôle prépondérant dans la bataille et le triomphe du drame romantique.

3. L'influence étrangère

Non plus que les autres genres du romantisme français, le drame n'est une création spontanée du génie national. *L'impulsion essentielle vint de l'étranger, particulièrement d'Angleterre et d'Allemagne.* Le XVIIIe siècle avait connu et célébré Goethe, Richardson et Shakespeare, mais l'enthousiasme demeurait limité, l'imitation prudente. Le succès des pâles contrefaçons d'*Othello* et d'*Hamlet* que Ducis faisait jouer en France donne la mesure de la timidité d'un public fermé aux hardiesses du drame shakespearien. Traductions et adaptations vont au contraire jalonner l'histoire du théâtre romantique.

---

1. Cité dans P. TRAHARD, *op. cit.*, p. 35.

L'Allemagne   La première tentative notable fut l'adaptation, par Benjamin Constant, de la trilogie de *Wallenstein* de Schiller. Entreprise dès 1806 sous l'inspiration de Mᵐᵉ de Staël, elle fut publiée en 1809, précédée des célèbres *Réflexions sur le théâtre allemand* (Texte 8), qui sont le premier manifeste en faveur du renouvellement de la tragédie française à l'imitation des chefs-d'œuvre étrangers : « En empruntant de la scène allemande un de ses ouvrages les plus célèbres, concluait l'auteur, pour l'adapter aux formes reçues de notre littérature, je crois avoir donné un exemple utile. Le dédain pour les nations voisines, et surtout pour une nation dont on ignore la langue, et qui, plus qu'aucune autre, a dans ses productions poétiques de l'originalité et de la profondeur, me paraît un mauvais calcul. La tragédie française est, selon moi, plus parfaite que celle des autres peuples ; mais il y a toujours quelque chose d'étroit dans l'obstination qui se refuse à comprendre l'esprit des nations étrangères. Sentir les beautés partout où elles se trouvent n'est pas une délicatesse de moins, mais une faculté de plus[1]. » Le second assaut, plus vif encore, fut livré en cette année 1813, où parurent à la fois *La Littérature du Midi de l'Europe*, de Simonde de Sismondi, la traduction, par Mᵐᵉ Necker de Saussure, du *Cours de littérature dramatique* de Guillaume Schlegel, et le *De la littérature* de Mᵐᵉ de Staël : le salon de Coppet était bien alors le foyer de la littérature européenne et de la réforme dramatique.

Parmi les dramaturges du « Sturm und Drang », Schiller est le plus fréquemment mis à contribution. Lamartellière l'avait traduit et adapté dès 1793 dans son *Robert chef de brigands*. En 1820, la représentation de *Marie Stuart*, adaptée par Lebrun, au Théâtre-Français, souleva un enthousiasme assez vif pour engendrer une véritable mode littéraire et influencer jusqu'à l'art de la coiffure ! En 1825, c'est le tour de la *Jeanne d'Arc* que Soumet avait gauchement tenté de ramener au cadre étroit des unités classiques. L'année suivante, trois théâtres affichent des adaptations diverses, mais toutes aussi timides et infidèles, de *Kabale und Liebe*. La ferveur de l'admiration n'avait d'égal que le conformisme des adaptations. Duvergier de Hauranne condamnait violemment le « Schiller rétréci » qu'Ancelot osait présenter au Théâtre-Français en 1824, dans son *Fiesque*. Plus tard, Gautier stigmatisera l'indignité de ces trahisons : « Ce que *le bon* Ducis avait fait pour Shakespeare, plusieurs écrivains de la Restauration avaient imaginé de le faire pour Schiller. Tout son répertoire a passé, en peu d'années, par l'étamine de ce que l'on est convenu d'appeler le goût français[2]. »

L'Angleterre   *L'influence anglaise fut plus profonde, plus durable, plus éclatante encore.* La traduction des œuvres de Byron et de Walter Scott fut un événement capital de l'histoire du romantisme français. Connues en France à partir de 1816, mais répandues surtout après 1820, elles obtinrent un immense succès et ne tardèrent pas à

---

1. B. CONSTANT, *Réflexions sur la tragédie de Wallenstein et sur le théâtre allemand.*
2. Th. GAUTIER, *Histoire de l'art dramatique*, tome IV, p. 227 (9 mars 1846).

alimenter le répertoire. « Qu'est-ce que les romans de Walter Scott ? demande Stendhal dans *Racine et Shakspeare*. — C'est de la tragédie romantique entremêlée de longues descriptions[1] » (Texte 9). Mais l'œuvre majeure qui résume tous les traits du drame et vers laquelle convergent l'admiration et la répulsion du génie français, est celle de Shakespeare. Entr'aperçue au xviiie siècle, elle envahit au xixe la culture et la scène françaises. Déjà Guilbert de Pixérécourt lui avait emprunté quelques traits. En 1809, Népomucène Lemercier hasarde un *Christophe Colomb, comédie shakespearienne* : tumulte, sifflets, bagarre, un mort. Revenu à la saine tradition, Lemercier préféra abjurer le romantisme et entrer à l'Académie. En 1821, Guizot retouche la traduction Letourneur de Shakespeare, et la publie dans la collection des *Chefs-d'œuvre du théâtre étranger* lancée avec succès par le libraire Ladvocat. Schiller, traduit par de Barante, voisine avec Shakespeare : « Shakespeare et Schiller, lit-on dans *Le Constitutionnel*, se succèdent de quinze jours en quinze jours avec une exactitude effrayante[2]. »

Les troupes anglaises   L'épisode le plus spectaculaire de la bataille shakespearienne en France fut la venue, en 1822, des comédiens anglais qui tentèrent de représenter, au théâtre de la Porte Saint-Martin, quelques pièces de leur répertoire. Le chauvinisme littéraire, attisé par la passion politique, transforma les deux représentations du 31 juillet et du 1er août en sanglante échauffourée. C'est la grossièreté de cet accueil que stigmatise Stendhal dans son *Racine et Shakspeare*, lorsqu'il s'adresse à « cette jeunesse égarée qui a cru faire du patriotisme et de l'honneur national en sifflant Shakspeare[3] » (Texte 9).

Rien ne révèle mieux l'évolution des idées littéraires que le succès d'une seconde troupe anglaise à l'Odéon, cinq ans après, en 1827. Jusqu'au 21 juillet de l'année suivante, Charles Kemble et Hariett Smithson, les deux vedettes de la troupe, obtinrent de franches acclamations, et la dernière représentation fut un triomphe. « La voilà enfin, la tragédie », s'écrie Nodier[4]. La surprise, admirative ou indignée, des spectateurs français, n'allait pas moins à la pièce même, à la noirceur de l'intrigue et à l'horreur du dénouement, qu'à l'interprétation des comédiens, dont le naturel et la violence contrastaient avec l'emphase déclamatoire de nos acteurs ou la correction d'un Talma. Delécluze critique dans son *Journal* le « laisser-aller » des acteurs anglais, leur apparente indifférence au public, l'exaltation de « pythonisse » de Mlle Smithson, les « contorsions horribles » des faux mourants : « La qualité du jeu de Kemble et de Mlle Smithson est la vérité, écrit-il. Le défaut est la vérité poussée jusqu'à la laideur[5]. » Néanmoins, la leçon avait porté : formés à l'école de Kean et de Macready, rompus aux artifices du mélodrame, Bocage, Marie Dorval, Frédéric Lemaître, étaient prêts à faire frémir le public parisien en incarnant les grands rôles romantiques.

---

1. STENDHAL, *Racine et Shakspeare*, Ire partie, chap. I.
2. Cité dans René BRAY, *op. cit.*, p. 66.
3. STENDHAL, *Racine et Shakspeare*, Ire partie, chap. I.
4. DELÉCLUZE, *Journal*, 16 septembre 1827, p. 456.
5. *Ibid.*, p. 462, 463, 465.

Le retentissement de ces représentations fut considérable. Dans l'avant-propos de son théâtre, intitulé *Comment je devins auteur dramatique*, Alexandre Dumas rend un fervent hommage aux comédiens anglais, et se plaît à leur attribuer l'étincelle initiale qui engendra sa propre vocation :

« Vers ce temps-là, les acteurs anglais arrivèrent à Paris. Je n'avais jamais lu une seule pièce du théâtre étranger. Ils annoncèrent *Hamlet*. Je ne connaissais que celui de Ducis. J'allai voir celui de Shakespeare.

« Supposez un aveugle-né auquel on rend la vue, qui découvre un monde tout entier dont il n'avait aucune idée...

« Oh ! c'était donc cela que je cherchais, qui me manquait, qui me devait venir ; c'étaient des hommes de théâtre, oubliant qu'ils sont sur un théâtre ; c'était cette vie factice, rentrant dans la vie positive à force d'art ; c'était cette réalité des paroles et des gestes qui faisait des acteurs, des créatures de Dieu, avec leurs vertus, leurs passions, leurs faiblesses, et non pas des héros guindés, impassibles ,déclamateurs et sententieux. O Shakespeare, merci ! O Kemble et Smithson, merci ! Merci à mon Dieu ! merci à mes anges de poésie !

« Je vis ainsi *Roméo*, *Virginius*, *Shylock*, *Guillaume Tell*, *Othello* ; je vis Macready, Kean, Young. Je lus, je dévorai le répertoire étranger, et je reconnus que, dans le monde théâtral, tout émanait de Shakespeare, comme dans le monde réel, tout émane du soleil ; que nul ne pouvait lui être comparé, car il était aussi dramatique que Corneille, aussi comique que Molière, aussi original que Calderon, aussi penseur que Goethe, aussi passionné que Schiller. Je reconnus que ses ouvrages, à lui seul, renfermaient autant de types que les ouvrages de tous les autres réunis. Je reconnus enfin que c'était l'homme qui avait le plus créé après Dieu. »

« Le More de Venise »

En 1829, nouvelle victoire shakespearienne et romantique. Après un *Roméo et Juliette* qui ne vit pas la rampe, Vigny fait accepter au Théâtre-Français une traduction en vers d'*Othello*. Ce n'était là, à l'en croire, qu'un exercice de style, « une œuvre de forme », une tentative pour « refaire l'instrument », forger et proposer un langage dramatique moderne, susceptible de devenir le matériau d'une œuvre originale. Vigny se flatte d'avoir su renoncer à la périphrase classique et au vers épique pour créer une langue souple et adaptée aux divers mouvements de l'âme : « Écoutez ce soir le langage que je pense devoir être celui de la tragédie moderne ; dans lequel chaque personnage parlera selon son caractère, et dans l'art comme dans la vie, passera de la simplicité habituelle à l'exaltation passionnée ; du *récitatif* au *chant*[1]. » Ce « récitatif » n'alla pas sans de vives protestations : la blessante familiarité du mot « mouchoir », que Lebrun, en 1820, avait été contraint de remplacer par l'inoffensif « tissu » dans un vers de sa *Marie Stuart*, suscita en 1829 des

---

1. VIGNY, *Lettre à Lord *** sur la soirée du 24 octobre 1829 et sur un système dramatique.*

ricanements indignés à l'instant le plus pathétique du drame. Vigny déplorait cette pruderie de langage : « La muse tragique française ou Melpomène a été quatre-vingt-dix-huit ans avant de se décider à dire tout haut : « un mouchoir »... Enfin en 1829, grâce à Shakespeare, elle a dit le grand mot, à l'épouvante et évanouissement des faibles qui jetèrent ce jour-là des cris longs et douloureux, mais à la satisfaction du public qui, en grande majorité, a coutume de nommer un mouchoir « mouchoir ». Le mot a fait son entrée ; ridicule triomphe ! Nous faudra-t-il toujours un siècle par mot vrai introduit sur la scène[1] ? »

Au delà de ces problèmes, essentiels, de forme, *la tentative de Vigny fut une étape capitale de l'acclimatation en France de Shakespeare et, à travers lui, d'un nouveau système dramatique.* Dans sa *Lettre à Lord *** sur la soirée du 24 octobre 1829 et sur un système dramatique*, où il stigmatise la « vaine fantasmagorie » des tragédies classiques et définit les grands traits du drame moderne (Texte 14), Vigny se montre conscient de l'importance de sa « soirée » :

« Voici le fond de ce que j'avais à dire aux intelligences, le 24 octobre 1829 :

« Une simple question est à résoudre. La voici :

« La scène française s'ouvrira-t-elle, ou non, à une tragédie moderne produisant : — dans sa conception, un tableau large de la vie, au lieu du tableau resserré de la catastrophe d'une intrigue ; — dans sa composition, des caractères, non des rôles, des scènes paisibles sans drame, mêlées à des scènes comiques et tragiques ; — dans son exécution, un style familier, comique, tragique, et parfois épique ? »

Dix ans après cette mémorable soirée, Vigny rappelait avec fierté que « lorsque le More fut entré dans la place, il en ouvrit toutes les portes[2] ». La résistance du public et des habitués du Théâtre-Français n'était cependant pas vaincue, et l'empire de l'adaptation devait durer longtemps encore. En 1844, Gautier dénonce la manie de l'édulcoration : « MM. les comédiens de la rue de Richelieu n'admettent le Shakespeare qu'à des doses très faibles, sans doute en leur qualité d'interprètes de Corneille, de Racine et de Voltaire. Ainsi, ils jouent encore ce risible *Othello* de Ducis, au lieu de la version exacte et dramatique de M. de Vigny[3]. » La même année cependant, de nouvelles représentations en anglais, à la salle Ventadour, retrouvent l'accueil enthousiaste de 1827. Gautier exulte : « Les Parisiens de 1844 ont donc pu supporter du Shakespeare tout pur ; ils ont donc pu se convaincre que l'Eschyle anglais n'est pas un *sauvage ivre*, comme le prétend Voltaire, qui, du reste, trouve que Corneille écrit d'une manière barbare !... Nous sommes enfin dignes de Shakespeare[4] ! »

---

1. VIGNY, *Lettre à Lord* ***.
2. VIGNY, *Théâtre* (éd. L. Conard, I, p. VIII).
3. Th. GAUTIER, *Histoire de l'art dramatique*, tome III, p. 263 (2 septembre 1844).
4. Th. GAUTIER, *Histoire de l'art dramatique*, tome III, p. 319 et 326 (23 décembre 1844).

Le romantisme allait-il être, comme Mme de Staël le reprochait au classicisme, une « littérature transplantée[1] » ? Shakespeare et Schiller offraient aux spectateurs français, tour à tour ravis et scandalisés, l'exemple d'un théâtre plus vivant que notre tragédie classique, où la part du spectacle l'emportait sur celle de l'investigation psychologique, où le mouvement importe plus que le langage, bref où tout est subordonné au plaisir dramatique tel que peuvent le ressentir des esprits très diversement cultivés. Dans une telle esthétique, les règles n'apparaissent plus que comme des entraves absurdes, que les dramaturges étrangers ont purement et simplement ignorées. Sur la scène française, où les réformateurs se heurtent à une longue tradition classique, ce devait être, selon le mot de Stendhal, un « combat à mort » entre le « système » de Racine et celui de Shakespeare[2]. Or « Shakespeare, c'est le drame[3] » : tous les romantiques l'affirment après Stendhal et Hugo. Pour fonder en France la tragédie moderne, il convient donc de se mettre à l'école du maître anglais, dont les œuvres commencent à captiver le public parisien. Non qu'il faille imiter Shakespeare jusque dans ses sujets : « Un imitateur de Shakespeare, écrit Vigny dans sa *Lettre à Lord ****, serait aussi faux dans notre temps que le sont les imitateurs de l'auteur d'*Athalie*. » Aux jeunes auteurs d'imiter l'art sans plagier le modèle : « Après avoir pris *l'art* dans Shakspeare, écrit Stendhal, c'est à Grégoire de Tours, à Froissart, à Tite-Live, à la Bible, aux modernes Hellènes, que nous devons demander des sujets de tragédie[4]. » Aux romantiques français, *Shakespeare et Schiller avaient offert l'éblouissant et déterminant exemple d'un genre, d'un style et d'un idéal dramatiques.*

4. « Hernani »

L'immense mouvement dramatique qui depuis un demi-siècle ébranlait l'édifice classique culmina en cette année 1830 où s'abîma, avec la tragédie, la dynastie qui en avait soutenu l'éclat. Si jamais « soirée », selon la formule de Vigny, décida de l'existence d'une pièce, résuma et couronna une pensée dramatique, ce fut le 25 février 1830. La « première » d'*Hernani* au Théâtre-Français est une grande date de l'histoire littéraire : en ces quelques heures de fiévreuse exaltation, dans l'affrontement de deux camps adverses également conscients de l'enjeu, résolus au combat et déterminés à la victoire, se joua le sort du drame romantique. Le rejet du second vers (« l'escalier — Dérobé ») déclencha la bataille ; chaque scène, chaque acte, marqua pour l'un ou l'autre

---

1. Madame DE STAEL, *De l'Allemagne*, II, XI.
2. STENDHAL, *Qu'est-ce que le romanticisme*, dans *Racine et Shakspeare*, IIe partie, appendice.
3. HUGO, *Préface de Cromwell*.
4. STENDHAL, *Racine et Shakspeare*, IIe partie, lettre VIII.

camp un avantage ou un recul. La scène des portraits, le monologue de Charles-Quint, le dénouement, emportèrent la victoire : *le drame romantique avait conquis la scène française.*

La bataille d' « Hernani »

Au lendemain du triomphe, toute revanche était vaine. Après les acclamations du grand soir, ni les ricanements de la seconde représentation, ni les manifestations de la troisième, ni les huées des suivantes, ne purent compromettre une réussite acquise. Le 7 mars, à minuit, Hugo notait parmi les *Choses vues* : « On joue *Hernani* au Théâtre-Français depuis le 25 février. Cela fait chaque fois cinq mille francs de recette. Le public siffle tous les soirs tous les vers ; c'est un vacarme, le parterre hue, les loges éclatent de rire. Les comédiens sont décontenancés et hostiles, la plupart se moquent de ce qu'ils ont à dire. » Le succès de scandale, en remplissant infailliblement la salle et la caisse, rehaussait l'éclat de la pièce. Jusqu'au 22 juin, la lutte se poursuivit avec le même acharnement. Témoin, héros et chroniqueur de ces soirées mémorables, Théophile Gautier a maintes fois évoqué l'ardeur des combattants : « *Hernani*, écrivait-il dans *La Presse* du 22 janvier 1838, était le champ de bataille où se colletaient et luttaient avec un acharnement sans pareil et toute l'ardeur passionnée des haines littéraires les champions romantiques et les athlètes classiques ; chaque vers était pris et repris d'assaut. Un soir, les romantiques perdaient une tirade ; le lendemain, ils la regagnaient, et les classiques, battus, se portaient sur un autre point avec une formidable artillerie de sifflets, appeaux à prendre les cailles, clefs forées, et le combat recommençait de plus belle[1]. » De cette mêlée confuse où aucun des adversaires ne lâcha prise, où le tumulte même semblait consacrer le triomphe de la cabale, les contemporains — et après eux l'histoire —, fascinés par le franc succès de la première, ne retinrent que le sentiment d'une incontestable victoire romantique.

Trente-sept ans après la création, fidèle survivant des « phalanges romantiques », Théophile Gautier ressentait encore l'émotion des premiers soirs : « Pour cette génération, écrivait-il dans *Le Moniteur universel* du 21 juin 1867, *Hernani* a été ce que fut *Le Cid* pour les contemporains de Corneille. Tout ce qui était jeune, vaillant, amoureux, poétique en reçut le souffle. Ces belles exagérations héroïques et castillanes, cette superbe emphase espagnole, ce langage si fier et si hautain dans sa familiarité, ces images d'une étrangeté éblouissante, nous jetaient comme en extase et nous enivraient de leur poésie capiteuse. Le charme dure encore pour ceux qui furent alors captivés[2]. » Plus que les innovations techniques et les hardiesses d'expression, relativement modérées, c'est cette inaltérable jeunesse d'*Hernani*, cette fougue emportée, ce lyrisme tour à tour extasié et exalté, éclatant et mélodieux, qui enchantèrent, comme au temps du *Cid*, des générations éblouies.

---

1. Th. GAUTIER, *Histoire de l'art dramatique*, tome I, p. 90.
2. Th. GAUTIER, dans *Histoire du romantisme* (Paris, Fasquelle), 1911, p. 119.

Mais l'enjeu de la lutte dépassait de loin l'œuvre qui en fournissait le prétexte. *Dans l'histoire du théâtre romantique, la bataille d'Hernani compte plus que le drame d'Hernani.* Ce n'est qu'aux rigueurs et aux caprices de la censure qu'*Hernani* dut l'honneur d'être le premier drame romantique, en lieu et place de *Marion de Lorme*, achevé dès le mois de juin 1829, aussitôt agréé par le Théâtre-Français et interdit par le ministère. Bien avant la première, les indiscrétions de la censure et de la presse, les lectures clandestines et les contrefaçons préludèrent à l'affrontement officiel. Au soir même des représentations, dans le tumulte des ovations et des sifflets, souvent aussi intempestifs les uns que les autres, dans le brouhaha des injures et des rires, que pesait la valeur propre du drame ? Dans cette salle surexcitée où grondait une « rumeur d'orage », chacun se préparait moins au spectacle qu'à l'assaut : « Il suffisait, lit-on dans l'*Histoire du romantisme* de Gautier, de jeter les yeux sur ce public pour se convaincre qu'il ne s'agissait pas là d'une représentation ordinaire ; que deux systèmes, deux partis, deux armées, deux civilisations même, — ce n'est pas trop dire, — étaient en présence, se haïssant cordialement, comme on se hait dans les haines littéraires, ne demandant que la bataille, et prêts à fondre l'un sur l'autre[1]. » Aussi la saveur anecdotique de cet épisode littéraire est-elle riche de signification : sous le duel pittoresque des « crânes académiques » et des « longs cheveux », des habits noirs et des costumes de velours, éclatait l'éternel conflit des « grisâtres » et des « flamboyants[2] », des anciens et des modernes, de la tradition et de la révolution.

Cent ans après

A un siècle de distance, l'enthousiasme de ces soirées héroïques ne laisse pas de paraître quelque peu vain, et bien surfaite la portée de cette révolution. Dans une conférence prononcée à l'occasion du centenaire d'*Hernani*, Giraudoux confesse ne ressentir qu'indifférence amusée envers cet aïeul inoffensif. Substituant un « romantisme des mots » au « romantisme d'idées » des générations antérieures, *Hernani* n'aurait suscité qu'une « querelle de ruelle » et une « querelle de vocabulaire » analogue à la querelle des Précieuses, ravalant ainsi au rang d'inutile « divertissement » le théâtre et le livre qui étaient, depuis cinquante ans, « une arme et un poison » : « *Hernani*, écrit-il, faisait rentrer notre littérature, échappée du cercle royal, dans le cercle bourgeois. Ce n'était pas une querelle de justice et d'injustice, quelque chose de semblable à l'affaire de Calas ou à l'affaire Dreyfus. Ce n'était même pas, comme la querelle du *Cid*, l'histoire superbe d'un dièse haussé dans le ton français. C'était un événement mondain. Les forces dites romantiques qui s'y manifestèrent ce jour-là n'y livrèrent pas une de ces luttes secrètes et virulentes par lesquelles meurt une habitude de pensée ou surgit un droit du cœur. Ils se battirent simplement contre des confrères plus âgés. Ce fut le poil noir contre le poil blanc, mais la formation des adversaires qui se rencontrèrent ce jour-là était la même. Une génération plus vigoureuse de jeunes classiques nourris à l'école de Delille et de Ducis,

---

1. Th. GAUTIER, *Histoire du romantisme*, p. 113.
2. *Ibid.*, p. 93.

y livrait bataille à des classiques élevés par Dorat et par Gentil Bernard. Toute la querelle portait sur le langage, sur le vocabulaire, sur la versification, qui, en effet, différaient, mais de si peu. Pour le fond, pas de querelle[1]. » Comme la monarchie bourgeoise de 1830 a « confisqué » la victoire des Trois Glorieuses, *Hernani, sous le couvert de futiles audaces formelles, aurait éludé et trahi la véritable révolution littéraire et morale.*

La liberté dramatique   Un tel jugement ne rend pas compte de l'exultation des contemporains. Replacé dans le contexte de l'époque, cet épisode littéraire retrouve son relief réel et sa portée symbolique. Dans l'ambitieuse préface du 9 mars 1830, négligeant l'examen détaillé de son œuvre, Hugo portait la discussion sur son véritable terrain, qui est celui des principes ; non pas même des principes littéraires qui régissent la structure du drame, mais des principes moraux et sociaux qui déterminent les conditions de la création dramatique et les relations de l'auteur avec son public : « Ce n'est pas que ce drame puisse en rien mériter le beau nom d'*art nouveau*, de *poésie nouvelle*, loin de là ; mais c'est que le principe de la liberté en littérature vient de faire un pas ; c'est qu'un progrès vient de s'accomplir, non dans l'art, ce drame est trop peu de chose, mais dans le public... Le principe de la liberté littéraire, déjà compris par le monde qui lit et qui médite, n'a pas été moins complètement adopté par cette immense foule, avide des pures émotions de l'art, qui inonde chaque soir les théâtres de Paris. Cette voix haute et puissante du peuple, qui ressemble à celle de Dieu, veut désormais que la poésie ait la même devise que la politique : TOLÉRANCE ET LIBERTÉ. » Dans la mesure où le romantisme n'est que « le *libéralisme* en littérature », *Hernani* est une victoire romantique. Si « la liberté littéraire est fille de la liberté politique », *Hernani* est un drame révolutionnaire. « A peuple nouveau, art nouveau . » Abolissant la « vieille forme poétique » comme 1789 avait aboli la « vieille forme sociale », consacrant par son triomphe l'avènement d'un public favorable au nouvel art dramatique, *Hernani apparaît comme un 14 juillet littéraire.*

5. Décadence du drame

« Maintenant vienne le poète ! il y a un public[2]. »

Au lendemain d'*Hernani*, une triomphale carrière semblait s'ouvrir au drame romantique. Créations et succès jalonnent l'année 1831, où Hugo donne *Marion de Lorme*, Vigny *La Maréchale d'Ancre*, Dumas *Antony*, *Charles VII chez ses grands vassaux* et *Richard Darlington*. Mais dès 1832, la persistance de l'instabilité politique et une épidémie de choléra ralentirent

---

1. GIRAUDOUX, « De siècle à siècle » dans *Littérature*, p. 207, 214, 217, 212-213.
2. HUGO, Préface d'*Hernani*.

l'élan dramatique. La censure, que l'on avait crue définitivement abolie par la Révolution de juillet, interdit *Le Roi s'amuse* (Texte VII) au soir de la première représentation. Dumas remporta le seul succès de l'année avec *La Tour de Nesle*. En 1833, si *Lucrèce Borgia* réussit, *Marie Tudor* (Texte VIII) fut un échec. Les drames de Dumas, *Angèle* et *Catherine Howard*, écrits en collaboration et pour des acteurs médiocres, sacrifient la qualité dramatique à une efficacité scénique d'un goût contestable. Après 1835, année de *Chatterton* (Texte X) et d'*Angelo, tyran de Padoue*, le drame semble s'être enlisé et le public lassé. Le 1er janvier 1838, Gautier trace un sombre panorama de l'horizon dramatique : « Le mouvement si énergiquement imprimé à l'art dramatique par *Christine, Hernani, Henri III*, ne s'est pas continué ; nous avons cru un moment que nous allions avoir un théâtre moderne ; mais nos espérances ont été trompées : les deux chefs, qui s'étaient vaillamment portés en avant, la bannière d'une main et l'épée de l'autre, ont été lâchement abandonnés par leurs troupes ; quand ils se sont retournés, ils se sont vus seuls. Il est bien étonnant que MM. Hugo et Dumas n'aient produit dans le drame aucun élève remarquable[1]. » Gautier incrimine la timidité des directeurs de théâtre, la routine de la mise en scène, la tare de la collaboration, la médiocrité du goût public. Mais quatre ans après le sursaut de *Ruy Blas*, en mai 1842, force est bien de constater que les maîtres de l'heure délaissent le théâtre et abandonnent les planches aux platitudes de M. Scribe : « Hugo fait à peine un drame tous les trois ou quatre ans ; Alexandre Dumas écrit des impressions de voyage ; Lamartine garde en porte-feuille son *Toussaint Louverture*, Alfred de Musset, faute de théâtre donne le spectacle dans un fauteuil ; Jules Janin fait tous les lundis d'inutiles mais louables Saint-Barthélemy de vaudevilles ; Balzac, après deux tentatives violentes, va sans doute retourner au roman ; de Vigny s'est arrêté à *Chatterton ;* bref, tout ce qu'il y a de célèbre, de poétique, de passionné, d'ingénieux, de brillant, de spirituel et de délicat dans notre littérature, tout ce qui fait notre gloire à l'étranger, se tient éloigné de la scène[2]. » *Après l'enthousiasme des années conquérantes, la veine créatrice semblait soudainement tarie.*

A la recherche d'un théâtre

A cet essoufflement, les difficultés matérielles de distribution et de représentation ont lourdement contribué. Les dramaturges romantiques ont toujours été, vainement, à la recherche d'un théâtre. *Hernani*, en imposant une esthétique moderne sur la plus classique des scènes françaises, avait réalisé, non sans difficultés, le miraculeux accord de la tradition et de la révolution. Mais cette alliance ne dura guère : les divisions et les déboires du Théâtre-Français, encore accrus par la Révolution de juillet, la démission de Mlle Mars, triomphale interprète de Doña Sol, incitèrent Dumas et Hugo à porter *Antony* et *Marion de Lorme* sur la scène du théâtre de la Porte Saint-Martin, plus accueillant, plus libéral, plus ouvert aux innovations dramatiques

---

1. Th. GAUTIER, *Histoire de l'art dramatique*, tome I, p. 84.
2. Th. GAUTIER, *Histoire de l'art dramatique*, tome II .p. 247.

et aux hardiesses du boulevard. C'est là que furent joués les plus grands succès romantiques : *Charles VII, Richard Darlington* et *La Tour de Nesle, Lucrèce Borgia* et *Marie Tudor*. Après un bref retour à la Comédie-Française pour *Angelo* de Hugo et le déplorable *Caligula* de Dumas, conflits et procès achevèrent de consommer la rupture. En 1838, l'inauguration d'une nouvelle salle, le théâtre de la Renaissance, sembla réaliser le projet longuement caressé d'un théâtre romantique : mais après le succès de *Ruy Blas*, l'échec de *L'Alchimiste* de Dumas et la défection des meilleurs acteurs entraînèrent la faillite.

**Le drame
et ses interprètes**

Le choix de la salle impliquait celui du public et *l'orientation du drame vers le Boulevard symbolise son évolution vers le mélodrame*. Mais dans l'histoire et l'esthétique du drame, l'acteur compte plus encore que la scène. M. M. Descotes, dans son livre sur *Le Drame romantique et ses grands créateurs*[1], a montré l'influence déterminante qu'ont exercée sur le drame ses interprètes les plus célèbres. Pour Marie Dorval, Vigny conçut le rôle de la Maréchale d'Ancre et de Kitty Bell ; pour Juliette Drouet, Hugo créa la Jane de *Marie Tudor ;* pour Frédéric Lemaître, le truculent Robert Macaire de *L'Auberge des Adrets*, Dumas composa le rôle de Richard dans *Richard Darlington*, de Buridan dans *La Tour de Nesle*, et Hugo celui de Don César dans *Ruy Blas*, bien que lui échût en définitive le rôle même de Ruy Blas qui permit à cet incomparable acteur de dépouiller, selon la formule de Gautier, « cette hideuse défroque de Robert Macaire, dont les lambeaux semblaient s'attacher à sa chair comme la tunique empoisonnée du centaure Nessus[2]. » La personnalité et le style dramatique des interprètes déterminèrent donc non seulement le choix de la salle, mais la conception des personnages et jusqu'au ton du dialogue. Or la plupart d'entre eux, formés à l'école du Boulevard, imposèrent au drame la diction, les effets et le jeu du mélodrame. *Par là s'établit, entre l'œuvre et l'interprète, une intime réciprocité*. Bien des rôles romantiques ne durent leur succès qu'à leur prestigieuse interprétation : l'exaltation passionnée de Marie Dorval transfigura les personnages de Marion de Lorme, Kitty Bell, Catarina puis La Tisbe dans *Angelo ;* Mlle Georges fut une étincelante Lucrèce, une altière Marie Tudor ; le talent de Bocage, associé au pathétique de Dorval, assura le triomphe d'*Antony*. Quant à Frédéric Lemaître, type même du « monstre sacré », par sa violence, ses excès, son exubérance, l'étendue de son registre et le pittoresque de son jeu, il justifie l'appréciation que portait sur lui Adolphe Dumas lorsqu'il disait : « Il n'est pas *un* drame ; il est le Drame[3]. » Mais la nature même des triomphes qu'une telle interprétation assurait au drame contribuait à l'enliser toujours plus profondément dans l'ornière du mélodrame.

---

1. Paris, Presses Universitaires, 1955.
2. Th. GAUTIER, *Histoire de l'art dramatique*, tome I, p. 193 (12 novembre 1838).
3. SILVAIN, *Frédéric Lemaître* (Paris, Alcan, 1926), p. 49. Cité dans M. DESCOTES, *Le Drame romantique et ses grands créateurs*, p. 183.

Rachel et la vogue du répertoire classique

Or le public, lassé du Boulevard, semblait prêt à retourner à la rue de Richelieu. Le répertoire classique n'était point aussi délaissé que le déplore la *Soirée perdue* de Musset. Si, un soir de 1840, Musset était « seul », ou « presque seul », au Théâtre-Français, partagé entre la « mâle gaîté » de Molière et la blancheur d' « un cou svelte et charmant », Mlle Mars triomphait en 1838 dans les représentations de *Tartuffe*. La tragédie même, apparemment condamnée depuis la mort de Talma en 1826, semblait prête à retrouver l'audience d'autrefois. Le 1er novembre 1838, dans un article de la *Revue des Deux Mondes*, Musset notait ce « prodige » : « Il se passe en ce moment au Théâtre-Français une chose inattendue, surprenante, curieuse pour le public, intéressante au plus haut degré pour ceux qui s'occupent des arts. Après avoir été complètement abandonnées pendant plus de dix ans, les tragédies de Corneille et de Racine reparaissent tout à coup et reprennent faveur. Jamais, même aux plus beaux jours de Talma, la foule n'a été plus considérable. Depuis les combles du théâtre jusqu'à la place réservée aux musiciens, tout est envahi. On fait cinq mille francs de recette avec des pièces qui en faisaient cinq cents ; on écoute religieusement, on applaudit avec enthousiasme *Horace*, *Mithridate*, *Cinna* ; on pleure à *Andromaque* et à *Tancrède*[1]. » L'explication de cet étrange renversement n'est pas moins surprenante : « Une jeune fille qui n'a pas dix-sept ans, et qui semble n'avoir eu pour maître que la nature, est la cause de ce changement imprévu, qui soulève les plus importantes questions littéraires[1]. » Tel fut en effet le miracle de Rachel, qui, en dépit d'une santé faible, d'une taille grêle, d'une diction sans éclat, subjuguait les salles par la finesse de ses intonations et le feu intérieur dont elle illuminait le moindre vers. Rien de moins spontané, de moins naturel, contrairement aux impressions de Musset, que le talent de cette élève de Samson, rompue au contrôle de soi, à la maîtrise absolue de sa voix et de ses gestes, dont le style dramatique est à l'opposé des pathétiques emportements de Dorval. Par là, *le succès de Rachel symbolise un retour non seulement au répertoire, mais encore à l'interprétation classique.*

L'année de « Ruy Blas »

Ce regain de faveur ne signifiait cependant pas la disgrâce du drame. Quel que soit le retentissement de ces représentations, il n'en reste pas moins, ajoutait Musset, « que le genre romantique, celui qui se passe des unités, existe ; qu'il a ses maîtres et ses chefs-d'œuvre tout comme l'autre ; qu'il ouvre une voie immense à ses élèves ; qu'il procure des jouissances extrêmes à ses admirateurs, et enfin, qu'à l'heure qu'il est, il a pris pied chez nous et n'en sortira plus[2]. » La même année 1838, *Hernani*, représenté « par autorité de justice » à la suite d'un procès de l'auteur avec la Comédie-Française, obtint, si l'on en croit Gautier, le plus vif succès : « Huit ans se sont écoulés : le public a fait comme le prophète, qui, voyant que la montagne ne venait pas à lui, alla lui-même à la

---

1. MUSSET, *De la tragédie, à propos des débuts de Mlle Rachel*, dans *Œuvres en prose* (Bibliothèque de la Pléiade, p. 904).
2. *Ibid.*, p. 907.

montagne ; il est allé au poète. *Hernani* n'a pas excité le plus léger murmure ; il a été écouté avec la plus religieuse attention et applaudi avec un discernement admirable ; pas un seul beau vers, pas un mouvement héroïque n'a passé incompris ; le public s'est abandonné de bonne foi au poète[1]... » Au mois de novembre, la nouvelle salle de la Renaissance, à peine aménagée, fut brillamment inaugurée par la création de *Ruy Blas ;* servie par la prestigieuse interprétation de Frédéric Lemaître, la pièce fut *le dernier triomphe de Hugo et du drame romantique à la scène.*

« Lucrèce »
et « Les Burgraves »

Entre le drame et la tragédie, un nouvel affrontement eut lieu en 1843. Le talent de Rachel, désormais affirmé, s'illustra dans deux tragédies nouvelles : la *Judith* de Mme Émile de Girardin, et surtout la *Lucrèce* de Ponsard. Or au mois de mars, *Les Burgraves*, après un premier succès, tombèrent sous les attaques de la cabale néo-classique et les sarcasmes de cinglantes parodies. Plus que les trivialités des *Hures graves, Buses graves* ou *Barbus graves*, les ovations qui accueillirent *Lucrèce* firent échec au drame de Hugo. « Les éloges donnés à M. Ponsard, note Gautier au mois de mai, amènent naturellement d'amères critiques contre M. Victor Hugo, et les articles faits sur *Lucrèce* sont consacrés en grande partie à de violentes diatribes contre l'auteur de *Ruy Blas*, de *Marion Delorme*, des *Orientales* et de tant d'autres chefs-d'œuvre qui resteront dans la langue comme des monuments. On est toujours bien aise de saper un homme de génie avec un homme de talent[2]. » Malgré les efforts déployés par Gautier pour restituer au drame le talent de Rachel et les mérites de *Lucrèce*, aucun doute ne subsistait sur la signification réactionnaire de ce double triomphe. Promus chefs de « l'École du Bon sens », Ponsard et Augier, en qui certains se complurent à découvrir un nouveau Corneille et un moderne Molière, furent les héros *d'une éphémère restauration classique.*

Effacement du drame

Le drame romantique s'est-il jamais relevé de l'échec des *Burgraves* ? Certes la contre-attaque classique ne fut qu'un feu de paille et trois ans après *Lucrèce*, dans son *Salon de* 1846, Baudelaire ironisait sur « la tragédie, ce genre oublié des hommes, et dont on ne retrouve quelques échantillons qu'à la Comédie-Française, le théâtre le plus désert de l'univers. » Mais Hugo, déçu par les résistances, accablé par le deuil de Léopoldine, absorbé par la députation, délaissa le théâtre. Au lendemain du 2 décembre, l'œuvre dramatique du proscrit fut interdite et aucune représentation ne put avoir lieu jusqu'à la reprise, triomphale, d'*Hernani* en 1867. *Ruy Blas* dut attendre 1872, *Marie Tudor*, 1873 ; *Le Roi s'amuse*, interdit en 1873 par la République comme il l'avait été par l'Empire, ne fut repris qu'en 1882 ; *Les Burgraves* connurent une éclatante et émouvante revanche le jour anniversaire du 26 février 1902.

---

1. Th. GAUTIER, *Histoire de l'art dramatique*, tome I, p. 91 (22 janvier 1838).
2. Th. GAUTIER, *Histoire de l'art dramatique*, tome III, p. 47 (2 mai 1843).

Dans les dernières années de la Monarchie de Juillet, si la tragédie et la comédie en vers règnent à nouveau à la Comédie-Française, l'Odéon et la Porte Saint-Martin accueillirent bien des drames, mais peu d'œuvres de qualité. En 1847, Alexandre Dumas inaugure le Théâtre historique où il va multiplier les créations avec une étourdissante fécondité qui n'a d'égale que la médiocrité de ces mélodrames à peine déguisés que sont *La Reine Margot*, *Monte-Cristo*, *Urbain Grandier* etc... En 1850, le théâtre de la Porte Saint-Martin afficha le *Toussaint-Louverture*, drame en vers de Lamartine. « On se serait cru aux beaux jours de *Marion Delorme*, de *Lucrèce Borgia* et d'*Antony* », soupire Gautier[1]. Mais il n'en était rien : Scribe, Dennery, Clairville et Émile Augier étaient les vrais maîtres de la scène. De Musset, on ne représentait encore que les comédies et proverbes. Le plus pur des drames romantiques, *Lorenzaccio* (Texte IX), ne fut porté à la scène, non sans modifications, qu'en 1896.

Edmond Rostand　　　*C'est précisément en cette fin de siècle que le drame romantique devait connaître encore de beaux jours.* Sans doute les brillantes reprises des drames majeurs de l'époque romantique stimulèrent-elles les imaginations. La plus éclatante manifestation de ce renouveau est le triomphe de *Cyrano de Bergerac* en 1897, suivi du succès de *L'Aiglon* en 1900. Grotesque et sublime, grandeur et tendresse, verve et fantaisie, émotion et « panache », tout dans ces pièces brillantes semblait ressusciter les prestiges hugoliens auréolés par surcroît du pétillement de l'esprit boulevardier. Le drame en vers était-il restauré et modernisé ? On put le croire quelques années. Mais ni le grand public ni l'avant-garde ne s'accommodèrent longtemps du retour à une esthétique désormais démodée. En 1910, l'échec de *Chantecler* (Texte XI), féerie dramatique et symbolique dans le goût du *Théâtre en liberté* de Hugo, ce dernier feu d'artifice du lyrisme romantique, détourna Rostand de la scène. Quatre ans après, la conflagration mondiale, en ruinant l'âme romantique, discrédita à jamais le drame qui en résumait l'idéal.

Un succès éphémère　　　Cette longue survie, jalonnée de sursauts, de rechutes et d'absences, ne doit pas faire illusion : *la carrière du drame romantique a été remarquablement courte*. Dès 1835, auteurs et spectateurs donnaient des signes d'essoufflement. D'*Hernani* à *Ruy Blas*, en moins de dix ans, il semble que le drame romantique ait achevé sa course. De la longue fièvre qui prélude à l'embrasement de 1830, aux interminables séquelles à travers lesquelles agonise le drame jusqu'à la fin du siècle, singulièrement brève apparaît la période où se réalise entre l'épanouissement des œuvres et l'enthousiasme du public ce parfait accord qui est le privilège des grandes époques dramatiques. Dans une lettre à J. et C. Olivier, le 15 avril 1843, Sainte-Beuve se fait l'écho de l'immense déception qui succéda aux espoirs passés : « Le théâtre, ce côté le plus invoqué

---

1. Th. GAUTIER, *Histoire de l'art dramatique*, tome VI, p. 163 (8 avril 1850).

de l'art moderne, est celui qui, chez nous, a le moins produit et a fait mentir toutes les espérances. Car que d'admirables et infructueux préparatifs depuis vingt ans !... Et puis quoi ? *Hernani*, puis rien. Un lourd assommement. Dumas s'est gaspillé, de Vigny n'a jamais pu s'évertuer, Hugo s'est appesanti... »

Dans le succès et l'échec du drame romantique, on ne saurait trop mettre en évidence le rôle des acteurs. Bocage, Marie Dorval, Frédéric Lemaître, ont été les principaux artisans des grandes « soirées » romantiques. Ces grandes voix disparues, le drame sonna faux. Ce n'est point par hasard que le déclin du drame coïncide avec le triomphe de Rachel, et son renouveau avec l'avènement des prestigieux acteurs de la fin du siècle. Qu'aurait été *Lorenzaccio* sans Sarah Bernhardt, ou *Les Burgraves* sans Mounet-Sully ? *A la grandeur du drame convient la mystérieuse majesté du « monstre sacré ».*

Cependant la responsabilité de l'échec incombe essentiellement à *la vertigineuse ambition des créateurs du drame.* L'auteur de la *Préface de Cromwell* était voué, malgré tout son génie, à demeurer inférieur à son grandiose projet ; à moins de retrouver le souffle et la force et la voix de ces géants dont il n'hésite pas à invoquer la grande ombre : Eschyle et Shakespeare (Texte 18). Aussi, pour rendre justice à l'inspiration du drame romantique, faut-il maintenant tenter, en s'appuyant sur les intentions non moins que sur les réalisations, d'en définir les ambitions esthétiques.

6. L'art et la vérité

« Je ne me lasserai point de crier à nos Français : La Vérité ! La Nature ! » lit-on dans les *Entretiens avec Dorval*. « La nature donc ! la nature et la vérité », réplique Hugo dans la *Préface de Cromwell*. Un tel écho ne laisserait pas de surprendre si les mêmes mots avaient le même sens et si le dosage des diverses qualités était identique dans les deux systèmes. En réaction contre l'idéalisation et l'outrance post-classiques, la vérité humaine et dramatique est certes l'idéal commun des deux drames, bourgeois et romantique : mais l'humanité romantique diffère sensiblement de l'humanité bourgeoise, et la vérité banale du drame bourgeois n'a presque rien de commun avec la vérité historique et poétique du drame romantique. De plus, aux consignes de vérité, sensibilité, moralité, se joint un nouvel impératif, plus déterminant encore, qui modifie la tonalité et l'harmonie générales du drame : c'est l'exigence de grandeur, inséparable de la conception romantique du beau. *Grandeur, vérité, moralité, sont les mots clefs du nouveau code dramatique,* tel que le définissait Hugo dans une heureuse formule de la préface de *Marie Tudor :* « Ces deux mots, *grand* et *vrai*, renferment tout. La vérité contient la moralité, le grand contient le beau. » (Texte 16).

Le mélange des genres   *C'est au nom de la vérité que se livrent en apparence les plus rudes assauts. Au centre du débat est la question des unités* auxquelles les romantiques reprochent d'anéantir toute vérité humaine et dramatique. La distinction des genres et l'unité de ton ignorent la complexité fondamentale de la nature humaine et des situations réelles. A l'abstraction de la « passion » classique, Benjamin Constant oppose la diversité concrète du « caractère » ondoyant et nuancé, tel que le peignent les dramaturges allemands, plus attentifs à la mobilité de l'individu qu'à la profondeur du sentiment (Texte 8). En réintroduisant le comique auprès du tragique, le trivial au sein du grandiose, le grotesque à côté du sublime, Hugo entend restaurer la vérité du cœur et de la vie (Texte 11). De tels contrastes semblaient refléter les contradictions de l'existence quotidienne, comme en témoigne ce jugement de Vigny, consigné dans le *Journal d'un poète* en 1836 :

« Le genre *bâtard*, c'était la tragédie *faux antique* de Racine. Le *drame* est vrai, puisque, dans une action tantôt comique tantôt tragique, suivant les caractères, il finit avec tristesse comme la vie des hommes puissants de caractère, énergiques de passion.

« Le drame n'a été appelé *bâtard* que parce qu'il n'est ni *comédie* ni *tragédie*, ni Démocrite rieur, ni Héraclite pleureur. Mais les vivants sont ainsi. Qui rit toujours, ou toujours pleure ? Je n'en connais pas, pour ma part.

« En tout cas, comme Henri de Transtamare, le bâtard a roulé par terre le légitime et l'a poignardé. »

Les trois unités   La « solive » la plus « vermoulue » de « la vieille masure scolastique » est « la prétendue règle des deux unités », de temps et de lieu, que Hugo détache de la trinité classique. La limite de temps et l'unicité de lieu contredisent toute vraisemblance, resserrent indûment le théâtre de l'action et l'évolution des sentiments, mutilent et falsifient l'homme et l'histoire. L'unité d'action n'est elle-même respectée que dans son interprétation la plus large. Si la « loi de perspective du théâtre » exige la cohérence de l'action, la fidélité à la vie implique la multiplicité et l'interférence d'intrigues diverses se rattachant à un ensemble unique mais complexe : à l'artificielle et ruineuse simplicité d'action sera donc substituée une unité compatible avec le foisonnement du réel (Textes 11 et 14).

Si par leur tumultueuse polémique les romantiques ont sans doute conféré aux unités plus d'importance qu'elles n'en eurent jamais aux yeux des classiques eux-mêmes, c'est parce qu'à leur propos s'engageait le débat sur la vérité et l'illusion théâtrales. La mêlée est d'autant plus confuse que chacun des adversaires prétend défendre la même bannière. Il est piquant de voir Hugo contester au nom de la vraisemblance les règles que les classiques fondaient précisément sur la vraisemblance. Le malentendu semble naître d'une divergence dans la conception même de l'illusion et des moyens propres à la créer. Classiques et romantiques sont unanimes à considérer « l'illusion parfaite », selon la formule de Stendhal, comme la source et la condition du plaisir dramatique[1] : mais tandis que les classiques attendent cette illusion d'une exacte adéquation du temps dramatique et du temps réel, les romantiques se montrent plus attentifs au réalisme des sentiments et de l'action. Or les unités, favorables à une certaine « continuité de l'impression », comme le reconnaît Constant, sont nuisibles à la vraisemblance dramatique et psychologique, et détruisent donc, par un choc en retour, cette illusion qu'elles prétendaient fonder (Texte 8). Pour sauvegarder la vérité psychologique, les romantiques sont prêts à accepter la convention dramatique. Tandis que les classiques défendaient paradoxalement au nom de la vérité une esthétique éminemment conventionnelle dont ils n'osaient pas avouer la fondamentale stylisation, les romantiques mettaient ouvertement la convention théâtrale au service d'une esthétique réaliste. Le débat sur les unités recouvrait donc, sous l'apparente futilité d'une querelle technique, *l'éternel conflit entre la vérité de l'art et la réalité de la vie.*

La vérité historique

La même confusion obscurcit la polémique sur la vérité historique. Aux tragédies classiques, les modernes reprochent l'irréalisme des héros, l'outrance des sentiments, le mépris de l'histoire, alors que les auteurs du XVIIe siècle ont consacré la plupart de leurs préfaces à justifier leur fidélité aux données de la tradition. Lorsque Hugo fait suivre *Cromwell* ou *Marie Tudor* de la bibliographie de ses sources principales, il n'agit pas autrement que Racine dans la préface de *Britannicus* ou de *Bajazet.* Le véritable conflit est ailleurs. Tandis que dans l'histoire, ou la légende, les classiques recherchent la garantie d'actions insignes ou l'illustration de grands conflits psychologiques, les romantiques y puisent les éléments d'un décor pittoresque, comme dans *Henri III* (Texte VI), *Hernani* ou *Marion de Lorme,* ou la relation d'intrigues romanesques, comme dans *Cromwell, Marie Tudor* ou *Lorenzaccio.* Par-dessus tout, le recours à l'histoire justifie l'emploi d'un style franc et naturel, qui permette de porter à la scène, selon le souhait de Stendhal, « ces mots naïfs et charmants » dont regorgent nos mémoires[2]. *La vérité historique n'est donc pas une fin en soi, mais le prétexte à la somptuosité du spectacle, au pathétique de l'action et au naturel du style.*

Langage et vérité

La réforme du langage dramatique était aussi revendiquée au nom de la vérité. Dans son *Racine et Shakspeare,* Stendhal entreprend un réquisitoire contre le vers classique, dont il dénonce la monotonie, l'artifice et la convention. « De nos jours, écrit-il dans sa préface, le vers alexandrin n'est le plus souvent qu'un cache-sottise. » Plus profondément, Stendhal observe que le vers, par son recours à une syntaxe spécifique, à une diction soutenue, à une harmonie recherchée, déplace l'intérêt du spectacle, substitue un « plaisir

---

1. STENDHAL, *Racine et Shakspeare*, Ire partie, ch. I.
2. STENDHAL, *Racine et Shakspeare*, IIe partie, lettre II.

épique » au « plaisir dramatique ». En altérant la jouissance théâtrale au profit de la jouissance poétique, l'admiration détruit l'illusion (Textes 9 et 10). Le beau vers est l'ennemi du drame : « ce sont les beaux vers qui tuent les belles pièces », remarque Hugo dans une note de *Cromwell*. Aussi les romantiques ne louent-ils la perfection du vers racinien que pour mieux lui dénier les vertus dramatiques. Pour Stendhal, les pièces de Racine ne se composent pas de scènes, mais de « dialogues extraits d'un poème épique ». Vigny formule le même jugement dans le *Journal d'un poète*, en 1840 : « Racine a fait un théâtre tout épique. Il faudrait des demi-dieux pour jouer Homère ; de même pour jouer des personnages tirés de ses flancs. » C'est dans une intention semblable que Hugo, dans la *Préface de Cromwell*, oppose à Racine, « divin poète », « élégiaque, lyrique, épique », Molière, « qui est dramatique ». Si Hugo défend le vers contre Stendhal, ce n'est pas pour restaurer dans le drame les droits de la poésie, mais pour conférer à la pensée le prestige d'une forme éclatante qui en rehausse l'expression. Le vers, privé de toute finalité propre, doit se plier à tous les détours et à tous les registres de la conversation (Texte 13). Dans sa *Lettre à Lord* ***, Vigny, récusant les fausses grâces de la périphrase comme les fausses pudeurs des bienséances, plaide à son tour pour une langue simple et vraie.

Malgré ces revendications de vérité, *le drame romantique demeure cependant assez éloigné d'un réalisme intégral*. Ni Hugo ni Vigny n'ignorent la part de stylisation que comporte toute forme d'art. La *Préface de Cromwell* développe la formule du *Journal d'un poète* : « L'art est la vérité choisie. » Hugo distingue fermement « la réalité selon l'art » de « la réalité selon la nature ». Le drame reflète la vie, mais comme un « miroir de concentration » ; il embrasse le panorama du monde, mais selon l'angle privilégié que découvre un « point d'optique » ; il est relation du passé, mais aussi restauration, résurrection et création. La nature n'est que l'indispensable matériau métamorphosé par « la baguette magique de l'art » (Texte 12). Les temps du réalisme ne sont pas encore venus. L'exigence de vérité est le prétexte que saisissent les théoriciens romantiques pour critiquer les traditions classiques, mais les véritables ambitions du drame sont ailleurs.

7. Le goût de la grandeur

Le héros romantique
La vérité du drame romantique, c'est la grandeur. Il réinvente le héros, que le drame bourgeois avait proscrit. Si les personnages mythologiques ont définitivement disparu de la scène, l'histoire est un inépuisable répertoire de hauts faits et de noms glorieux. Plus de ces bourgeois, négociants ou magistrats, en qui le XVIIIe siècle reconnaissait volontiers un idéal social. A la « génération ardente, pâle, nerveuse » que décrit Musset dans *La Confession d'un enfant*

du siècle[1], il fallait des héros plus exaltants. Hernani réintroduit sur la scène toutes les fougues de la passion, toutes les séductions de l'aventure, et même l'auréole de la malédiction. Diderot et Beaumarchais avaient trop vite proclamé la désaffection moderne pour les victimes d'une inhumaine destinée. Le héros romantique est à lui-même son propre destin, mais porte les stigmates de la fatalité. Il est, comme Hernani, « une force qui va » :

> Agent aveugle et sourd de mystères funèbres !
> Une âme de malheur faite avec des ténèbres[2] !

Sur la tête du héros étincelle l'aura d'une obscure divinité. L'orgueil dont il se grise n'est souvent que la conscience de cette élection. Chatterton porte « au front » la marque fatale de l'inspiration (Texte X). Lorenzaccio, croyant répondre à l'ange de la liberté, a succombé au démon de la grandeur : paré des ornements du vice comme d'une livrée de réprouvé, soulevé d'un enthousiasme satanique, il projette sur un monde en décomposition le sombre rayonnement de l'ange du mal (Texte IX).

Innocent ou corrompu, puissant ou misérable, souverain ou laquais, le héros a l'âme grande. Ruy Blas n'est pas moins sublime que la Reine. Doña Sol a l'héroïsme de l'amour fidèle, Marie Tudor la violence de la passion frustrée. Victime comme Chatterton ou bourreau comme Lucrèce Borgia, le héros brille d'un égal éclat. La grandeur du crime égale celle du martyre. La plupart du temps, conformément aux préceptes hugoliens, un même personnage unit les séductions du mal à la noblesse du dévouement : Marion de Lorme et Lorenzaccio, Lucrèce Borgia et le fou Triboulet, sont ainsi parés des prestiges contraires de la souffrance et de la cruauté, de la corruption et de la pureté, de l'amour et de la haine (Textes VII et IX). Ces personnages divisés permettent de saisir la véritable signification de l'alliance du sublime et du grotesque : *la violence des contrastes est moins une donnée de la nature qu'une recherche de l'art.* L'opposition des tons, distincte en cela de la fusion des genres préconisée par Mercier et Diderot, n'est pas tant une marque de fidélité au vrai qu'un procédé pour faire jaillir de l'antithèse la grandeur.

Le faste du spectacle   *La plupart des principes brandis au nom de la vérité sont ainsi dictés par l'exigence de grandeur.* Le rejet des unités se justifie moins par le respect de la vérité dramatique que par le goût de l'action, l'appétit de spectacle, le désir de conférer au drame l'ampleur et le mouvement nécessaires à la satisfaction des sens et de l'imagination. Peu importe que la diversité du lieu rompe la continuité d'impression, si la luxuriance du spectacle enchante la vue, si le pathétique de la représentation étreint le cœur. Pourvu que la splendeur du spectacle éblouisse la sensualité et que le foisonnement de l'action comble la sensibilité, les romantiques sont prêts à sacrifier l'illusion à la magnificence. Dans *Hernani*, l'extension du temps et la multiplicité des lieux ne sont pas

---

1. MUSSET, *La Confession d'un enfant du siècle*, Ire partie, ch. II.
2. V. HUGO, *Hernani*, III, 4.

au service de la vérité, mais du pittoresque ou du grandiose. La méditation de don Carlos dans le caveau d'Aix-la-Chapelle n'est pas tant inspirée par la fidélité à l'histoire que par l'amour de cette grandeur qui émane des ténèbres souterraines, des voûtes en plein-cintre, de la présence de la mort et de l'ombre de l'empereur. La sombre majesté du caveau est ici l'accompagnement nécessaire de la pensée et de l'action, non plus un cadre indifférent exigé par un scrupule d'historien, mais, selon la formule de Cocteau, un décor qui « joue [1] ». Plus sensible aux puissances du verbe qu'aux attraits du spectacle, Giraudoux condamnait « ce massage forcené de vision et d'émotion » : « Le Français, assurait-il dans une conférence sur *Le Metteur en scène*, n'aime pas dépenser tous ses sens à la fois. Alors que tout l'effort théâtral européen aboutissait à une confusion générale des genres, il s'applique à réaliser leur séparation. En art comme en cuisine, le mélange lui répugne. Tout ce qu'il exige dans le ballet ou l'opéra, il le réprouve dans la comédie. Il vient à la comédie pour écouter, et s'y fatigue si on l'oblige surtout à voir. En fait, il croit à la parole et il ne croit pas au décor[2]. » Ce jugement, valable pour le spectateur de Racine — et de Giraudoux —, méconnaît tous les attraits du drame. *Art sensuel, art spectaculaire, le drame recourt à toutes les formes de la grandeur.*

Le drame total

L'ambition dernière du drame romantique, c'est l'expression universelle du monde et de la vie. L'homme, l'histoire et l'univers sont la matière promise à cet art gigantesque. Les éclatantes déclarations de la *Préface de Cromwell* paraissent modérées auprès des vertigineuses ambitions affirmées dans la préface de *Marie Tudor*. Désormais, le drame ne se limite plus à la banale revendication de vérité, mais rêve de fondre dans une fresque grandiose les infinis tableaux de l'homme et du monde. Rassemblant tous les genres, peignant tout le réel, exprimant tous les tons, le drame tend vers une inexprimable universalité : « C'est tout regardé à la fois sous toutes les faces. » Seul ce drame total, brassant et résumant l'infinité du monde matériel et spirituel, visible et invisible, peut apaiser l'inextinguible passion de la grandeur : « au-dessus de tout cela on sentirait planer quelque chose de grand ! » (Texte 16).

Une telle conception vouait le drame à l'éclatement. Terme et carrefour de tous les genres poétiques, le drame se perd dans le lyrisme et l'épopée. La *Préface de Cromwell*, en plaçant le drame au sommet de l'évolution poétique et sociale, impliquait cette fusion : « Le drame est la poésie complète. L'ode et l'épopée ne le contiennent qu'en germe ; il les contient l'une et l'autre en développement ; il les résume et les enserre toutes deux. » Si le lyrisme et l'épopée sont souvent latents dans les premiers drames de Hugo, jamais cette tentation ne s'affirma si visiblement que dans *Les Burgraves*. Enfantée au cours d'un voyage dans les grandioses paysages rhénans, « longue et fantasque promenade d'antiquaire et de rêveur » au travers des vieux burgs

---

1. COCTEAU, préface des *Parents terribles*, dans *Théâtre*, N.R.F., tome I, p. 181.
2. GIRAUDOUX, *Littérature*, p. 280.

ruinés, la trilogie des *Burgraves* est toute imprégnée de cette atmosphère fantastique. Songeant à « reconstruire par la pensée, dans toute son ampleur et dans toute sa puissance, un de ces châteaux où les burgraves, égaux aux princes, vivaient d'une vie presque royale », Hugo se laisse bercer par la majestueuse vision de son sujet : « Ainsi l'histoire, la légende, le conte, la réalité, la nature, la famille, l'amour, des mœurs naïves, des physionomies sauvages, les princes, les soldats, les aventuriers, les rois, des patriarches comme dans la Bible, des chasseurs d'hommes comme dans Homère, des titans comme dans Eschyle, tout s'offrait à la fois à l'imagination éblouie de l'auteur dans ce vaste tableau à peindre, et il se sentait irrésistiblement entraîné vers l'œuvre qu'il rêvait, troublé seulement d'être si peu de chose, et regrettant que ce grand sujet ne rencontrât pas un grand poète. Car il y avait là, certes, l'occasion d'une création majestueuse ; on pouvait, dans un sujet pareil, mêler à la peinture d'une famille féodale la peinture d'une société héroïque, toucher à la fois des deux mains au sublime et au pathétique, commencer par l'épopée et finir par le drame[1]. » Par l'ampleur du sujet, la majesté des personnages et des symboles, *Les Burgraves* échappaient à la dimension dramatique. Peut-être l'échec de la pièce confirme-t-il cette déviation. Vingt ans après, délivré de toute préoccupation scénique, Hugo peut enfin s'abandonner, dans son *William Shakespeare*, à toutes les débauches de l'imagination dramatique : à travers Eschyle et Shakespeare, il rêve encore d'un drame total, gigantesque, dont la beauté relève non plus même de la grandeur, mais de l'immensité (Texte 18).

8. Théâtre et enseignement

Pour répondre à sa vocation d'universalité et satisfaire toutes les catégories d'esprits, le drame ne pouvait se contenter d'offrir aux spectateurs la majesté de ses sujets et l'éclat de ses héros. *La grandeur du drame n'exige pas seulement la somptuosité du spectacle et le pathétique de l'action, mais encore la profondeur de l'enseignement philosophique et moral.* Si la foule est avide du plaisir dramatique, si les âmes sensibles vibrent surtout aux émotions du cœur, les esprits les plus raffinés exigent du drame une substance spirituelle. Pour répondre à cette triple attente, et s'adapter aux divers niveaux intellectuels des spectateurs, Hugo étage le drame sur trois plans : action, passion, pensée. Tandis que la foule et les émotifs restent à la surface dramatique et psychologique de la pièce, les penseurs sauront goûter, au-delà de la parade, l'idée et la leçon que recèle le drame (Texte 17).

---

1. V. HUGO, Préface des *Burgraves*.

Le drame et l'idée   Tandis que tragédie et comédie offraient l'étude objective d'une passion ou d'un conflit, *le drame propose l'illustration d'une idée.* La donnée initiale est plus souvent philosophique que dramatique : la pièce n'est que le schéma destiné à la mise en valeur d'une pensée. Dans sa *Lettre à Lord ***,* Vigny donne de la tragédie la définition qui convient exactement au drame : « Une pensée qui se métamorphose tout à coup en machine. » La pensée est première, la « machine » n'est que l'instrument de son expression et de sa diffusion. Dans la *Dernière Nuit de travail* qui précède son *Chatterton,* Vigny affecte de se montrer plus soucieux du message que de la forme de son drame : « Je crois surtout à l'avenir et au besoin universel de choses sérieuses ; maintenant que l'amusement des yeux par des surprises enfantines fait sourire tout le monde au milieu même de ses grandes aventures, c'est, ce me semble, le temps du DRAME DE LA PENSÉE[1]. » Telle est bien la fonction qu'il assigne à son œuvre : « Avec *La Maréchale d'Ancre,* écrit-il dans son *Journal* en 1834, j'essayai de faire lire une page d'histoire sur le théâtre. Avec *Chatterton,* j'essaye d'y faire lire une page de philosophie. »

La genèse des drames hugoliens repose le plus souvent sur une intuition morale ou philosophique, mise en scène sous une forme dramatique appropriée. La plus remarquable analyse de ce mécanisme créateur apparaît dans la préface d'*Angelo.* La première démarche consiste à « poser » des personnages symboliques : « Mettre en présence, dans une action toute résultante du cœur, deux graves et douloureuses figures, la femme dans la société, la femme hors de la société ; c'est-à-dire, en deux types vivants, toutes les femmes, toute la femme... En regard de ces deux femmes ainsi faites, poser deux hommes, le mari et l'amant, le souverain et le proscrit, et résumer en eux par mille développements secondaires toutes les relations régulières et irrégulières que l'homme peut avoir avec la femme d'une part, et la société de l'autre. Et puis, au bas de ce groupe qui jouit, qui possède et qui souffre, tantôt sombre, tantôt rayonnant, ne pas oublier l'envieux, ce témoin fatal, qui est toujours là, que la providence aposte au bas de toutes les sociétés, de toutes les passions humaines ; éternel ennemi de tout ce qui est en haut ; changeant de forme selon le temps et le lieu, mais au fond toujours le même ; espion à Venise, eunuque à Constantinople, pamphlétaire à Paris... Enfin, au-dessus de ces trois hommes, entre ces deux femmes, poser comme un lien, comme un symbole, comme un intercesseur, comme un conseiller, le dieu mort sur la croix. Clouer toute cette souffrance humaine au revers du crucifix. » De cette combinaison abstraite, il faut déterminer, en fonction des exigences de vérité et de grandeur, le mouvement et le ton dramatiques : « Puis, de tout ceci ainsi posé, faire un drame ; pas tout à fait royal, de peur que la possibilité de l'application ne disparût dans la grandeur des proportions; pas tout à fait bourgeois, de peur que la petitesse des personnages ne nuisît à l'ampleur de l'idée ; mais princier et domestique ; princier, parce qu'il faut que le drame soit grand ; domestique, parce qu'il faut que le drame soit vrai. » Il ne reste

---

1. VIGNY, *Théâtre*, éd. L. Conard, II, p. 241.

plus qu'à conférer à l'œuvre la troisième dimension en creusant sous la trame dramatique et psychologique un symbolisme historique, social et moral : « Mêler dans cette œuvre, pour satisfaire ce besoin de l'esprit qui veut toujours sentir le passé dans le présent et le présent dans le passé, à l'élément éternel l'élément humain, à l'élément social un élément historique. Peindre, chemin faisant, à l'occasion de cette idée, non seulement l'homme et la femme, non seulement ces deux hommes et ces trois femmes, mais tout un siècle, tout un climat, toute une civilisation, tout un peuple. » Un dernier détail : inventer le schéma dramatique, habiller l'idée d'une intrigue qui captivera le vulgaire sans aveugler l'élite : « Dresser sur cette pensée, d'après les données spéciales de l'histoire, une aventure tellement simple et vraie, si bien vivante, si bien palpitante, si bien réelle qu'aux yeux de la foule elle pût cacher l'idée elle-même comme la chair cache l'os. » Il est peu d'exemples d'un tel apriorisme ; même si l'on fait la part de la reconstitution a posteriori qui voile peut-être à l'auteur lui-même la spontanéité de la création, du moins l'intention didactique est-elle formulée avec une rare fermeté.

La mission du drame   La leçon morale du drame ne doit cependant pas être si habilement dissimulée qu'elle ne transparaisse plus qu'aux yeux du philosophe. *Car le drame doit être instrument de culture pour le peuple comme pour le penseur.* Si la notion de moralité n'a plus pour les dramaturges romantiques le sens limité que lui prêtaient les auteurs du XVIIIe siècle, elle n'en demeure pas moins l'un des traits fondamentaux du nouveau drame. Dispenser une leçon morale est le dernier, mais le plus important, des « devoirs austères du poète dramatique » qu'énumère la préface d'*Angelo* : « On ne saurait trop le redire, pour quiconque a médité sur les besoins de la société, auxquels doivent toujours correspondre les tentatives de l'art, aujourd'hui plus que jamais le théâtre est un lieu d'enseignement. Le drame comme l'auteur de cet ouvrage le voudrait faire, et comme le pourrait faire un homme de génie, doit donner à la foule une philosophie, aux idées une formule, à la poésie des muscles, du sang et de la vie, à ceux qui pensent une explication désintéressée, aux âmes altérées un breuvage, aux plaies secrètes un baume, à chacun un conseil, à tous une loi. » L'art et l'affabulation ne doivent pas masquer le message, ni le plaisir dramatique nuire au profit moral : « Laissez-vous charmer par le drame, mais que la leçon soit dedans, et qu'on puisse toujours l'y retrouver quand on voudra disséquer cette belle chose vivante, si ravissante, si poétique, si passionnée, si magnifiquement vêtue d'or, de soie et de velours. Dans le plus beau drame, il doit toujours y avoir une idée sévère, comme dans la plus belle femme il y a un squelette. » Fidèle à la conception voltairienne de la tragédie, Hugo considère le théâtre comme une « tribune » et une « chaire », du haut de laquelle le poète, investi d'une « mission nationale », d'une « mission sociale », d'une « mission humaine », proclamera, non plus l'évangile philosophique du siècle des Lumières, mais les leçons austères de la sagesse et de la religion (Texte 15).

65

La leçon du drame Sans être jamais aussi explicitement proférée que dans le drame bourgeois, la leçon ressort de la vérité même du drame et du *spectacle de la condition humaine*. Ainsi *Lucrèce Borgia*, par l'évocation simultanée de fastes princiers et de macabres festins, suscitera une méditation sur la précarité de la vie. Plus fréquemment, le drame illustre une idée sociale : ainsi *Chatterton* est un plaidoyer en faveur du poète en proie aux sarcasmes d'une société matérialiste (Texte X). *Angelo* analyse la grandeur et la misère de la femme au sein d'un monde soumis à la tyrannie masculine. *Les préoccupations politiques constituent l'arrière-plan permanent du drame romantique*. Si *Hernani* et *Ruy Blas* décrivent l'établissement et la corruption d'une monarchie, ce n'est sans doute pas sans relation avec la situation contemporaine de la France. *Angelo* et *Marie Tudor* (Texte VIII) dénoncent les méfaits du despotisme et du favoritisme. La censure voyait juste lorsqu'elle interdisait les couplets satiriques de *Marion de Lorme* et du *Roi s'amuse*. De l'aveu même de Hugo, *Ruy Blas* symbolise l'avènement du peuple : « Le peuple, qui a l'avenir et qui n'a pas le présent ; le peuple, orphelin, pauvre, intelligent et fort ; placé très bas, et aspirant très haut ; ayant sur le dos les marques de la servitude et dans le cœur les préméditations du génie ; le peuple, valet des grands seigneurs, et amoureux, dans sa misère et dans son abjection, de la seule figure qui, au milieu de cette société écroulée, représente pour lui, dans un divin rayonnement, l'autorité, la charité et la fécondité. Le peuple, ce serait Ruy Blas[1]. » Même *Lorenzaccio*, qui par sa sincérité passionnée trahit le drame intérieur de Musset plus qu'il n'énonce une leçon morale, n'est pas sans évoquer les déceptions et les amertumes consécutives à la révolution de 1830 (Texte IX). Comme au XVIIIᵉ siècle, l'histoire du passé, interprétée à la lueur des événements présents, est chargée, pour les spectateurs contemporains, d'un riche enseignement politique, social et humain.

9. Modernité du drame romantique

« Tout dans la poésie moderne débouche sur le drame », écrivait Hugo dans la *Préface de Cromwell*. Dans l'esprit de ses créateurs, *le drame romantique n'est que la forme la plus évoluée du théâtre moderne*. Le XIXᵉ siècle est le temps des révolutions : les bouleversements politiques, sociaux et spirituels affermissent la notion de relativisme esthétique. Dans son *Racine et Shakspeare*, Stendhal confond romanticisme et modernisme, classicisme et traditionalisme : « Le *romanticisme*, écrit-il, est l'art de présenter aux peuples les œuvres d'art qui, dans l'état actuel de leurs habitudes et de leurs croyances, sont susceptibles de leur donner le plus de plaisir possible », tandis que « le *classicisme*, au contraire, leur présente la littérature qui donnait le plus

---

1. V. Hugo, Préface de *Ruy Blas*.

grand plaisir possible à leurs arrière-grands-pères[1]. » « Qui dit romantisme
dit art moderne », renchérit Baudelaire dans son *Salon de* 1846 et les termes
dans lesquels il définit la modernité — « intimité, spiritualité, couleur,
aspiration vers l'infini[2] » — rappellent les plus secrètes intentions du drame
romantique. Moderne, le drame l'est par son goût de la liberté et de l'innovation
techniques, son refus des entraves d'une esthétique démodée, son recours
à toutes les formes de l'excitation sensible ou émotive ; il l'est encore par sa
référence à l'idéal romantique du héros simultanément rêveur et blasé, amer
et passionné, exalté et désabusé ; moderne enfin est sa constante préoccupation
didactique et symbolique, le souci d'apporter aux hommes de son temps
un message social ou philosophique.

Mais entre les théories du drame, telles que les définit la *Préface de
Cromwell* ou celle de *Marie Tudor*, et les œuvres romantiques de *Hernani*
à *Chantecler*, apparaît une consternante disproportion. Loin de réaliser leurs
gigantesques ambitions, les drames de Hugo et de Dumas se sont enlisés
dans le mélodrame, ceux — si rares — de Vigny dans la dissertation. L'auteur
du drame le plus remarquable de cette période féconde en demi-réussites
est aussi le plus avare de théories ambitieuses et de manifestes retentissants :
délivré par l'échec de *La Nuit venitienne* de toute préoccupation scénique,
Musset a seul réalisé dans *Lorenzaccio* le miracle d'un drame historique et
humain, pittoresque et prenant, exprimant à la fois la vérité et la grandeur
d'une ville, d'une âme et d'un siècle. *Mais la tentation d'un drame total, tel
que le rêvait Hugo dans les visions de son « William Shakespeare », demeure
inassouvie*, sans cesser pour autant de hanter le génie dramatique français.
Un demi-siècle après *Hernani*, de nouvelles tentatives furent hasardées,
sous le signe du symbolisme, pour accomplir l'œuvre promise.

---

1. STENDHAL, *Racine et Shakspeare*, Ire partie, chap. III, *Ce que c'est que le romantisme.*
2. BAUDELAIRE, *Salon de* 1846, II, *Qu'est-ce que le Romantisme ?*

LE DRAME SYMBOLISTE CHAPITRE III

1. Le naturalisme au théâtre

L'échec des *Burgraves*, symbolisant la faillite du drame romantique à la scène, marque la fin d'une grande période théâtrale et prélude à *un long vide dramatique*. Non que les théâtres végètent : le Second Empire, qui favorise l'ascension de la bourgeoisie d'affaires et active la vie mondaine, est une période faste pour l'art dramatique. Mais la prospérité matérielle n'améliore pas la qualité des œuvres. Si les alertes créations d'Émile Augier, Labiche, Victorien Sardou, Meilhac et Halévy rajeunissent et vivifient la comédie légère, si la comédie de mœurs, héritée de Scribe, est brillamment illustrée par Alexandre Dumas fils dont *La Dame aux camélias* (1852) soulève un des plus fervents enthousiasmes de notre histoire dramatique, en revanche le théâtre « sérieux » se détériore et périclite. Tandis que la tragédie classique sombre dans la désuétude, le drame romantique se survit difficilement. Une censure pointilleuse proscrit les œuvres de Hugo et décourage les tentatives modernes. Aucune formule dramatique nouvelle, aucun talent original, ne vient racheter la médiocrité de ce théâtre bourgeois.

La « fin du théâtre » L'avènement du régime républicain ne modifia guère cette situation. On put même croire un instant à *l'agonie du théâtre*. Dans une retentissante préface à son drame *Henriette Maréchal*, sifflé en 1865 sur la scène de la Comédie-Française, Edmond de Goncourt prédisait en 1879 l'extinction d'un genre condamné par l'évolution littéraire et sociale. Inadapté aux dissections psychologiques et aux études de mœurs qui caractérisent le roman moderne, prisonnier des strictes exigences de la représentation, le théâtre, « cette boîte à convention », « cette machine de carton », est aussi inférieur au livre que « l'avarice *bouffe* » d'Harpagon à « l'humaine avarice » du père Grandet. Si le romantisme a eu un théâtre, il le doit précisément « à son côté faible, à son humanité tant soit peu *sublunaire* fabriquée de faux et de sublime, à cette humanité de convention qui s'accorde merveilleusement avec la convention du théâtre ». Mais à l'ère du réalisme, le théâtre, discrédité par « son factice » et « son mensonge », incapable de tout renouvellement, étiolé par la pénurie de talents, sclérosé par la routine, jugulé par l'affairisme, « bien malade », « moribond presque », le théâtre doit succomber à la concurrence du roman : « Dans cinquante ans le livre aura tué le théâtre[1]. »

Comme les Goncourt et malgré ces préventions, *les maîtres du roman réaliste ne surent pas résister à la tentation du théâtre. Mais leurs expériences furent malheureuses :* si bien des romans furent adaptés à la scène, aucune création originale ne put y réussir. Dans une lettre citée au cours d'une conférence et reproduite par Henri Becque dans ses « chroniques » du *Matin* en 1884, Zola justifie sa désaffection par le refus des servitudes théâtrales : « Avez-vous remarqué le petit nombre d'écrivains nouveaux qui se risquent sur les planches ? C'est que vraiment, pour une génération de libres artistes, le théâtre est rebutant avec sa cuisine, ses entraves, son besoin de succès immédiat et brutal, l'armée de collaborateurs qu'on y doit subir depuis le premier grand rôle jusqu'au souffleur. Combien nous sommes plus indépendants dans le roman ! Et voilà pourquoi, même lorsque la fièvre perverse de la rampe nous galope, nous préférons la tuer par l'abstinence et rester les maîtres absolus de nos œuvres. On nous demande trop de soumission[2]. » Becque avait beau jeu de dénoncer l'hypocrisie de cette indifférence affectée : « Ils sont là, trois ou quatre romanciers, mettons-en cinq, mettons-en six, qui n'ont jamais rêvé que des planches et qui y ont échoué misérablement. Ils y ont échoué sans originalité, sans hardiesse, sans maladresse même. Ils ont eu toutes les scènes à leur disposition, depuis le Théâtre-Français jusqu'au théâtre Cluny ; ils les ont eues sans débats et sans conditions ; *Henriette Maréchal, Le Candidat, Bouton de rose,* voilà les noms bien connus de leurs ridicules défaites. Après de pareilles platitudes, les dédains et les fanfaronnades ne trompent plus personne[2]. » Aussi dans les prédictions complaisantes sur la dégénérescence dramatique, Becque discerne-

---

1. Ed. et J. DE GONCOURT, *Préfaces et manifestes littéraires*, Paris, Charpentier, 1888, p. 162-164, 168.
2. H. BECQUE, *Querelles littéraires*, éditions G. Crès et Cⁱᵉ, Paris, 1925, p. 117-118.

t-il, non sans une âpre ironie, la rancœur hautaine d'auteurs sifflés : « Je viens de lire, note-t-il dans ses *Souvenirs d'un auteur dramatique*, un article bien remarquable sur *la fin du théâtre*. C'est le millième ou à peu près... Je connais très bien *la fin du théâtre* et je suis à même d'en parler. Elle ne date pas d'hier. Elle remonte à *Henriette Maréchal*... Les de Goncourt, qui faisaient de tout un peu, firent aussi une pièce. Elle était bien médiocre et tomba lourdement. Aussitôt un parti se forma, un parti considérable où entrèrent tous les blackboulés de l'art dramatique. *La fin du théâtre* venait de commencer... Quelques années après, Flaubert, qui n'avait pas été dupe, on le pense bien, de l'échec de *Henriette Maréchal*, se hasarda à son tour sur les planches... Flaubert, tout en fulminant contre le suffrage universel, y avait trouvé une pièce, et quelle pièce ! On la joua, elle fut sifflée, et disparut. Mais le parti des blackboulés était là ; il avait grossi dans l'intervalle ; *Le Candidat* devint une date nouvelle qui marquait inévitablement *la fin du théâtre*... *Bouton de rose*, on s'en souvient peut-être, fut un désastre. Les blackboulés en firent une manifestation. Cette fois, le doute n'était plus possible ; le théâtre était bien mort, mort, mort... Le théâtre, pendant ce temps-là, allait toujours[1]. »

La décadence de l'art dramatique tenait donc moins à la concurrence du roman et aux difficultés financières des théâtres qu'à la carence des auteurs et à la timidité des directeurs. *De l'immense mouvement qui renouvelait la technique romanesque, le théâtre ne recevait aucune impulsion.* En vain Zola, dans ses manifestes de 1881, *Le naturalisme au théâtre* et *Nos Auteurs dramatiques*, avait esquissé les grands traits du drame moderne et revendiqué, à son tour, un respect plus scrupuleux de la vérité humaine, une observation précise des mœurs modernes et de l'homme concret, une déclamation plus naturelle, une mise en scène plus réaliste. Il lui était aisé de dénoncer les aberrations romantiques : « Je désigne par drame romantique, écrivait-il, toute pièce qui se moque de la vérité des faits et des personnages, qui promène sur les planches des pantins au ventre bourré de son, qui, sous le prétexte de je ne sais quel idéal, patauge dans le pastiche de Shakespeare et de Hugo[2]. » Mais force lui était aussi de constater la carence du théâtre naturaliste : « Si le drame naturaliste doit être, un homme de génie seul peut l'enfanter. Corneille et Racine ont fait la tragédie. Victor Hugo a fait le drame romantique. Où donc est l'auteur encore inconnu qui doit faire le drame naturaliste ? Depuis quelques années, les tentatives n'ont pas manqué. Mais, soit que le public ne fût pas mûr, soit plutôt qu'aucun des débutants n'eût le large souffle nécessaire, pas une de ces tentatives n'a eu encore de résultat décisif[3]. »

Tenu à l'écart des cercles mondains et des coteries dramatiques, *Henri Becque fut le seul auteur valable du théâtre réaliste.* Ce n'est pas sans un légitime orgueil que dans une conférence prononcée à Milan le 22 mai 1893,

---

1. H. BECQUE, *Souvenirs d'un auteur dramatique*, p. 58-61.
2. ZOLA, *Le naturalisme au théâtre*, *Œuvres complètes*, Paris, F. Bernouard, 1928, tome 42, p. 21.
3. ZOLA, *Le naturalisme au théâtre. Ibid.*, p. 26-27.

il divisait l'histoire du théâtre français au XIXe siècle en trois grandes périodes, dont la première allait d'*Hernani* à *La Dame aux camélias*, la seconde de *La Dame aux camélias* aux *Corbeaux*, son propre chef-d'œuvre, qui lui paraissait inaugurer, en 1882, la troisième période de l'art dramatique, c'est-à-dire « la période de vérité », succédant à « la période d'imagination » et à « la période d'esprit »[1]. Froidement accueillis par les directeurs, boudés ou éreintés par une critique routinière, *Les Corbeaux* en 1882, *La Parisienne* en 1885 ne suscitèrent jamais la ferveur des grandes « premières » romantiques ni la vogue des vaudevilles à la mode.

Le Théâtre-Libre

En 1887 cependant la *fondation du Théâtre-Libre*, malgré l'éclectisme de son directeur André Antoine, sembla devoir donner l'essor au théâtre naturaliste. Par son enthousiasme et sa résolution, l'ouverture de son esprit et l'indépendance de son goût, Antoine rendit au théâtre moderne d'éminents services que Becque ne cessa pas de vanter : « Nous avons rencontré alors, déclare-t-il à Milan, un homme très intelligent, très lettré, très décidé, comédien de premier ordre, et metteur en scène original : M. Antoine. Je ne vous dirai pas qu'Antoine a ouvert un théâtre, non, ses ressources ne le lui permettaient pas. Il s'est borné tout simplement à louer une méchante petite salle de spectacle une fois par mois, et, une fois par mois, dans cette méchante petite salle, il a joué des auteurs nouveaux... Eh bien, je ne crains pas de le dire, c'est ce Théâtre-Libre que Dumas, dans un moment d'irritation, a qualifié de fumier littéraire, c'est ce Théâtre-Libre qui a sauvé l'art dramatique en France[2]. » En offrant en effet aux écrivains une scène soustraite aux empiètements de la censure comme aux exigences du grand public, Antoine discréditait les théoriciens impuissants et suscitait une nouvelle génération d'auteurs dramatiques : « Dans les services de toute sorte qu'Antoine a rendus à l'art dramatique, écrit encore Becque dans son article sur *La Fin du théâtre*, il en est un qui n'a pas été remarqué jusqu'ici. Antoine nous a débarrassés des charlatans... Lorsque le Théâtre-Libre, il y a sept ans environ, dans son spectacle d'ouverture, donnait *Monsieur Lamblin*, oui, *Monsieur Lamblin*, un petit acte, pas davantage, toutes les théories et toutes les hâbleries recevaient, ce soir-là, le coup mortel. Après Ancey venait Jullien ; après Jullien venait Wolf ; et après eux Lavedan, Gramont, Brieux, Fèvre, Salandri, Hennique, Porto-Riche, Boniface, de Curel, tous les autres. Le monde théâtral était repeuplé et la vieille scène française, délivrée enfin des crocodiles qui depuis plus de trente ans pleuraient sur elle, retrouvait de véritables auteurs dramatiques[3]. » Si parmi ces nouveaux auteurs peu de noms ont survécu, au moins le Théâtre-Libre a-t-il mis un terme au mythe de la fin du théâtre.

---

1. H. BECQUE, *Correspondance*, p. 35-37.
2. H. BECQUE, *Ibid.*, p. 64.
3. H. BECQUE, *Souvenirs d'un auteur dramatique*, p. 63.

2. La genèse du théâtre symboliste

Déclin du naturalisme Si le drame naturaliste s'assurait un succès de scandale par la crudité de ses peintures et la virulence de ses satires, il choquait la bourgeoisie par le cynisme de son immoralité et mécontentait l'élite par la platitude de son réalisme. Dans son *Impromptu de Paris*, Giraudoux, par le truchement des acteurs de Jouvet, ironise sur cette conception, erronée selon lui, de l'art dramatique : « C'était joli, le Théâtre-Libre ! lance Marie-Hélène Dasté. On disait il est cinq heures, et il y avait une vraie pendule qui sonnait cinq heures. La liberté d'une pendule, ce n'est quand même pas ça ! » — « Si la pendule sonne 102 heures, réplique Raymone, ça commence à être du théâtre. » Et Renoir d'ajouter : « A huit ans on a mené mon père au Gymnase. Il y avait sur la scène un vrai piano. Il a hurlé de déception et on a dû le sortir du théâtre. Il n'y est jamais retourné[1]. » A l'époque même où les théories naturalistes trouvaient leur application dans les « comédies rosses » du Théâtre-Libre, auteurs, lecteurs et spectateurs commençaient à se lasser d'audaces malsaines qui n'étaient souvent que complaisances au morbide et au scandaleux. Déjà en 1884, la publication d'un roman de Huysmans au titre significatif, *A Rebours*, symbolisait, par les recherches du style, le raffinement de la psychologie et l'exaltation d'une poésie mystique, *la réaction contre l'esthétique naturaliste*. En 1887, quelques mois après la fondation du Théâtre-Libre, les excès de Zola dans *La Terre* achevèrent de révolter ses propres disciples contre une œuvre où l'ordure et la scatologie tenaient lieu de science et d'objectivité : le 18 août, un article retentissant du *Figaro*, connu sous le nom de « Manifeste des cinq », dénonçait les égarements du maître et constituait, selon la formule de Huysmans et d'Anatole France, le « Neuf Thermidor » qui renversait la terreur naturaliste.

L'ère du symbolisme La complexité même des mouvements littéraires et la simultanéité de tendances contradictoires devaient provoquer l'affrontement de systèmes dramatiques opposés. L'ère du naturalisme est aussi celle du symbolisme. Les vingt années que recouvre, de 1871 à 1893, la publication des *Rougon-Macquart*, sont celles où s'épanouissent les œuvres poétiques et critiques de Mallarmé, Moréas, Régnier, Mickhaël, Samain, Maeterlinck, Verhaeren, Laforgue, René Ghil, Gustave Kahn. Manifestes et créations interfèrent dans un inextricable enchevêtrement. En 1891, l'*Enquête sur l'évolution littéraire*, de Jacques Huret recueille des échos discordants dont la diversité même reflète le foisonnement des opinions et des aspirations contemporaines. Comme aux temps du romantisme, *le théâtre devait nécessairement devenir le champ de*

---

1. GIRAUDOUX, *L'Impromptu de Paris*, scène 1, Paris, Grasset, 1937, p. 19-20.

bataille des écoles adverses. De même que les maîtres du roman réaliste avaient tenté d'introduire sur la scène leurs propres techniques d'observation, les symbolistes concevaient un théâtre essentiellement poétique, délivré de l'anecdote et de la réalité quotidienne, restaurant les droits du rêve et de la suggestion. Révoltés par la trivialité des « tranches de vie », les poètes ambitionnaient de créer un drame franchement idéaliste et spiritualiste, largement ouvert sur le mystère, et puisant aux sources nouvellement redécouvertes du mysticisme et du surnaturel.

Le renouveau spiritualiste

A la réaction littéraire et dramatique qui s'annonce vers 1885 correspond en effet une révolution spirituelle. Tandis que le positivisme et le déterminisme matérialistes semblent culminer dans les tranquilles assertions de Taine et Marcelin Berthelot, que le scepticisme renanien bat en brèche les croyances traditionnelles, que les sciences physiques, biologiques, historiques et sociologiques ambitionnent de s'ériger en un système d'explication universelle, le spiritualisme, étouffé depuis un demi-siècle par les enthousiasmes scientistes, renaît et bouleverse les consciences. Ce renouveau spiritualiste suscite et soutient la révolution dramatique : tandis que le réalisme réfléchissait les préoccupations d'une société matérialiste et bourgeoise, hantée par les intrigues d'alcôve ou la révolution sociale, le symbolisme au théâtre satisfera les aspirations des âmes éprises de poésie et de mystique. En 1900, Édouard Schuré déplore dans la préface de son *Théâtre de l'âme* que «la divine Psyché » soit également proscrite par toutes les puissances modernes de la science, de l'Église, du monde et de l'art ; mais pressentant que « cette Morte est la grande Immortelle », que « l'Ame sera la vraie Muse du XXᵉ siècle », il promet aux générations prochaines un « Théâtre du Rêve », « hautement et profondément religieux », qui «tentera de relier l'humain au divin, de montrer dans l'homme terrestre un reflet et une sanction de ce monde transcendant, de cet au-delà auquel nous croyons tous à titres divers, ne serait-ce qu'au nom des sentiments infinis et des idées éternelles ». L'année suivante, Maeterlinck proclame aussi, dans la préface de son *Théâtre*, l'universelle attente d'une révélation spirituelle que la science n'a pas encore su découvrir et que la religion traditionnelle, discréditée par un long scepticisme, ne paraît plus en mesure d'apporter. Privé de toute certitude métaphysique, le poète ne saurait conférer au drame cette dimension spirituelle qui lui prête profondeur et beauté (Texte 21).

« L'Arbre »

Mais à cette date, le vide métaphysique de la scène française est virtuellement comblé. Si l'œuvre dramatique de Maeterlinck et des symbolistes français se réfugiait le plus souvent dans un idéalisme vague et un mysticisme vaporeux, Paul Claudel réunissait en 1901 dans le recueil de *L'Arbre* des œuvres dont la puissante architecture reposait sur une intime et profonde expérience religieuse. Illuminé par la grâce le 25 décembre 1886, mais longtemps encore déchiré par un violent conflit intérieur, Claudel avait publié dès 1890 son *Tête d'Or*, dont la fougue, le mystère, la résonance mystique et la foisonnante poésie avaient bouleversé Maeterlinck. Si ce « drame de l'humanité sans Dieu » dénonçait la vanité de l'effort humain sans ouvrir encore au désir les voies de l'assouvissement dans la joie absolue, Claudel échafaudait dans *La Ville*, sur les décombres de la société matérialiste, les plans de la cité de Dieu. Tandis que *L'Échange* dévoilait la misère d'un monde asservi à l'égoïsme et à l'intérêt, *La Jeune Fille Violaine* et *Le Repos du septième jour* achevaient le cycle de ce théâtre mystique et métaphysique dont les dogmes traditionnels sous-tendaient l'action et nourrissaient la poésie. Certes, ces drames demeuraient prisonniers du livre, et la première représentation d'une œuvre de Claudel ne devait avoir lieu qu'en 1912. Mais par son mépris du réalisme et son indifférence aux mécanismes de la psychologie traditionnelle, par son goût des personnages et des situations symboliques et son recours à l'envoûtement d'une étrange prosodie, par sa référence enfin à une dogmatique chrétienne et son expression des plus lancinantes angoisses métaphysiques, *ce premier théâtre de Claudel est la plus brillante illustration du drame idéaliste et spiritualiste de la fin du siècle* (Texte XIV).

3. Wagner

Dans la genèse et l'évolution du théâtre symboliste, un rôle déterminant revient aussi à la musique allemande et plus particulièrement au drame wagnérien. La musique semble avoir été pour toute une génération le seul refuge contre l'asphyxie matérialiste. Évoquant dans la préface de son *Richard Wagner* le temps « où nous vivions écrasés sous le joug de fer de la science positiviste, où sa fille légitime, la littérature naturaliste, nous étouffait de ses vulgaires épopées et de ses miasmes malsains », Édouard Schuré rappelle l'influence salvatrice de la musique : « La science avait décrété la fin de tout mystère et la critique la mort de la poésie. Quiconque voulait encore y croire devait se réfugier au plus profond de lui-même et se conforter aux concerts du dimanche. Car là, les grands maîtres de la symphonie parlaient en accents divins des merveilles de l'âme, et la musique de Wagner nous secouait de ses fanfares annonciatrices d'un monde nouveau[1]. » Claudel proclamera souvent la dette du spiritualisme envers l'œuvre wagnérienne : « Comment oublierais-je, écrit-il dans son *Richard Wagner, Rêverie d'un poète français*, que pendant ces années de matérialisme où l'éducation universitaire avait scellé sa dalle sur la tête d'un pauvre enfant, Beethoven et Wagner furent pour moi les seuls rayons d'espérance et de consolation[2] ? » Or, à cette époque, poétique et mystique sont plus que jamais inséparables : aussi Paul Valéry ne sépare-t-il pas de l'*Existence du symbolisme* l'enivrement que dispense à un auditoire fasciné « la plus puissante des musiques », « à la fois diabolique

---

1. Ed. SCHURÉ, *Le Drame musical. Richard Wagner*, Paris, Perrin, 1895, p. x.
2. P. CLAUDEL, *Contacts et Circonstances. Œuvres complètes*, Paris, Gallimard, 1959, tome XVI, p. 321.

et sacrée », la musique de Wagner[1]. En 1931, à l'occasion du cinquantenaire des concerts Lamoureux, Valéry évoquera l'extase sacrée en laquelle communiait, aux concerts hebdomadaires du Cirque d'été, une jeunesse enthousiaste, recueillie, fanatique, et parmi elle, « auditeur singulier », « plein d'une sublime jalousie », Stéphane Mallarmé[2].

La découverte de Wagner

Déjà en 1861, dans un article célèbre de la *Revue Européenne*, Baudelaire avait révélé les étranges prestiges de « cette musique ardente et despotique », chargée de « correspondances » spatiales et lumineuses, engendrant dans l'âme une extase « faite de volupté et de connaissance », une sensation de «béatitude spirituelle et physique[3] ». En 1875, *Le Drame musical* de Schuré accordait à Wagner une place de choix dans l'histoire du théâtre et l'avenir de l'art. Peu à peu poètes et dramaturges furent subjugués et accomplirent de plus en plus nombreux le pèlerinage de Bayreuth. Villiers de l'Isle-Adam avait rencontré le maître à Lucerne et s'inspira de son art pour composer son *Axël* (Texte XII). En 1883, la mort de Wagner accrut encore le retentissement de son œuvre. Fasciné par les représentations londoniennes de la *Tétralogie*, Édouard Dujardin fonda en 1885 *La Revue wagnérienne* qui, groupant sous la direction de Teodor de Wyzewa toute l'élite poétique de l'heure et, avec Mallarmé, les fidèles des « mardis » de la rue de Rome, sera jusqu'en 1888 l'organe du mouvement symboliste. En août 1885, Mallarmé, chef officieux du symbolisme, publie dans cette revue son *Richard Wagner, Rêverie d'un poète français*, où, tout en louant le maître d'avoir effectué « l'hymen » de « deux éléments de beauté qui s'excluent et, tout au moins, l'un l'autre, s'ignorent, le drame personnel et la musique idéale », tout en reconnaissant qu'il a permis à de fervents disciples d'accomplir « le voyage fini de l'humanité vers un idéal », il regrette de ne pouvoir considérer cet art comme « le terme du chemin », lui reproche de n'avoir pas su renoncer à la « Légende », à « l'anecdote énorme et fruste », et rêve d'un théâtre idéal sans acteur ni scène où se développe, pur « fait spirituel », « épanouissement de symboles », « la figure que nul n'est[4] ».

L'opéra wagnérien

Dans l'œuvre de Wagner, poètes et dramaturges symbolistes découvraient d'abord *la réalisation du « drame musical »*, réunissant, selon la formule de Baudelaire, par la « coïncidence » de plusieurs arts, les prestiges du décor, du dialogue et de la musique. Dans une lettre à Berlioz citée par Baudelaire, Wagner reconnaît avoir tenté de restaurer dans le drame lyrique cette « alliance de tous les arts » qui lui paraît avoir assuré la grandeur de « l'œuvre artistique par excellence », le drame de la Grèce ancienne[5]. Dans son *Drame*

---

1. P. VALÉRY, *Variétés*, *Œuvres*, Bibliothèque de la Pléiade, tome I, p. 699.
2. P. VALÉRY, *Pièces sur l'art*, *Œuvres*, Bibliothèque de la Pléiade, tome II, p. 1276.
3. BAUDELAIRE, *L'Art romantique*, *Richard Wagner et Tannhäuser à Paris*.
4. MALLARMÉ, *Œuvres complètes*, Bibliothèque de la Pléiade, p. 543-546.
5. BAUDELAIRE, *op. cit.*

musical, Schuré célèbre dans l'œuvre de Wagner « la réconciliation entre les trois muses sœurs et primitives : Poésie, Danse et Musique, nées ensemble à l'aurore ambrosienne de l'Hellénie et aujourd'hui séparées[1] ». Réunissant les attraits du livre, du thyrse et de la lyre, fondant en un genre unique et intégral les caractères de la tragédie antique, du drame shakespearien et de la musique moderne, « le drame musical est la forme la plus riche et la plus achevée que nous puissions concevoir du drame en général. Ici la musique vient se joindre à l'art représentatif et à la poésie pour les pénétrer d'un esprit nouveau et les porter aux régions les plus hautes du sentiment et de la pensée[2] ». Le drame wagnérien ne se satisfait pas en effet d'être une fête pour tous les sens, il entend encore, par le recours au symbolisme légendaire et au leit-motiv musical, *exprimer les plus hauts conflits métaphysiques*. Sous les fastes du spectacle et de la symphonie, le drame décrit l'affrontement des puissances surnaturelles : « *Tannhaüser*, écrit Baudelaire, représente la lutte des deux principes qui ont choisi le cœur humain pour principal champ de bataille, c'est-à-dire de la chair avec l'esprit, de l'enfer avec le ciel, de Satan avec Dieu », tandis que l'ouverture de *Lohengrin* exprime « les ardeurs de la mysticité, les appétitions de l'esprit vers le Dieu incommunicable[3]. » Mythe et musique constituent la forme charnelle d'un drame spirituel. Unissant les deux principes de correspondance des arts et de symbolisme métaphysique, qui sont les fondements de la doctrine symboliste, le drame wagnérien offrait aux jeunes dramaturges le modèle idéal du théâtre de l'avenir.

L'influence de Wagner   *De si hautes leçons suscitèrent d'ambitieuses tentatives.* Fondateur de *La Revue wagnérienne*, Édouard Dujardin ne se contente pas de servir la gloire du maître, il transpose encore ses méthodes dans ses propres drames. « J'étais un fervent wagnérien, confie-t-il dans la préface du second tome de son *Théâtre*. L'influence de Wagner fut considérable, au moins comme point de départ, j'entends l'influence de Wagner poète et spécialement du poète de l'Anneau[4]. » Aussi sa *Légende d'Antonia*, dont les trois parties — *Antonia*, *Le Chevalier du passé*, *La Fin d'Antonia* — furent jouées non sans éclat en 1891, 1892 et 1893, constitue-t-elle, par son thème légendaire, sa prosodie musicale, sa structure dramatique et son symbolisme métaphysique, une trilogie où Mallarmé discernait aisément « la facture wagnérienne ». Sâr, Mage, fondateur d'ordres mystiques, Joséphin Péladan proclame aussi son « vasselage » et son « discipulat » : « J'entendis trois fois *Parsifal*, écrit-il dans la préface de son *Théâtre complet de Wagner*, et ce furent trois embrasements de mon zèle, trois illuminations. Je conçus alors et du même coup, la fondation des trois ordres de la Rose-Croix, du Temple et du Graal, et la résolution

---

1. Ed. SCHURÉ, *Le Drame musical, Richard Wagner*, p. 315.
2. *Ibid.*, p. 313.
3. BAUDELAIRE, *L'Art romantique, Richard Wagner et Tannhaüser à Paris*.
4. Cité dans D. KNOWLES, *La Réaction idéaliste au théâtre depuis 1890*, Droz, 1934, p. 108.

d'être au théâtre littéraire l'élève de Wagner, non pas seulement par la méthode de composition, mais en transposant la technique musicale dans l'exécution d'écriture.[1] » Aussi ses tragédies — *Prince de Byzance, Le Fils des étoiles, Babylone, Œdipe et le sphinx, Sémiramis* et *La Prométhéide* — sont-elles, par leur recours aux mythes légendaires, leur exploitation du leit-motiv et leur symbolisme mystique, des « wagnéries » fidèles à l'esthétique du Maître. Enfin si l'orthodoxie catholique a vite détaché Claudel de la mythologie wagnérienne, le souvenir de ces drames titanesques ne cessera de hanter le poète de *Tête d'Or* et du *Soulier de satin*.

4. Le théâtre scandinave

Au moment même où l'opéra de Wagner révélait aux poètes modernes les ressources du symbole dramatique, *Paris découvrait le répertoire scandinave*, dont les créateurs avaient déjà porté à la scène des personnages et des conflits chargés d'une teneur métaphysique. Dès 1888-1889, *La Revue indépendante* avait publié des traductions de *Maison de poupée* et des *Revenants*. En 1889, dans la préface de sa propre traduction, le comte Prozor soulignait l'alliance d'observation réaliste et d'arrière-plan symbolique qui caractérise le théâtre d'Ibsen. Les premières grandes soirées scandinaves furent, les 29 et 30 mai 1890, les représentations au Théâtre-Libre des *Revenants*, suivies, le 27 avril 1891, du *Canard sauvage*. Désormais la vogue d'Ibsen alla croissant : traductions et représentations se multiplièrent. *Hedda Gabler* est jouée au Vaudeville en décembre 1891. Le 16 décembre 1892, la troupe des Escholiers présente au Théâtre moderne *La Dame de la mer :* une interprétation mystérieuse et solennelle, accentuée par le jeu fantomatique et somnambulique de Lugné-Poe, insistait sur la résonance symbolique de l'œuvre. Le théâtre d'Ibsen parut alors résumer l'idéal du théâtre symboliste, et, comme l'écrit M. J. Robichez dans son livre sur *Le Symbolisme au théâtre,* « pour plusieurs années Ibsen allait devenir, et surtout par l'action personnelle de Lugné-Poe, le prisonnier mal résigné des symbolistes français[2]. »

Au théâtre de l'Œuvre, Lugné-Poe, « le grand scandinave », comme le surnommera par dérision Maurice Barrès, sera le principal interprète et metteur en scène français du théâtre nordique. Il monte d'Ibsen, outre les pièces déjà connues comme *Les Revenants*, ou célèbres comme *Rosmersholm*, les dernières nouveautés du maître comme *Solness le constructeur, Le Petit Eyolf, John Gabriel Borkman*, et parfois même, comme ce fut le cas pour *Peer Gynt* et *Brandt*, des œuvres que l'auteur ne destinait pas à la scène. Si le théâtre d'Ibsen est le plus souvent mis à contribution, Lugné-Poe crée aussi du

---

1. Cité dans D. KNOWLES, *op. cit.*, p. 112.
2. J. ROBICHEZ, *Le Symbolisme au théâtre*, Paris, L'Arche, 1957, p. 157.

Norvégien Björnson *Au-delà des forces humaines*, de l'Allemand Hauptmann *Ames solitaires*, et du Suédois Strindberg les deux drames naturalistes *Créanciers* et *Père*. Le choix des pièces est parfois dicté par le souci de l'actualité : ainsi *Un ennemi du peuple*, *Soutien de la société* ou *Solness le constructeur* sont-ils des concessions à la mode anarchiste de l'époque, tandis qu'inversement *Rosmersholm*, *Brandt* ou la première partie d'*Au-delà des forces humaines* reflétaient les inquiétudes mystiques des jeunes générations. Mais la plupart du temps, Lugné-Poe semble rechercher moins le succès que l'originalité, voire la difficulté ou le scandale. La hardiesse et la variété de ces créations, en révélant au public parisien une psychologie, un style et une interprétation authentiquement symbolistes, stimulèrent singulièrement le génie créateur des dramaturges français.

5. Théâtres et metteurs en scène

On ne saurait trop insister, dans l'histoire du théâtre symboliste, sur *le rôle déterminant des metteurs en scène d'avant-garde*. Là encore, Antoine montra l'éclectisme, l'audace et le flair d'un novateur : malgré l'orientation naturaliste du Théâtre-Libre, il fut le premier introducteur du théâtre d'Ibsen et songea même à créer l'un des chefs-d'œuvre du symbolisme français, *La Princesse Maleine* de Maeterlink, saluée en 1890 par Mirbeau comme « l'œuvre la plus géniale de ce temps », « supérieure en beauté à ce qu'il y a de plus beau dans Shakespeare[1] ». Mais le projet n'aboutit pas et le Théâtre-Libre demeura le fief du naturalisme.

Le Théâtre d'Art   C'est en réaction contre l'exclusivisme naturaliste que Paul Fort fonda en 1890 le Théâtre mixte, théâtre « ondoyant et divers », « mixte comme l'homme », juxtaposant selon le vœu de Hugo le noble et le bouffon, l'ange et le pied-bot[2]. Après une courte collaboration avec Louis Germain, directeur d'un éphémère Théâtre idéaliste, Paul Fort transforme son Théâtre mixte en Théâtre d'Art, dont le premier spectacle comportait deux pièces du *Théâtre en liberté* de Hugo, « ce théâtre idéal que tout homme a dans l'esprit »[3]. A partir de 1891, le Théâtre d'Art devient, selon l'expression même de Paul Fort, « absolument symboliste » et « patronné par les maîtres de la nouvelle école, Stéphane Mallarmé, Paul Verlaine, Jean Moréas, Henri de Régnier, Charles Morice[4]. » Après la représentation du drame flamboyant de Shelley, *Les Cenci*, Paul

---

1. *Le Figaro*, 24 août 1890, cité dans J. Robichez, *op. cit.*, p. 81.
2. Cité dans J. Robichez, *op. cit.*, p. 88.
3. V. Hugo, projet de préface pour *Le Théâtre en liberté*.
4. *L'Écho de Paris*, 24 février 1891, cité dans J. Robichez, *op. cit.*, p. 113.

Fort monte *Madame la Mort*, « drame cérébral » de Rachilde, *La Fille aux mains coupées* de Pierre Quillard, puis *L'Intruse* et *Les Aveugles* de Maeterlinck. S'il dut renoncer à la représentation d'*Axël*, que Mallarmé et Huysmans avaient fait éditer en 1890, au lendemain de la mort de Villiers de l'Isle-Adam, il caressa d'innombrables projets. Son programme comportait, si l'on en croit Camille Mauclair dans *Servitude et grandeur littéraires*, « toutes les pièces injouées et injouables, et toutes les grandes épopées, depuis le Ramayana jusqu'à la Bible, des dialogues de Platon à ceux de Renan, de *La Tempête* à *Axël*, de Marlowe au drame chinois, d'Eschyle au Père Éternel. Il y en avait pour deux cents ans à tout le moins[1]. » Aux œuvres spécifiquement dramatiques, Paul Fort adjoignait la lecture de poèmes, parmi lesquels *La Charogne, Bateau ivre, Le Guignon* de Mallarmé ou sa traduction du *Corbeau* d'Edgar Poë. De malheureuses tentatives de « correspondance des arts », réalisées à grand renfort de vaporisateurs et de ´verres colorés, et aux éternuements éperdus de l' « auditoire », sombrèrent dans le ridicule. Le choix d'œuvres médiocres, comme *Chérubin* de Charles Morice, *Vercingétorix* de Schuré ou *Les Noces de Sathan* de Jules Roy, discréditèrent le Théâtre d'Art qui constitua cependant *la première réalisation d'un théâtre symboliste* et révéla, au cours de sa brève existence, d'authentiques chefs-d'œuvre.

Lugné-Poe et L'Œuvre

Le serviteur le plus éclairé et le plus efficace de la cause symboliste au théâtre fut incontestablement Lugné-Poe, dont M. Jacques Robichez a minutieusement étudié la carrière et l'influence dans son étude sur *Le Symbolisme au théâtre*. Successivement au service d'Antoine, des Escholiers et de Paul Fort, il prit en 1893 l'initiative de créer, avec l'aide de Camille Mauclair, le *Pelléas et Mélisande* de Maeterlinck que les Escholiers et le Théâtre d'Art avaient tous deux renoncé à monter (Texte XIII). Après la représentation du 17 mai 1893, et au retour d'une tournée en Belgique, Lugné-Poe résolut de fonder le Théâtre de l'Œuvre, dans le but, affirmait-il, « de faire au théâtre, de quelque façon que ce soit, œuvre d'art, ou tout au moins, de remuer des idées[2]. » Devenu, selon la formule de M. Robichez, « le temple du Drame symboliste[3] », le Théâtre de l'Œuvre contribuera simultanément à la découverte des pièces scandinaves ou européennes et à la renommée des symbolistes français. Le perpétuel recours de Lugné-Poe au répertoire étranger semblait trahir une certaine indigence du drame symboliste. Sans découvrir jamais le chef-d'œuvre espéré, il se mit pourtant avec résolution au service des auteurs modernes et créa, non sans risques, maintes nouveautés : *L'Image* et *La Vie muette* de Maurice de Beaubourg, *L'Araignée de cristal* de Rachilde, *La Gardienne* de Henri de Régnier. C'est à l'Œuvre encore que se déroula, le 10 décembre 1896, la « bataille d'*Hernani* » du symbolisme. Une tumultueuse soirée, digne

---

1. Camille MAUCLAIR, *Servitude et grandeur littéraires*, p. 92.
Cité dans Guy MICHAUD, *Message poétique du symbolisme*, tome III, p. 439.
Cf. aussi J. ROBICHEZ, *op. cit.*, p. 125.
2. *La Plume*, 1er septembre 1893, cité dans J. ROBICHEZ, *op. cit.*, p. 193.
3. J. ROBICHEZ, *Le Symbolisme au théâtre*, p. 193.

des grands jours de 1830, consacra le triomphe d'une farce géniale, virulente et débridée, apparemment étrangère à l'esthétique idéaliste du symbolisme, mais douée d'une vertu caricaturale qui haussait la bouffonnerie jusqu'au mythe : l'*Ubu-Roi* d'Alfred Jarry. Le scandale contribua à discréditer l'Œuvre et le théâtre symboliste : « C'est le commencement de la fin, écrivait dans *Le Temps* Francisque Sarcey, représentant attitré de la critique traditionaliste. Il y a trop longtemps que ces farceurs se moquent de nous. La mesure est comble[1]. » Lorsqu'en juin 1899, accablé par les difficultés financières et victime de la désaffection du public, Lugné-Poe ferme provisoirement les portes de son théâtre, il succombe à une indifférence qui, jusque dans son déclin, lie la cause de l'Œuvre à celle du symbolisme.

6. Survivance du théâtre symboliste

Depuis quelques années en effet, le mouvement symboliste semblait perdre son élan et sa cohésion. Dissidences et réactions se multiplient. Mallarmé meurt en 1898, n'ayant accompli, du Grand-Œuvre poétique, du Livre suprême en qui devait se résumer l'univers, que des fragments épars. *C'est au théâtre que l'échec est le plus patent.* Dès 1897, Lugné-Poe avait publiquement rompu ses attaches avec l'école symboliste, en arguant de son impuissance dramatique : « L'Œuvre, déclarait-il à ses abonnés, ne dépend d'aucune école, et, si l'accueil des tendances mystiques avait pu égarer quelques-uns, il serait temps de s'arrêter puisque, à part les admirables drames de Maurice Maeterlinck, elles n'ont rien produit au point de vue dramatique[2]. » Les auteurs et les œuvres vers lesquels il se tourne désormais sont symptomatiques de l'évolution spirituelle du moment. Tandis que *La Victoire* de Saint-Georges de Bouhelier et *La Noblesse de la terre* de Maurice de Faramond appartiennent à la tendance naturiste dont *Les Nourritures terrestres* feront entendre en 1897 les accents les plus exaltés, *Les Loups* de Romain Rolland sacrifient à l'actualité politique, dominée en 1898 par les remous de l'affaire Dreyfus. Après les enthousiasmes mystiques des années 1890, le théâtre et les esprits semblaient revenir à une vision plus concrète de l'homme et du monde.

Au théâtre comme en poésie, le symbolisme survécut cependant aux nombreux actes de décès qui affectaient d'enregistrer sa disparition. Schuré saluait en 1900 l'avènement du siècle nouveau, promis à l'édification du « théâtre de l'âme ». Dujardin revenait à la scène en 1913 avec *Marthe et Marie*, et donnait encore après la guerre *Le Mystère du Dieu mort et ressuscité*, *Le Retour des enfants prodigues* et *Le Retour éternel*. Le théâtre de Péladan échappait au salon confiné de la Rose-Croix pour connaître à

---

1. *Le Temps*, 14 décembre 1896, cité dans J. ROBICHEZ, *op. cit.*, p. 381.
2. Cité dans J. ROBICHEZ, *op. cit.*, p. 394.

Orange de grandioses représentations ; en 1923 Paul Castan et Berthe d'Yd fondèrent un Théâtre Esotérique, qui se consacra entre autres à la mise en scène des œuvres du Sâr. Gabriele d'Annunzio, dont on avait monté en 1898 *La Ville morte* et *La Gioconda*, écrivit directement en français et fit représenter, mais sans grand succès, *Le Martyre de Saint-Sébastien* en 1911, *La Pisanelle* et *Le Chèvrefeuille* en 1913 ; des traductions de *Phaedre* et *La Torche sous le boisseau* furent encore jouées en 1923 et 1927. Le théâtre de Maeterlinck connut un regain de faveur grâce à Debussy et Dukas, qui prêtèrent à un texte volontairement exténué le volume de la musique et du chant : *Pelléas et Mélisande*, *Ariane et Barbe bleue*, ainsi réduits à un livret d'opéra, furent annexés au drame lyrique. La féerie de *L'Oiseau bleu* obtint en 1911 un franc succès, et *Intérieur*, si typique de la première manière de Maeterlinck, entra à la Comédie-Française en 1919. Rostand lui-même n'échappait pas à l'influence du symbolisme : *Cyrano* et *L'Aiglon* demeuraient dans la ligne du drame romantique, mais *Chantecler* qui déçut en 1910 l'attente des enthousiastes, doit beaucoup aux techniques du drame symboliste (Texte XI). De jeunes auteurs venaient même apporter leur contribution au répertoire symboliste. *Saül* et *Le Roi Candaule* de Gide, *La Lumière* et *Le Combat*, de Georges Duhamel, *Le Pain* de Henri Ghéon, démontrent *la fécondité de la veine symboliste et l'emprise du mouvement sur les nouvelles générations littéraires.*

Révélation de Claudel — Les théâtres d'avant-garde ne restent pas inactifs, et de nouvelles salles accueillent les pièces idéalistes. L'Œuvre a rouvert ses portes, et Lugné-Poe monte en 1900 deux drames de Verhaeren, *Le Cloître* et *Les Aubes* ; puis en 1901 *Le Roi Candaule*, en 1902 *Monna Vanna* de Maeterlinck, l'année suivante *La Roussalka* de Schuré, en 1905 *La Gioconda* et *La Fille de Jorio* de d'Annunzio. Mais la véritable renaissance de l'Œuvre date de 1912, lorsque Lugné-Poe créa *L'Annonce faite à Marie*, nouvelle « version » de *La Jeune Fille Violaine* que Claudel, la jugeant impropre à la représentation, avait refusée trois ans auparavant au Nouveau Théâtre d'Art. *L'accès de Claudel à la scène* est un événement capital du théâtre moderne. Cette œuvre hautaine, obscure, plus lyrique que dramatique, semblait défier toute réalisation théâtrale. Cependant les dernières œuvres du poète, *Partage de midi* (1905) et *L'Otage* (1911), par les restrictions apportées au débordement du lyrisme et la recherche d'une structure plus dramatique, paraissaient, mieux que les pièces de *L'Arbre*, accordées aux exigences de la scène. Dès 1911 une Société des Poètes Girondins avait donné des lectures jouées de *L'Otage*, précédées d'une conférence de Carlos Larronde. Le Théâtre Idéaliste, fondé par Larronde et Lambert, ainsi que d'autres groupements poétiques, adoptèrent cette formule, héritée du Théâtre d'Art de Paul Fort. Mais la révélation publique du théâtre claudélien fut l'œuvre de Lugné-Poe : après le succès de *L'Annonce* en 1912, il créa *L'Otage* en 1914. A son tour Jacques Copeau qui, en réaction contre l'avilissement et la commercialisation du théâtre, venait de fonder le Vieux Colombier, monta *L'Échange*. Désormais les représentations vont se multiplier en France et à l'étranger. Le Groupe Art et Action monte *Partage de midi* en 1921, *Tête d'Or* en 1924. Jusqu'à la deuxième guerre mondiale, Claudel demeure cependant un dramaturge abscons, plus goûté de l'élite que du grand public.

Son œuvre majeure, *Le Soulier de satin* (Texte XV), publiée en 1929, n'a été représentée qu'en 1943, à la Comédie-Française, par les soins de Jean-Louis Barrault. Cette date semble avoir inauguré, pour l'œuvre dramatique de Claudel, une période de faveur. Tandis que Barrault, avec un talent qui n'avait d'égal que son acharnement à servir la cause du théâtre de Claudel, montait successivement *Partage de midi* en 1948, *L'Échange* en 1951, *Le Livre de Christophe Colomb* en 1953, que l'Opéra jouait l'oratorio *Jeanne au bûcher*, l'Athénée, le Théâtre Hébertot, puis la Comédie-Française donnaient tour à tour de triomphales représentations de *L'Annonce faite à Marie*. La mort du poète en 1955 ne ralentit pas la vogue de son œuvre : les récentes créations de *La Ville* au T.N.P., de *Tête d'Or* au Théâtre de France et du *Repos du Septième Jour* à l'Œuvre témoignent de l'*exceptionnelle vitalité que conserve, dans le monde dramatique moderne, le théâtre de Claudel et, à travers lui, le drame symboliste*.

Effacement du drame symboliste

Une telle vogue demeure cependant celle d'une œuvre plus que d'un genre. *Si le génie claudélien fut profondément marqué par l'esthétique symboliste, il survécut à peu près seul à la première guerre mondiale.* Dans les premières années du siècle, les maîtres de la scène ne sont ni Dujardin, ni Péladan, ni Schuré, ni même Maeterlinck, mais les spécialistes du théâtre d'idées, comme François de Curel, du réalisme psychologique et social comme Georges Porto-Riche, Maurice Donnay, Paul Hervieu ou Jules Renard, ou encore les virtuoses du mélodrame passionnel, Henry Bataille, Henry Bernstein, dont les drames violents et simplistes captivent un public peu soucieux de raffinement psychologique et d'élégance de style. En 1913, la création du Théâtre du Vieux Colombier symbolise la réaction de l'élite contre la médiocrité de spectacles complaisamment asservis à toutes les exigences d'un goût peu scrupuleux. En ralentissant la vie théâtrale, en encombrant la scène d'hymnes patriotiques, puis en suscitant une impérieuse fringale de divertissements faciles, la guerre discrédita l'idéalisme mystique du théâtre symboliste, incompatible avec la pétillante légèreté des « années folles », comme avec la fantaisie créatrice du théâtre surréaliste dont l'année 1917 voit apparaître les premiers drames : *Parade* de Jean Cocteau et *Les Mamelles de Tirésias* de Guillaume Apollinaire.

De sa naissance à son déclin, le théâtre symboliste demeura un mouvement d'avant-garde. Ses succès comme ses défaites furent littéraires et mondains, et ne connurent jamais le retentissement des grandes « premières » romantiques. L'ardeur des querelles polémiques n'émut que le cercle passionné mais restreint des poètes et des critiques. Tandis que le drame romantique, en exploitant la veine du mélodrame, avait flatté les goûts d'un large public, le drame symboliste se construisit au contraire en réaction contre les facilités du vaudeville et les complaisances du théâtre naturaliste. Servi par d'admirables metteurs en scène dont le talent n'avait d'égal que le désintéressement, plus soucieux de mettre en valeur le mystère du dialogue que le prestige de l'acteur, ce théâtre sacrifiait les ovations de la foule aux suffrages de l'élite. Fidèles à l'hermétisme mallarméen, ennemis de toute concession et de toute vulgarisation, épris de beauté formelle et de pensée raffinée, *les dramaturges symbolistes étaient avant tout poètes*. Écrit par des poètes pour des amateurs de poèmes, plus volontiers lu ou déclamé que joué ou représenté, le drame symboliste tend plus que tout autre à échapper à la scène et à l'acteur, dont la matérielle opacité nuit à l'épanouissement du symbole et au charme du langage (Texte 20). Aussi est-ce dans les caractères fondamentaux de son esthétique qu'il convient de chercher les sources de sa destinée théâtrale et la signification de sa révolution dramatique.

7. L'irréalisme dramatique

Le théâtre symboliste semble rompre la continuité qui, de Diderot à Dumas, fondait l'esthétique du drame. Si les symbolistes héritent du drame romantique le sens de la grandeur et le goût de la poésie, ils renient l'article essentiel du credo dramatique moderne en proclamant, à l'encontre de la tradition bourgeoise, romantique et naturaliste, leur refus de tout réalisme théâtral. Tandis que les théoriciens du XVIIIe et du XIXe siècle s'étaient unanimement dressés contre la stylisation outrancière d'un classicisme sclérosé, les dramaturges symbolistes, en réaction contre les excès du naturalisme, conçoivent un théâtre fondamentalement idéaliste et poétique. S'ils persistent à vouloir éveiller la réflexion et proposer un message, cet enseignement ne comportera ni la prédication morale du drame bourgeois, ni les leçons philosophiques du drame romantique, mais la révélation mystique d'un univers surnaturel. En accord avec la mode poétique et le climat spirituel de l'époque, *les symbolistes imposent au drame leur propre idéal d'irréalisme, de symbolisme et de mysticisme*.

Contre les platitudes du réalisme dramatique et les puérilités de la mise en scène naturaliste, les dramaturges symbolistes rêvent d'un théâtre délivré de la tyrannie du vrai, et dont *les situations, la psychologie et le langage échappent également à la trivialité quotidienne*. Contrairement aux préceptes traditionnels du drame, action et personnages appartiennent à un univers d'exception, volontiers mélodramatique, souvent fantastique, parfois surnaturel. Rien de moins réaliste que le décor embrumé et l'atmosphère oppressante des étranges royaumes de Maleine et Mélisande, que cette « harmonie épouvantée et sombre » qui caractérise, selon ses propres termes, le climat spécifique des drames de Maeterlinck (Textes 21 et XIII). Sans doute ce Flamand entend-il restaurer sur la scène un « tragique quotidien » étranger aux aventures mélodramatiques et analogue à la pénétrante poésie d'une nature morte ou d'une scène d'intérieur : mais le quotidien n'est pour lui que la façade du mystère et le cadre le plus propice à la manifestation du surnaturel (Texte 19). Sur le décor apparemment anodin de *L'Intruse* ou d'*Intérieur* plane l'obscure menace de la mort, cette étrangère dont la présence sournoise inflige un contact presque physique et trouble le lourd silence des veillées nocturnes.

**Mépris
de la couleur locale**

Si les dramaturges romantiques s'étaient efforcés de restituer fidèlement la couleur et le relief du passé, *leurs successeurs symbolistes se montrent étonnamment indifférents aux temps et aux lieux*. Les royaumes nordiques de Maeterlinck ont les lignes floues d'un univers malsain d'où émane un vague malaise. Les drames métaphysiques de Dujardin échappent aux déterminations temporelles et spatiales. L'Amérique de *L'Échange*, la Chine de *Partage de midi* ne reflètent guère les voyages de Claudel. Au très vague Paris de la première version, Claudel substitue dans la seconde version de son drame le lieu abstrait de *La Ville*. Si *La Jeune Fille Violaine*, dont l'action se déroule dans des lieux familiers à l'auteur, témoigne de l'attachement de Claudel à la terre champenoise, *Tête d'Or* se dérobe à toute situation historique ou géographique, et *L'Annonce faite à Marie* « se passe à la fin d'un Moyen Age de convention, tel que les poètes du Moyen Age pouvaient se figurer l'Antiquité ». La plus remarquable expression de la désaffection symboliste à l'égard de la couleur locale et de la résurrection du passé, apparaît dans les indications scéniques du *Soulier de satin* : « La scène de ce drame est le monde et plus spécialement l'Espagne à la fin du XVIe, à moins que ce ne soit le commencement du XVIIe siècle. L'auteur s'est permis de comprimer les pays et les époques, de même qu'à la distance voulue plusieurs lignes de montagnes séparées ne font qu'un seul horizon[1]. »

**Spécificité
de l'univers dramatique**

Non content de bannir le « trompe-l'œil », le drame symboliste, comme le souhaitait Apollinaire, reconstruit *un univers dramatique imaginaire qui n'obéit qu'aux lois de la fantaisie créatrice* (Texte 21). Rien de plus gratuit que la Pologne d'*Ubu-Roi* ou le Zanzibar des *Mamelles de Tirésias* : Le dépaysement ne tient plus ici à une couleur locale inexistante, mais à la création d'un monde verbal et caricatural. La stylisation poétique des décors, l'interprétation lente et solennelle d'un acteur comme Lugné-Poe, achevaient de soustraire le drame aux servitudes du réalisme. Loin de dissimuler la mécanique et les conventions théâtrales, Claudel se plaît à imaginer une représentation du *Soulier de satin* qui en dévoile, non sans désinvolture, tous les artifices : « Il est essentiel que les tableaux se suivent sans la moindre interruption. Dans le fond la toile la plus négligemment barbouillée, ou aucune, suffit. Les machinistes feront les quelques aménagements nécessaires sous les yeux mêmes du public pendant que l'action suit son cours. Au besoin rien n'empêchera les artistes de donner un coup de main. Les acteurs de chaque scène apparaîtront avant que ceux de la scène précédente aient fini de parler et se livreront aussitôt entre eux à leur petit travail préparatoire.

---

1. P. CLAUDEL, *Le Soulier de satin, Théâtre*, Bibliothèque de la Pléiade, 1956, tome II p. 651.

Les indications de scène, quand on y pensera et que cela ne gênera pas le mouvement, seront ou bien affichées ou lues par le régisseur ou les acteurs eux-mêmes qui tireront de leur poche ou se passeront de l'un à l'autre les papiers nécessaires. S'ils se trompent, ça ne fait rien. Un bout de corde qui pend, une toile de fond mal tirée et laissant apparaître un mur blanc devant lequel passe et repasse le personnel sera du meilleur effet. Il faut que tout ait l'air provisoire, en marche, bâclé, incohérent, improvisé dans l'enthousiasme ! »[1] En accentuant ainsi l'artifice théâtral, les dramaturges symbolistes non seulement rompaient en visière à toute la tradition réaliste, mais encore frayaient à l'art dramatique une voie profondément originale : *c'était en effet répudier la doctrine millénaire de l'imitation et de l'illusion*, pour se référer à la valeur spécifique du phénomène dramatique, à une poésie théâtrale qui laisse pressentir les jeux architecturaux du moderne drame d'avant-garde.

L'irréalisme psychologique

Dans cet univers imaginaire vivent des personnages qui n'ont d'humain que le geste et l'apparence. Plus encore que le héros romantique, *le personnage du drame symboliste échappe à l'humanité quotidienne*. Stylisés parfois jusqu'à la caricature, comme dans *Ubu-Roi* ou *Les Mamelles de Tiresias*, ils sont la plupart du temps chargés d'une teneur symbolique qui les dépouille de toute individualité. Les personnages de *La Légende d'Antonia*, symboles de l'éternel masculin ou féminin, ont perdu jusqu'à leur patronyme et ne sont plus que l'Amant et l'Amante. Cœuvre et Besme ne sont dans *La Ville* que deux expressions de l'âme de Claudel et deux types du monde moderne : le Poète et l'Ingénieur (Texte XIV). Les héroïnes de Maeterlinck, apparemment plus engagées dans le monde concret des aventures et des passions, ne sont elles-mêmes que la fragile incarnation d'un idéal spirituel : mystérieuses et réservées, ingénues et impénétrables, ses princesses lointaines sont moins des femmes de chair que le rêve d'une inaccessible perfection (Texte XIII). Avec un sens inné de dramaturge, Maeterlinck sait respecter l'apparence de l'humanité et, s'il le faut, justifier minutieusement l'attitude psychologique de tel de ses héros : mais il ne conteste pas l'étrangeté de ses personnages, leur inadaptation au réel, leur « apparence de somnambules un peu sourds constamment arrachés à un songe pénible ». Dans l'univers mystérieux de Maeterlinck n'apparaissent que des ombres, des « fantômes », dira Mallarmé, dont les gestes et les paroles sont dictés moins par une volonté consciente que par une aveugle soumission aux lois obscures de la destinée (Textes 21 et XIII). A aucun théâtre ne convient mieux l'étiquette que Maeterlinck attribua lui-même à certaines de ses pièces : « Drames pour marionnettes ».

L'irréalisme du dialogue

Le langage de ces héros achève de les retrancher du monde réel. Révoltés par la trivialité systématique du théâtre naturaliste, les symbolistes adoptent un style soutenu, rhétorique, poétique, aussi éloigné du langage quotidien que la poésie l'est de la prose. Les personnages majestueux de Villiers de l'Isle-Adam s'expriment en une langue recherchée,

---

1. P. CLAUDEL, *Le Soulier de satin, Théâtre*, t. II, p. 649.

nombreuse et imagée, lyrique et philosophique, toujours dense et poétique, parfois presque hermétique (Texte XII). La plupart des maîtres du symbolisme sont poètes avant que d'être dramaturges. Dans le drame, Mallarmé tente de restituer les prestiges de la poésie et rêve même de substituer le livre au théâtre (Texte 20). Lorsque Théodore de Banville lui fait demander un acte en vers susceptible d'être présenté à la Comédie-Française, il entreprend de rimer un « intermède héroïque, dont le héros est un Faune ». Un instant, Mallarmé semble s'illusionner sur la vertu dramatique de son poème : « Je le fais absolument scénique, écrit-il en juin 1865 à Henri Cazalis, non possible au théâtre, mais exigeant le théâtre. Et cependant je veux conserver toute la poésie de mes œuvres lyriques, mon vers même, que j'adapte au drame[1]. » Mais le vers prit vite le pas sur le drame, et c'est sans trop de surprise ni d'amertume que Mallarmé apprit le refus de son *Monologue d'un faune*, première version du futur *Après-midi d'un faune*. Le prestige de l'opéra wagnérien incitait ses plus fervents admirateurs à introduire dans le drame une langue harmonieuse et musicale, dont la mélodie puisse rivaliser avec l'orchestration instrumentale et le concert des voix. A la limite, et selon le vœu de Mallarmé qui souhaitait « reprendre à la musique son bien », la phrase poétique devait, comme la phrase musicale, et par les seules ressources de la mélodie, accompagner et même exprimer, à la manière du leit-motiv wagnérien, la teneur du sentiment ou de l'idée : tel était le sens de la tentative de Dujardin dans sa *Légende d'Antonia*. Dans le *Pelléas et Mélisande* de Maurice Maeterlinck, Mallarmé discernait aussi un « art où tout devient musique »[2] (Texte 20). Mais l'originalité du dialogue de Maeterlinck tient moins à un recours systématique aux techniques de la poésie ou de la musique, qu'à une transparente gracilité qui le dépouille de toute pesanteur : c'est l'affinement et l'épurement extrême des répliques qui invitent le spectateur à rechercher, au-delà de leur apparente insignifiance, le pouvoir suggestif des paroles (Texte XIII). Claudel enfin introduisit au théâtre le langage même des *Grandes odes*, « ce vers qui n'avait ni rime ni mètre[3] », inventé par le poète Cœuvre, inspiré à la fois du style biblique, de la strophe mennaisienne et de la prose rimbaldienne, et qu'on n'a pu mieux définir que par l'appellation de « verset claudélien ». Tour à tour ample et ramassé, harmonieux et cadencé, il prête à la phrase le mouvement d'une profonde respiration, et achève de conférer au drame une écriture poétique dont la foisonnante richesse des images bannissait déjà tout réalisme (Textes XIV et XV).

Drame symboliste et tragédie grecque

Par son goût de l'étrangeté, son mépris de la psychologie traditionnelle, son choix d'un style poétique, *le drame symboliste se situe aux antipodes du drame bourgeois et historique, mais prolonge la tradition d'un théâtre épique et lyrique* dont la tragédie grecque offrait

---

1. MALLARMÉ, *Correspondance*, N.R.F., 1959, p. 166.
2. MALLARMÉ, *Planches et Feuillets*, dans *Divagations*. (*Œuvres complètes*, Bibliothèque de la Pléiade, p. 330).
3. P. CLAUDEL, *La Ville*, 2ᵉ version, acte III. *Théâtre*, Bibliothèque de la Pléiade, tome I, p. 488.

les premiers modèles. Aussi est-ce à ce théâtre antique, où l'action compte moins que le dialogue, la vérité humaine moins que la profondeur du message et la beauté de l'expression, que se réfèrent volontiers les dramaturges symbolistes. Dans ces œuvres altières où Hugo reconnaissait déjà « l'immensité » du drame (Texte 18), dont Maeterlinck loue l'action statique et l'attention au surnaturel (Texte 19), dans lesquelles Schuré saluait l'épanouissement du théâtre idéal, et dont enfin Claudel se fit le disciple attentif en traduisant *L'Orestie*, tous les symbolistes s'accordaient à voir le modèle d'un théâtre indifférent aux pauvretés du réalisme, épris de beauté poétique et soucieux d'exprimer les angoisses les plus lancinantes qu'inflige à l'homme la rencontre du divin.

8. Le symbolisme dramatique

L'indifférence des symbolistes à l'égard de la vraisemblance dramatique et des formes traditionnelles du théâtre tient à ce qu'ils ne considèrent l'anecdote et les personnages eux-mêmes que comme la façade d'une réalité plus profonde. En détournant l'attention de l'idée sur le fait, de l'essentiel sur l'accessoire, l'illusion dramatique égare donc le spectateur comme la « parade », selon l'image chère à Cocteau, masque le véritable spectacle. *Une esthétique symboliste au contraire exige le dépassement de l'apparence dramatique et un perpétuel approfondissement du signe vers le signifié.*

**Transparence
de l'action dramatique**

Tandis que le poète lyrique est libre d'exprimer directement sa vision personnelle de l'univers, le poète dramatique doit nécessairement recourir au truchement de personnages engagés dans une action fictive. Mais *le véritable drame ne réside ni dans l'action, ni même dans les passions des héros, mais dans les conflits métaphysiques* qu'expriment ou suggèrent les heurts des personnages. A un théâtre barbare et anachronique qui se satisfait des péripéties de l'action matérielle, à un théâtre classique et raffiné qui accorde la plus grande part aux débats psychologiques, Maeterlinck souhaite de substituer un « théâtre statique », inspiré de la tragédie grecque, qui s'applique à peindre non plus « un moment exceptionnel et violent de l'existence », mais « l'existence elle-même », et au-delà de toute action matérielle ou morale, ne laisse subsister d'autre intérêt que celui qu'inspire « la situation de l'homme dans l'univers » (Texte 19). La gratuité ou l'absence d'action dramatique inviteront le spectateur à rechercher par-delà l'argument du drame sa véritable portée. Dans les pièces de Maeterlinck, Mallarmé discernait finement « une variation supérieure sur l'admirable vieux mélodrame » (Texte 20) : mais la « variation » importe ici plus que le « thème », volontairement usé, banal et conventionnel, dont la naïveté et l'inconsistance même incitent à dépasser l'apparence. La trame mélodramatique de *Pelléas et Mélisande* n'en constitue que le « livret » et semble appeler, sinon l'accompagnement musical de Debussy, du moins l'apport du rêve et de la méditation de chaque spectateur (Texte XIII).

Réalisme et idéalisme

Comme dans le drame romantique, *l'action et les personnages du drame symboliste ne sont souvent que l'expression dramatique d'une idée ou d'un sentiment*, la traduction d'une pensée morale ou métaphysique. Ainsi le théâtre de Maeterlinck illustre-t-il la toute-puissance d'une obscure destinée dont l'amour et la mort sont les instruments privilégiés (Texte 21). Ainsi *La Légende d'Antonia* entend-elle résumer le destin de l'humanité perdue par la faute et rachetée par l'amour créateur. Ainsi *Tête d'Or* est-il, selon la formule de Duhamel, « le drame de l'humanité sans Dieu », et *La Ville* le drame de la cité sans Dieu, de la solitude et du désespoir de l'homme dans une société matérialiste et vouée à l'anéantissement (Texte XIV). Tel était bien l'exemple donné par le théâtre d'Ibsen, dont les pièces auraient présenté tous les caractères du drame naturaliste, si derrière le réalisme de l'action et du langage ne s'était dissimulé un message moral ou philosophique : ainsi *Les Revenants* illustraient-ils les mystérieuses lois de l'hérédité, *Le Canard sauvage* les méfaits de l'intransigeance morale et les ravages de l'idéal dans la médiocrité quotidienne. Le réalisme dramatique et psychologique ne serait donc, selon l'interprétation que Maeterlinck en donnait à Jules Huret au cours d'une interview publiée dans *Le Figaro* du 17 mai 1893, qu'une ruse ou une « concession » du poète aux exigences d'un public encore épris d'illusion dramatique : « Ibsen par endroits ruse admirablement ainsi. Il construit des personnages d'une vie très minutieuse, très nette et très particulière et il a l'air d'attacher une grande importance à ces petits signes d'humanité. Mais comme on voit qu'il s'en moque au fond et qu'il n'emploie ces minimes expédients que pour nous faire accepter et pour faire profiter de la prétendue et conventionnelle réalité des êtres accessoires le troisième personnage qui se glisse toujours dans son dialogue, l'inconnu qui vit seul d'une vie inépuisablement profonde et que tous les autres servent simplement à retenir quelque temps dans un endroit déterminé[1]. » Une telle définition convenait également aux œuvres de Maeterlinck qui affectait de ne considérer l'action dramatique et la psychologie traditionnelle que comme le vêtement malcommode et conventionnel d'un drame métaphysique. Dans un article publié dans *L'Estafette* le 21 novembre 1891, Camille Mauclair louait dans les œuvres de Maeterlinck cette superposition d'une action apparente et d'un message profond : « Ainsi M. Maeterlinck tout en restant un dramaturge dans le vrai sens du mot, se révélait hautement nourri de philosophie idéaliste et y puisait l'âme et la signification secrète de ses œuvres. Il réalisait l'idéal du théâtre : s'élever aux plus nobles conceptions métaphysiques et les incarner en des êtres fictifs pour les offrir à la méditation des artistes et des penseurs, tout en réservant à la foule le drame passionnant et parfaitement intelligible

---

1. Cité dans J. ROBICHEZ, *op. cit.*, p. 168.

d'êtres simples où elle se devine et se retrouve. Attendrir le peuple convié au spectacle de ses douleurs et de ses misères et tirer de ce spectacle même une philosophie très grande, M. Maeterlinck avait trouvé cela[1]. » Cet *étagement des plans dramatiques*, qui rappelle singulièrement les analyses hugoliennes de la préface de *Ruy Blas* (Texte 17), paraissait devoir apaiser, selon la formule de Mauclair dans ses « Notes sur un essai de dramaturgie symbolique » publiées dans *La Revue indépendante* de mars 1892, « l'antique querelle du réalisme et de l'idéalisme[2]. » Saint-Pol-Roux reprenait à son tour ces conceptions et proposait, sous le nom significatif d' « Idéoréalisme », un théâtre « multiple », voilant l'idée sous la fable, et propre à satisfaire ainsi le profane comme le penseur.

Symbolique et symbolisme

Le théâtre symboliste risquait alors de se dégrader en théâtre symbolique, où action et personnages n'auraient plus qu'un rôle allégorique. Pour éviter le piège du didactisme, les dramaturges devaient se réfugier dans un authentique symbolisme préservant le mystère de cet au-delà qu'évoquent sans précision les gestes et les paroles. Si les drames de Maeterlinck conservent toute leur résonance poétique, c'est parce qu'*ils suggèrent sans démontrer :* l'imprécision même du contenu philosophique sauvegarde la valeur dramatique et poétique (Texte XIII). L'action dramatique peut inversement retrouver une signification symbolique dans un univers soumis à une rigoureuse mystique des correspondances, selon laquelle aucun geste n'est indifférent mais *toute action trouve dans un ordre surnaturel sa justification et sa portée véritables.* Le drame peut alors se référer à une théologie cohérente. Dans un monde aussi « composé » que celui de Claudel, toute existence est la figure et le fragment d'un immense drame que chaque homme est appelé à jouer sans connaître toujours la signification de son rôle, mais avec la certitude de coopérer à l'achèvement d'un plan divin. Il s'établit alors entre chaque plan d'existence et chaque participant du drame une surnaturelle relation qui prête au moindre geste un retentissement infini et confère au drame cette « troisième dimension », cette « direction verticale » qui selon Claudel est à la fois le « sens » de toute vie spirituelle et la clef d'un théâtre religieux (Textes 23, 24 et XV).

9. Idéalisme et mysticisme

Il n'est de symbolisme que fondé sur le spiritualisme. La notion même de symbole repose sur la correspondance, l'analogie entre le naturel et le surnaturel, et suppose une répercussion du visible sur l'invisible comme du spirituel sur le matériel. Œuvre de poètes résolument spiritualistes, *le théâtre symboliste sera essentiellement idéaliste et mystique.*

---

1. *Ibid.*, p. 167.
2. *Ibid.*, p. 180.

L'occultisme

Avant de revêtir la forme d'une renaissance chrétienne, *l'effervescence spiritualiste de la fin du XIXe siècle stimula le goût toujours latent de l'ésotérisme.* La révélation de l'idéalisme hégélien se joignit aux aspirations du mysticisme chrétien et à la tradition des sciences occultes pour orienter les poètes vers la connaissance et l'expression du surnaturel. Catholique orthodoxe tenté par l'occultisme, Villiers de l'Isle-Adam subordonne ses drames à sa métaphysique. Son héros Axël est un initié, et le drame tout entier symbolise le suprême conflit entre le réel et l'idéal, la vie charnelle et la vie mystique. La troisième partie du drame, « le monde occulte », est une longue conversation où Maître Janus dévoile à son disciple les clefs de la gnose mystique et les voies de la vie surnaturelle. Repoussant l'ascétisme du vieux mage pour connaître les joies terrestres et charnelles du « monde passionnel », Axël devra subir « l'épreuve par l'or et par l'amour », au terme de laquelle, revenu à une conception idéale du monde, il fuira avec la bien-aimée les décevantes apparences de la Maya pour se perdre dans l'éternité de l'être incréé (Texte XII). Fasciné par le symbolisme grandiose du drame wagnérien, Joséphin Péladan fonde l'ordre de la Rose-Croix et prête à ses propres « wagnéries » la hiératique majesté de cérémonies mystiques. Édouard Schuré, historien des *Grands initiés*, des *Sanctuaires d'Orient* et du *Drame sacré d'Éleusis*, conçoit pour l'avenir un « Théâtre de l'Ame » ou « Théâtre du Rêve », qui « racontera le Grand-Œuvre de l'Ame dans la légende de l'Humanité », et, fondé sur la conviction que l'homme terrestre est « un reflet et une sanction de ce monde transcendant, de cet au-delà auquel nous croyons tous », sera « hautement et profondément religieux »[1]. Ses propres drames, célébrant la réconciliation de tous les principes spirituels, divins ou sataniques, contre l'oppression des puissances matérielles et mondaines, sont les premières pierres de ce théâtre futur qui sera « le temple de l'Idée, le foyer ardent de l'Ame consciente, libre et créatrice[1] ».

L'expression du surnaturel

La métaphysique de Maeterlinck, faute d'une certitude scientifique ou religieuse, mais aussi pour préserver le mystère poétique, demeure infiniment vague et floue, mais suppose l'existence « d'énormes puissances, invisibles et fatales, dont nul ne sait les intentions, mais que l'esprit du drame suppose malveillantes, attentives à toutes nos actions, hostiles au sourire, à la vie, à la paix, au bonheur ». Mêlant en un *syncrétisme poétique* « l'idée du Dieu chrétien », la « fatalité antique » et « la nuit impénétrable de la nature », cet univers surnaturel permet de conférer au drame « cet arrière-plan profond, ce nuage des cimes, ce courant d'infini » nécessaires à la plénitude de l'œuvre, et laisse pressentir la présence de ce « troisième personnage, énigmatique, invisible mais partout présent, qu'on pourrait appeler le personnage sublime » et dont la mystérieuse volonté gouverne l'action et lui prête toute sa résonance[2] (Textes 19 et 21). Seul

---

1. Ed. SCHURÉ, *Préface du Théâtre de l'Ame.*
2. MAETERLINCK, *Préface du Théâtre.*

Claudel, dont la foi intransigeante se réfère à la stricte théologie catholique, fonde ses drames sur *une base dogmatique précise* et les oriente selon une finalité divine parfois incompatible avec les élans humains, mais dont les desseins ineffables peuvent apparaître aux héros dans l'extase d'une certitude mystique (Texte XV).

Le didactisme mystique — *Ce drame mystique sera aussi un drame éducateur.* Schuré voit en lui non seulement « le miroir de la vie », mais surtout « un mouleur formidable de l'âme des foules, et même de l'âme de l'élite », agissant « sur l'être humain tout entier : sens, âme, esprit[1]. » Claudel, tout en considérant ses drames comme l'expression de ses conflits intimes, ne dédaigne pas de leur prêter quelque valeur didactique. En ce sens, le drame symboliste hérite des tendances philosophiques et morales du drame bourgeois et romantique, mais la nature et le contenu de son enseignement, adaptés à de nouvelles générations spirituelles, ont déterminé la forme dramatique des œuvres. Irréaliste par vocation poétique, le drame symboliste le sera encore par conviction idéaliste : soucieux d'exprimer ou de suggérer les réalités spirituelles les plus impalpables, ce théâtre a dû créer une forme apte à la manifestation du surnaturel. *La mystique informe le dramatique.* Chaque époque s'est ainsi forgé une forme théâtrale esthétiquement et spirituellement accordée à ses aspirations profondes.

10. Bilan du drame symboliste

« L'œuvre qui répond le mieux à la préface de *Cromwell*, écrit Malraux dans *Les Voix du silence*, n'est certainement pas *Ruy Blas*, et c'est sans doute *L'Annonce faite à Marie*[2]. » Par son goût de la beauté poétique et ses hautes aspirations philosophiques et morales, par sa tentative d'expression totale du monde visible et invisible, par l'insertion dans la trame mélodramatique de tout un réseau de correspondances mystiques, *le drame symboliste a réalisé les ultimes ambitions du drame romantique* et illustré les plus audacieuses conceptions hugoliennes. Mais par son mépris du réalisme et des conventions théâtrales, par son refus des formes dramatiques traditionnelles, il a franchi un pas décisif dans l'affranchissement du théâtre en délivrant le drame des entraves d'une étroite vraisemblance. Rompant avec une millénaire et toute-puissante tradition, il inaugurait, par la voie marginale du théâtre poétique, la conception moderne d'un théâtre spécifiquement dramatique.

---

1. Ed. SCHURÉ, *Préface du Théâtre de l'Ame.*
2. A. MALRAUX, *Les Voix du silence*, N.R.F., p. 115.

Déviations dramatiques

Cependant l'expression du monde surnaturel n'est poétiquement et dramatiquement valable que si elle n'exténue pas les formes théâtrales et respecte les structures fondamentales du drame. Or les ambitions wagnériennes et mallarméennes ont égaré bien des poètes et les ont détournés d'une authentique dramaturgie. Aussi du répertoire symboliste reste-t-il peu d'œuvres dramatiquement valables. Seul Claudel, par l'intensité de son génie dramatique et la foisonnante richesse de son écriture poétique, semble avoir conquis dans les temps modernes une audience de plus en plus large. Mais *le théâtre symboliste demeure étroitement lié à une époque.* Théâtre d'une élite, il reflète les aspirations poétiques et spirituelles d'un cercle étroit de penseurs et d'artistes épris d'esthétisme et de mysticisme, et témoigne du renouveau spiritualiste et poétique qui succéda à la ferveur naturaliste.

L'héritage du drame symboliste

De nos jours, le drame symboliste a perdu l'attrait de son mysticisme vaporeux et de ses recherches poétiques. Mais tout en rendant à l'écriture dramatique une exigence de tenue que compromettaient gravement les relâchements du mélodrame et du drame naturaliste, il a achevé de libérer le théâtre des postulats réalistes qui le grevaient depuis la réforme de Diderot et alourdirent l'élan romantique. Par là *il a orienté le drame dans les voies de l'irréalisme moderne.* Le drame symboliste a aussi légué au théâtre contemporain l'héritage fondamental de l'esthétique moderne : *le goût des idées, la tentation de la philosophie et la technique de l'allégorie.* En ce sens le drame symboliste n'a fait qu'accroître les tendances didactiques qui caractérisent le drame depuis sa création, et dont les générations successives perpétuent le principe en se contentant d'adapter le message aux préoccupations spécifiques de leur temps.

LE DRAME CONTEMPORAIN CHAPITRE IV

1. Héritage et renouvellement

Les temps modernes semblent avoir réalisé l'ambition initiale et ultime du drame : restaurer l'identité primitive du théâtre et du drame. *Au XXᵉ siècle, l'histoire du drame tend à se confondre avec l'histoire du théâtre.* Le conflit n'est plus, comme au temps de Diderot ou de Hugo, entre le drame et les formes traditionnelles du théâtre, mais entre les diverses tendances qui s'affrontent au sein du drame. Déjà le drame symboliste s'opposait moins à la conception classique de la tragédie ou de la comédie qu'à une forme différente du drame, celle qu'illustrait le théâtre naturaliste. Il se référait donc plutôt à une poétique qu'à une dramaturgie. Depuis les premières années du siècle, le foisonnement même des œuvres ayant estompé la distinction des genres et brisé le cloisonnement des écoles, le drame se définit moins par ses caractères techniques que par des critères littéraires, psychologiques ou philosophiques. Dépouillé de sa spécificité originelle, il a conquis l'universalité et l'ubiquité, mais se fragmente et se diversifie en une irréductible multiplicité.

L'héritage bourgeois   Au drame appartiennent en effet la plupart des œuvres modernes. Si bien des traits nouveaux caractérisent les pièces contemporaines, les tendances et acquisitions du passé s'y trouvent aussi représentées. L'héritage bourgeois est sensible dans les innombrables pièces où des héros d'une humanité moyenne affrontent, dans un décor quotidien, les drames d'une existence sans éclat. Lassé des héros grandiloquents du romantisme comme des fantômes abstraits du symbolisme, le public moderne revient aux personnages et aux situations issus de la vie concrète et de l'histoire contemporaine. Les drames d'idées de François de Curel ou de Marie Lenéru, les investigations psychologiques d'Henri Lenormand ou Jean-Jacques Bernard, les tragédies métaphysiques de Gabriel Marcel, les mélodrames philosophiques de Salacrou s'accommodent également de ces concessions à la banalité et au romanesque qui caractérisent le drame bourgeois. En transposant à la scène le décor et les personnages de son univers romanesque, Mauriac réalisait le chef-d'œuvre de cette « tragédie domestique » dont avait rêvé Diderot. Le titre même de sa première pièce, *Asmodée* (1938), révèle les intentions d'un observateur curieux, friand de drames intimes, attentif aux moindres gestes de la vie quotidienne, désireux de surprendre les secrets que recèle le silence d'un foyer sans histoire. C'est la signification de l'œuvre, et c'est toute une esthétique du drame, que résume cet aveu d'un des personnages, Harry Fanning : « J'aurais voulu, confie-t-il à son hôtesse, être le démon Asmodée, vous savez, celui qui soulève le toit des maisons ? Rien au monde ne m'a jamais paru aussi mystérieux qu'une vieille demeure de chez vous, portes et volets clos, sous les étoiles. J'imaginais ces drames inconnus, des passions funestes et cachées. Toujours, je m'étais promis de m'introduire dans l'une d'elles »[1]. C'est à cette peinture d' « intérieurs », à cette investigation domestique, que Mauriac, cédant à la tentation d'*Asmodée*, consacre en 1941 *Les Mal-Aimés* (Texte XVII), en 1947 *Le Passage du Malin*, en 1950 *Le Feu sur la terre*. Un autre amateur d'âmes, Henri de Montherlant, soucieux, écrit-il dans la préface de *Pasiphaé*, d'être « à la fois un moraliste, c'est-à-dire celui qui étudie les passions, et un moralisateur, c'est-à-dire celui qui propose une certaine morale »[2], sut aussi déceler le pathétique des situations et des sentiments quotidiens. C'est avec la chaleureuse approbation de l'auteur que Thierry Maulnier qualifiait de « drame bourgeois »[3] son *Fils de personne* (1943), ce « drame de l'amour paternel » dont les personnages et les passions, la trame et le décor, sont empruntés à la plus plate réalité familiale. Il n'est pas jusqu'aux *Parents terribles* de Cocteau (1938) qui, sous l'écorce du mélodrame, n'empruntent au drame bourgeois son goût du drame familial et sa peinture « d'une société à la dérive »[4]. Si le drame moderne a renoncé à la prédication morale du XVIIIe siècle, *il n'a pas oublié la leçon de réalisme psychologique et social qui fut l'enseignement essentiel du drame bourgeois.*

Métamorphose du mélodrame

Fondé sur l'inépuisable attrait du pathétique et de la sensibilité, le mélodrame a sa place à toutes les époques du théâtre. La carrière dramatique d'Henry Bernstein illustre la vitalité du genre : l'auteur de *La Rafale* (1905) faisait encore applaudir en 1950 les violences de *La Soif*.

---

1. F. MAURIAC, *Asmodée*, II, 7.
2. MONTHERLANT, *Théâtre*, Bibliothèque de la Pléiade, p. 107.
3. MONTHERLANT, *Notes sur « Fils de personne »*, *Théâtre*, p. 362.
4. COCTEAU, *Théâtre*, N.R.F., tome I, p. 179.

Perpétuellement en quête d' « une place fraîche sur l'oreiller », Cocteau sut renouveler brillamment le théâtre de Boulevard, en greffant sur une trame mélodramatique, apte à toucher « le gros public », de plus profondes intentions psychologiques et sociales. Parmi ces « grosses pièces subtiles » qui permettent à l'auteur d'atteindre les masses sans renoncer à ses buts réels, Cocteau comptait *La Machine à écrire* (1941) dans laquelle, écrit-il, « une fausse intrigue policière me permet de peindre la terrible province féodale d'avant la débâcle, province dont les vices et l'hypocrisie poussent les uns à se défendre mal, les autres (la jeunesse romanesque) à devenir mythomanes[1] ». N'est-ce pas par une semblable superposition de plans qu'Armand Salacrou, dans *Atlas-Hotel* (1931), *Une Femme libre* (1934), *Un Homme comme les autres* (1936), *L'Archipel Lenoir* (1947), *Dieu le savait* (1951), exprime, à travers les péripéties parfois bouffonnes d'une intrigue mélodramatique, les plus graves préoccupations morales et les plus angoissantes incertitudes métaphysiques ? Métamorphosé par la virtuosité dramatique et les inquiétudes philosophiques des dramaturges contemporains, *le mélodrame accède à la dignité du théâtre d'idées* et reflète le goût moderne pour la mise en scène des problèmes que pose à l'homme sa propre condition.

La tragédie historique

Au drame romantique, le théâtre moderne n'emprunte ni une psychologie désuète, ni une rhétorique démodée, mais le sens de la couleur, le goût de la grandeur et l'ambition de la profondeur. De toutes les formes dramatiques inaugurées par le romantisme, le drame contemporain a surtout retenu la tragédie historique, dont le faste, la majesté et l'ampleur tentaient des écrivains soucieux de prêter à leurs personnages un relief et une noblesse que rehausse l'éloignement dans le temps et dans l'espace. Ainsi Saint-Georges de Bouhélier, Jean-Jacques Bernard, Paul Fort, sacrifièrent-ils aux prestiges du drame historique. Avant de s'incarner dans de médiocres bourgeois de la France occupée, le drame paternel de *Fils de personne* avait brillé d'un plus vif éclat « au Portugal, — autrefois », dans cette *Reine morte* où Thierry Maulnier voyait justement une « tragédie historique aux fastes brillants, aux personnages nombreux, au lyrisme souvent éclatant »[2]. A un drame éternellement humain, l'histoire prête ici la poésie du passé et l'altière noblesse de cœurs royaux (Texte XVIII). *L'Aigle à deux têtes* de Cocteau (1946) emprunte aussi à la chronique la mystérieuse fin de Louis II de Bavière et d'Elisabeth d'Autriche pour illustrer la rencontre de deux êtres exceptionnels et contradictoires : « une reine d'esprit anarchiste, un anarchiste d'esprit royal »[3]. Mais, comme pour Mercier et Hugo, l'histoire n'est la plupart du temps pour les dramaturges modernes que le prétexte à une réflexion et à un enseignement actuels. Ce sont des préoccupations politiques immédiates qui inspirèrent à Romain Rolland son *Théâtre de la Révolution*, et il est juste

---

1. COCTEAU, préface de *La Machine à écrire*, *Théâtre*, N.R.F., tome II, p. 103-104.
2. Cité dans MONTHERLANT, *Notes sur « Fils de Personne »*, *Théâtre*, p. 362.
3. COCTEAU, préface de *L'Aigle à deux têtes*. *Théâtre*, N.R.F., tome II, p. 302.

que *Le Quatorze Juillet* et *Danton*, écrits dans les premières années du siècle, aient connu en 1936, en pleine effervescence sociale, leur plus chaleureux succès. *Les Justes* de Camus (1949) n'évoquent le terrorisme russe de 1905 que pour poser l'éternel et très moderne problème de la justice morale et de l'efficacité révolutionnaire. Plus souvent encore, la trame historique n'est que le support d'un drame idéologique ou l'armature d'un conflit métaphysique. Ainsi *La Terre est ronde* de Salacrou en 1938 et *Le Profanateur* de Thierry Maulnier en 1950 peuvent-ils être interprétés, à travers l'histoire politico-religieuse du Moyen Age italien, comme la critique des tyrannies et des mystiques totalitaires qui oppressent l'Europe moderne. En 1951, le *Bacchus* de Cocteau et *Le Diable et le Bon Dieu* de Sartre n'exploitaient le décor haut en couleurs du Moyen Age allemand que pour prêter quelque saveur historique à un conflit purement abstrait et à des thèses d'ordre métaphysique. *De la tragédie historique du romantisme, les contemporains n'ont donc pas retenu l'intention réaliste, mais seulement la teneur didactique.*

L'héritage symboliste

Le goût moderne du drame idéologique conduisait nécessairement les auteurs à perpétuer certaines techniques du théâtre symboliste. Comme à l'époque de Maeterlinck, la trame dramatique n'est souvent pour les contemporains que la façade d'une investigation psychologique ou morale des zones les plus obscures de la conscience, ou *la mise en œuvre théâtrale d'un conflit philosophique*. C'est d'un symbolisme mâtiné de freudisme qu'Henri-René Lenormand hérite sa curiosité pour le domaine inexploré de l'inconscient, pour les « souterrains de la conscience », « ces régions interdites de l'âme où Diderot, Rousseau, Stendhal, Baudelaire pénétraient de temps à autre »[1], et où tentent de nous introduire *Le Simoun* (1921), *Le Mangeur de rêves* (1922), *L'Homme et ses fantômes* (1924), *Les Trois Chambres* (1931). C'est aussi la technique symboliste de la suggestion et de l'allusion qui inspira à Jean-Jacques Bernard son goût pour les dialogues en demi-teintes, où, comme dans les drames de Maeterlinck, les paroles importent moins par leur teneur que par leur valeur : « Le théâtre, écrivait-il dans le programme de *Martine* (1922), est avant tout l'art de l'inexprimé... Il y a sous le dialogue entendu comme un dialogue sous-jacent qu'il s'agit de rendre sensible »[2]. *L'Invitation au voyage* et *Le Printemps des autres* en 1924, *L'Ame en peine* en 1926, illustrèrent cet art de l'inexprimé, injustement baptisé « théorie du silence ». A la veine symboliste, ou plus modestement au théâtre symbolique, appartiennent encore *Cromedeyre-le-Vieil* (1920), où Jules Romains illustre par l'évocation de la vie d'un village certaines thèses de l'unanimisme; les drames mystiques d'Henri Ghéon comme *Le Pauvre sous l'Escalier* (1920); *Maya* (1924) ou *Bifur* (1931) de Gantillon, où le réalisme le plus cru recèle une poésie métaphysique et mystique; ou encore les tragédies médiévales

---

1. H.-R. LENORMAND, cité par J.-J. BERNARD, *Réflexions sur le théâtre, De la suggestion à l'artifice*, dans *Le Théâtre contemporain* (Recherches et Débats, cahier n° 2, octobre 1952), p. 51.
2. J.-J. BERNARD, *ibid.*, p. 48.

de Cocteau, *Les Chevaliers de la table ronde* (1937), *Renaud et Armide* (1943), dont la trame légendaire illustre l'éternel conflit de la vérité et de l'illusion.

Le drame mythologique — Le plus curieux et le plus vivant héritage du théâtre symboliste est à l'époque moderne le drame mythologique inspiré des légendes antiques. Péladan avait donné l'exemple avec son *Œdipe et le Sphinx* et sa *Prométhéide*, vaste trilogie eschyléenne et wagnérienne, où le mythe antique était imprégné de spiritualisme chrétien. Dans *Saül* et *Le Roi Candaule*, Gide recourt à la fiction antique pour illustrer ses hantises personnelles. En 1922, Cocteau fait jouer une « contraction » d'*Antigone*, et donne en 1927 une version très personnelle d'*Orphée*, où les héros antiques expriment non sans quelque fantaisie les plus obscures obsessions du poète moderne. Désormais vont pulluler les interprétations les plus diverses et les plus cavalières, mais dont chacune rajeunit le mythe ancien en le chargeant d'une teneur morale et métaphysique appropriée aux angoisses contemporaines. Les meilleurs humanistes modernes seront les artisans de cette rénovation. Le mythe d'*Œdipe* revit successivement dans l'*Œdipe* de Gide (Texte XVI), et *La Machine infernale* de Cocteau (1934). *Les Mouches* de Sartre (Texte XIX), après l'*Électre* de Giraudoux (1937), évoquent à propos du crime d'Oreste le problème de la justice et de la liberté. Avec Giraudoux, dont *Amphitryon* 38 (1929), *Judith* (1931), *La Guerre de Troie n'aura pas lieu* (1935) et *Électre* comportaient l'émouvante leçon d'un humanisme souriant et stoïque, Jean Anouilh fut le plus brillant interprète des mythes antiques : *Eurydice* (1942), *Antigone* (1943), *Médée* (1946), témoignent d'une singulière parenté entre le génie antique et la sensibilité moderne. L'étonnante vogue de ces « adaptations », auxquelles les anachronismes les plus criards et la modernisation la plus outrancière prêtent le piquant d'une irrévérencieuse fantaisie, démontre *l'actualité des mythes anciens et l'obsession métaphysique du théâtre moderne.*

Le drame surréaliste — Né au cœur du symbolisme, mais s'en détachant par le refus d'une interprétation métaphysique, le surréalisme a eu aussi son théâtre. Après les « ballets surréalistes », *Parade* et *Le Bœuf sur le toit*, Cocteau composait en 1922 *Les Mariés de la tour Eiffel*, « goutte de poésie au microscope », « construction de l'esprit », « poésie de théâtre » qui, renonçant à l'anecdote comme au symbole, à la vraisemblance comme au réalisme, crée *une architecture dramatique aux lignes violemment dessinées* où objets et sentiments retrouvent la nudité et l'étrangeté de l'inédit[1]. Le fondateur du mouvement « Dada », Tristan Tzara, tenta aussi de porter à la scène d'étranges fantômes dans les *Aventures célestes de Monsieur Antipirrine* (1920) et *L'Homme approximatif* (1936). Les premières pièces de Salacrou, *Le Casseur d'assiettes* (1923), *Tour à Terre* (1925), *Le Pont de l'Europe* sont aussi des concessions à l'esthétique surréaliste par la liberté de la construction et la gratuité de l'action. En 1930, *Juliette ou La*

---

1. COCTEAU, préface des *Mariés de la tour Eiffel. Théâtre*, N.R.F., tome I, p. 45.

Clef des songes, de Georges Neveux, introduisait sur la scène l'univers onirique et la logique du rêve où les surréalistes ont aimé à chercher la source essentielle de leur poésie.

Le drame d'avant-garde

Depuis la seconde guerre mondiale, un néo-surréalisme a tenté de renouveler la technique théâtrale en poussant jusqu'à ses limites extrêmes la fantaisie créatrice dont Jarry, Apollinaire, Cocteau, avaient donné l'exemple. *Les Épiphanies* D'Henri Pichette en 1947, puis *Nucléa* en 1952, suscitèrent les plus vives réactions. Après lui vinrent Samuel Beckett, l'auteur d'*En attendant Godot* (1953), et Arthur Adamov, dont *La Parodie*, *Le Professeur Taranne* et *Le Ping-pong* (1955) échappent à toutes les conventions du langage et de la psychologie pour manifester les états les plus incommunicables. Parmi ces dramaturges d'avant-garde, le plus célèbre est Eugène Ionesco, dont les « anti-pièces » ont d'abord suscité le scandale et les ricanements, puis progressivement conquis une audience internationale. Dans de courtes pièces à peu près dénuées d'action, comme *La Cantatrice chauve* (1950), *La Leçon* (1951) ou *Les Chaises* (1952), puis dans des drames plus étoffés comme *Victimes du devoir* (1953), *Tueur sans gages*, *Le Rhinocéros* (Texte XXII), *Le Roi se meurt* et *La Soif et la Faim*, Ionesco, dépassant ce qu'un personnage de *Victimes du devoir* appelle le « théâtre policier » qui règne sur la scène depuis la plus haute antiquité, tente d'instaurer un théâtre « non aristotélicien », « irrationaliste », « surréalisant » et « onirique », un théâtre, écrit-il dans ses *Notes et contre-notes*, « non pas symboliste, mais symbolique ; non pas allégorique, mais mythique ; ayant sa source dans nos angoisses éternelles ; un théâtre où l'invisible devient visible, où l'idée se fait image concrète, réalité, où le problème prend chair ; où l'angoisse est là, évidence vivante, énorme ; théâtre qui aveuglerait les sociologues, mais qui donnerait à penser, à vivre au savant, dans ce qui n'est pas savant en lui ; à l'homme commun, par-delà son ignorance »[1]. Ainsi cet « anti-théâtre » exprimera-t-il, *à travers les arabesques des schèmes dramatiques et la fantaisie de la création verbale, les hantises les plus profondes et les angoisses éternelles de l'homme* (Textes 29 et XXII).

L'influence étrangère

Si indépendants que soient le dynamisme de la création théâtrale et le génie des auteurs qui depuis un demi-siècle illustrent la scène française, le cosmopolitisme moderne n'a pas laissé d'influencer le monde du théâtre. *Écrivains et metteurs en scène sont plus que jamais à l'écoute du drame européen.* L'approfondissement de la psychologie et la quête de l'inconscient qui caractérisent le drame moderne doivent beaucoup à la découverte de l'œuvre de Pirandello. C'est à Charles Dullin que revient l'honneur d'avoir le premier joué Pirandello en France, en montant en 1922 *La Volupté de l'honneur*, puis deux ans après *Chacun sa vérité*. Son exemple fut suivi par Georges et Ludmilla Pitoëff, que Brasillach considérait à juste titre comme « les metteurs en scène de l'inquiétude d'après-guerre ». Grâce à eux, Paris connut non

---

1. IONESCO, *Notes et contre-notes*, p. 206 (N.R.F., Gallimard, 1962).

seulement de Pirandello *Six personnages en quête d'auteur*, *Henri IV*, *Ce soir on improvise*, mais encore *Oncle Vania* et *La Mouette* de Tchékov, *Sainte Jeanne* de Bernard Shaw, *Le Canard sauvage* d'Ibsen, et bien d'autres chefs-d'œuvre du répertoire européen. Lugné-Poe ranima le théâtre de l'Œuvre et, fidèle à sa vocation nordique, joua Ibsen et Strindberg, révéla l'intense poésie de Crommelynck en montant en 1921 *Le Cocu magnifique* avec un succès que ne connurent plus ses œuvres postérieures, *Les Amants puérils* ou *Tripes d'or*. Un autre génie flamand, Michel de Ghelderode, ne conquit la scène française qu'au lendemain de la seconde guerre mondiale, lorsque la Compagnie du Myrmidon monta en 1949 les violents et mystiques *Fastes d'enfer*.

Découverte de Bertolt Brecht

Si Pirandello et Tchékov, Bernard Shaw et Ghelderode, admirablement servis par les metteurs en scène contemporains, ont désormais conquis une large audience, l'après-guerre réservait à la scène française de nouvelles découvertes. La *révélation de Bertolt Brecht est* essentiellement l'œuvre de Jean Vilar. D'abord anarchiste puis marxiste, contraint par le nazisme à s'exiler dans tous les pays d'Europe avant de se fixer en Californie, revenu en 1948 à Berlin-Est où il fonda et dirigea jusqu'à sa mort en 1956 le groupe théâtral du « Berliner Ensemble », ce dramaturge allemand était presque inconnu en France malgré l'exceptionnelle fécondité de son œuvre. Seul Gaston Baty avait monté en 1930 *L'Opéra de quat'sous*, popularisé par la musique de Kurt Weill et le film de Pabst. En 1951, les représentations de *Mère Courage* au T.N.P., plus complaisantes peut-être aux exigences du goût français qu'aux intentions de l'auteur, suscitèrent une immense vogue. De ferventes critiques s'attachèrent à explorer les théories et les drames de Brecht, dont la conception et la technique renouvelaient l'art dramatique (Textes 25 et 26). Depuis n'ont cessé de se multiplier études et représentations, dont les plus remarquées furent celles du *Cercle de craie caucasien* par la Comédie de Saint-Etienne, de *La Résistible Ascension d'Arturo Ui* par le T.N.P. et, par les deux troupes successivement, d'une comédie : *Maître Puntila et son valet Matti*. En créant encore *Meurtre dans la cathédrale* de T.S. Eliot, *Erik XIV* de Strindberg et *Roses rouges pour moi* de l'Irlandais Sean O'Casey, Jean Vilar s'est montré l'un des plus éclairés serviteurs du drame étranger en France.

Le roman étranger

Le roman étranger a souvent stimulé la création dramatique française. C'est à partir d'une nouvelle de Gertrud von Lefort que Bernanos composa en 1948 ces *Dialogues des carmélites*, primitivement destinés à un scénario de film, mais dont la mise en scène révéla en 1952 toute la force dramatique. De nombreuses adaptations, tout en découvrant au public de grandes œuvres étrangères, comme *La Puissance et la Gloire* de Graham Greene ou *Sur la terre comme au ciel* de l'Autrichien Fritz Hochwalder, infléchirent la technique dramatique en la pliant aux artifices de la transposition. C'est ainsi que Camus, se détournant de la création personnelle, porta à la scène en 1957 le *Requiem pour une nonne* de Faulkner et en 1959 *Les Possédés* de Dostoievski. Parmi les romans qui influencèrent le plus vivement l'art dramatique, il faut accorder une place de choix aux œuvres de Frantz Kafka. L'adaptation du *Procès* que Jean-Louis Barrault monta en collaboration avec Gide, révéla cet univers d'angoisse et de cauchemar dans lequel l'homme se sent prisonnier et coupable d'on ne sait quel mystérieux et inexplicable délit, ce monde onirique de l'impuissance et de la peur dont Ionesco saura porter à la scène l'absurde et impitoyable logique.

Le drame et les guerres mondiales

Si le théâtre reflète tous les mouvements littéraires modernes, il entend aussi, par le renouvellement de ses techniques et le choix de ses sujets, *participer à la vie concrète du siècle*. Aussi la scène porte-t-elle la marque des tragédies historiques et des conflits idéologiques qui bouleversèrent les temps modernes. Déjà la première guerre mondiale avait suscité une abondante littérature dramatique, dont *Les Butors et la Finette* de François Porché (1917), *Terre inhumaine* de François de Curel (1922), *Le Tombeau sous l'Arc de Triomphe* de Paul Raynal (1924), et surtout le *Siegfried* de Giraudoux (1928) sont les meilleurs témoignages. C'est encore la menace de la crise et l'assombrissement de l'horizon diplomatique qui prêtent une si profonde résonance aux tirades pessimistes de *La Guerre de Troie n'aura pas lieu*, en 1935, et, en pleine guerre d'Espagne. aux sombres méditations d'*Électre* sur le conflit de la justice intégrale et de l'opportunisme politique. La dernière guerre, par l'horreur des souffrances infligées et l'ampleur des bouleversements qui ébranlèrent les valeurs morales, semblait devoir affecter et renouveler profondément l'inspiration dramatique. Salacrou rappelait justement que jamais n'avait été plus opportune la prédiction de Diderot : « Quand verra-t-on naître des poètes ? Ce sera après les temps de désastres et de grands malheurs ; lorsque les peuples harassés commenceront à respirer. Alors les imaginations, ébranlées par des spectacles terribles, peindront des choses inconnues à ceux qui n'en ont pas été les témoins »[1]. Si le renouveau attendu ne se manifesta guère, bien des œuvres furent consacrées à évoquer les sombres heures et les cruels déchirements des années de lutte. Quelques mois après *Les Incendiaires* de Maurice Clavel, Salacrou présentait dans *Les Nuits de la colère* « un documentaire sur l'occupation, un procès-verbal ». La même année 1946, Sartre créait le drame le plus poignant que la Résistance ait inspiré : sans pudeur ni ménagements, *Morts sans sépulture* évoque les tortures ignobles et les déchirements intimes infligés par les miliciens à un groupe de partisans. Bien faible paraît en comparaison la « suite » que Montherlant donna à *Fils de personne*, avec ce *Demain il fera jour* où sont peintes les ardeurs et les angoisses de la Libération. Le plus remarquable document sur l'Allemagne nazie vaincue et reconstruite est peut-être le dernier drame de Sartre, ces *Séquestrés d'Altona* où sont évoqués avec une rare intensité le vertige de la violence qui a submergé la jeunesse hitlérienne et l'opportunisme des grands industriels qui ont rebâti l'Allemagne à peine relevée de ses ruines. En évoquant le souvenir d'Hiroshima et les poignantes conséquences des expériences nucléaires, Gabriel Cousin a tenté de peindre dans *Le Drame du Fukuryu Maru* (1963) l'une des hantises majeures de l'âge atomique.

---

1. DIDEROT, *Sur la poésie dramatique*, ch. XVIII.

L'actualité philosophique

Plus encore que les bouleversements historiques, les *conflits idéologiques du siècle ont trouvé sur la scène une constante expression et une fidèle illustration.* Le renouveau catholique dont la vague mystique de 1890 avait été l'amorce, inspira non seulement les « mystères » et « miracles » d'Henri Ghéon, mais encore les drames métaphysiques de Gabriel Marcel, l'un des nombreux « convertis » du siècle, et peut-être aussi les pièces de Montherlant qui appartiennent à la « veine chrétienne » de son œuvre, comme cette « trilogie catholique » qui comprend *Le Maître de Santiago, La Ville dont le prince est un enfant et Port-Royal,* auxquelles vient de s'ajouter récemment *Le Cardinal d'Espagne.* D'une façon générale et indépendamment de toute église, les problèmes religieux exercent sur les dramaturges et le public une singulière fascination, comme en témoigne l'infaillible succès de tant de pièces où sont mises en question les valeurs sacrées et l'action des ministres qui les représentent : ainsi du *Profanateur* de Thierry Maulnier, de *Bacchus* de Cocteau, de *Dialogues des Carmélites* de Bernanos, de *Sur la Terre comme au Ciel* de Fritz Hochwalder, et plus récemment de *Procès à Jésus* de Diego Fabbri et de *Becket ou L'Honneur de Dieu* (1959) où Anouilh reprend les personnages et les thèmes de *Meurtre dans la cathédrale* de T.S. Eliot. Mais aux débats spiritualistes répondent les controverses matérialistes, et le théâtre est souvent le champ d'affrontement entre le mysticisme religieux et la métaphysique athée. *Le Malentendu* de Camus, *Les Mouches* ou *Le Diable et Le Bon Dieu* de Sartre démontrent les servitudes et la liberté de l'homme dans un monde sans Dieu où ne règne qu'une absurde fatalité ou une cruelle et stupide superstition. Sur une société délivrée de toute transcendance ne pèsent que les mécanismes de l'histoire et les volontés de l'homme. Brecht a tenté d'instaurer un théâtre où la vision de l'homme et de la société obéisse à la dialectique marxiste, et où apparaisse la plasticité des individus et des groupes soumis à la pression du devenir historique (Textes 25 et 26). Mais l'idéologie marxiste est loin de résorber tous les problèmes humains et suscite même de nouvelles contradictions entre les exigences de la morale individuelle et la discipline d'un parti politique ou l'idéal révolutionnaire d'une nation. *Les Mains sales* de Sartre (Texte XXI) et *Les Justes* de Camus sont les plus saisissantes illustrations des conflits politiques et moraux soulevés par l'opposition entre l'idéal personnel et la soumission à une cause collective. Dépassant le drame psychologique et moral, le drame politique ou religieux achève d'insérer le théâtre parmi les manifestations les plus authentiques de la vie sociale et spirituelle des temps modernes.

Modernité du drame contemporain

Comme au XVIIIe et au XIXe siècles, le *drame contemporain est donc profondément engagé dans la société et l'histoire de son temps.* S'il hérite du passé certaines formes traditionnelles et quelques préoccupations constantes, il a su adapter sa technique et son langage aux problèmes les plus actuels. L'histoire du théâtre moderne n'a pas retenu de grandes dates et de mémorables soirées semblables à celles qui jalonnent l'évolution du drame bourgeois, romantique ou symboliste. Mais la vitalité du théâtre ne s'est cependant jamais démentie. Malgré les alertes périodiques et les cris d'alarme qui dénoncent les crises chroniques de l'art dramatique, la ferveur du public, la qualité des spectacles et le talent des auteurs n'ont cessé de s'affirmer et de contribuer communément, par de multiples et d'éclatantes réussites, à l'exceptionnelle richesse du drame contemporain.

**Le rôle
des metteurs en scène**

Dans cette réussite, *une part immense revient aux metteurs en scène*, dont le talent et l'enthousiasme stimulèrent auteurs et spectateurs. Ce n'est pas sans fierté et sans raison que Jean Vilar écrivait dans son opuscule *De la tradition théâtrale* : « Les vrais créateurs dramatiques de ces quarante dernières années ne sont pas les auteurs, mais les metteurs en scène ». Ce que Lugné-Poe fut pour le drame symboliste, Copeau, Dullin, Jouvet, Baty, Pitoëff, et de nos jours Jean Vilar et Jean-Louis Barrault, pour ne citer que les plus grands, le furent pour le drame contemporain dont ils servirent la cause avec une rare clairvoyance et un goût sans égal.

Dans l'histoire du théâtre contemporain, les œuvres et les réalisations comptent plus que les théories. Auteurs et metteurs en scène obéissent moins à un système préconçu qu'à une intuition personnelle et variable. Aussi, rares sont les manifestes théoriques et les doctrines dramatiques : c'est le style même des œuvres et la technique des écrivains qui permettent le mieux de saisir les grandes lignes de l'esthétique dramatique moderne.

2. Définitions modernes du drame

La complexité du drame contemporain interdit d'imposer à un aussi riche ensemble l'artificielle unité d'une définition rigoureuse. Chaque auteur, chaque œuvre, semble se soumettre à une esthétique particulière et parfois à plusieurs impératifs simultanés et contradictoires. Aussi l'esthétique du drame moderne ne peut-elle se ramener, comme celle du drame bourgeois ou romantique, à quelques formules clefs qui en délimitent les contours et en précisent les ambitions majeures. Certes les conquêtes techniques des drames antérieurs semblent définitivement acquises. Mais outre que le drame moderne ne se définit pas toujours en termes spécifiquement dramatiques et techniques, son esthétique même semble fondée sur la juxtaposition ou l'interférence de traits complémentaires ou opposés, sur *la recherche successive ou simultanée du réalisme et de l'irréalisme, du didactisme et de la gratuité*.

Drame et sensibilité

Lorsque Pierre-Aimé Touchard, dans son *Dionysos*, définit le drame comme « le théâtre de la sensibilité », c'est pour lui dénier toute spécificité dramatique[1]. Parce qu'il recherche avant tout le pathétique et l'émotion, parce qu'il

---

1. P.-A. TOUCHARD, *Dionysos, Apologie pour le théâtre*, chap. V.

subordonne spectacle, action et langage à l'obtention d'un effet sensible plutôt qu'à une unité poétique, parce qu'il entend toucher et démontrer plus que représenter, le drame, d'Euripide à nos jours, aurait renié la mission propre du théâtre et serait moins encore un « genre » qu'un « climat » dramatique, *un ton plutôt qu'un style théâtral.* Ce n'est donc pas l'ensemble de ses caractères techniques, mais la tonalité générale d'une pièce qui définirait sa qualité de drame.

Drame et action

Anouilh semble poser le problème en termes plus spécifiquement dramatiques lorsque, dans un chœur d'*Antigone*, il distingue le drame de la tragédie par la contingence de l'action et l'incertitude du dénouement : « C'est propre, la tragédie. C'est reposant, c'est sûr... Dans le drame, avec ces traîtres, avec ces méchants acharnés, cette innocence persécutée, ces vengeurs, ces terre-neuve, ces lueurs d'espoir, cela devient épouvantable de mourir, comme un accident. On aurait peut-être pu se sauver, le bon jeune homme aurait peut-être pu arriver à temps avec les gendarmes. Dans la tragédie on est tranquille. D'abord, on est entre soi. On est tous innocents en somme ! Ce n'est pas parce qu'il y en a un qui tue et l'autre qui est tué. C'est une question de distribution. Et puis, surtout, c'est reposant, la tragédie, parce qu'on sait qu'il n'y a plus d'espoir, le sale espoir ; qu'on est pris, qu'on est enfin pris comme un rat, et qu'on n'a plus qu'à crier, — pas à gémir, non, pas à se plaindre, — à gueuler à pleine voix ce qu'on avait à dire, qu'on n'avait jamais dit et qu'on ne savait peut-être même pas encore. Et pour rien : pour se le dire à soi, pour l'apprendre, soi. Dans le drame, on se débat parce qu'on espère en sortir. C'est ignoble, c'est utilitaire. Là, c'est gratuit. C'est pour les rois. Et il n'y a plus rien à tenter, enfin ! »[1]. *La définition dramatique recouvre en fait une définition psychologique* : l'incertitude de l'issue prête à l'action et aux sentiments le pathétique caractéristique du drame.

Drame et métaphysique

Dans *Le Théâtre et l'existence*, M. Henri Gouhier propose *une définition métaphysique du drame* : c'est la menace de la mort ou d'une déchéance égale à la mort qui constituerait « le principe du dramatique » par opposition au principe du tragique fondé sur la présence d'une transcendance[2]. Mais dans la mesure où la mort, lorsqu'elle n'ouvre aucune perspective de permanence ou de survie, est pour l'homme un douloureux et inexplicable scandale, elle réintroduit dans le drame cette lutte angoissante et forcenée que décrivait Anouilh et cette valeur pathétique que dénonçait P.-A. Touchard (Texte 27).

Drame et participation

Ionesco semble orienter la notion de drame dans une toute autre direction lorsqu'il le définit aussi par opposition à la tragédie, mais comme un engagement particulier par rapport à un destin collectif. Tel est le parallèle établi dans les *Notes et contre-notes* :

---

1. ANOUILH, *Antigone*, La Table ronde, 1952, p. 54-56.
2. H. GOUHIER, *Le Théâtre et l'Existence*, p. 76.

« Le tragique : lorsque dans une situation exemplaire tout le destin humain se joue (avec ou sans transcendance divine).

« Le drame : cas particulier, conditions particulières, destin particulier.

« Le tragique : destin général ou collectif ; révélation de « la condition humaine ».

« Je participe au drame : j'y vois reflété *mon* cas (ce qui arrive de douloureux sur scène peut m'arriver).

« Tragédie : ce qui est sur scène peut *nous* arriver. Cela peut *nous* (et non plus *me*) concerner[1]. »

Il est surprenant de trouver sous la plume d'un écrivain contemporain d'avant-garde, créateur d'un théâtre « irrationaliste » et « non aristotélicien », des réflexions si proches des théories bourgeoises, et que l'on croirait extraites de l'*Essai sur le genre dramatique sérieux*. Comme Beaumarchais, Ionesco semble fonder ici la notion de drame sur *un engagement personnel du spectateur dans l'action théâtrale*. C'est une fois de plus ramener la définition du drame sur le plan de sa puissance émotionnelle et de l'emprise exercée sur le spectateur.

Drame et pathétique Des interprétations aussi diverses s'accordent à définir le drame non par référence à ses caractéristiques proprement dramatiques, mais selon ses intentions et ses méthodes qui toutes convergent vers un but unique : *susciter par le pathétique et la vérité humaine de l'action une émotion dramatique intense* qui contraigne le spectateur à vivre personnellement et profondément les péripéties du drame. Dans sa conception et sa définition du drame, la critique moderne semble donc accepter, malgré des divergences de méthode et de jugement, les principes fondamentaux qu'impliquaient déjà les théories dramatiques antérieures.

3. Les techniques du drame

Si dans le drame moderne la technique semble compter moins que la métaphysique, l'esthétique moins que l'éthique, c'est peut-être parce que *les principes majeurs du drame, si bruyamment définis au XVIIIe et au XIXe siècles, sont devenus aujourd'hui assez familiers pour passer inaperçus* et paraître même bien anodins auprès des audaces auxquelles Cocteau, Sartre ou Ionesco ont accoutumé les spectateurs contemporains. Les œuvres modernes ont même renoncé à l'étiquette, autrefois provocante, de « drame », et adopté la modeste désignation de « pièces ». Si Gide conserve à *Œdipe* et Sartre aux *Mouches* l'appellation de « drame », ce n'est que pour souligner la signification philosophique de l'action. Dans l'œuvre de Montherlant, si

---

1. IONESCO, *Notes et contre-notes*, p. 199.

Fils de personne et *Demain il fera jour* se réfèrent assez nettement à l'esthétique « bourgeoise » pour justifier leur étiquette de « drame », quelle nuance peut-on discerner entre le « drame » de *La Reine morte* et la « pièce » de *Malatesta* ou du *Maître de Santiago* ? En fait, comme le fait remarquer P.-A. Touchard dans son *Dionysos*, la « pièce » moderne appartient bien à ce genre qui « sous des noms divers — comédie larmoyante, drame bourgeois, drame romantique, drame réaliste, pièce — », « n'a pas cessé de régner depuis deux cents ans sur nos scènes »[1].

Le mélange des tons

La « pièce » présente en effet tous les caractères du drame tels que les a définis la tradition théâtrale. La notion de mélange des genres, qui alimenta de séculaires querelles, est aujourd'hui universellement admise. Il n'est pas de « pièce rose », pour reprendre la terminologie d'Anouilh, qui ne soit par quelque biais une « pièce noire », et les qualificatifs de « pièce brillante » ou de « pièce grinçante » se réfèrent à une esthétique étrangère à l'antique distinction entre tragédie et comédie. *Le ton importe désormais plus que le genre*, et c'est lui qui définit le style spécifique de la pièce. Il est aujourd'hui peu de drames qui ne sachent faire naître le sourire, de farce qui ne prétende éveiller la réflexion. Les tragédies mythologiques de Gide, Giraudoux, Anouilh ou Sartre, laissent fuser une ironie gracieuse ou sarcastique qui estompe la gravité des héros et des dieux. L'*Œdipe* de Gide, tout en demi-teintes, joint le sourire aux plus hautes leçons philosophiques (Texte XVI). Cocteau prête aux personnages de sa *Machine infernale* la fantaisie et la familiarité qui détendent la froide mécanique de la pièce et nuancent de poésie l'atmosphère tragique. L'*Antigone* d'Anouilh, fondamentalement tragique par son climat et sa structure, est proche du drame par la modernisation des personnages et la part du grotesque. Si *Les Mouches* de Sartre sont la « tragédie de la liberté », l'humanité de Jupiter lui ôte tout prestige surnaturel et transforme cette tragédie divine en drame humain (Texte XIX). Inversement les comédies d'Anouilh ou de Ionesco soulèvent de graves problèmes ou réveillent d'obsédantes angoisses : ce n'est pas sans opportunité que *La Leçon* s'intitule « drame comique » et *Les Chaises* « farce tragique ». Les plus cocasses mélodrames de Salacrou dissimulent mal un arrière-plan métaphysique et une douloureuse révolte devant l'énigme du monde et le silence de Dieu. Brouillant tous les tons, mêlant tous les genres, fondant toutes les nuances, *le drame semble avoir absorbé toutes les formes dramatiques et imposé au théâtre le scintillement de son propre style.*

Fragmentation du temps et de l'espace

Les unités classiques n'ont plus cours dans le drame moderne. Si elles sont respectées parfois, c'est en vertu de cette intensité qu'elles confèrent au drame bien plus qu'au nom d'une illusoire vraisemblance. A l'unité de temps et de lieu se substitue volontiers une unité visuelle, imposée par le spectacle et l'action : c'est ainsi que *l'unité naturelle de*

---

1. P.-A. TOUCHARD, *Dionysos, Apologie pour le théâtre*, chap. v.

la pièce n'est plus l'acte, mais le « tableau ». Cette fragmentation de l'action et du spectacle, inspirée de la technique cinématographique, modifie profondément la structure du drame. La cohérence de l'action tient désormais moins à une progression externe, jalonnée par la continuité temporelle et spatiale, qu'à une construction interne, fondée sur la psychologie des personnages et la valeur des épisodes. C'est ainsi que dans *Morts sans sépulture*, pièce en deux actes et quatre tableaux, Sartre peut faire alterner en un cruel contrepoint la vision des victimes et celle des bourreaux. Selon un procédé familier aux créateurs de films, Salacrou dans *L'Inconnue d'Arras*, Sartre dans *Les Mains sales* et *Les Séquestrés d'Altona*, « projettent » sur la scène les souvenirs revécus par leurs héros : présent et passé alternent alors et prêtent une singulière intensité aux états de conscience. En adoptant le même procédé dans *Requiem pour une nonne*, Camus est parvenu à résoudre les problèmes posés par l'adaptation du roman à la scène. Par la segmentation de l'espace scénique et la rupture de la continuité temporelle, Jean Genêt dans *Les Paravents*, Armand Gatti dans *La Vie imaginaire de l'éboueur Auguste G., Chroniques d'une planète provisoire* ou *Chant public devant deux chaises électriques*, introduisent au théâtre ces jeux de parallélisme, d'interférence ou de superposition familiers aux nouveaux romanciers comme aux cinéastes d'avant-garde.

Cet effritement du temps et du lieu n'est cependant plus, comme à l'époque du romantisme, mis au service du réalisme dramatique, mais contribue plutôt à *désintégrer l'action* et à prêter aux scènes successives une « valeur » autonome, semblable à celle d'une touche colorée dans la composition d'un tableau. Parfois même le « tableau » isole la scène de la continuité dramatique et lui confère une unité absolue qui discrédite la fiction et soumet chaque geste à la critique du spectateur. Telle est bien la signification des tableaux que Brecht introduit dans ses pièces et dont des pancartes annoncent l'argument et suggèrent l'intention. Dans une telle perspective, *la désarticulation du temps et de l'espace achève de ruiner la forme dramatique du théâtre* pour lui substituer une forme « épique » destinée non plus à fasciner le spectateur par le prestige d'une fastidieuse illusion, mais à susciter au contraire en lui une réflexion critique et constructive (Textes 25 et 26).

4. Réalisme et irréalisme

Le réalisme psychologique

L'héritage bourgeois et romantique a souvent imposé au drame moderne ce réalisme dont Diderot, Hugo, puis Zola et Becque ont successivement plaidé la cause. Dans les salons bourgeois du pays landais, les personnages de Mauriac, issus d'une société familière à l'auteur, vivent les jours monotones et les passions violentes d'une existence confinée, avec l'exaspération que leur prêtent le pessimisme janséniste et l'optique de la scène (Texte XVII). La société contemporaine, des âmes moyennes, des conflits familiaux forment aussi la trame de ces « drames bourgeois » que sont *Fils de personne* et *Demain il fera jour*. Dans ses *Notes de théâtre*, Montherlant insiste sur le parti pris de vérité psychologique et humaine qui anime ses pièces. Justifiant la conduite de ses personnages, il écrit dans la préface de *Fils de personne* : « Un des dangers de l'art dramatique est la simplification à outrance des caractères. En écrivant cette pièce, j'ai lutté contre ma tendance à montrer dans mes ouvrages les êtres humains tels qu'ils sont, c'est-à-dire tout complexes. Mais enfin, sans vouloir recommencer le roi Ferrante, je n'ai pu me résoudre à faire disparaître de ces personnages un certain *flou*, qui est celui-là même de la vie... Là n'est peut-être pas la « vérité dramatique », mais là est la vérité tout court (et surtout celle des enfants) ; je veux dire : *là est la vie* »[1]. Aux critiques qui lui reprochent la banalité et la trivialité de ses décors et de son langage, Montherlant oppose un idéal de vérité et un mépris des fausses grandeurs dignes des plus pertinentes revendications de Diderot et Beaumarchais : « Toujours la haine pour la réalité, pour l'authenticité ! Et la profonde indigence de qui ne voit le pathétique, la poésie et la grandeur, que liés au pourpoint, à la toge ou au palace »[2]. Tandis que par son théâtre pathétique et psychologique, Montherlant semble prolonger l'esthétique définie dans les *Entretiens avec Dorval*, ses tragédies historiques évoquent les ambitions de la *Préface de Cromwell* : par bien des aspects, cette œuvre appartient donc à la tradition du drame.

Le monde moderne

En accordant au monde moderne une place privilégiée sur la scène française, le drame contemporain réalise encore un des vœux les plus constants de Diderot et de Mercier. En 1946, Salacrou s'indignait de l'inactualité et de l'anachronisme du théâtre moderne : « Les auteurs dramatiques vivants, demandait-il, sont-ils encore nos contemporains ?... On dirait les témoins d'un autre âge. Ils racontent les histoires d'un autre temps »[3]. Les titres antiques des plus grands drames modernes pourraient en effet laisser croire à une singulière désaffection pour les problèmes spécifiques du xxe siècle. Mais en réalité, est-il actualité plus pressante et urgence plus profonde que celle des conflits évoqués dans *Œdipe*, *Électre*, *Antigone* ou *Caligula* ? La vogue du mythe antique s'explique moins par quelque gratuite renaissance d'un classicisme érudit que par l'irrécusable présence des problèmes du destin, de la guerre, de la justice et de la tyrannie, par les très modernes revendications d'un humanisme que menace le déchaînement de la violence et de l'oppression. La fiction antique ou historique des drames modernes, loin de couper la scène du siècle, contribue à prêter plus de relief encore aux angoisses et aux espoirs des générations contemporaines. Salacrou le premier, avec *Les Nuits de la colère*, devait ramener le théâtre à une illustration plus concrète des drames de notre temps. Après lui, les drames de Sartre, des *Mains sales* aux *Séquestrés d'Altona*, sont d'irremplaçables documents sur l'actualité politique et les problèmes de conscience issus du bouleversement mondial (Texte XXI). Par son pessimisme, son ironie et ses élans d'espoir en l'élaboration d'un monde affranchi de la tyrannie et de la peur, *le théâtre est le plus fidèle miroir du siècle.*

---

1. MONTHERLANT, *Théâtre*, Bibliothèque de la Pléiade, p. 272.
2. MONTHERLANT, *Notes sur « Fils de personne »*, dans *Théâtre*, p. 359.
3. SALACROU, *Théâtre*, N.R.F., tome V, p. 353.

Le réalisme du langage C'est dans le langage dramatique que le réalisme semble avoir le plus complètement triomphé. Repoussant la rhétorique et le lyrisme restaurés par les dramaturges symbolistes, le drame moderne prête aux personnages un langage aisé, naturel et direct, volontiers familier ou trivial. C'est vraiment, selon le vœu de Mercier, « le langage des hommes », avec ses crudités et ses brutalités, que parlent les héros de Sartre (Texte XXI). Les dieux mêmes, le Jupiter débonnaire ou lassé d'*Amphitryon* 38 ou des *Mouches*, adoptent le ton familier des mortels. Mais *le naturel ici se sépare du réalisme*, la familiarité n'est qu'une forme de la convention, et le langage des dieux, en se superposant à celui des hommes, en fait éclater l'artifice (Texte XIX).

L'irréalisme *Le vernis réaliste du drame moderne n'est*
du dialogue *en effet le plus souvent que la forme la plus subtile d'un irréalisme intégral.* Ce langage tendu, élaboré, châtié et volontaire jusque dans ses négligences, dont les formules les plus éclatantes comme les plus triviales sont également concertées, n'a de réaliste que l'apparence. Rien n'est plus construit, et même écrit, que le dialogue nerveux, saccadé, elliptique, des *Séquestrés d'Altona*. Montherlant, si soucieux de vérité psychologique, prête à ses héros un langage tour à tour ému, rêveur, lyrique, incisif, cynique, chatoyant et multiple comme l'âme. Il insiste dans ses *Notes* sur l'élaboration artistique du dialogue et condamne la pauvreté des pièces où les points de suspension tiennent lieu de profondeur et d'éloquence. C'est la densité, la tenue et l'éclat du dialogue qui prêtent à ses drames historiques ou bourgeois une résonance poétique qui les apparente à l'art de la tragédie (Texte XVIII). Tout en ironie et en finesse, le dialogue de Gide restaure sur la scène un lyrisme discret et une élégante sobriété qui rappelle moins les audaces du drame réaliste que la délicatesse et la subtile simplicité du classicisme (Texte XVI). N'est-ce pas lui qui en 1904, protestant contre l'avilissement du théâtre de mœurs, préconisait le retour à un irréalisme artistique ? « Le moyen d'arracher le théâtre à l'épisodisme, déclarait-il dans sa conférence sur *L'Évolution du théâtre*, c'est de lui retrouver des contraintes. Le moyen de le faire habiter à nouveau par des caractères, c'est de l'écarter à nouveau de la vie »[1]. Car le théâtre est une des formes de l'art qui « naît de contrainte, vit de lutte, meurt de liberté[2] ».

L'éloignement historique Le recours des écrivains à la légende implique la recherche de l'étrangeté, du dépaysement, et leur indifférence à la réalité extérieure. La donnée même d'*Œdipe*, d'*Antigone*, des *Chevaliers de la Table ronde*, exclut tout réalisme. Car la vérité humaine du mythe n'entraîne pas la vérité dramatique de sa mise en œuvre théâtrale. L'histoire même n'est plus pour les modernes comme pour les romantiques une garantie de fidélité au réel. Si Montherlant, dans *Malatesta*, *Port-Royal*, *Le Cardinal d'Espagne* et *La Guerre civile*, suit de près les chroniques et aime citer ses abondantes et savantes sources, l'histoire n'en

---

1. A. GIDE, *Nouveaux Prétextes*, Mercure de France, p. 24.
2. *Ibidem*, p. 17.

est pas moins pour lui le prétexte d'une analyse psychologique et morale bien plus que le support d'une reconstitution archéologique. L'éloignement dans le passé n'a pour Thierry Maulnier d'autre fonction que celle que lui conférait déjà Racine dans la préface de *Bajazet* : tout en authentifiant la violence de la passion religieuse, le cadre médiéval du *Profanateur* prête aux héros une dignité tragique. *L'histoire est source de poésie bien plus que de vérité* : « Peut-être, écrit-il dans la préface du drame, le lecteur, le spectateur demandent-ils aux personnages imaginaires de n'être pas trop proches d'eux, de leur apparaître dissemblables en même temps que semblables, de prendre par l'effet de la distance et de la dorure légendaire des couleurs plus fascinantes que celles de la terne actualité. Peut-être le prestige de la fiction est-il dû en partie à ce qu'elle est défendue contre un accès trop facile, à ce qu'elle use de la lumière indirecte, à ce qu'elle ne se fait pas reconnaître trop tôt pour ce qu'elle est. Peut-être le *déguisement* est-il la forme originelle du jeu théâtral. Peut-être l'auteur dramatique cherche-t-il seulement dans les lointains historiques une liberté plus grande à l'égard du « réalisme » des événements, des mœurs, du langage, la possibilité d'un style métaphorique, et aussi en ce qui concerne le théâtre, cette richesse, cette poésie des costumes qui donnent de l'éclat au spectacle et que notre temps ne nous donne plus »[1]. Ainsi Thierry Maulnier justifie-t-il par des raisons esthétiques plus que par des préoccupations historiques le fréquent recours des dramaturges modernes aux prestiges du passé : « Le fait est, ajoute-t-il, que parmi les écrivains de théâtre de notre temps, Giraudoux, Claudel, Montherlant, Camus, et Sartre lui-même, théoricien des devoirs de l'écrivain à l'égard du moment présent, ont plus d'une fois, sinon avec prédilection, interposé entre les spectateurs et leurs personnages la séparation lumineuse, la rampe et la herse de l'éloignement historique. » Rien n'est plus signicatif de l'évolution de l'esthétique dramatique que la métamorphose de l'histoire, de garantie d'authenticité en instrument d'éloignement.

La distanciation

La conception la plus radicale de cet irréalisme se trouve formulée et réalisée dans les œuvres pourtant inconciliables de Brecht et Ionesco. Par sa théorie de la « distanciation » (*Verfremdungseffekt* ou « effet V »), Brecht s'insurge contre l'antique doctrine de l'illusion. Opposant une esthétique de l'*entfremdung* à l'esthétique de l'*einfühlung*, la lucidité du détachement à la fascination de la sympathie, *Brecht entend substituer au théâtre aristotélicien de l'imitation un théâtre moderne de la réflexion.* Par l'irréalisme de l'action, du décor et du jeu, la pièce engendre chez le spectateur cette attitude critique et constructive qui est pour Brecht la conduite spécifique des temps modernes et la condition de la valeur didactique du théâtre (Textes 25 et 26).

L' « anti-théâtre »

C'est pour des motifs très différents que Ionesco et les auteurs français d'avant-garde construisent un *univers dramatique soustrait à toutes les catégories du temps, du lieu et de la vraisemblance.* Tentant d'apporter au théâtre la révolution

---

1. Thierry MAULNIER, préface du *Profanateur*, N.R.F., p. 32-33.

que la poésie et les arts plastiques, la musique et l'architecture, ont réalisée en se donnant pour fin non plus l'expression d'un sentiment ou le service d'une cause, mais l'édification de leurs propres structures, Ionesco considère une pièce de théâtre comme une « construction imaginaire », autonome et gratuite, « ayant sa logique, sa forme, sa cohérence propre », et dont les personnages, les idées et les paroles ne sont que le matériau. Ainsi *La Cantatrice chauve* et *La Leçon*, déclare-t-il dans une page de *Journal* reproduite dans les *Notes et contre-notes*, ne sont-elles que des « tentatives d'un fonctionnement *à vide* du mécanisme du théâtre », l' « essai d'un théâtre abstrait et non figuratif », ou plutôt « fait de figures non-figuratives » : « Théâtre abstrait. Drame pur. Anti-thématique, anti-idéologique, anti-réaliste-socialiste, anti-philosophique, anti-psychologique de boulevard, anti-bourgeois, redécouverte d'un nouveau théâtre libre. »[1]. Ce théâtre pur, au sens où l'on parle de poésie pure, échappant à toutes les tyrannies de la vérité ou de l'idéologie, instaurera un « dramatisme » foncièrement irréaliste, mais exprimant à travers les images d'un univers profondément subjectif les angoisses universelles de l'homme (Texte 29).

Ainsi le drame moderne, se dégageant des traditions réalistes léguées par le théâtre bourgeois et romantique, mais soucieux de traduire en un langage autonome les préoccupations et les obsessions fondamentales du siècle, a-t-il découvert ou redécouvert le secret d'*un art à la fois proche et distinct de la vérité humaine*, et dont Giraudoux a formulé les exigences contradictoires dans une admirable réplique de *L'Impromptu de Paris* : « Le théâtre, c'est d'être réel dans l'irréel »[2].

5. Didactisme et philosophie

Si l'irréalisme est la condition de la spécificité dramatique de l'œuvre théâtrale, la plupart des dramaturges en font, comme autrefois du réalisme, *l'instrument du didactisme*. L'univers moderne n'attend plus seulement de l'écrivain, comme le souhaitait Giraudoux, une « sensibilité » et un « style[3] », mais une véritable direction de conscience, ou du moins un débat sur les problèmes moraux, politiques ou philosophiques qui assiègent l'homme d'aujourd'hui. Romanciers, poètes et dramaturges se prêtent volontiers à cette mission morale. Dans le premier numéro de la revue *Les Temps modernes* qu'il venait de fonder en octobre 1945, Sartre définissait les motifs et les buts d'une littérature « engagée » : « Nous ne voulons pas avoir honte d'écrire et nous n'avons pas envie de parler pour ne rien dire. Le souhaiterions-nous, d'ailleurs, que nous n'y parviendrions pas : personne ne peut y parvenir. Tout écrit possède un sens, même si ce sens est fort loin de celui que l'auteur avait rêvé d'y mettre. Pour nous, en effet, l'écrivain n'est ni Vestale, ni Ariel : il est « dans le coup », quoi qu'il fasse, marqué, compromis, jusque dans sa

---

1. IONESCO, *Notes et contre-notes*, p. 160-161.
2. GIRAUDOUX, *L'Impromptu de Paris*, p. 20.
3. GIRAUDOUX, *De siècle à siècle*, dans *Littérature*, p. 224-228.

plus lointaine retraite... L'écrivain est en *situation* dans son époque : chaque parole a des retentissements. Chaque silence aussi »[1].

Drame et philosophie

Sartre le premier, et bien des dramaturges avec lui, ont largement assumé cette *responsabilité morale* dans leur œuvre théâtrale, plus répandue dans le public et plus puissante sur les esprits que toute autre forme d'expression littéraire. Dans la préface du *Profanateur*, Thierry Maulnier remarquait qu'à notre époque « historique et métaphysique », *le théâtre avait perdu sa gratuité de divertissement* et mettait en cause les plus graves problèmes qui hantent les consciences : « Si le théâtre contemporain ne peut plus se contenter, sinon pour les grossières occasions de « tuer le temps » offertes à la partie la plus opaque du public, de suspendre l'attention des spectateurs aux chances que peut avoir un certain monsieur de coucher au dernier acte avec une certaine dame, ou une certaine dame de ressusciter l'ardeur amoureuse d'un certain monsieur, ce n'est pas seulement parce qu'il faut bien qu'une mode succède à une autre, c'est parce que les quatre murs confortables entre lesquels vivaient à l'aise les rêves d'une bourgeoisie abritée se sont effondrés dans la tempête et laissent entrer le froid de la nuit, les énigmes du crime et du malheur humains, l'interrogation muette d'une création en agonie. L'aventure et la catastrophe, la Terreur et le Sacré ont cessé d'être à la mesure de l'amour-fin-de-siècle. Nous avons été pris par les épaules, et *ramenés à la question* ». Et cette « question » n'est autre que celle de la signification de l'existence et du parti à adopter dans la vie : « Il s'agit donc, inévitablement, d'être sauvé ou d'être perdu, de sauver ou de perdre. La vie est posée en termes de salut et de damnation non pas seulement pour le chrétien, mais pour tous les hommes »[2].

Le théâtre à thèse

Certes *bien des bons esprits répugnent à cette inféodation du théâtre à la métaphysique ou à l'idéologie*, et y voient la tare inexpiable du drame. Mais force est bien à l'historien du théâtre moderne qu'est Pierre-Henri Simon de constater chez Mauriac comme chez Montherlant, chez Claudel comme chez Giraudoux, chez Salacrou comme chez Anouilh et Sartre, « le retour en force du drame d'idées, voire de la pièce à thèse »[3]. La distinction de Gabriel Marcel entre « théâtre à thèse » et « théâtre à problème », sa conception d'un théâtre philosophique « éclairant et libérateur », illustrant un conflit sans imposer une solution, ne suffit peut-être pas à éliminer le danger du didactisme (Texte 28). Mais aux arguments d'un irréductible partisan de la spécificité absolue du théâtre, comme Pierre-Aimé Touchard dans son *Dionysos*, Pierre-Henri-Simon objecte justement, dans l'épilogue de *Théâtre et Destin*, que « le théâtre enveloppe inévitablement la morale », qu'il n'est « pas de grande œuvre qui ne se situe à l'intersection du plan de l'existence et du

---

1. SARTRE, « Présentation des *Temps modernes* », dans *Situations*, II, N.R.F., 1948, p. 11-13.
2. Thierry MAULNIER, préface du *Profanateur*, p. 17-19.
3. P.-H. SIMON, *Théâtre et Destin*, p. 165.

plan des valeurs », et que si « un poème dramatique de la grande espèce **ne s'épuise pas** en débats moraux particuliers et ne les conclut pas par des thèses d'une signification éphémère », « il propose des mythes où s'éclaire et s'élargit la conscience que l'homme prend de sa destinée »[1].

Drame et idéologie Par son goût obstiné des idées, le drame moderne rejoint la grande tradition de Diderot et de Hugo, et témoigne de son appartenance à l'esthétique du genre, qui fait une part immense à l'éthique ou à la métaphysique. Thierry Maulnier, interprète de Racine, définit la tragédie par sa gratuité et son refus des lieux communs rhétoriques et idéologiques qui soulèvent les foules et enthousiasment le vulgaire : « Le théâtre de Racine, écrit-il, par opposition au drame, ne fait pas leur place habituelle à la mythologie des mots, aux grandes majuscules lyriques qui donnent du ton au drame commun, et ne sont pas absentes de Shakespeare… Les conflits habituels du drame sont assez nobles dans leurs termes pour être à la portée de tous, pour donner sa pâture de grands mots au vulgaire, pour rappeler à l'auditeur les règles du sacrifice social et militaire, pour conseiller les morts héroïques, pour fournir des thèmes aux pompes officielles, aux inaugurations de statues, aux discours, à la quotidienne pâture de sublime que doit donner au peuple, avec une bonne police et de bonnes finances, un gouvernement prévoyant. Le théâtre a une valeur éducatrice et sociale, on trouve en lui une morale un peu déclamatoire, une abondante dépense de thèmes excellents, — patriotisme, vertu, courage, — mais parfaitement monnayables, susceptibles d'être changés, à des guichets assiégés par un public enthousiaste, en loyalisme militaire, en impôts, en enfants »[2]. *Contrairement à la pureté de la tragédie, le drame n'a jamais cessé d'être une tribune et une chaire.*

L'engagement politique La « situation » de l'homme est avant tout sociale et politique : aussi le drame accorde-t-il une place privilégiée aux problèmes suscités par les conflits entre les individus, les classes et les partis. *Personnellement engagés, les écrivains composent un théâtre engagé. Les Mains sales* de Sartre, *Les Justes* de Camus, posent avec acuité l'angoissant dilemme du réalisme et de l'idéalisme politique, illustrent les déchirements des consciences écartelées entre les impératifs de la justice et les nécessité de l'action, les exigences de la morale individuelle et le despotisme du parti (Texte XXI). Directement inspirés par des événements contemporains, *Boulevard Durand* de Salacrou, *Les Coréens* de Vinaver, *Printemps 71* d'Adamov, *Le Crapaud-Buffle* de Gatti, *Les Paravents* de Genêt, expriment de fermes prises de position sur de brûlants problèmes d'ordre politique ou social.

Drame et religion Plus volontiers encore *le drame contemporain porte le débat dans le domaine religieux.* Champ d'affrontement entre le spiritualisme le plus ardent et le matérialisme le plus intégral, le théâtre est la plus vive illustration des conflits idéologiques

1. P.-H. SIMON, *Théâtre et Destin*, épilogue, p. 220-221.
2. Thierry MAULNIER, *Racine*, introduction, p. 13-14.

du siècle. L'œuvre dramatique de Gabriel Marcel est celle d'un converti soucieux de montrer l'absurdité d'un *Monde cassé* dépouillé de toute finalité et où la part de la grâce n'est point reconnue. Dans un tel théâtre, l'action et les caractères ne sont le plus souvent que le support, le point d'incidence et d'application de la métaphysique. Les générations modernes, apparemment hantées par les problèmes sacrés, accordent de plus en plus de place à la représentation des hommes et des idées qui appartiennent à l'univers religieux. Prêtres et dogmes sont l'objet d'innombrables pièces qui, du *Profanateur* de Thierry Maulnier au *Cardinal d'Espagne* de Montherlant, évoquent la redoutable conjonction du pouvoir séculier et de l'idéal spirituel.

Drame et métaphysique Indépendamment des dogmes et des églises, le drame contemporain soulève ou ressuscite les plus antiques conflits métaphysiques. L'*Œdipe* de Gide, L'*Antigone* d'Anouilh, *Les Mouches* de Sartre, et toutes les tragédies où revivent les héros d'une civilisation hantée par la présence du divin, plus ou moins imprégnées d'un syncrétisme où la fatalité antique se mêle à la providence chrétienne, où les lois religieuses se superposent aux impératifs sociaux, évoquent l'éternelle révolte de l'homme contre un dieu distant, implacable et jaloux (Texte XVI). *La vogue de l'existentialisme athée a stimulé encore l'intérêt porté au drame métaphysique.* L'absurdité d'un monde déserté par toute transcendance apparaît cruellement dans *Le Malentendu* de Camus, où est illustrée la philosophie du *Mythe de Sisyphe* selon laquelle « l'absurde n'est pas dans l'homme, ni dans le monde, mais dans leur présence commune »[1] (Texte XX). C'est encore la métaphysique développée dans *L'Être et le Néant* qui sous-tend les drames de Sartre où est dénoncée la déchéance d'un dieu dont la faiblesse et la superstition humaines constituent la seule réalité, prêt à s'effacer au premier geste du téméraire qui osera affirmer sa liberté absolue et l'intégrale responsabilité de ses actes (Texte XIX).

Drame et révolution La plus vivante illustration de la dialectique matérialiste apparaît dans les théories et les drames de Brecht. Être social, exclusivement conditionné par les déterminismes historiques, l'homme, comme la nature, doit être modifié et modelé en vue d'un progrès collectif. Dans cette immense tâche de rectification de l'homme par l'homme et d'édification d'une société meilleure, le théâtre jouera son rôle en proposant au spectateur non plus l'image immuable d'un monde fixe dont le prestige de l'illusion consolidait encore l'assise, mais la vision éphémère d'une société en devenir, « historisée » et donc vouée à la métamorphose et à la réfection. *Ainsi l'art dramatique contribuera-t-il avec la science à la transformation du monde et à l'amélioration de la vie humaine* (Textes 25 et 26).

---

1. A. CAMUS, *Le Mythe de Sisyphe*, Gallimard, N.R.F., Les Essais, p. 48.

**La critique
du didactisme**

Contre le didactisme systématique et affiché des *lehrstücke* de Brecht ou des pièces à thèse de Sartre, qui privent le théâtre de sa spécificité dramatique, les réactions des philosophes et des critiques se firent vite jour. Dans le théâtre de Sartre, Gabriel Marcel distingue entre les qualités du dramaturge qui impose aux idées une vie théâtrale et les convictions du philosophe qui exploite la scène au service d'une propagande sectaire. Entre la prédication du théâtre didactique et le vain divertissement du théâtre de Boulevard, un théâtre authentiquement philosophique accordera aux idées une valeur relative et exclusivement dramatique, en confrontant impartialement *non des thèses abstraites, mais des options humaines* (Texte 28).

Plus radicalement encore, *Ionesco dénonce et condamne toutes les formes du didactisme*. Hostile à toute inféodation du théâtre à une doctrine morale ou à une idéologie politique susceptible de compromettre la liberté et la gratuité de la création dramatique, il fait le procès de tout « engagement » théâtral et plus particulièrement de la forme la plus tapageuse du didactisme, qui s'exprime dans l'œuvre de Brecht et de ses thuriféraires. « Ce que je reproche aux brechtiens, déclare-t-il dans ses *Notes et contre-notes*, c'est qu'ils sont des terroristes[1]. » Outre l'intolérance esthétique et sociale de théoriciens fanatiques, Ionesco critique la fragilité psychologique et métaphysique d'un théâtre trop exclusivement consacré à la démonstration d'une thèse : « Je n'aime pas Brecht, écrit-il, justement parce qu'il est didactique, idéologique. Il n'est pas primitif, il est primaire. Il n'est pas simple, il est simpliste. Il ne donne pas matière à penser, il est lui-même le reflet, l'illustration d'une idéologie, il ne m'apprend rien, il est redite. D'autre part, l'homme brechtien est plat, il n'a que deux dimensions, celles de la surface, il n'est que social : ce qui lui manque, c'est la dimension en profondeur, la dimension métaphysique. Son homme est incomplet et il n'est souvent qu'un pantin[2]. » *L'Impromptu de l'Alma*, reprenant la tradition de *L'Impromptu de Versailles* et de *L'Impromptu de Paris*, est une amusante satire du jargon philosophique et technique de la critique brechtienne. Dénonçant la fausse profondeur et les truismes savants des « docteurs en théâtralogie » grisés par les clinquantes doctrines de l' « historicisation », de la « distanciation », de l' « éphémérité » et de la « spectato-psycho-sociologie », il plaide pour la liberté de la création artistique et conteste la légitimité d'un théâtre d' « instituteurs » où le public ne doit, sous peine de punition, ni s'amuser, ni rire, ni pleurer, mais seulement s'instruire. Sous la fantaisie caricaturale de la charge, *L'Impromptu de l'Alma* est une des plus vives critiques du théâtre idéologique et didactique. A un théâtre « épique », Ionesco oppose la conception d'un théâtre purement « dramatique », dépouillé de toutes contingences, créant un univers autonome où personnages, actions et idées ne seraient que le « matériau » de l'architecture dramatique (Texte 29).

---

1. IONESCO, *Notes et contre-notes*, p. 198.
2. IONESCO, *Notes et contre-notes*, p. 113.

Ionesco lui-même est-il demeuré fidèle à son idéal de gratuité ? Si *La Cantatrice chauve* et les premières « anti-pièces » ne comportent aucun message apparent, si ce n'est la dénonciation des lieux-communs qui obstruent la pensée et le langage, les drames les plus récents, comme *Tueur sans gages*, *LeRhinocéros* ou *La Soif et la Faim*, expriment, à travers un mythe peu commun, la lutte désespérée de l'homme contre toutes les puissances collectives de domination spirituelle qui menacent la liberté intellectuelle et morale, et *participent ainsi à la grande leçon humaniste du théâtre contemporain.* Mais « la leçon du théâtre est au-delà des leçons »[1] : c'est la fantaisie même de la construction dramatique qui est le meilleur gage de la liberté de l'art et de l'homme (Texte XXII).

Par l'inépuisable richesse de ses sujets et la surprenante audace de ses techniques, *le drame contemporain semble avoir poussé jusqu'à leurs limites extrêmes les diverses tendances qui sollicitent le drame depuis son origine.* Par le modernisme des sujets où l'histoire même et la mythologie évoquent les préoccupations contemporaines, par l'alliance du réalisme le plus scrupuleux et de l'irréalisme le plus téméraire, par son inclination au didactisme et à la philosophie, le drame moderne, résumant toutes les nuances, tous les tons et tous les styles de la tradition dramatique, constitue l'épanouissement d'un genre dont il convient de définir maintenant, à la lumière de l'histoire, les variations et les constantes, les ambitions et les réalisations.

---

3. IONESCO, *Notes et contre-notes*, p. 107.

HISTOIRE ET ESTHÉTIQUE CONCLUSION

Mouvementée et décevante, jalonnée de triomphes et d'échecs, fertile en élans impétueux et en brusques retombées, l'histoire du drame est *l'un des plus vivants épisodes du théâtre français.*

Échecs et réussites du drame   La plupart des tentatives pour réaliser un drame digne de ses immenses ambitions semblent avoir infailliblement échoué. Le drame bourgeois s'est enlisé dans la platitude et la prédication, le drame romantique a cédé aux facilités du mélodrame, le drame symboliste s'est mal dégagé du livre. *Tant d'œuvres et de théories n'ont cependant pas laissé d'influencer profondément le théâtre.* Si le drame contemporain, multiple et nuancé, connaît aujourd'hui le plus vif succès, il serait présomptueux d'en conclure à la supériorité absolue des modernes et de ne pas reconnaître dans son réalisme et son irréalisme, son didactisme et sa fantaisie, les empreintes et les orientations du passé.

Malgré la consternante disproportion des théories et des œuvres, la rapide décadence de toutes les formes qu'a successivement revêtues le drame, il serait injuste aussi de l'accuser, comme Pierre-Aimé Touchard dans son *Dionysos* de n'avoir produit « aucun chef-d'œuvre authentique ». Si les drames du XVIIIe siècle sont discrédités par le simplisme de leur réalisme

et de leur moralisme, les drames de Hugo ne sont dépourvus ni de pathétique ni de grandeur, les drames symbolistes rendent un son poétique et
mystique qui rachète un idéalisme et un esthétisme compassés. Mais surtout,
du fatras dramatique se distinguent quelques joyaux dont la splendeur
suffirait à légitimer l'esthétique dont ils sont issus. Le *Lorenzaccio* de Musset
est une des plus belles œuvres du romantisme. Le théâtre de Maeterlinck
et de Claudel recèle une vertu poétique qui ne nuit en rien à l'intensité
dramatique. Parmi les œuvres modernes, bien des drames, par la qualité
du style, la finesse du dialogue et la noblesse de la pensée, semblent
d'*incontestables réussites.*

Diversité du drame Par l'ampleur et la diversité des réflexions
théoriques qu'il a suscitées, le drame a
singulièrement stimulé la pensée et l'art dramatiques. De Diderot à Ionesco,
*le drame semble avoir parcouru toute la carrière de l'art et exploré toutes les
ressources du spectacle.* Si le réalisme ne peut être la fin de l'art, au moins
peut-il parfois en être la source : le mérite des drames du XVIIIe siècle
est d'avoir dénoncé et ruiné l'artifice d'une dramaturgie sclérosée et
conventionnelle. Par leur goût du spectacle, de l'action, de la couleur, de
la poésie, les romantiques ont aussi restauré au théâtre une grandeur et
une sensualité qui lui sont essentielles. A cet art encore superficiel, le
symbolisme a prêté une dimension métaphysique et tous les charmes poétiques.
Par son irréalisme enfin, le drame moderne achève de rendre le théâtre à
cette stylisation fondamentale qui est la condition et l'être même de l'œuvre
d'art.

Grandeur du drame *Art généreux, abondant, plus riche que
pur,* le drame est la perpétuelle tentation
des esprits les plus féconds et des natures les plus puissantes. Diderot, Hugo,
Claudel, sont comme les symboles de cette exubérance imaginative et verbale,
de cette fougue novatrice et créatrice, qui caractérisent le drame. Mais si cet
art est une hantise du génie français, il est aussi une lacune de notre littérature.
Le drame s'acclimate mal au pays de Racine, de La Fontaine et de Mallarmé.
Aussi est-il significatif que tout au long de l'histoire du drame en France,
l'influence étrangère ait été une source déterminante d'imitation et
d'inspiration. Les vrais maîtres du drame ne sont ni Diderot, ni Hugo, mais
Shakespeare et Schiller, Wagner et Brecht. Lorsque la critique française
découvre avec stupéfaction les drames authentiques de Claudel, elle accuse
volontiers ce poète champenois de parler allemand, et c'est en Allemagne
que Claudel, bien avant ses succès parisiens, a connu ses premiers
triomphes.

Un art baroque Si le terme de « baroque » n'avait prêté
à tant de confusion, on aimerait à dire
que *le drame est une forme de théâtre baroque.* Mais outre que la notion de
baroque s'applique bien plus rigoureusement aux arts plastiques qu'aux
formes littéraires, la France catholique et classique n'a guère connu que

les traits mineurs de cette esthétique qui s'épanouit dans les régions où triompha la Contre-Réforme. Dans un article sur *Le Théâtre baroque en France*[1], M. Lebègue, étudiant certains aspects du théâtre français de la fin du XVIᵉ diècle et du début du XVIIᵉ siècle, où régnait sur la scène ce qu'il appelle la « tragédie shakespearienne », propose cependant du baroque une définition littéraire : « Est baroque, écrit-il, le goût de la liberté en littérature : le dédain des règles, de la mesure, de la bienséance, de la séparation des genres. Est baroque ce qui est irrationnel : les jeux intellectuels d'où sont absents la logique et la raison, le goût des charmes de la nature, celui du mystère et du surnaturel, et enfin l'élan émotif et passionnel. » Or il est remarquable que si la première partie de la définition convient admirablement au drame romantique et pourrait résumer les revendications de la *Préface de Cromwell*, les formules suivantes expriment les principales tendances du drame symboliste. La définition de M. Garapon : « recherche de l'intensité des effets au mépris de la composition et de l'unité »[2], caractériserait aussi un art dramatique enclin aux prestiges du spectacle, au pathétique de l'émotion et à la violence de l'action. Art sensuel, dynamique, exubérant, intense et frappant, le drame répond assez précisément aux caractéristiques essentielles du style baroque. Aussi Marcel Raymond le range-t-il pertinemment, avec la tragi-comédie, le ballet de cour et l'opéra, parmi les " genres littéraires complexes ou composites, d'appartenance baroque[3] ".

Esthétique et éthique

Tour à tour réaliste et irréaliste, bourgeois et romantique, naturaliste et mystique, le drame semble échapper cependant à l'uniformité d'une esthétique rigoureuse. Entre les diverses formes du drame, *le dénominateur commun semble d'ordre éthique plus qu'esthétique.* Non que la morale de Diderot ou de Vigny annonce en quelque façon celle de Claudel ou de Sartre. Mais entre des œuvres et des philosophies si disparates, le lien semble être la présence même d'une philosophie et d'une morale, et l'importance de la part qui leur est accordée dans l'œuvre dramatique. Entre le drame moral du XVIIIᵉ siècle, le drame politique du romantisme, le drame mystique du symbolisme et le drame philosophique des temps modernes, le trait d'union ne réside point dans la teneur spirituelle, mais dans la valeur dramatique de la pensée qui constitue l'ossature du drame. C'est l'ambition philosophique et morale, c'est l'intention didactique et la curiosité idéologique, qui, malgré les dissonances spirituelles et les contrastes esthétiques, confèrent à toutes les formes du drame leur tonalité spécifique.

---

1. *Bibliothèque d'Humanisme et Renaissance*, 1942, tome II.
2. R. GARAPON, « Le théâtre comique », dans *Du classicisme au baroque*, (*XVIIᵉ siècle*, 1953, n⁰ 20, p. 260.)
3. M. RAYMOND, " Propositions sur le Baroque et la littérature française ", numéro spécial de la *Revue des sciences humaines*, 1949, p. 143.

**Drame
et temps modernes**

Genre Protée, adapté à toutes les modes et à tous les goûts, soumis à l'évolution sociale et spirituelle du public, le drame n'est souvent que *le reflet des tendances esthétiques, morales et métaphysiques d'une époque.* Là est sans doute la clef de ses variations constantes, de son renouvellement perpétuel, de ses incessantes métamorphoses, de ses contradictions intimes. Ainsi s'expliquent la brièveté de ses triomphes, la fragilité de ses réussites aussitôt compromises qu'affirmées, la fluidité d'une esthétique désuète au moment même où elle vient d'être définie. Issu d'esprits hardis et résolument épris de nouveauté, le drame est la mouvante image de la révolution littéraire. Mais conforme aux préoccupations et aux goûts d'un vaste public, il est aussi le miroir de la société dont il exprime l'idéal esthétique et moral. Par la plasticité de sa forme, l'actualité de ses sujets et la diversité de son style, le drame a été, à chacune des époques successives de son histoire, *le théâtre des temps modernes.*

Deuxième Partie

ANTHOLOGIE THÉORIQUE ET CRITIQUE

LE DRAME BOURGEOIS CHAPITRE I

Denis *DIDEROT*

Entretiens avec Dorval sur LE FILS NATUREL (1757)

Les *Entretiens avec Dorval* sont inséparables du *Fils naturel*, dont ils constituent l'accompagnement, l'introduction et la justification. Sur le mode familier d'une conversation à bâtons rompus avec Dorval, l'auteur supposé de la pièce dont il est aussi le protagoniste, Diderot imagine un dialogue entre « lui et moi » qui lui permet d'exposer la substance de ses idées dramatiques. Mêlant ainsi l'analyse précise d'un texte à l'exposé théorique d'un système, les *Entretiens* sont le premier manifeste et *la charte originelle du drame.*

Après avoir débattu essentiellement au cours des deux premiers entretiens de la distance qui sépare nécessairement la réalité vécue de sa représentation théâtrale et des avantages de la « pantomime » dans la mise en scène, les interlocuteurs tentent dans le *Troisième entretien* de définir le genre auquel appartient cette pièce originale, qui n'est ni comédie ni tragédie. En opposition aux genres traditionnels, Diderot montre l'existence d'un « *genre sérieux* », proche de la tragédie par la gravité du ton et des situations, mais étranger aux effets tragiques de terreur et de pitié. Fort des précédents laissés par l'antiquité, Diderot analyse les avantages de ce genre moyen, universel, toujours fidèle au naturel et à la vérité, et jette les fondements de la nouvelle « poétique » dont il définit successivement les sujets, les personnages, le ton, la morale et le mouvement (Texte 1).

Les *sujets* propres au nouveau genre font l'objet d'un développement particulier. Molière semblait avoir épuisé la matière comique et n'avoir laissé à ses successeurs que le maigre champ d'observation des travers mineurs. Pour renouveler l'étude de l'homme et revivifier la veine dramatique, Diderot suggère de substituer à l'analyse des caractères la peinture des « conditions » et des « relations ». En ouvrant aux dramaturges — et à Diderot le premier — un large éventail de sujets nouveaux, cette théorie devait orienter le drame vers l'observation de l'homme concret et la peinture vivante d'une époque (Texte 2).

texte 1   LE GENRE SÉRIEUX

Après quelques discours généraux sur les actions de la vie, et sur l'imitation qu'on en fait au théâtre, il me dit :

« On distingue dans tout objet moral un milieu et deux extrêmes. Il semble donc que, toute action dramatique étant un objet moral, il devrait y avoir un genre moyen et deux genres extrêmes. Nous avons ceux-ci ; c'est la comédie et la tragédie : mais l'homme n'est pas toujours dans la douleur ou dans la joie. Il y a donc un point qui sépare la distance du genre comique au genre tragique.

« Térence a composé une pièce dont voici le sujet. Un jeune homme se marie. A peine est-il marié, que des affaires l'appellent au loin. Il est absent. Il revient. Il croit apercevoir dans sa femme des preuves certaines d'infidélité. Il en est au désespoir. Il veut la renvoyer à ses parents. Qu'on juge de l'état du père, de la mère et de la fille. Il y a cependant un Dave, personnage plaisant par lui-même. Qu'en fait le poète ? Il l'éloigne de la scène pendant les quatre premiers actes, et il ne le rappelle que pour égayer un peu son dénouement.

« Je demande dans quel genre est cette pièce ? Dans le genre comique ? Il n'y a pas le mot pour rire. Dans le genre tragique ? La terreur, la commisération et les autres grandes passions n'y sont point excitées. Cependant, il y a de l'intérêt ; et il y en aura, sans ridicule qui fasse rire, sans danger qui fasse frémir, dans toute composition dramatique où le sujet sera important, où le poète prendra le ton que nous avons dans les affaires sérieuses, et où l'action s'avancera par la perplexité et par les embarras. Or, il me semble que ces actions étant les plus communes de la vie, le genre qui les aura pour objet doit être le plus utile et le plus étendu. J'appellerai ce genre le *genre sérieux*.

« Ce genre établi, il n'y aura point de condition dans la société, point d'actions importantes dans la vie, qu'on ne puisse rapporter à quelque partie du système dramatique.

« Voulez-vous donner à ce système toute l'étendue possible ; y comprendre la vérité et les chimères ; le monde imaginaire et le monde réel ?

Ajoutez le burlesque au-dessous du genre comique, et le merveilleux au-dessus du genre tragique. »

MOI

Je vous entends : Le burlesque... Le genre comique... Le genre sérieux... Le genre tragique... Le merveilleux.

DORVAL

Une pièce ne se renferme jamais à la rigueur dans un genre. Il n'y a point d'ouvrage dans les genres tragique ou comique, où l'on ne trouvât des morceaux qui ne seraient point déplacés dans le genre sérieux ; et il y en aura réciproquement dans celui-ci, qui porteront l'empreinte de l'un et l'autre genres.

C'est l'avantage du genre sérieux, que, placé entre les deux autres, il a des ressources, soit qu'il s'élève, soit qu'il descende. Il n'en est pas ainsi du genre comique et du genre tragique. Toutes les nuances du comique sont comprises entre ce genre même et le genre sérieux et toutes celles du tragique entre le genre sérieux et la tragédie. Le burlesque et le merveilleux sont également hors de la nature ; on n'en peut rien emprunter qui ne gâte. Les peintres et les poètes ont le droit de tout oser ; mais ce droit ne s'étend pas jusqu'à la licence de fondre des espèces différentes dans un même individu. Pour un homme de goût, il y a la même absurdité dans Castor élevé au rang des dieux, et dans le bourgeois gentilhomme fait mamamouchi.

Le genre comique et le genre tragique sont les bornes réelles de la composition dramatique. Mais, s'il est impossible au genre comique d'appeler à son aide le burlesque, sans se dégrader ; au genre tragique, d'empiéter sur le genre merveilleux, sans perdre de sa vérité, il s'ensuit que, placés dans les extrémités, ces genres sont les plus frappants et les plus difficiles.

C'est dans le genre sérieux que doit s'exercer d'abord tout homme de lettres qui se sent du talent pour la scène. On apprend à un jeune élève qu'on destine à la peinture, à dessiner le nu. Quand cette partie fondamentale de l'art lui est familière, il peut choisir un sujet. Qu'il le prenne ou dans les conditions communes, ou dans un rang élevé, qu'il drape ses figures à son gré, mais qu'on ressente toujours le nu sous la draperie : que celui qui aura fait une longue étude de l'homme dans l'exercice du genre sérieux chausse, selon son génie, le cothurne ou le soc ; qu'il jette sur les épaules de son personnage un manteau royal ou une robe de palais, mais que l'homme ne disparaisse jamais sous le vêtement.

Si le genre sérieux est le plus facile de tous, c'est, en revanche, le moins sujet aux vicissitudes des temps et des lieux. Portez le nu en quelque lieu de la terre qu'il vous plaira ; il fixera l'attention, s'il est bien dessiné. Si vous excellez dans le genre sérieux, vous plairez dans tous les temps et chez tous les peuples. Les petites nuances qu'il empruntera d'un genre collatéral seront trop faibles pour le déguiser ; ce sont des bouts de draperies qui ne couvrent que quelques endroits, et qui laissent les grandes parties nues.

Vous voyez que la tragi-comédie ne peut être qu'un mauvais genre, parce qu'on y confond deux genres éloignés et séparés par une barrière naturelle. On n'y passe point par des nuances imperceptibles ; on tombe à chaque pas dans les contrastes, et l'unité disparaît.

Vous voyez que cette espèce de drame, où les traits les plus plaisants du genre comique sont placés à côté des traits les plus touchants du genre sérieux, et où l'on saute alternativement d'un genre à un autre, ne sera pas sans défaut aux yeux d'un critique sévère.

Mais voulez-vous être convaincu du danger qu'il y a à franchir la barrière que la nature a mise entre les genres ? portez les choses à l'excès ; rapprochez deux genres fort éloignés, tels que la tragédie et le burlesque ; et vous verrez alternativement un grave sénateur jouer aux pieds d'une courtisane le rôle du débauché le plus vil, et des factieux méditer la ruine d'une république.

La farce, la parade et la parodie ne sont pas des genres, mais des espèces de comique ou de burlesque, qui ont un objet particulier.

On a donné cent fois la poétique du genre comique et du genre tragique. Le genre sérieux a la sienne ; et cette poétique serait aussi fort étendue ; mais je ne vous en dirai que ce qui s'est offert à mon esprit, tandis que je travaillais à ma pièce.

Puisque ce genre est privé de la vigueur de coloris des genres extrêmes entre lesquels il est placé, il ne faut rien négliger de ce qui peut lui donner de la force.

Que le sujet en soit important ; et l'intrigue, simple, domestique, et voisine de la vie réelle.

Je n'y veux point de valets : les honnêtes gens ne les admettent point à la connaissance de leurs affaires ; et si les scènes se passent toutes entre les maîtres, elles n'en seront que plus intéressantes. Si un valet parle sur la scène comme dans la société, il est maussade : s'il parle autrement, il est faux.

Les nuances empruntées du genre comique sont-elles trop fortes ? L'ouvrage fera rire et pleurer ; et il n'y aura plus ni unité d'intérêt, ni unité de coloris.

Le genre sérieux comporte les monologues ; d'où je conclus qu'il penche plutôt vers la tragédie que vers la comédie ; genre dans lequel ils sont rares et courts.

Il serait dangereux d'emprunter, dans une même composition, des nuances du genre comique et du genre tragique. Connaissez bien la pente de votre sujet et de vos caractères, et suivez-la.

Que votre morale soit générale et forte.

Point de personnages épisodiques ; ou, si l'intrigue en exige un, qu'il ait un caractère singulier qui le relève.

Il faut s'occuper fortement de la pantomime ; laisser là ces coups de théâtre dont l'effet est momentané, et trouver des tableaux. Plus on voit un beau tableau, plus il plaît.

Le mouvement nuit presque toujours à la dignité ; ainsi, que votre principal personnage soit rarement le machiniste de votre pièce.

Et surtout ressouvenez-vous qu'il n'y a point de principe général : je n'en connais aucun de ceux que je viens d'indiquer, qu'un homme de génie ne puisse enfreindre avec succès.

texte 2   # LA PEINTURE DES CONDITIONS

MOI

Mais, quels seront les sujets de ce comique sérieux, que vous regardez comme une branche nouvelle du genre dramatique ? Il n'y a, dans la nature humaine, qu'une douzaine, tout au plus, de caractères vraiment comiques et marqués de grands traits.

DORVAL

Je le pense.

MOI

Les petites différences qui se remarquent dans les caractères des hommes ne peuvent être maniées aussi heureusement que les caractères tranchés.

DORVAL

Je le pense. Mais savez-vous ce qui s'ensuit de là ?... Que ce ne sont plus, à proprement parler, les caractères qu'il faut mettre sur la scène, mais les conditions. Jusqu'à présent, dans la comédie, le caractère a été l'objet principal, et la condition n'a été que l'accessoire ; il faut que la condition devienne aujourd'hui l'objet principal, et que le caractère ne soit que l'accessoire. C'est du caractère qu'on tirait toute l'intrigue. On cherchait en général les circonstances qui le faisaient sortir, et l'on enchaînait ces circonstances. C'est la condition, ses devoirs, ses avantages, ses embarras, qui doivent servir de base à l'ouvrage. Il me semble que cette source est plus féconde, plus étendue et plus utile que celle des caractères. Pour peu que le caractère fût chargé, un spectateur pouvait se dire à lui-même, ce n'est pas moi. Mais il ne peut se cacher que l'état qu'on joue devant lui ne soit le sien ; il ne peut méconnaître ses devoirs. Il faut absolument qu'il s'applique à ce qu'il entend.

MOI

Il me semble qu'on a déjà traité plusieurs de ces sujets.

DORVAL

Cela n'est pas. Ne vous y trompez point.

MOI

N'avons-nous pas des financiers dans nos pièces ?

DORVAL

Sans doute, il y en a. Mais le financier n'est pas fait.

MOI

On aurait de la peine à en citer une sans un père de famille.

DORVAL

J'en conviens ; mais le père de famille n'est pas fait. En un mot, je vous demanderai si les devoirs des conditions, leurs avantages, leurs inconvénients, leurs dangers ont été mis sur la scène. Si c'est la base de l'intrigue et de la morale de nos pièces. Ensuite, si ces devoirs, ces avantages, ces inconvénients, ces dangers ne nous montrent pas, tous les jours, les hommes dans les situations très embarrassantes.

MOI

Ainsi, vous voudriez qu'on jouât l'homme de lettres, le philosophe, le commerçant, le juge, l'avocat, le politique, le citoyen, le magistrat, le financier, le grand seigneur, l'intendant.

DORVAL

Ajoutez à cela toutes les relations : le père de famille, l'époux, la sœur, les frères. Le père de famille ! Quel sujet, dans un siècle tel que le nôtre, où il ne paraît pas qu'on ait la moindre idée de ce que c'est qu'un père de famille !

Songez qu'il se forme tous les jours des conditions nouvelles. Songez que rien, peut-être, ne nous est moins connu que les conditions, et ne doit nous intéresser davantage. Nous avons chacun notre état dans la société ; mais nous avons affaire à des hommes de tous les états.

Les conditions ! Combien de détails importants ; d'actions publiques et domestiques ! de vérités inconnues ! de situations nouvelles à tirer de ce fonds ! Et les conditions n'ont-elles pas entre elles les mêmes contrastes que les caractères ? Et le poète ne pourra-t-il pas les opposer ?

Mais ces sujets n'appartiennent pas seulement au genre sérieux. Ils deviendront comiques ou tragiques, selon le génie de l'homme qui s'en saisira.

Telle est encore la vicissitude des ridicules et des vices, que je crois qu'on pourrait faire un *Misanthrope* nouveau tous les cinquante ans. Et n'en est-il pas ainsi de beaucoup d'autres caractères ?

Pierre Caron de BEAUMARCHAIS

Essai sur le genre dramatique sérieux (1767)

Esprit essentiellement moderne et entreprenant, Beaumarchais ne manqua pas d'être attiré par le nouveau genre dramatique. Avant d'être le restaurateur de la comédie d'intrigue, il voulut être l'un des initiateurs du drame, auquel appartiennent ses premières et sa dernière œuvre théâtrale. L'*Essai sur le genre dramatique sérieux*, loin d'être une simple préface d'*Eugénie*, est une longue et minutieuse analyse des principes fondamentaux du drame.

Après avoir stigmatisé le formalisme et la servilité des critiques prisonniers de la tradition classique et soumis au jugement exclusif des doctes, Beaumarchais tente de définir les sources de l'intérêt dramatique et la psychologie du spectateur impartial, de l'honnête homme et de l'âme sensible sur lesquels le drame se flatte d'agir. Sans soupçonner un instant la gratuité essentielle de l'art et la nécessaire distance de l'œuvre à la vie, Beaumarchais fonde le plaisir dramatique sur *l'identification du spectateur avec le héros*. Au nom de ce principe, il critique l'irréalisme et l'inhumanité tragiques qui privent le spectateur de toute communion avec la victime d'une fatalité aveugle et suscitent une terreur ou une révolte incompatibles avec la réflexion morale. Des héros plus communs, proches dans le temps et dans l'espace, offriraient au contraire au spectateur une image familière de sa propre condition et intéresseraient plus profondément sa sensibilité (Texte 3).

La vérité des situations et des personnages est de plus la condition de la *moralité* de la pièce. C'est en effet de la relation établie par le spectateur entre sa propre situation et celle du héros que naît cet attendrissement qui est non seulement la seule joie théâtrale, mais encore le fondement de la leçon morale. Vérité, sensibilité, moralité, forment ainsi l'indissociable faisceau dont la cohésion garantit l'intérêt et la portée du drame (Texte 4).

Une telle conception du drame déterminait *le choix du style*. Le vers, par sa grandeur et sa beauté, son artifice et sa gratuité, ses recherches formelles et sa cadence musicale, altère cette vérité immédiate qui est l'idéal du drame : convenable à la dignité tragique et à la fantaisie comique, il détruirait dans le drame l'illusion qui est le gage du plaisir théâtral. L'exemple du *Philosophe sans le savoir* confirme aux yeux de Beaumarchais la supériorité d'une prose simple, directe, émouvante sans apprêts et apte à l'expression des sentiments les plus naturels (Texte 5).

texte 3   INTÉRÊT DRAMATIQUE ET VÉRITÉ HUMAINE

Est-il permis d'essayer d'intéresser un peuple, au Théâtre, et de faire couler ses larmes sur un événement tel qu'en le supposant véritable et passé sous ses yeux entre des citoyens il ne manquerait jamais de produire cet effet sur lui ? Car tel est l'objet du genre honnête et sérieux.

Si quelqu'un est assez barbare, assez classique, pour oser soutenir la négative, il faut lui demander si ce qu'il entend par le mot Drame ou Pièce de Théâtre n'est pas le tableau fidèle des actions des hommes ? Il faut lui lire les Romans de Richardson, qui sont de vrais Drames ; de même que le Drame est la conclusion et l'instant le plus intéressant d'un roman quelconque. Il faut lui apprendre, s'il l'ignore, que plusieurs Scènes de *L'Enfant prodigue*, *Nanine* tout entière, *Mélanide*, *Cénie*, *Le Père de famille*, *L'Écossaise*, *Le Philosophe sans le savoir*, ont déjà fait connaître de quelles beautés le genre sérieux est susceptible et nous ont accoutumés à nous plaire à la peinture touchante d'un malheur domestique, d'autant plus puissante sur nos cœurs qu'il semble nous menacer de plus près. Effet qu'on ne peut jamais espérer au même degré de tous les grands tableaux de la Tragédie héroïque.

Avant que d'aller plus loin, j'avertis que ce qui me reste à dire est étranger à nos fameux Tragiques. Ils auraient également brillé dans toute autre carrière : le génie naît de lui-même, il ne doit rien aux sujets et s'applique à tous. Je disserte sur le fond des choses, en respectant le mérite des Auteurs. Je compare les genres, et ne discute point les talents. Voici donc mon assertion.

Il est de l'essence du genre sérieux d'offrir un intérêt plus pressant, une moralité plus directe que la Tragédie héroïque, et plus profonde que la Comédie plaisante, toutes choses égales d'ailleurs.

J'entends déjà mille voix s'élever et crier à l'impie, mais je demande pour toute grâce qu'on m'écoute avant que de prononcer l'anathème. Ces idées sont trop neuves pour n'avoir pas besoin d'être développées.

Dans la tragédie des anciens, une indignation involontaire contre leurs Dieux cruels est le sentiment qui me saisit à la vue des maux dont ils permettent qu'une innocente victime soit accablée. Œdipe, Jocaste, Phèdre,

Ariane, Philoctète, Oreste, et tant d'autres, m'inspirent moins d'intérêt que de terreur. Êtres dévoués et passifs, aveugles instruments de la colère ou de la fantaisie de ces Dieux, je suis effrayé bien plus qu'attendri sur leur sort. Tout est énorme dans ces Drames : les passions toujours effrénées, les crimes toujours atroces, y sont aussi loin de la nature qu'inouïs dans nos mœurs ; on n'y marche que parmi des décombres, à travers des flots de sang, sur des monceaux de morts, et l'on n'arrive à la catastrophe que par l'empoisonnement, l'assassinat, l'inceste ou le parricide. Les larmes qu'on y répand quelquefois sont pénibles, rares, brûlantes ; elles serrent le front longtemps avant de couler. Il faut des efforts incroyables pour nous les arracher, et tout le génie d'un sublime Auteur y suffit à peine.

D'ailleurs, les coups inévitables du Destin n'offrent aucun sens moral à l'esprit. Quand on ne peut que trembler et se taire, le pire n'est-il pas de réfléchir ? Si l'on tirait une moralité d'un pareil genre de spectacle, elle serait affreuse, et porterait au crime autant d'âmes, à qui la fatalité servirait d'excuse, qu'elle en découragerait de suivre le chemin de la vertu, dont tous les efforts dans ce système ne garantissent de rien. S'il n'y a pas de vertus sans sacrifices, il n'y a point aussi de sacrifices sans espoir de récompense. Toute croyance de fatalité dégrade l'homme en lui ôtant la liberté, hors laquelle il n'y a nulle moralité dans ses actions.

D'autre part examinons quelle espèce d'intérêt les Héros et les Rois, proprement dits, excitent en nous dans la Tragédie Héroïque, et nous reconnaîtrons peut-être que ces grands événements, ces personnages fastueux, qu'elle nous présente, ne sont que des pièges tendus à notre amour-propre, auxquels le cœur se prend rarement. C'est notre vanité qui trouve son compte à être initiée dans les secrets d'une Cour superbe, à entrer dans un Conseil qui va changer la face d'un État, à percer jusqu'au cabinet d'une Reine dont la vue du trône nous serait à peine permise.

Nous aimons à nous croire les confidents d'un Prince malheureux, parce que ses chagrins, ses larmes, ses faiblesses, semblent rapprocher sa condition de la nôtre, ou nous consolent de son élévation ; sans nous en apercevoir, chacun de nous cherche à agrandir sa sphère, et notre orgueil se nourrit du plaisir de juger au Théâtre ces Maîtres du monde, qui partout ailleurs peuvent nous fouler aux pieds. Les hommes sont plus dupes d'eux-mêmes qu'ils ne croient ; le plus sage est souvent mû par des motifs dont il rougirait s'il s'en était mieux rendu compte. Mais si notre cœur entre pour quelque chose dans l'intérêt que nous prenons aux personnages de la Tragédie, c'est moins parce qu'ils sont Héros ou Rois que parce qu'ils sont hommes et malheureux. Est-ce la Reine de Messène qui me touche en Mérope ? C'est la mère d'Egisthe : la seule nature a des droits sur notre cœur.

Si le Théâtre est le tableau fidèle de ce qui se passe dans le monde, l'intérêt qu'il excite en nous a donc un rapport nécessaire à notre manière d'envisager les objets réels. Or, je vois que souvent un grand Prince au faîte du bonheur, couvert de gloire, et tout brillant de succès, n'obtient de nous que le sentiment stérile de l'admiration, qui est étranger à notre cœur. Nous ne sentons peut-être jamais si bien qu'il nous est cher, que lorsqu'il tombe dans quelque disgrâce ; cet enthousiasme si touchant du peuple, qui fait l'éloge et la récompense des bons Rois, ne le saisit guère qu'au moment qu'il les voit malheureux ou qu'il craint de les perdre. Alors sa compassion pour l'homme souffrant est un sentiment si vrai, si profond, qu'on dirait qu'il peut acquitter tous les bienfaits du Monarque heureux. Le véritable intérêt du cœur, sa vraie relation, est donc toujours d'un homme à un homme, et non d'un homme à un Roi. Aussi, bien loin que l'éclat du rang augmente en moi l'intérêt que je prends aux personnages tragiques, il y nuit au contraire. Plus l'homme qui pâtit est d'un état qui se rapproche du mien, plus son malheur a de prises sur mon âme. « Ne serait-il pas à désirer (dit M. Rousseau) que nos sublimes Auteurs daignassent descendre un peu de leur continuelle élévation, et nous attendrir quelquefois pour l'humanité souffrante, de peur que, n'ayant de la pitié que pour des Héros malheureux, nous n'en ayons jamais pour personne ? »

Que me font à moi, sujet paisible d'un État Monarchique du XVIIIe siècle, les révolutions d'Athènes et de Rome ? Quel véritable intérêt puis-je prendre à la mort d'un tyran du Péloponnèse ? au sacrifice d'une jeune Princesse en Aulide ? Il n'y a dans tout cela rien à voir pour moi, aucune moralité qui me convienne. Car qu'est-ce que la moralité ? C'est le résultat fructueux et l'application personnelle des réflexions qu'un événement nous arrache. Qu'est-ce que l'intérêt ? C'est le sentiment involontaire par lequel nous nous adaptons cet événement, sentiment qui nous met en la place de celui qui souffre, au milieu de sa situation.

texte 4   PATHÉTIQUE ET MORALITÉ

La moralité du genre plaisant est donc ou peu profonde, ou nulle, ou même inverse de ce qu'elle devrait être au théâtre.

Il n'en est pas ainsi de l'effet d'un Drame touchant, puisé dans nos mœurs. Si le rire bruyant est ennemi de la réflexion, l'attendrissement, au contraire, est silencieux ; il nous recueille, il nous isole de tout. Celui qui pleure au Spectacle est seul ; et plus il le sent, plus il pleure avec délices, et surtout dans les pièces du genre honnête et sérieux, qui remuent le cœur par des moyens si vrais, si naturels. Souvent, au milieu d'une scène agréable, une émotion charmante fait tomber des yeux des larmes abondantes et faciles, qui se mêlent aux grâces du sourire et peignent sur le visage l'attendrissement et la joie. Un conflit si touchant n'est-il pas le plus beau triomphe de l'Art et l'état le plus doux pour l'âme sensible qui l'éprouve ?

L'attendrissement a de plus cet avantage moral sur le rire, qu'il ne se porte sur aucun objet, sans agir en même temps sur nous par une réaction puissante.

Le tableau du malheur d'un honnête homme frappe au cœur, l'ouvre doucement, s'en empare, et le force bientôt à s'examiner soi-même. Lorsque je vois la vertu persécutée, victime de la méchanceté, mais toujours belle, toujours glorieuse, et préférable à tout, même au sein du malheur, l'effet du Drame n'est point équivoque, c'est à elle seule que je m'intéresse ; et alors, si je ne suis pas heureux moi-même, si la basse envie fait ses efforts pour me noircir, si elle m'attaque dans ma personne, mon honneur ou ma fortune, combien je me plais à ce genre de spectacle ! et quel beau sens moral je puis en tirer ! Le sujet m'y porte naturellement. Comme je ne m'intéresse qu'au malheureux qui souffre injustement, j'examine si, par légèreté de caractère, défaut de conduite, ambition démesurée, ou concurrence malhonnête, je me suis attiré la haine qui me poursuit, et ma conclusion est sûrement de chercher à me corriger. Ainsi je sors du Spectacle meilleur que je n'y suis entré, par cela seul que j'ai été attendri.

Si l'injure qu'on me fait est criante et vient plus du fait d'autrui que du mien, la moralité du Drame attendrissant sera plus douce encore pour moi. Je descendrai dans mon cœur avec plaisir, et là, si j'ai rempli tous mes devoirs envers la société, si je suis bon parent, maître équitable, ami bienfaisant, homme juste et citoyen utile, le sentiment intérieur me consolant de l'injure étrangère, je chérirai le Spectacle qui m'aura rappelé que je tire de l'exercice de la vertu la plus grande douceur à laquelle un homme sage puisse prétendre, celle d'être content de lui, et je retournerai pleurer avec délices au tableau de l'innocence ou de la vertu persécutée.

Ma situation est-elle heureuse au point que le Drame ne puisse m'offrir aucune application personnelle, ce qui est pourtant assez rare, alors, la moralité tournant toute au profit de ma sensibilité, je me saurai gré d'être capable de m'attendrir sur des maux qui ne peuvent me menacer ni m'atteindre ; cela me prouvera que mon âme est bonne et ne s'éloigne pas de la pratique des vertus bienfaisantes. Je sortirai satisfait, ému, et aussi content du théâtre que de moi-même.

Quoique ces réflexions soient sensiblement vraies, je ne les adresse pas indistinctement à tout le monde. L'homme qui craint de pleurer, celui qui refuse de s'attendrir, a un vice dans le cœur, ou de fortes raisons de n'oser y rentrer pour compter avec lui-même : ce n'est pas à lui que je parle, il est étranger à tout ce que je viens de dire. Je parle à l'homme sensible, à qui il est souvent arrivé de s'en aller aussitôt après un Drame attendrissant. Je m'adresse à celui qui préfère l'utile et douce émotion où le Spectacle l'a jeté à la diversion des plaisanteries de la petite pièce, qui, la toile baissée, ne laissent rien dans le cœur.

texte 5   LE STYLE DU DRAME

Le genre sérieux n'admet donc qu'un style simple, sans fleurs **ni** guirlandes ; il doit tirer toute sa beauté du fond, de la texture, de l'intérêt et de la marche du sujet. Comme il est aussi vrai que la nature même, **les** sentences et les plumes du tragique, les pointes et les cocardes du comique, lui sont absolument interdites ; jamais de maximes, à moins qu'elles ne soient mises en action. Ses personnages doivent toujours y paraître sous un **tel** aspect qu'ils aient à peine besoin de parler pour intéresser. Sa véritable éloquence est celle des situations, et le seul coloris qui lui soit permis est le langage vif, pressé, coupé, tumultueux et vrai des passions, si éloigné du compas de la césure et de l'affectation de la rime, que tous les soins du Poète ne peuvent empêcher d'apercevoir dans son Drame s'il est en vers. Pour que le genre sérieux ait toute la vérité qu'on a droit d'exiger de lui, le premier objet de l'Auteur doit être de me transporter si loin des coulisses, et de faire si bien disparaître à mes yeux tout le badinage d'Acteurs, l'appareil théâtral, que leur souvenir ne puisse pas m'atteindre une seule fois dans tout le cours de son Drame. Or le premier effet de la conversation rimée, qui n'a qu'une vérité de convention, n'est-il pas de me ramener au théâtre et de détruire par conséquent toute l'illusion qu'on a prétendu me faire ? C'est dans le salon de Vanderk que j'ai tout à fait perdu de vue Préville et Brizard, pour ne voir que le bon Antoine et son excellent maître, et m'attendrir véritablement avec eux. Croyez-vous que cela me fût arrivé de même, s'ils m'eussent récité des vers ? Non seulement j'aurais retrouvé les Acteurs dans les personnages, mais, qui pis est, à chaque rime j'aurai aperçu le Poète dans les Acteurs. Alors toute la vérité si précieuse de cette pièce s'évanouissait ; et cet Antoine si vrai, si pathétique, m'eût paru aussi gauche et maussade avec son langage emprunté, qu'un naïf paysan qu'on affublerait d'un riche habit de livrée, avec la prétention de me le montrer au naturel. Je pense donc, comme M. Diderot, que le genre sérieux doit s'écrire en prose. Je pense qu'il ne faut pas qu'elle soit chargée d'ornements, et que l'élégance doit toujours y être sacrifiée à l'énergie, lorsqu'on est forcé de choisir **entre elles.**

Louis-Sébastien MERCIER

Du théâtre, ou nouvel essai sur l'art dramatique
(1773)

Avec son essai *Du Théâtre*, suivi, cinq ans après, d'un *Nouvel Examen de la tragédie française*, Mercier s'est classé au premier rang parmi les théoriciens du drame. Disciple de Diderot, mais nourri d'une vaste culture, doué d'un fécond génie critique et polémique, il est le plus éloquent défenseur, le plus hardi champion du nouveau genre. Son œuvre théorique, audacieuse et souvent prophétique, est à *l'avant-garde* du mouvement dramatique de son temps.

A la critique, partiale et passionnée, des survivances classiques, succède la définition du théâtre moderne. Dans le chapitre VIII, intitulé *Du Drame* (Texte 6), Mercier prédit le triomphe de ce genre qui lui paraît corriger les déviations esthétiques du théâtre français. Alors que la comédie latine avait spontanément découvert le ton naturel du drame, la distinction aristotélicienne entre tragédie et comédie a égaré le théâtre classique hors des chemins de la vérité. La touchante passion du *Cid*, l'humanité du *Menteur* et les hardiesses de *Don Sanche d'Aragon* laissaient présager une nouvelle orientation dramatique, mais l'irréalisme et la raideur des grandes tragédies cornéliennes achevèrent de fixer la forme conventionnelle du théâtre tragique. Cependant que les auteurs français demeuraient prisonniers de pédantesques préceptes, les dramaturges étrangers, Shakespeare, Lope de Vega, Goldoni, réalisaient cette *alliance des tons* qui respecte les infinies nuances de la vérité humaine. De nos jours, à un théâtre asservi à de séculaires traditions et inadapté au goût moderne, il convient de substituer des œuvres inspirées par *la vie du siècle* et appropriées à la sensibilité contemporaine.

Ce tableau concret de la vie quotidienne et des mœurs du temps semblait relever du genre comique traditionnel. Mais dans le chapitre suivant, *Distinction du drame d'avec la comédie* (Texte 7), Mercier montre la supériorité du drame. Tandis que la comédie outre artificiellement les caractères pour déclencher le rire et subordonne l'action à l'éclairage d'un vice unique et central, le drame renonce à forger des cas d'espèce pour ne peindre que les caractères ondoyants et les situations banales de l'existence ordinaire. En s'attachant à saisir les imperceptibles variations et les brusques contrastes de la nature, en représentant la multiplicité et la diversité des conditions même les plus obscures, le drame renouvellera et enrichira le théâtre par le triple apport de la *vérité humaine*, de l'*émotion du cœur* et de la *leçon morale*.

texte 6   DRAME ET GENRES CLASSIQUES

Je vais prouver que le nouveau genre, appelé Drame[1], qui résulte de la Tragédie et de la Comédie, ayant le pathétique de l'une, et les peintures naïves de l'autre, est infiniment plus utile, plus vrai, plus intéressant, comme étant plus à portée de la foule des citoyens.

On appelle par dérision ce genre utile, le *genre larmoyant*[2] : mais peu importe le nom ; pourvu qu'il ne soit ni faux, ni outré, ni factice, il l'emportera nécessairement sur tout autre.

Je suis homme, puis-je crier au poète dramatique ! Montrez-moi ce que je suis, développez à mes yeux mes propres facultés ; c'est à vous de m'intéresser, de m'instruire, de me remuer fortement. Jusqu'ici l'avez-vous fait ? Où sont les fruits de vos travaux ? Pourquoi avez-vous travaillé ? Vos succès ont-ils été confirmés par les acclamations du peuple ? Il ignore peut-être, et vos travaux et votre existence. Quelle est donc l'influence de votre art sur votre siècle et sur vos compatriotes ?

On a voulu proscrire parmi nous le mot *Drame*, qui est le mot collectif, le mot originel, le mot propre. Mais j'oserai dire que la distinction de tragédie et de comédie a sûrement été très funeste à l'art. Le poète, qui a fait une tragédie, s'est cru dans l'obligation d'être toujours tendu, sérieux, imposant ; il a dédaigné ces détails qui pouvaient être nobles, quoique communs, ces grâces simples, ce naturel qui vivifie un ouvrage et lui donne les couleurs vraies. L'idée que la tragédie devait nécessairement faire pleurer, a amené sur la scène des trépas imprévus, qui font ressembler la plume de l'auteur à la faux sanglante de la mort ; et d'après une fausse idée, voulant toujours

---

1. Ce mot est tiré du mot grec Δρᾶμα, qui signifie littéralement action ; et c'est le titre le plus honorable que l'on puisse donner à une pièce de théâtre, car sans action point d'intérêt ni de vie.

2. Il faut rire de ces prétendues règles que tracent les critiques, et encore plus de ces lourdes plaisanteries (telles que celles du roué vertueux) par lesquelles de pauvres faiseurs de *Calembour* prétendent écraser ce genre mitoyen entre la Tragédie et la Comédie ; genre vrai, utile, nécessaire, et qui aura un jour autant de partisans qu'il a de détracteurs aujourd'hui.

arracher des larmes, il en a tari la source. Celui qui a fait une comédie, s'est attaché de son côté à faire rire et n'a eu presque que ce but unique ; pour cet effet il a chargé ses portraits, il s'est cru obligé de contraster fortement avec l'auteur tragique, il a presque dédaigné l'art du premier et tout ce qui était du ressort du pathétique ; il n'a pu faire un pas qui ne tendît à sa fausse idée, oubliant que vouloir toujours faire rire est une ambition plus ridicule que celle de nous faire toujours pleurer.

On peut définir la poésie dramatique l'imitation des choses, et surtout celle des hommes. Si la définition est juste, les poètes, au lieu de fondre les nuances, les ont rendues opposées et choquantes. Mais n'anticipons point ici sur les objets, et procédons avec méthode.

Dans l'enfance de notre théâtre, il y avait la *Tragi-comédie ;* c'était un mauvais genre, non en lui-même, mais par la manière dont il fut traité, parce que le mélange était extrême, absurde, que les passages étaient rapides et révoltants, que les personnages contrastaient avec rudesse, que le bas, et non le familier, venait étouffer le sérieux, parce qu'il n'y avait point enfin cette unité, qui n'est point une règle d'Aristote, mais celle du bon sens. Ce genre, qui par sa nature était bon, et détestable par son exécution, fut étouffé par un amas de productions, qui, à coup sûr, le décréditèrent. Il fut plus aisé à Corneille de se jeter tout d'un côté, que de mélanger et de marier ses couleurs, comme ont fait, dans leur patrie, Calderon, Shakespeare[1], Lopes de Vega, Goldoni. Son génie mou et sérieux, qui se fortifiait dans le cabinet et visitait peu le monde, était plus propre à saisir, dans Tite-Live, dans Tacite, dans Lucain, les grands traits qui caractérisent les Romains[2], qu'à étudier les mœurs de ses contemporains ; il connaissait bien moins ceux-ci que ces hommes anciens dont nous avons fait des héros[3]. La première de ses pièces, qui méritait d'être comptée, fut *Le Cid ;* il l'intitula tragi-comédie, et c'est un véritable drame[4]. J'ai regret que Corneille n'ait point choisi d'autres

---

1. Nos tragédies ressemblent assez à nos jardins ; ils sont beaux, mais symétriques, peu variés, magnifiquement tristes. Les Anglais vous dessinent un jardin où la manière de la nature est plus imitée et où la promenade est plus touchante ; on y retrouve tous ses caprices, ses sites, son désordre : on ne peut sortir de ces lieux.

2. Quelquefois cependant il oublie ses modèles. Les Horaces s'expliquent devant Tulle en sujets soumis et tremblants ; le vieil Horace, si bien peint dans les premiers actes, va jusques à dire, dès qu'il l'aperçoit entrer avec ses gardes :
> Ah ! Sire, un tel honneur a trop d'excès pour moi ;
> Ce n'est point en ces lieux que je dois voir mon roi,
> Permettez qu'à genoux...

Valère ensuite fait un vrai plaidoyer d'avocat, tel que Corneille en avait pu faire un à la table de marbre. La force de l'habitude a ployé comme un autre ce génie mâle et fier. L'habitude (a dit un philosophe qui a renchéri peut-être sur le mot de Pascal) a une force qui nous embrasse, nous étreint et nous ôte jusqu'à la pensée d'examiner.

3. Ceci n'est pas un trait de satire ; il y a eu des hommes vertueux, mais la vertu, ainsi que le génie, s'agrandit à mesure qu'elle s'éloigne de nous.

4. Le Cid est admirable en ce qu'il offre un fils n'écoutant plus son amour dès qu'il s'agit de l'honneur d'un père. Corneille n'agite point la question du duel que rien ne peut autoriser, mais il peint en grand maître ce fils courant à la vengeance ; et la tendresse filiale nous fait oublier en ce moment qu'il va tomber dans le faux honneur de sa nation. Mais ensuite, lorsque Chimène ose recevoir un seul moment son amant dans sa maison,

sujets semblables, aussi relatifs à nos mœurs, aussi moraux, aussi touchants, tandis que le succès de cette pièce vraiment admirable, devait l'avertir que c'était là surtout ce qu'il fallait à sa nation.

Corneille, imitant le ton de Mairet, de Rotrou, quoiqu'en les surpassant de beaucoup, s'enfonça de plus en plus dans son cabinet, et n'évoqua plus que les mânes des personnages avec lesquels il s'était familiarisé ; il commenta les rêveries de son Aristote, et composa, par bonheur pour lui et pour nous, avec son propre génie. D'ailleurs le peuple n'existait pas encore pour les écrivains, ils ne se trouvaient pas dans un point de vue aussi heureux qu'ils le sont aujourd'hui. Soutenu de l'étude de l'histoire et de la gravité de son caractère, Corneille fit ces chefs-d'œuvre, au-dessus de son siècle, et peut-être au-dessus du nôtre ; car pour les avoir tant admirés nous n'avons guère su en profiter : toutes ces pièces, qui respirent la liberté, la force et la grandeur d'âme, n'ont été pour nous que des représentations théâtrales[1].

Corneille imprima donc à la Tragédie sa marche habituelle, et la fixa, pour ainsi dire ; car depuis elle n'a osé s'écarter de son modèle. Molière fit la même révolution dans la Comédie, et quoique philosophe, n'aperçut point tous les rapports de son art. Bientôt ces grands hommes devinrent législateurs (car toutes les poétiques ne se forment que d'après les premiers essais de l'art), et l'on vit le troupeau des imitateurs enfiler scrupuleusement la même ligne qu'ils avaient tracée.

Depuis, le goût naturel qui perce malgré les entraves qu'imaginent les esprits médiocres, enfanta une nouvelle combinaison, plus simple et plus heureuse. Elle fut saisie et adoptée. Elle existait déjà anciennement. Lisez Térence : *L'Andrienne* et *L'Hécyre* sont de véritables Drames, et si Térence n'eût pas été froid, nous ne serions pas réduits à discuter un genre qui aurait nécessairement anéanti les deux autres[2].

Dans le siècle précédent, même malgré le mur de séparation élevé par un goût tristement exclusif, plusieurs scènes du *Menteur*[3], d'*Ésope à la cour*, du *Festin de Pierre*, pouvaient être regardées comme l'aurore d'un jour plus

---

l'entendre, le voir à ses genoux, fixer l'épée fumante qui vient de percer son père, on ne conçoit pas comment une scène aussi révoltante, aussi contraire même au but de la pièce, a pu être écoutée par un peuple qui connaît les lois de la décence. Ils ne devaient plus se voir : Chimène devait poursuivre la mort de son amant ; et séparés l'un de l'autre, ils n'en auraient été que plus intéressants. D'ailleurs je ne suis pas le seul qui ait remarqué à la représentation que Chimène est chaude amante et fille tiède : cela peut être dans la vérité, mais cette vérité n'est pas belle. Malgré tous ces défauts, la pièce est un chef-d'œuvre.

1. Nos poètes, en répétant les noms de liberté, de courage, de patriotisme, ressemblent à ces écrivains du Nord qui s'échauffant l'imagination dans la lecture des Pastorales Grecques, Latines, Italiennes, nous donnent la description d'un printemps dont ils ne jouissent pas.

2. La Poétique de M. Diderot (la meilleure des Poétiques) établit invinciblement la distinction de plusieurs genres, et il faut être aveugle pour ne point se rendre à ces démonstrations palpables.

Voyez dans cette pièce la scène sublime où Géronte (Sc. III, Acte V) fait parler l'éloquence simple et foudroyante de la vertu. Non, il n'y en a pas une seule de cette beauté énergique dans tout Molière. Comme le menteur est avili !

brillant, et Corneille lui-même a semblé annoncer le succès du nouveau genre dans la préface de *Don Sanche d'Aragon*[1].

On aurait dû souhaiter qu'on agrandît encore la carrière de nos plaisirs, qu'on eût trouvé de nouveaux moyens de peindre et d'intéresser, que l'auteur se répandant dans toutes les conditions eût embrassé plus d'objets[2]. Mais des esprits jaloux, chagrins et non moins faux, se sont élevés contre ce genre, sans apporter aucune raison solide, sinon qu'il était nouveau : en quoi même ils se trompèrent. Si Corneille et Racine eussent manié ce genre, ces mêmes critiques en feraient aujourd'hui une loi inviolable et sacrée.

Telle est la logique de ces hommes, qui ne pensent que par habitude, qui dès que leurs cheveux grisonnent, ferment le magasin de leurs idées, et qui, soit ignorance, soit paresse, soit autre cause plus basse encore, ne s'appliquent, au lieu d'aider l'art, qu'à retarder sa perfection.

Tout ce qui est du ressort de la raison et de la vérité, serait-il étranger à l'art dramatique ? Les tragédies grecques appartenaient aux Grecs ; et nous, nous n'oserions avoir notre théâtre, peindre nos semblables, nous attendrir, et nous intéresser avec eux[3] ? Nous faudra-t-il toujours des hommes vêtus de pourpre, environnés de gardes, et coiffés d'un diadème ? Des malheurs, qui nous touchent de près, qui nous regardent, qui nous environnent, n'auraient-ils aucun droit à nos larmes ? Enfin, pourquoi n'aurions-nous pas le courage de dénoncer à la nation les vertus d'un homme obscur ? fût-il né dans le rang le plus bas, croyez (dès qu'il aura pour interprète un homme de génie) qu'il deviendra plus grand à nos yeux que ces rois dont le langage altier fatigue depuis longtemps nos oreilles. Les nouvelles règles doivent, sans doute, convenir aux mœurs de la nation, dont on fera paraître les personnages. « Le style naturel, dit Pascal, nous enchante avec raison, car on s'attendait de trouver un auteur, et l'on trouve un homme. »

S'il ne restait dans la postérité que les tragédies de Corneille, de Racine, de Voltaire, les comédies même de Molière ; connaîtrait-on à fond les mœurs, le caractère, le génie de notre nation et de notre siècle, les détails de notre vie privée ? Saurait-on quelles vertus y ont été les plus estimées, quels étaient les vices ennoblis ? Aurait-on une idée juste de la forme de notre législation,

---

1. Si Corneille eût été moins timide, il aurait fait paraître le pêcheur lui-même. Quel moment ! quel effet ! dit M. Marmontel.

2. Il n'y a rien de plus inconstant que la nature, que l'on dit être immuable : on la cherche, elle se montre, fuit, change de forme. C'est le peintre qui, en saisissant un trait sur le visage, le voit s'altérer en un clin d'œil. Il faut donc suivre ces nuances mobiles, ou ne pas prendre le pinceau.

3. Le drame attendrissant doit se glorifier d'avoir eu Rousseau le poète pour antagoniste. Cet écrivain, chez qui le sentiment est presque toujours étranger et qui n'eut guère d'autre mérite que d'avoir su choisir et arranger des mots harmonieux, devait proscrire un genre qui tient à la vérité et à la morale. L'auteur de la *Mandragore* et d'autres turpitudes, n'ayant fait pendant toute sa vie que des odes, tantôt belles, tantôt vides de sens, et des cantates admirables, d'ailleurs possédait peu d'invention et d'étendue dans l'esprit, et n'avait l'âme ni assez sensible ni assez belle pour goûter ces beaux développements qui plaisent tant aux cœurs honnêtes.

de la trempe de notre esprit, du tour de notre imagination, de la manière enfin dont nous envisagions le trône et la cour, et les révolutions vives et passagères qui en émanaient ? Découvrirait-on le tableau de nos mœurs actuelles, l'intérieur de nos maisons, cet intérieur, qui est à un empire ce que les entrailles sont au corps humain ? Voilà ce que je demande, et sur quoi il faut répondre positivement[1].

texte 7   DRAME ET COMÉDIE

Il est donc temps de peindre les détails, et surtout les devoirs de la vie civile, de défricher ce champ neuf et fécond, tandis que les autres terrains ont été labourés, épuisés par des mains laborieuses. De nouvelles productions vont germer sur ce sol récemment découvert. Pour le présent détournons nos regards de ces opérations politiques qui ne font qu'attrister le sage ne parlons plus à des oreilles endurcies, abandonnons ceux qui ne nous entendent plus, et voyons nos voisins ; vivons avec nos compatriotes, formons une république où le flambeau de la morale éclairera les vertus qu'il nous est encore permis de pratiquer. Lorsque tout semble solliciter à l'égoïsme, enhardir la cupidité, chérissons les seuls moyens qui peuvent nous persuader que nos compatriotes ne nous sont pas étrangers[2], que nous pouvons être unis en dépit des mœurs publiques, qui semblent autoriser la scission générale. Ces pièces, qui traiteront de la science des mœurs, en nous faisant connaître les auteurs, auront un mérite plus réel encore, elles nous apprendront à nous connaître nous-mêmes.

Le Drame peut donc être tout à la fois un tableau intéressant, parce que toutes les conditions humaines viendront y figurer ; un tableau moral, parce que la probité morale peut et doit y dicter ses lois ; un tableau du ridicule et d'autant plus avantageusement peint, que le vice seul en portera les traits ; un tableau riant, lorsque la vertu après quelques traverses jouira d'un triomphe complet ; enfin un tableau du siècle, parce que les caractères, les vertus, les vices seront essentiellement ceux du jour et du pays[3].

On dira : « mais, c'est là la Comédie ? » Je répondrai : non, ce n'est point elle. La Comédie n'a point connu ces scènes touchantes, pathétiques, nobles, ce ton des honnêtes gens, ces beaux développements, ces leçons de morale animées, ces caractères qui contrastent sans opposition, qui sans s'éclipser l'un l'autre sont mariés et fondus ensemble. Ah ! si La Chaussée, si pur, si élégant, si noble, avait eu plus de force, d'intérêt et de chaleur, le Drame

---

1. Nos critiques répondent à nos objections solides, avec des préjugés, des injures et des citations vagues.

2. Le jeune homme qui à la représentation de *L'Enfant prodigue* tira précipitamment sa bourse quand il l'entendit déplorer sa misère, fit et l'éloge de son cœur et celui du genre.

3. Tombez, tombez, murailles qui séparez les genres ! Que le poète porte une vue libre dans une vaste campagne et ne sente plus son génie resserré dans ces cloisons où l'art est circonscrit et atténué.

existerait aujourd'hui dans toute sa beauté, et toute dissertation deviendrait inutile.

Dans la Comédie le caractère principal décide l'action. Ici c'est tout le contraire, l'action jaillit du jeu des caractères. Un personnage n'est plus le despote, à qui l'on subordonne ou l'on sacrifie tous les autres ; il n'est point une espèce de pivot, autour duquel tournent les événements et les discours de la pièce. Enfin le Drame n'est point une action forcée, rapide, extrême : c'est un beau moment de la vie humaine, qui révèle l'intérieur d'une famille, où sans négliger les grands traits on recueille précieusement les détails. Ce n'est point un personnage factice, à qui on attribue rigoureusement tous les défauts ou les vertus de l'espèce ; c'est un personnage plus vrai, plus raisonnable, moins gigantesque, et qui, sans être annoncé, fait plus d'effet que s'il l'était. Ourdir, enchaîner les faits conformément à la vérité, suivre dans le choix des événements le cours ordinaire des choses, éviter tout ce qui sent le roman, modeler la marche de la pièce, de sorte que l'extrait paraisse un récit où règne la plus exacte vraisemblance, créer l'intérêt, et le soutenir sans échafaudage, ne point permettre à l'œil de cesser d'être humide sans froisser le cœur d'une manière trop violente, faire naître enfin à divers intervalles le sourire de l'âme, et rendre la joie aussi délicate que la compassion, c'est là ce que se propose le Drame, et ce que n'a point tenté la Comédie.

Dans celle-ci, je le répète, un caractère absolu domine presque toujours. En voulant le rendre énergique, on le produit forcé, et alors il grimace : même défaut que dans la tragédie. La perfection d'une pièce serait qu'on ne pût deviner quel est le caractère principal, et qu'ils fussent tellement liés entre eux, qu'on ne pût en séparer un seul sans détruire l'ensemble. On n'a point fait assez d'attention aux caractères mixtes, parmi lesquels flotte toute la race humaine. Les hommes, soit bons, soit méchants, ne sont pas entièrement livrés à la bonté ou à la malice ; ils ont des moments de repos, comme des moments d'action, et les nuances des vertus et des vices sont variées à l'infini. Quel nouveau développement pour ceux qui connaissent le mélange des couleurs, qui savent ce qui allie dans le même personnage la bassesse d'âme et la grandeur, la férocité, et la compassion ! Qui sait par quels ressorts secrets le vieillard agit en jeune homme, le jeune homme en vieillard ? Ici le lâche s'arme de force, le superbe devient bas courtisan, l'homme juste cède à l'or, et le tyran fait par ambition un acte de justice.

L'homme ne repose point dans le même état ; toutes les passions soulèvent à la fois l'océan de son âme : et que de combinaisons neuves résultent de ce choc intestin ! La tempête qui bat cette mer orageuse, et le calme qui succède, ne sont séparés que par un léger intervalle.

C'est ainsi qu'on doit voir le cœur humain ; la face de la nature n'est pas plus variable. Les anciens ont représenté Hercule qui file, Thésée qui viole sa foi, Achille qui pleure, Philoctète qui cède à la douleur, Hécube qui maudit les Dieux. Que direz-vous, poètes roides, poètes ampoulés, qui strapassez vos caractères, et les montez à l'extrême ; ne ressemblez-vous pas à ces peintres ineptes et modernes, qui nous offrent en plein salon des tableaux où tout est rouge, bleu, blanc ou vert ? La nature n'a point ces couleurs tranchantes, tout y est mélangé et fondu par des passages doux et insensibles. Poètes ! vous me montrez la palette de votre art, et je ne suis plus ému.

Et si nous descendons aux conditions[1] que de choses curieuses à apprendre ! Combien la navette, le marteau, la balance, l'équerre, le quart de cercle, le ciseau, mettent de diversité dans cet intérêt, qui au premier coup d'œil semble uniforme. Quoi ! on lira avec ravissement la description technique des métiers, et l'homme qui spécule, qui conduit, qui invente ces machines ingénieuses, ne serait pas intéressant ? Cette diversité prodigieuse d'industrie, de vues, de raisonnement, me paraîtra cent fois plus piquante que les fadaises de ces marquis que l'on nous donne comme les seuls hommes qui aient une existence, et qui malgré leur bavardage n'ont pas la centième partie de l'esprit que possède cet honnête artisan.

Qu'on ne dise donc plus : la carrière est fermée. On n'y a fait encore que les premiers pas : on s'est fréquemment égaré dans le choix des sujets, on n'a point saisi les plus beaux, les plus convenables, les plus utiles. Le poète, semblable à cet astrologue dont la vue était perpétuellement attachée aux étoiles du firmament, n'a point vu ce qui est à ses pieds ; il est temps de lui crier avec un fabuliste moderne : « Que faites-vous dans l'empyrée ? Les malheureux sont sur la terre[2] ! »

---

1. On n'a mis sur la scène jusqu'à présent que les hommes que l'on voit sur celle du monde ; il reste à y mettre ceux qui vivent dans l'obscurité. Les premiers n'ont guère que des vices et des ridicules, et c'est pour cela qu'on les a choisis : les seconds ont des vertus ; c'est pour cela peut-être que certaines gens ne voudraient pas qu'ils sortissent des ténèbres.

Il est à remarquer que les Allemands, en se formant un théâtre, ont tombé par l'impulsion de la nature dans ce genre utile et pittoresque que nous appelons *Drame*. S'ils le perfectionnent, comme il y a grande apparence, ils ne tarderont pas à l'emporter sur nous. Mais il faudrait qu'ils fussent rigides sur les règles théâtrales, non comme règles, mais comme source d'un plus grand intérêt. Le fond de leur théâtre est admirable, la forme en est vicieuse ; mais le théâtre français a plus encore à faire, il a à réformer presque tout le fond.

2. Les poètes, qui se rapprocheront de la vie privée, seront les plus intéressants et les plus chéris ; comme les meilleurs rois sont ceux qui veillent particulièrement au bonheur et à la liberté de la dernière classe de leurs sujets.

LE DRAME ROMANTIQUE CHAPITRE II

Benjamin CONSTANT

Réflexions sur la tragédie de WALLSTEIN
et sur le théâtre allemand (1809)

Admirateur de Goethe et de Schiller, familier de Mme de Staël et de Guillaume Schlegel, Benjamin Constant est initié aux techniques du théâtre allemand. Lorsqu'il entreprend d'adapter pour la scène française la trilogie de Schiller composée du *Camp de Wallstein, Les Piccolomini* et *La Mort de Wallstein,* les difficultés rencontrées lui permettent de mesurer la divergence et les incompatibilités des deux styles dramatiques. Dans les *Réflexions* qui accompagnent son adaptation, tout en affichant un prudent *respect pour les préceptes classiques*, Benjamin Constant confronte audacieusement les deux systèmes et ne dissimule pas sa *prédilection pour le drame étranger.*

Au nom du principe fondamental de l'illusion dramatique, Constant admet les unités classiques de temps et de lieu qui préservent la continuité de l'impression. Mais ces règles utiles à l'unité dramatique sont dangereusement nuisibles à la *vérité humaine* dont elles sacrifient les nuances et la spontanéité. La substitution des récits à l'action, la brièveté de la crise, l'exclusivité de la passion, sont incompatibles avec la réalité de la vie et la vérité du cœur. A la pureté abstraite de la *passion*, Constant oppose la diversité humaine du *caractère*. Le combat entre Racine et Schiller, c'est le conflit du pur et de l'impur, de l'un et du multiple, de l'art et de la vie (Texte 8).

143

texte 8   RACINE ET SCHILLER

L'obligation de mettre en récit ce que, sur d'autres théâtres, on pourrait mettre en action, est un écueil dangereux pour les tragiques français. Ces récits ne sont presque jamais placés naturellement. Celui qui raconte n'est point appelé par sa situation ou son intérêt à raconter de la sorte. Le poète, d'ailleurs, se trouve entraîné invinciblement à rechercher des détails d'autant moins dramatiques qu'ils sont plus pompeux. On a relevé mille fois l'inconvenance du superbe récit de Théramène dans *Phèdre*. Racine ne pouvant, comme Euripide, présenter aux spectateurs Hippolyte déchiré, couvert de sang, brisé par sa chute, et dans les convulsions de la douleur et de l'agonie, a été forcé de faire raconter sa mort ; et cette nécessité l'a conduit à blesser, dans le récit de cet événement terrible, et la vraisemblance et la nature, par une profusion de détails poétiques, sur lesquels un ami ne peut s'étendre, et qu'un père ne peut écouter.

Les retranchements dont je viens de parler, une foule d'autres dont l'indication serait trop longue, plusieurs additions qui m'ont semblé nécessaires, font que l'ouvrage que je présente au public n'est nullement une traduction. Il n'y a pas, dans les trois tragédies de Schiller, une seule scène que j'aie conservée en entier. Il y en a quelques-unes dans ma pièce dont l'idée même n'est pas dans Schiller. Il y a quarante-huit acteurs dans l'original allemand, il n'y en a que douze dans mon ouvrage. L'unité de temps et de lieu, que j'ai voulu observer, quoique Schiller s'en fût écarté, suivant l'usage de son pays, m'a forcé à tout bouleverser et à tout refondre.

Je ne veux point entrer ici dans un examen approfondi de la règle des unités. Elles ont certainement quelques-uns des inconvénients que les nations étrangères leur reprochent. Elles circonscrivent les tragédies, surtout historiques, dans un espace qui en rend la composition très difficile. Elles forcent le poète à négliger souvent, dans les événements et les caractères, la vérité de la gradation, la délicatesse des nuances : ce défaut domine dans presque toutes les tragédies de Voltaire ; car l'admirable génie de Racine a été vainqueur de cette difficulté comme de tant d'autres. Mais à la représentation des pièces de Voltaire, on aperçoit fréquemment des lacunes, des transitions trop brusques. On sent que ce n'est pas ainsi qu'agit la nature. Elle ne marche point d'un pas si rapide ; elle ne saute pas de la sorte les intermédiaires.

Cependant, malgré les gênes qu'elles imposent et les fautes qu'elles peuvent occasionner, les unités me semblent une loi sage. Les changements de lieu, quelque adroitement qu'ils soient effectués, forcent le spectateur à se rendre compte de la transposition de la scène, et détournent ainsi une partie de son attention de l'intérêt principal : après chaque décoration nouvelle, il est obligé de se remettre dans l'illusion dont on l'a fait sortir. La même chose lui arrive, lorsqu'on l'avertit du temps qui s'est écoulé d'un acte à l'autre. Dans les deux cas, le poète reparaît, pour ainsi dire, en avant des personnages, et il y a une espèce de prologue ou de préface sous-entendue qui nuit à la continuité de l'impression.

En me conformant aux règles de notre théâtre pour les unités, pour le style tragique, pour la dignité de la tragédie, j'ai voulu rester fidèle au système allemand sur un article plus essentiel.

Les Français, même dans celles de leurs tragédies qui sont fondées sur la tradition ou sur l'histoire, ne peignent qu'un fait ou une passion. Les Allemands, dans les leurs, peignent une vie entière et un caractère entier.

Quand je dis qu'ils peignent une vie entière, je ne veux pas dire qu'ils embrassent dans leurs pièces toute la vie de leurs héros ; mais ils n'en omettent aucun événement important, et la réunion de ce qui se passe sur la scène et de ce que le spectateur apprend par des récits ou par des allusions forme un tableau complet d'une scrupuleuse exactitude.

Il en est de même du caractère. Les Allemands n'écartent de celui de leurs personnages rien de ce qui constituait leur individualité. Ils nous les présentent avec leurs faiblesses, leurs inconséquences, et cette mobilité ondoyante qui appartient à la nature humaine et qui forme les êtres réels.

Les Français ont un besoin d'unité qui leur fait suivre une autre route. Ils repoussent des caractères tout ce qui ne sert pas à faire ressortir la passion qu'ils veulent peindre : ils suppriment de la vie antérieure de leurs héros tout ce qui ne s'enchaîne pas nécessairement au fait qu'ils ont choisi.

Qu'est-ce que Racine nous apprend sur Phèdre ? Son amour pour Hippolyte, mais nullement son caractère personnel, indépendamment de cet amour. Qu'est-ce que le même poète nous fait connaître d'Oreste ? Son amour pour Hermione. Les fureurs de ce prince ne viennent que des cruautés de sa maîtresse. On le voit à chaque instant prêt à s'adoucir, pour peu qu'Hermione lui donne quelque espérance. Ce meurtrier de sa mère paraît même avoir oublié tout à fait le forfait qu'il a commis. Il n'est occupé que de sa passion : il parle, après son parricide, de son innocence qui lui pèse ; et si, lorsqu'il a tué Pyrrhus, il est poursuivi par les Furies, c'est que Racine a trouvé, dans la tradition mythologique, l'occasion d'une scène superbe mais qui ne tient point à son sujet tel qu'il l'a traité.

Ceci n'est point une critique. *Andromaque* est l'une des pièces les plus parfaites qui existent chez aucun peuple ; et Racine, ayant adopté le système français, a dû écarter, autant qu'il le pouvait, de l'esprit du spectateur, le souvenir du meurtre de Clytemnestre. Ce souvenir était inconciliable avec un amour pareil à celui d'Oreste pour Hermione. Un fils, couvert du sang de sa mère, et ne songeant qu'à sa maîtresse, aurait produit un effet révoltant ; Racine l'a senti, et, pour éviter plus sûrement cet écueil, il a supposé qu'Oreste n'était allé en Tauride qu'afin de se délivrer par la mort de sa passion malheureuse.

L'isolement dans lequel le système français présente le fait qui forme le sujet, et la passion qui est le mobile de chaque tragédie, a d'incontestables avantages.

En dégageant le fait que l'on a choisi de tous les faits antérieurs, on porte plus directement l'intérêt sur un objet unique. Le héros est plus dans la main du poète qui s'est affranchi du passé ; mais il y a peut-être aussi une couleur un peu moins réelle, parce que l'art ne peut jamais suppléer entièrement à la vérité, et que le spectateur, lors même qu'il ignore la liberté que l'auteur a prise, est averti, par je ne sais quel instinct, que ce n'est pas un personnage historique, mais un héros factice, une créature d'invention qu'on lui présente.

En ne peignant qu'une passion, au lieu d'embrasser tout un caractère individuel, on obtient des effets plus constamment tragiques, parce que les caractères individuels, toujours mélangés, nuisent à l'unité de l'impression. Mais la vérité y perd peut-être encore. On se demande ce que seraient les héros qu'on voit, s'ils n'étaient dominés par la passion qui les agite, et l'on trouve qu'il ne resterait dans leur existence que peu de réalité. D'ailleurs il y a bien moins de variété dans les passions propres à la tragédie que dans les caractères individuels tels que les crée la nature. Les caractères sont innombrables. Les passions théâtrales sont en petit nombre.

Sans doute, l'admirable génie de Racine, qui triomphe de toutes les entraves, met de la diversité dans cette uniformité même. La jalousie de Phèdre n'est pas celle d'Hermione, et l'amour d'Hermione n'est pas celui de Roxane. Cependant la diversité me semble plutôt encore dans la passion que dans le caractère de l'individu.

Racine et Shakspeare (1823)

Fervent admirateur de Shakespeare et du « romanticismo » italien dont il avait connu à Milan les promoteurs et les combats, Stendhal professe un cosmopolitisme littéraire hostile au traditionalisme dramatique français. En 1823 le premier *Racine et Shakspeare*, réunissant des articles publiés dans une revue anglaise dont Stendhal était le collaborateur, constitue un vigoureux plaidoyer en faveur des nouvelles idées dramatiques.

Dès le premier chapitre Stendhal dénonce le chauvinisme français dont venaient d'être victimes les acteurs anglais conspués sur la scène du théâtre de la Porte Saint-Martin. La vogue des romans de Walter Scott semblait cependant préluder à un retournement favorable à la nouvelle esthétique théâtrale. Le succès même des pièces traditionnelles comme *Les Vêpres siciliennes* ou *Le Paria* de Casimir Delavigne, *Les Machabées* de Guiraud ou le *Régulus* de Lucien Arnault, révèle moins l'attachement du public au classicisme qu'une conception erronée du *plaisir dramatique*, confondu à tort avec le plaisir poétique. Les prestiges du vers et les contraintes des unités sont incompatibles avec cette « illusion parfaite » qui est selon Stendhal la source du véritable plaisir dramatique. La distinction capitale entre l'*épique* et le *dramatique* révèle la spécificité de l'émotion théâtrale : à un théâtre verbal le goût moderne entend substituer un *théâtre d'action*, aux jouissances de l'admiration il préfère la magie de *l'illusion* (Texte 9).

Dès 1823 les articles de Stendhal suscitèrent l'hostilité des poètes traditionalistes. Lamartine lui-même, dans une lettre du 19 mars adressée à M. de Mareste, défendait contre Stendhal l'emploi du vers qui était selon lui « le beau idéal dans l'expression ou dans la forme de l'expression ». Stendhal entreprend aussitôt sa *Réponse à quelques objections* qui ne devait paraître qu'en 1854. Au nom de la vérité dramatique et du relativisme esthétique, Stendhal renouvelle *le procès du vers tragique*. Au style poétique et courtisanesque de la tragédie racinienne, il oppose la conception d'une écriture spécifiquement dramatique, dont l'exigence majeure de clarté, de propriété et de vérité exclut le recours aux artifices et aux séductions du vers (Texte 10).

texte 9 PLAISIR ÉPIQUE ET PLAISIR DRAMATIQUE

POUR FAIRE DES TRAGÉDIES QUI PUISSENT INTÉRESSER LE PUBLIC EN 1823, FAUT-IL SUIVRE LES ERREMENTS DE RACINE OU CEUX DE SHAKSPEARE ?

Cette question semble usée en France, et cependant l'on n'y a jamais entendu que les arguments d'un seul parti ; les journaux les plus divisés par leurs opinions politiques, *La Quotidienne* comme *Le Constitutionnel*, ne se montrent d'accord que pour une seule chose, pour proclamer le théâtre français, non seulement le premier théâtre du monde, mais encore le seul raisonnable. Si le pauvre *romanticisme* avait une réclamation à faire entendre, tous les journaux de toutes les couleurs lui seraient également fermés.

Mais cette apparente défaveur ne nous effraie nullement, parce que c'est une affaire de parti. Nous y répondrons par un seul fait :

Quel est l'ouvrage littéraire qui a le plus réussi en France depuis dix ans ?

Les romans de Walter Scott.

Qu'est-ce que les romans de Walter Scott ?

De la tragédie romantique, entremêlée de longues descriptions.

On nous objectera le succès des *Vêpres siciliennes*, du *Paria*, des *Machabées*, de *Régulus*.

Ces pièces font beaucoup de plaisir ; mais elles ne font pas un *plaisir dramatique*. Le public, qui ne jouit pas d'ailleurs d'une extrême liberté, aime à entendre réciter des sentiments généreux exprimés en beaux vers.

Mais c'est là un plaisir *épique*, et non pas dramatique. Il n'y a jamais ce degré d'illusion nécessaire à une émotion profonde. C'est par cette raison ignorée de lui-même, car à vingt ans, quoi qu'on en dise, l'on veut jouir, et non pas raisonner, et l'on fait bien ; c'est par cette raison secrète que le jeune public du second théâtre français se montre si facile sur la fable des pièces qu'il applaudit avec le plus de transports. Quoi de plus ridicule que la fable du *Paria*, par exemple ? Cela ne résiste pas au moindre examen. Tout le monde a fait cette critique, et cette critique n'a pas pris. Pourquoi ? C'est que le public ne veut que de beaux vers. Le public va chercher au théâtre français actuel une suite d'odes bien pompeuses, et d'ailleurs exprimant avec force des sentiments généreux. Il suffit qu'elles soient amenées par quelques vers de liaison. C'est comme dans les ballets de la rue Lepelletier ; l'action doit être faite uniquement pour amener de beaux pas, et pour motiver, tant bien que mal, des danses agréables.

Je m'adresse sans crainte à cette jeunesse égarée, qui a cru faire du patriotisme et de l'honneur national en sifflant Shakspeare, parce qu'il fut Anglais. Comme je suis rempli d'estime pour les jeunes gens laborieux, l'espoir de la France, je leur parlerai le langage sévère de la vérité.

Toute la dispute entre Racine et Shakspeare se réduit à savoir si, en observant les deux unités de *lieu* et de *temps*, on peut faire des pièces qui intéressent vivement des spectateurs du dix-neuvième siècle, des pièces qui les fassent pleurer et frémir, ou, en d'autres termes, qui leur donnent des plaisirs *dramatiques*, au lieu des plaisirs *épiques* qui nous font courir à la cinquantième représentation du *Paria* ou de *Régulus*.

Je dis que l'observation des deux unités de *lieu* et de *temps* est une habitude française, *habitude profondément enracinée*, habitude dont nous nous déferons difficilement, parce que Paris est le salon de l'Europe et lui donne le ton ; mais je dis que ces unités ne sont nullement nécessaires à produire l'émotion profonde et le véritable effet dramatique.

texte 10   LE PROCÈS DU VERS

On me dit : *Le vers est le beau idéal dans l'expression ;* une pensée étant donnée, le vers est la manière *la plus belle* de la rendre, la manière dont elle fera *le plus* d'effet.

Je nie cela pour la tragédie, du moins pour celle qui tire ses effets de la peinture exacte des mouvements de l'âme et des événements de la vie.

La pensée ou le sentiment doit, avant tout, être énoncée avec clarté dans le genre dramatique, en cela l'opposé du poème épique.

Lorsque la mesure du vers n'admettra pas le *mot précis* qu'emploierait un homme passionné dans telle situation donnée, que ferez-vous ? Vous trahirez la passion pour l'alexandrin, comme le fait souvent Racine. La raison en est simple ; peu de gens connaissent assez bien les passions pour dire : Voilà le mot propre que vous négligez ; celui que vous employez n'est qu'un faible synonyme ; tandis que le plus sot de l'audience sait fort bien ce qui fait un vers dur ou harmonieux. Il sait encore mieux, car il y met toute sa vanité, quel mot est du langage noble et quel n'en est pas.

L'homme qui parle le langage noble est de la cour, tout autre est *vilain*. Or les deux tiers de la langue, ne pouvant être employés à la scène que par des *vilains*, ne sont pas du style noble[1].

Hier (26 mars), à un concert de l'Opéra, comme l'orchestre écorchait le duo d'*Armide*, de Rossini, mon voisin me dit : « C'est détestable ! c'est

---

1. LA HARPE, *Cours de littérature.*

indigne ! » — Étonné, je lui réponds : « Vous avez bien raison. — C'est indigne, poursuit-il, que les musiciens ne soient pas en culottes courtes ! » Voilà le public français et la dignité telle que la cour nous l'a donnée.

Je crois pouvoir conclure que quand l'expression de la pensée n'est pas susceptible d'autre beauté que d'une *clarté parfaite*, le vers est déplacé.

Le vers est destiné à rassembler en un foyer, à force d'ellipses, d'inversions, d'alliances de mots, etc. (privilèges de la poésie), des choses qui rendent frappante une beauté de la nature ; or, dans le genre dramatique, ce sont les *scènes précédentes* qui font *sentir* le mot que nous entendons prononcer dans la scène actuelle. Par exemple, Talma disant à son ami :

> Connais-tu la main de Rutile ? *(Manlius)*

Le personnage tombe à n'être plus qu'un rhéteur *dont je me méfie*, si, par la poésie de l'expression, il cherche à ajouter à la force de ce qu'il dit ; grand défaut des poètes dramatiques qui brillent par le style.

Si le personnage a l'air le moins du monde de songer à son style, la méfiance paraît, la sympathie s'envole et le plaisir dramatique s'évanouit.

Pour le plaisir dramatique, ayant à choisir entre deux excès, j'aimerai toujours mieux une prose trop simple, comme celle de Sedaine ou de Goldoni, que des vers trop beaux.

Rappelons-nous sans cesse que l'action dramatique se passe dans une salle dont un des murs a été enlevé par la baguette magique de Melpomène, et remplacé par le parterre et les loges au moyen de la baguette magique d'une fée. Les personnages ne savent pas qu'il y a un public. Dès qu'ils font des concessions *apparentes* à ce public, à l'instant ce ne sont plus des personnages, ce sont des rapsodes récitant un poème épique plus ou moins beau.

L'inversion est une grande *concession* en français, un immense privilège de la poésie, dans cette langue amie de la vérité et claire avant tout.

L'empire du *rhythme* ou du vers ne commence que là où l'inversion est permise.

Le vers convient admirablement au poème épique, à la satire, à la comédie satirique, à une certaine sorte de tragédie, faite pour des courtisans.

Jamais un homme de cour ne cessera de s'extasier devant la noblesse de cette communication, faite par Agamemnon à son gentilhomme de la chambre, Arcas :

> ... Tu vois mon trouble, apprends ce qui le cause,
> Et juge s'il est temps, ami, que je repose.
> Tu te souviens du jour qu'en Aulide assemblés, etc.
>
> (*Iphigénie*, acte Ier, scène Ire.)

Au lieu de ce mot *tragédies*, écrivez en tête des œuvres de Racine : *Dialogues extraits d'un poème épique*, et je m'écrie avec vous : C'est sublime. Ces dialogues ont été de la tragédie pour la nation *courtisanesque* de 1670 ; ils n'en sont plus pour la population raisonnante et industrielle de 1823.

Victor HUGO

Préface de CROMWELL (1827)

Le 24 septembre 1827, Hugo écrivait à Victor Pavie : « Dans quinze jours vous recevrez *Cromwell*. Il ne me reste plus qu'à écrire la *préface* et quelques notes. Je ferai cela aussi court que possible ; moins de lignes, moins d'ennui. » Le 5 décembre paraissait en un volume le drame exemplaire précédé d'une monumentale préface, somme théorique et critique dont aucun drame romantique ne réalisera les ambitions, mais qui, selon Théophile Gautier, rayonnait aux yeux des jeunes dramaturges « comme les tables de la loi sur le Sinaï ».

Sous le schématisme volontaire d'une grandiose revue des trois âges — lyrique, épique, dramatique — de la société et de la poésie, apparaît l'idée majeure qui est la *modernité du drame*. Issu de la civilisation chrétienne et occidentale, le drame est à la fois le fruit et le reflet des temps modernes. Aussi doit-il rendre compte de la déroutante *complexité de l'homme moderne*, partagé entre sa grandeur et sa misère, le sublime et le grotesque, l'âme et le corps, Dieu et Satan. Un tel programme exige une révolution dramatique et l'abolition des restrictions classiques. La distinction des genres, en isolant le grotesque du sublime, exténue la nature et favorise l'abstraction. Les unités de temps et de lieu interdisent la représentation pittoresque et vivante d'une action située dans son décor naturel et sa durée propre. L'unité d'action, soigneusement distinguée de la simplicité d'action, ne doit être interprétée que comme une unité de perspective admettant la superposition et l'interférence de plusieurs actions concentriques. C'est donc au nom de la vérité humaine et dramatique que Hugo entreprend *le procès des unités classiques* (Texte 11).

L'exigence de vérité n'entraîne cependant pas l'instauration sur la scène d'un réalisme absolu dont Hugo mesure l'absurdité artistique. *Le théâtre est art et donc convention*. Mais

151

la convention, loin d'exclure la représentation des divers aspects du réel, doit au contraire, grâce à la condensation et à la stylisation dramatiques, favoriser la résurrection des grandes époques de l'histoire et des grands drames humains. Une telle restauration du passé implique le recours à une *couleur locale* plus intime que pittoresque et toujours soumise aux choix de l'art. *L'emploi du vers*, que Hugo défend contre les partisans de la prose comme Stendhal, achèvera de conférer au drame cette tenue littéraire qui exclut la facilité, décourage les médiocres et maintient l'art dramatique à l'altitude la plus élevée de la poésie (Texte 12).

Pour conserver sa place dans le drame, le vers devra renoncer à certains de ses privilèges et se soumettre à cet idéal de vérité qui est le principe fondamental de la nouvelle esthétique. Libéré des entraves d'une prosodie rigoureuse et des pudibondes restrictions de vocabulaire, il devra se plier à l'expression de tous les tons de la conversation, de tous les registres du drame. Privé de toute finalité interne, de toute valeur propre, il n'est délivré des contraintes formelles que pour être asservi aux exigences du dialogue. Simple *forme* destinée à fixer et à condenser l'expression des idées, le vers est réduit au rang d'une prose plus ferme et plus brillante (Texte 13).

texte 11   LA CRITIQUE DES UNITÉS

Du jour où le christianisme a dit à l'homme : « Tu es double, tu es composé de deux êtres, l'un périssable, l'autre immortel, l'un charnel, l'autre éthéré, l'un enchaîné par les appétits, les besoins et les passions, l'autre emporté sur les ailes de l'enthousiasme et de la rêverie, celui-ci enfin toujours courbé vers la terre, sa mère, celui-là sans cesse élancé vers le ciel, sa patrie » ; de ce jour le drame a été créé. Est-ce autre chose en effet que ce contraste de tous les jours, que cette lutte de tous les instants entre deux principes opposés qui sont toujours en présence dans la vie, et qui se disputent l'homme depuis le berceau jusqu'à la tombe ?

La poésie née du christianisme, la poésie de notre temps est donc le drame ; le caractère du drame est le réel ; le réel résulte de la combinaison toute naturelle de deux types, le sublime et le grotesque, qui se croisent dans le drame, comme ils se croisent dans la vie et dans la création. Car la poésie vraie, la poésie complète, est dans l'harmonie des contraires. Puis, il est temps de le dire hautement, et c'est ici surtout que les exceptions confirmeraient la règle, tout ce qui est dans la nature est dans l'art.

En se plaçant à ce point de vue pour juger nos petites règles conventionnelles, pour débrouiller tous ces labyrinthes scolastiques, pour résoudre tous ces problèmes mesquins que les critiques des deux derniers siècles ont laborieusement bâtis autour de l'art, on est frappé de la promptitude avec laquelle la question du théâtre moderne se nettoie. Le drame n'a qu'à faire un pas pour briser tous ces fils d'araignée dont les milices de Lilliput ont cru l'enchaîner dans son sommeil.

Ainsi, que des pédants étourdis (l'un n'exclut pas l'autre) prétendent que le difforme, le laid, le grotesque, ne doit jamais être un objet d'imitation pour l'art, on leur répond que le grotesque, c'est la comédie, et qu'apparemment la comédie fait partie de l'art. Tartufe n'est pas beau, Pourceaugnac n'est pas noble ; Pourceaugnac et Tartufe sont d'admirables jets de l'art.

Que si, chassés de ce retranchement dans leur seconde ligne de douanes, ils renouvellent leur prohibition du grotesque allié au sublime, de la comédie fondue dans la tragédie, on leur fait voir que, dans la poésie des peuples chrétiens, le premier de ces deux types représente la bête humaine, le second l'âme. Ces deux tiges de l'art, si l'on empêche leurs rameaux de se mêler, si on les sépare systématiquement, produiront pour tous fruits, d'une part des abstractions de vices, de ridicules ; de l'autre, des abstractions de crime, d'héroïsme et de vertu. Les deux types, ainsi isolés et livrés à eux-mêmes, s'en iront chacun de leur côté, laissant entre eux le réel, l'un à sa droite, l'autre à sa gauche. D'où il suit qu'après ces abstractions, il restera quelque chose à représenter, l'homme ; après ces tragédies et ces comédies, quelque chose à faire, le drame.

Dans le drame, tel qu'on peut, sinon l'exécuter, du moins le concevoir, tout s'enchaîne et se déduit ainsi que dans la réalité. Le corps y joue son rôle comme l'âme ; et les hommes et les événements, mis en jeu par ce double agent, passent tour à tour bouffons et terribles, quelquefois terribles et bouffons tout ensemble. Ainsi le juge dira : « A la mort, et allons dîner ! » Ainsi le sénat romain délibérera sur le turbot de Domitien. Ainsi Socrate, buvant la ciguë et conversant de l'âme immortelle et du dieu unique, s'interrompra pour recommander qu'on sacrifie un coq à Esculape. Ainsi Élisabeth jurera et parlera latin. Ainsi Richelieu subira le capucin Joseph, et Louis XI son barbier, maître Olivier-le-Diable. Ainsi Cromwell dira : « J'ai le parlement dans mon sac et le roi dans ma poche » ; ou, de la main qui signe l'arrêt de mort de Charles Ier, barbouillera d'encre le visage d'un régicide qui le lui rendra en riant. Ainsi César dans le char de triomphe aura peur de verser. Car les hommes de génie, si grands qu'ils soient, ont toujours en eux leur bête qui parodie leur intelligence. C'est par là qu'ils touchent à l'humanité, c'est par là qu'ils sont dramatiques. « Du sublime au ridicule il n'y a qu'un pas », disait Napoléon, quand il fut convaincu d'être homme ; et cet éclair d'une âme de feu qui s'entrouvre illumine à la fois l'art et l'histoire, ce cri d'angoisse est le résumé du drame et de la vie.

Chose frappante, tous ces contrastes se rencontrent dans les poètes eux-mêmes, pris comme hommes. A force de méditer sur l'existence, d'en faire éclater la poignante ironie, de jeter à flots le sarcasme et la raillerie sur nos infirmités, ces hommes qui nous font tant rire deviennent profondément tristes. Ces Démocrites sont aussi des Héraclites. Beaumarchais était morose, Molière était sombre, Shakespeare mélancolique.

C'est donc une des suprêmes beautés du drame que le grotesque. Il n'en est pas seulement une convenance, il en est souvent une nécessité. Quelquefois il arrive par masses homogènes, par caractères complets : Dandin, Prusias, Trissotin, Brid'oison, la nourrice de Juliette ; quelquefois empreint de terreur, ainsi : Richard III, Bégears, Tartufe, Méphistophélès ; quelquefois même voilé de grâce et d'élégance, comme Figaro, Osrick,

Mercutio, don Juan. Il s'infiltre partout, car de même que les plus vulgaires ont mainte fois leurs accès de sublime, les plus élevés payent fréquemment tribut au trivial et au ridicule. Aussi, souvent insaisissable, souvent imperceptible, est-il toujours présent sur la scène, même quand il se tait, même quand il se cache. Grâce à lui, point d'impressions monotones. Tantôt il jette du rire, tantôt de l'horreur dans la tragédie. Il fera rencontrer l'apothicaire à Roméo, les trois sorcières à Macbeth, les fossoyeurs à Hamlet. Parfois enfin il peut sans discordance, comme dans la scène du roi Lear et de son fou, mêler sa voix criarde aux plus sublimes, aux plus lugubres, aux plus rêveuses musiques de l'âme.

Voilà ce qu'a su faire entre tous, d'une manière qui lui est propre et qu'il serait aussi inutile qu'impossible d'imiter, Shakespeare, ce dieu du théâtre, en qui semblent réunis, comme dans une trinité, les trois grands génies caractéristiques de notre scène : Corneille, Molière, Beaumarchais.

On voit combien l'arbitraire distinction des genres croule vite devant la raison et le goût. On ne ruinerait pas moins aisément la prétendue règle des deux unités. Nous disons deux et non *trois* unités, l'unité d'action ou d'ensemble, la seule vraie et fondée, étant depuis longtemps hors de cause.

Des contemporains distingués, étrangers et nationaux, ont déjà attaqué, et par la pratique et par la théorie, cette loi fondamentale du code pseudo-aristotélique. Au reste, le combat ne devait pas être long. A la première secousse elle a craqué, tant était vermoulue cette solive de la vieille masure scolastique !

Ce qu'il y a d'étrange, c'est que les routiniers prétendent appuyer leur règle des deux unités sur la vraisemblance, tandis que c'est précisément le réel qui la tue. Quoi de plus invraisemblable et de plus absurde en effet que ce vestibule, ce péristyle, cette antichambre, lieu banal où nos tragédies ont la complaisance de venir se dérouler, où arrivent, on ne sait comment, les conspirateurs pour déclamer contre le tyran, le tyran pour déclamer contre les conspirateurs, chacun à leur tour, comme s'ils s'étaient dit bucoliquement :

Alternis cantemus ; amant alterna Camenae.

Où a-t-on vu vestibule ou péristyle de cette sorte ? Quoi de plus contraire, nous ne dirons pas à la vérité, les scolastiques en font bon marché, mais à la vraisemblance ? Il résulte de là que tout ce qui est trop caractéristique, trop intime, trop local, pour se passer dans l'antichambre ou dans le carrefour, c'est-à-dire tout le drame, se passe dans la coulisse. Nous ne voyons en quelque sorte sur le théâtre que les coudes de l'action ; ses mains sont ailleurs. Au lieu de scènes, nous avons des récits ; au lieu de tableaux, des descriptions. De graves personnages placés, comme le chœur antique, entre le drame et nous, viennent nous raconter ce qui se fait dans le temple, dans le palais, dans la place publique, de façon que souventes fois nous sommes tentés de leur crier : « Vraiment ! mais conduisez-nous donc là-bas ! On s'y doit bien amuser, cela doit être beau à voir ! » A quoi ils répondraient sans doute :

« Il serait possible que cela vous amusât ou vous intéressât, mais ce n'est point là la question ; nous sommes les gardiens de la dignité de la Melpomène française. » Voilà !

Mais, dira-t-on, cette règle que vous répudiez est empruntée au théâtre grec. — En quoi le théâtre et le drame grecs ressemblent-ils à notre drame et à notre théâtre ? D'ailleurs nous avons déjà fait voir que la prodigieuse étendue de la scène antique lui permettait d'embrasser une localité tout entière, de sorte que le poète pouvait, selon les besoins de l'action, la transporter à son gré d'un point du théâtre à un autre, ce qui équivaut bien à peu près aux changements de décorations. Bizarre contradiction ! Le théâtre grec, tout asservi qu'il était à un but national et religieux, est bien autrement libre que le nôtre, dont le seul objet cependant est le plaisir, et, si l'on veut, l'enseignement du spectateur. C'est que l'un n'obéit qu'aux lois qui lui sont propres, tandis que l'autre s'applique des conditions d'être parfaitement étrangères à son essence. L'un est artiste, l'autre est artificiel.

On commence à comprendre de nos jours que la localité exacte est un des premiers éléments de la réalité. Les personnages parlants ou agissants ne sont pas les seuls qui gravent dans l'esprit du spectateur la fidèle empreinte des faits. Le lieu où telle catastrophe s'est passée en devient un témoin terrible et inséparable ; et l'absence de cette sorte de personnage muet décompléterait dans le drame les plus grandes scènes de l'histoire. Le poète oserait-il assassiner Rizzio ailleurs que dans la chambre de Marie Stuart ? poignarder Henri IV ailleurs que dans cette rue de la Ferronnerie, toute obstruée de haquets et de voitures ? brûler Jeanne d'Arc autre part que dans le Vieux-Marché ? dépêcher le duc de Guise autre part que dans ce château de Blois où son ambition fait fermenter une assemblée populaire ? décapiter Charles Ier et Louis XVI ailleurs que dans ces places sinistres d'où l'on peut voir White-Hall et les Tuileries, comme si leur échafaud servait de pendant à leur palais ?

L'unité de temps n'est pas plus solide que l'unité de lieu. L'action, encadrée de force dans les vingt-quatre heures, est aussi ridicule qu'encadrée dans le vestibule. Toute action a sa durée propre comme son lieu particulier. Verser la même dose de temps à tous les événements ! appliquer la même mesure sur tout ! on rirait d'un cordonnier qui voudrait mettre le même soulier à tous les pieds. Croiser l'unité de temps à l'unité de lieu comme les barreaux d'une cage, et y faire pédantesquement entrer, de par Aristote, tous ces faits, tous ces peuples, toutes ces figures que la providence déroule à si grandes masses dans la réalité ! c'est mutiler hommes et choses, c'est faire grimacer l'histoire. Disons mieux : tout cela mourra dans l'opération ; et c'est ainsi que les mutilateurs dogmatiques arrivent à leur résultat ordinaire : ce qui était vivant dans la chronique est mort dans la tragédie. Voilà pourquoi, bien souvent, la cage des unités ne renferme qu'un squelette.

Et puis si vingt-quatre heures peuvent être comprises dans deux, il sera logique que quatre heures puissent en contenir quarante-huit. L'unité de Shakespeare ne sera donc pas l'unité de Corneille. Pitié !

Ce sont là pourtant les pauvres chicanes que depuis deux siècles la médiocrité, l'envie et la routine font au génie ! C'est ainsi qu'on a borné l'essor de nos plus grands poètes. C'est avec les ciseaux des unités qu'on leur a coupé l'aile. Et que nous a-t-on donné en échange de ces plumes d'aigle retranchées à Corneille et à Racine ? Campistron.

Nous concevons qu'on pourrait dire : — Il y a dans des changements trop fréquents de décoration quelque chose qui embrouille et fatigue le spectateur, et qui produit sur son attention l'effet de l'éblouissement ; il peut aussi se faire que des translations multipliées d'un lieu à un autre lieu, d'un temps à un autre temps, exigent des contre-expositions qui le refroidissent ; il faut craindre encore de laisser dans le milieu d'une action des lacunes qui empêchent les parties du drame d'adhérer étroitement entre elles, et qui en outre déconcertent le spectateur parce qu'il ne se rend pas compte de ce qu'il peut y avoir dans ces vides... — Mais ce sont là précisément les difficultés de l'art. Ce sont là de ces obstacles propres à tels ou tels sujets, et sur lesquels on ne saurait statuer une fois pour toutes. C'est au génie à les résoudre, non aux *poétiques* à les éluder.

Il suffirait enfin, pour démontrer l'absurdité de la règle des deux unités, d'une dernière raison, prise dans les entrailles de l'art. C'est l'existence de la troisième unité, l'unité d'action, la seule admise de tous parce qu'elle résulte d'un fait : l'œil ni l'esprit humain ne sauraient saisir plus d'un ensemble à la fois. Celle-là est aussi nécessaire que les deux autres sont inutiles. C'est elle qui marque le point de vue du drame ; or, par cela même, elle exclut les deux autres. Il ne peut pas plus y avoir trois unités dans le drame que trois horizons dans un tableau. Du reste, gardons-nous de confondre l'unité avec la simplicité d'action. L'unité d'ensemble ne répudie en aucune façon les actions secondaires sur lesquelles doit s'appuyer l'action principale. Il faut seulement que ces parties, savamment subordonnées au tout, gravitent sans cesse vers l'action centrale et se groupent autour d'elle aux différents étages ou plutôt sur les divers plans du drame. L'unité d'ensemble est la loi de perspective du théâtre.

texte 12   LA NATURE ET L'ART

La nature donc ! La nature et la vérité. — Et ici, afin de montrer que, loin de démolir l'art, les idées nouvelles ne veulent que le reconstruire plus solide et mieux fondé, essayons d'indiquer quelle est la limite infranchissable qui, à notre avis, sépare la réalité selon l'art de la réalité selon la nature. Il y a étourderie à les confondre, comme le font quelques partisans peu avancés du *romantisme*. La vérité de l'art ne saurait jamais être, ainsi que l'ont dit plusieurs, la réalité *absolue*. L'art ne peut donner la chose même. Supposons en effet un de ces promoteurs irréfléchis de la nature absolue, de la nature vue hors de l'art, à la représentation d'une pièce romantique, du *Cid* par exemple. — Qu'est cela ? dira-t-il au premier mot. Le Cid parle en vers ! Il n'est pas *naturel* de parler en vers. — Comment voulez-vous donc qu'il parle ? — En prose. — Soit. — Un instant après : — Quoi, reprendra-t-il s'il est conséquent, le Cid parle français ! — Eh bien ? — La *nature* veut qu'il parle sa langue, il ne peut parler qu'espagnol. — Nous n'y comprendrons rien ; mais soit encore. — Vous croyez que c'est tout ? Non pas ; avant la dixième phrase castillane, il doit se lever et demander si ce Cid qui parle est le véritable Cid, en chair et en os ? De quel droit cet acteur, qui s'appelle Pierre ou Jacques, prend-il le nom de Cid ? cela est *faux*. — Il n'y a aucune raison pour qu'il n'exige pas ensuite qu'on substitue le soleil à cette rampe, des arbres *réels*, des maisons *réelles* à ces menteuses coulisses. Car, une fois dans cette voie, la logique nous tient au collet, on ne peut plus s'arrêter.

On doit donc reconnaître, sous peine de l'absurde, que le domaine de l'art et celui de la nature sont parfaitement distincts. La nature et l'art sont deux choses, sans quoi l'une ou l'autre n'existerait pas. L'art, outre sa partie idéale, a une partie terrestre et positive. Quoi qu'il fasse, il est encadré entre la grammaire et la prosodie, entre Vaugelas et Richelet. Il a, pour ses créations les plus capricieuses, des formes, des moyens d'exécution, tout un matériel à remuer. Pour le génie, ce sont des instruments ; pour la médiocrité, des outils.

D'autres, ce nous semble, l'ont déjà dit : le drame est un miroir où se réfléchit la nature. Mais si ce miroir est un miroir ordinaire, une surface plane et unie, il ne renverra des objets qu'une image terne et sans relief, fidèle, mais décolorée ; on sait ce que la couleur et la lumière perdent à la réflexion simple. Il faut donc que le drame soit un miroir de concentration qui, loin de les affaiblir, ramasse et condense les rayons colorants, qui fasse d'une lueur une lumière, d'une lumière une flamme. Alors seulement le drame est avoué de l'art.

Le théâtre est un point d'optique. Tout ce qui existe dans le monde, dans l'histoire, dans la vie, dans l'homme, tout doit et peut s'y réfléchir, mais sous la baguette magique de l'art. L'art feuillette les siècles, feuillette la nature, interroge les chroniques, s'étudie à reproduire la réalité des faits, surtout celle des mœurs et des caractères, bien moins léguée au doute et à la contradiction que les faits, restaure ce que les annalistes ont tronqué, harmonise ce qu'ils ont dépouillé, devine leurs omissions et les répare, comble leurs lacunes par des imaginations qui aient la couleur du temps, groupe ce qu'ils ont laissé épars, rétablit le jeu des fils de la providence sous les marionnettes humaines, revêt le tout d'une forme poétique et naturelle à la fois, et lui donne cette vie de vérité et de saillie qui enfante l'illusion, ce prestige de réalité qui passionne le spectateur, et le poète le premier, car le poète est de bonne foi. Ainsi le but de l'art est presque divin : ressusciter, s'il fait de l'histoire ; créer, s'il fait de la poésie.

C'est une grande et belle chose que de voir se déployer avec cette largeur un drame où l'art développe puissamment la nature ; un drame où l'action marche à la conclusion d'une allure ferme et facile, sans diffusion et sans étranglement ; un drame enfin où le poète remplisse pleinement le but multiple de l'art, qui est d'ouvrir au spectateur un double horizon, d'illuminer à la fois l'intérieur et l'extérieur des hommes ; l'extérieur, par leurs discours et leurs actions ; l'intérieur, par les *a parte* et les monologues ; de croiser, en un mot, dans le même tableau, le drame de la vie et le drame de la conscience.

On conçoit que, pour une œuvre de ce genre, si le poète doit *choisir* dans les choses (et il le doit), ce n'est pas le *beau*, mais le *caractéristique*. Non qu'il convienne de *faire*, comme on dit aujourd'hui, *de la couleur locale*, c'est-à-dire d'ajouter après coup quelques touches criardes çà et là sur un ensemble du reste parfaitement faux et conventionnel. Ce n'est point à la surface du drame que doit être la couleur locale, mais au fond, dans le cœur même de l'œuvre, d'où elle se répand au dehors, d'elle-même, naturellement, également, et, pour ainsi parler, dans tous les coins du drame, comme la sève qui monte de la racine à la dernière feuille de l'arbre. Le drame doit être radicalement imprégné de cette couleur des temps ; elle doit en quelque sorte y être dans l'air, de façon qu'on ne s'aperçoive qu'en y entrant et qu'en en sortant qu'on a changé de siècle et d'atmosphère. Il faut quelque étude, quelque labeur pour en venir là ; tant mieux. Il est bon que les avenues de l'art soient obstruées de ces ronces devant lesquelles tout recule, excepté les volontés fortes. C'est d'ailleurs cette étude, soutenue d'une ardente inspiration, qui garantira le drame d'un vice qui le tue, le *commun*. Le commun est le défaut des poètes à courte vue et à courte haleine. Il faut qu'à cette optique de la scène, toute figure soit ramenée à son trait le plus saillant, le plus individuel, le plus précis. Le vulgaire et le trivial même doit avoir un accent. Rien ne doit être abandonné. Comme Dieu, le vrai poète est présent partout à la fois dans son œuvre. Le génie ressemble au balancier qui imprime l'effigie royale aux pièces de cuivre comme aux écus d'or.

Nous n'hésitons pas, et ceci prouverait encore aux hommes de bonne foi combien peu nous cherchons à déformer l'art, nous n'hésitons point à considérer le vers comme un des moyens les plus propres à préserver le drame du fléau que nous venons de signaler, comme une des digues les plus puissantes contre l'irruption du *commun*, qui, ainsi que la démocratie, coule toujours à plein bord dans les esprits.

texte 13   LE VERS DRAMATIQUE

Pour se convaincre du peu d'obstacles que la nature de notre poésie oppose à la libre expression de tout ce qui est vrai, ce n'est peut-être pas dans Racine qu'il faut étudier notre vers, mais souvent dans Corneille, toujours dans Molière. Racine, divin poète, est élégiaque, lyrique, épique ; Molière est dramatique. Il est temps de faire justice des critiques entassées par le mauvais goût du dernier siècle sur ce style admirable, et de dire hautement que Molière occupe la sommité de notre drame, non seulement comme poète, mais encore comme écrivain. *Palmas vere habet iste duas.*

Chez lui, le vers embrasse l'idée, s'y incorpore étroitement, la resserre et la développe tout à la fois, lui prête une figure plus svelte, plus stricte, plus complète, et nous la donne en quelque sorte en élixir. Le vers est la forme optique de la pensée. Voilà pourquoi il convient surtout à la perspective scénique. Fait d'une certaine façon, il communique son relief à des choses qui, sans lui, passeraient insignifiantes et vulgaires. Il rend plus solide et plus fin le tissu du style. C'est le nœud qui arrête le fil. C'est la ceinture qui soutient le vêtement et lui donne tous ses plis. Que pourraient donc perdre à entrer dans le vers la nature et le vrai ? Nous le demandons à nos prosaïstes eux-mêmes, que perdent-ils à la poésie de Molière ? Le vin, qu'on nous permette une trivialité de plus, cesse-t-il d'être du vin pour être en bouteille ?

Que si nous avions le droit de dire quel pourrait être, à notre gré, le style du drame, nous voudrions un vers libre, franc, loyal, osant tout dire sans pruderie, tout exprimer sans recherche ; passant d'une naturelle allure de la comédie à la tragédie, du sublime au grotesque ; tour à tour positif et poétique, tout ensemble artiste et inspiré, profond et soudain, large et vrai ; sachant briser à propos et déplacer la césure pour déguiser sa monotonie d'alexandrin ; plus ami de l'enjambement qui l'allonge que de l'inversion qui l'embrouille ; fidèle à la rime, cette esclave reine, cette suprême grâce de notre poésie, ce générateur de notre mètre ; inépuisable dans la variété de ses tours, insaisissable dans ses secrets d'élégance et de facture ; prenant, comme Protée, mille formes sans changer de type et de caractère, fuyant la *tirade ;* se jouant dans le dialogue ; se cachant toujours derrière le personnage ; s'occupant avant tout d'être à sa place, et lorsqu'il lui adviendrait d'être *beau*, n'étant beau en quelque sorte que par hasard, malgré lui et sans le savoir ; lyrique, épique, dramatique, selon le besoin ; pouvant parcourir toute la gamme poétique, aller de haut en bas, des idées les plus élevées aux plus vulgaires, des plus bouffonnes aux plus graves, des plus extérieures aux plus abstraites, sans jamais sortir des limites d'une scène parlée ; en un mot, tel que le ferait l'homme qu'une fée aurait doué de l'âme de Corneille et de la tête de Molière. Il nous semble que ce vers-là serait bien *aussi beau que de la prose.*

Il n'y aurait aucun rapport entre une poésie de ce genre et celle dont nous faisions tout à l'heure l'autopsie cadavérique. La nuance qui les sépare sera facile à indiquer, si un homme d'esprit, auquel l'auteur de ce livre doit un remerciement personnel, nous permet de lui en emprunter la piquante distinction : l'autre poésie était descriptive, celle-ci serait pittoresque.

Répétons-le surtout, le vers au théâtre doit dépouiller tout amour-propre, toute exigence, toute coquetterie. Il n'est là qu'une forme, et une forme qui doit tout admettre, qui n'a rien à imposer au drame, et au contraire doit tout recevoir de lui pour tout transmettre au spectateur : français, latin, textes de lois, jurons royaux, locutions populaires, comédie, tragédie, rire, larmes, prose et poésie. Malheur au poète si son vers fait la petite bouche ! Mais cette forme est une forme de bronze qui encadre la pensée dans son mètre, sous laquelle le drame est indestructible, qui le grave plus avant dans l'esprit de l'acteur, avertit celui-ci de ce qu'il omet et de ce qu'il ajoute, l'empêche d'altérer son rôle, de se substituer à l'auteur, rend chaque mot sacré, et fait que ce qu'a dit le poète se retrouve longtemps après encore debout dans la mémoire de l'auditeur. L'idée, trempée dans le vers, prend soudain quelque chose de plus incisif et de plus éclatant. C'est le fer qui devient acier.

On sent que la prose, nécessairement bien plus timide, obligée de sevrer le drame de toute poésie lyrique ou épique, réduite au dialogue et au positif, est loin d'avoir ces ressources. Elle a les ailes bien moins larges. Elle est ensuite d'un beaucoup plus facile accès ; la médiocrité y est à l'aise ; et, pour quelques ouvrages distingués comme ceux que ces derniers temps ont vus paraître, l'art serait bien vite encombré d'avortons et d'embryons. Une autre fraction de la réforme inclinerait pour le drame écrit en vers et en prose tout à la fois, comme a fait Shakespeare. Cette manière a ses avantages. Il pourrait cependant y avoir disparate dans les transitions d'une forme à l'autre, et quand un tissu est homogène, il est bien plus solide. Au reste, que le drame soit écrit en prose, qu'il soit écrit en vers, qu'il soit écrit en vers et en prose, ce n'est là qu'une question secondaire. Le rang d'un ouvrage doit se fixer non d'après sa forme, mais d'après sa valeur intrinsèque. Dans des questions de ce genre, il n'y a qu'une solution ; il n'y a qu'un poids qui puisse faire pencher la balance de l'art : c'est le génie.

Alfred de VIGNY

Lettre à Lord*** sur la soirée du 24 octobre 1829 et sur un système dramatique (1829)

La représentation du *More de Venise* n'est pas seulement une date capitale de l'introduction en France du théâtre shakespearien, mais aussi un moment important de l'évolution dramatique du public français. En renonçant à l'invention d'une intrigue personnelle pour se dissimuler derrière une œuvre consacrée, Vigny entendait confronter le public avec *un langage et un style dramatiques originaux*. La « soirée » du 24 octobre était donc l'épreuve d'un système, une « machine » propre à susciter et à sonder les réactions et les réponses de « trois mille intelligences » assemblées à une question de technique théâtrale. Dans la *Lettre à Lord* ** qui accompagne la publication de l'œuvre, Vigny développe les problèmes implicitement contenus dans la représentation et dégage les enseignements à tirer du succès.

Dépassant largement le problème primitif du style, Vigny entreprend une *critique systématique de l'ancienne poétique* et esquisse les *grandes lignes de la tragédie moderne*. Si banales que soient en 1829 les critiques de Vigny, elles sont très révélatrices des principes fondamentaux de l'esthétique nouvelle. La prohibition des unités, la substitution de l'individuel au général, du concret à l'abstrait, de la diversité à l'unité, de l'action au discours, témoignent de ce désir de vérité, de grandeur et de mouvement qui caractérise le drame romantique (Texte 14).

161

texte 14 L'ANCIEN ET LE NOUVEAU SYSTÈME DRAMATIQUE

Considérez d'abord que, dans le système qui vient de s'éteindre, **toute** tragédie était une catastrophe et un dénouement d'une action déjà mûre au lever du rideau, qui ne tenait plus qu'à un fil et n'avait plus qu'à tomber. De là est venu ce défaut qui vous frappe, ainsi que tous les étrangers dans les tragédies françaises ; cette parcimonie de scènes et de développements, ces faux retardements, et puis tout à coup cette hâte d'en finir, mêlée à cette crainte que l'on sent presque partout de manquer d'étoffe pour remplir le cadre de cinq actes. Loin de diminuer mon estime pour tous les hommes qui ont suivi ce système, cette considération l'augmente ; car il a fallu, à chaque tragédie, une sorte de tour d'adresse prodigieux, et une foule de ruses pour déguiser la misère à laquelle ils se condamnaient ; c'était chercher à employer et à étendre pour se couvrir le dernier lambeau d'une pourpre gaspillée et perdue.

Ce ne sera plus ainsi qu'à l'avenir procédera le poète dramatique. D'abord il prendra dans sa large main beaucoup de temps, et y fera mouvoir des existences entières ; il créera l'homme, non comme *espèce*, mais comme *individu* (seul moyen d'intéresser à l'humanité) ; il laissera ses créatures vivre de leur propre vie, et jettera seulement dans leurs cœurs ces germes de passions par où se préparent les grands événements ; puis, lorsque l'heure en sera venue et seulement alors, sans que l'on sente que son doigt la hâte, il montrera la destinée enveloppant ses victimes dans des nœuds aussi larges, aussi multipliés, aussi inextricables que ceux où se tordent Laocoon et ses deux fils. Alors, bien loin de trouver des personnages trop petits pour l'espace, il gémira, il s'écriera qu'ils manquent d'air et de place ; car l'art sera tout semblable à la vie, et dans la vie une action principale entraîne autour d'elle un tourbillon de faits nécessaires et innombrables. Alors le créateur trouvera dans ses personnages assez de têtes pour répandre toutes ses idées, assez de cœurs à faire battre de tous ses sentiments, et partout on sentira son âme entière agitant la masse. *Mens agitat molem.*

Je suis juste .Tout était bien en harmonie dans l'ex-système de tragédie ; mais tout était d'accord aussi dans le système féodal et théocratique, et pourtant, il fut. Pour exécuter une longue catastrophe qui n'avait de corps que parce qu'elle était enflée, il fallait substituer des rôles aux caractères, des abstractions de passions personnifiées à des hommes ; or, la nature n'a jamais produit une famille d'hommes, une maison entière dans le sens des anciens *(domus)*, où père et enfants, maître et serviteurs se soient trouvés également sensibles, agités au même degré par le même événement, s'y jetant à corps perdu, prenant au sérieux et de bonne foi toutes les surprises et les pièges les plus grossiers et en éprouvant une satisfaction solennelle, une douleur solennelle, ou une fureur solennelle ; conservant précieusement le sentiment unique qui les anime depuis la première phase de l'événement jusqu'à son accomplissement, sans permettre à leur imagination de s'en écarter d'un pas, et s'occupant enfin d'une affaire unique, celle de commencer un dénouement et de le retarder sans pourtant cesser d'en parler.

Donc il fallait, dans des vestibules qui ne menaient à rien, des personnages n'allant nulle part, parlant de peu de chose, avec des idées indécises et des paroles vagues, un peu agités par des sentiments mitigés, des passions paisibles, et arrivant ainsi à une mort gracieuse ou à un soupir faux. O vaine fantasmagorie ! ombres d'hommes dans une ombre de nature ! vides royaumes !... *Inania regna !*

Aussi n'est-ce qu'à force de génie ou de talent que les premiers de chaque époque sont parvenus à jeter de grandes lueurs dans ces ombres, à arrêter de belles formes dans ce chaos ; leurs œuvres furent de magnifiques exceptions, on les prit pour des règles. Le reste est tombé dans l'ornière commune de cette fausse route.

Victor HUGO

Préface de LUCRÈCE BORGIA (mars 1833)

Lucrèce Borgia et *Angelo* sont les deux pièces les plus franchement mélodramatiques de Hugo, et il est remarquable que ce soit dans leurs deux préfaces que Hugo exprime le plus fermement les *ambitions moralisatrices du drame*. Le lien du drame et du mélodrame est ainsi mis en lumière par leur commune inclination pour les leçons morales.

Négligeant non sans quelque désinvolture les objections esthétiques et historiques de la critique, Hugo, dans la préface de *Lucrèce Borgia*, met l'accent sur la *mission civilisatrice du théâtre*. Nulle part n'est proclamée si hautement la subordination du théâtre à l'expression des idées morales et philosophiques, à l'illustration d'un idéal social, humain ou religieux. Comme l'esthétique du drame, sa morale surgit du contraste entre les sentiments et les situations extrêmes de la vie, d'un jeu d'ombre et de lumière entre le sublime et le grotesque, la grandeur et la misère, la vie et la mort. Le goût du contraste et l'ambition morale s'accordent ici pour exclure tout réalisme trop cru, toute peinture trop monotone de la souffrance et du mal. Le spectacle du mal doit être purifié par la proximité du bien, comme le sublime exalté par la menace du grotesque. L'intention morale ou religieuse restituera donc au drame cette indispensable stylisation que les classiques attendaient des bienséances (Texte 15).

texte 15   LA MISSION DU DRAME

Le théâtre, on ne saurait trop le répéter, a de nos jours une importance immense, et qui tend à s'accroître sans cesse avec la civilisation même. Le théâtre est une tribune. Le théâtre est une chaire. Le théâtre parle fort et parle haut. Lorsque Corneille dit :

« Pour être plus qu'un roi tu te crois quelque chose », Corneille, c'est Mirabeau. Quand Shakespeare dit : *To die, to sleep*, Shakespeare, c'est Bossuet.

L'auteur de ce drame sait combien c'est une grande et sérieuse chose que le théâtre. Il sait que le drame, sans sortir des limites impartiales de l'art, a une mission nationale, une mission sociale, une mission humaine. Quand il voit chaque soir ce peuple si intelligent et si avancé qui a fait de Paris la cité centrale du progrès s'entasser en foule devant un rideau que sa pensée, à lui chétif poète, va soulever le moment d'après, il sent combien il est peu de chose, lui, devant tant d'attente et de curiosité ; il sent que si son talent n'est rien, il faut que sa probité soit tout ; il s'interroge avec sévérité et recueillement sur la portée philosophique de son œuvre ; car il se sait responsable, et il ne veut pas que cette foule puisse lui demander compte un jour de ce qu'il lui aura enseigné. Le poète aussi a charge d'âmes. Il ne faut pas que la multitude sorte du théâtre sans emporter avec elle quelque moralité austère et profonde. Aussi espère-t-il bien, Dieu aidant, ne développer jamais sur la scène (du moins tant que dureront les temps sérieux où nous sommes) que des choses pleines de leçons et de conseils. Il fera toujours apparaître volontiers le cercueil dans la salle du banquet, la prière des morts à travers les refrains de l'orgie, la cagoule à côté du masque. Il laissera quelquefois le carnaval débraillé chanter à tue-tête sur l'avant-scène ; mais il lui criera du fond du théâtre : *Memento quia pulvis es*. Il sait bien que l'art seul, l'art pur, l'art proprement dit, n'exige pas tout cela du poète ; mais il pense qu'au théâtre surtout il ne suffit pas de remplir seulement les conditions de l'art. Et quant aux plaies et aux misères de l'humanité, toutes les fois qu'il les étalera dans le drame, il tâchera de jeter sur ce que ces nudités-là auraient de trop odieux le voile d'une idée consolante et grave. Il ne mettra pas Marion de Lorme sur la scène sans purifier la courtisane avec un peu d'amour ; il donnera à Triboulet le difforme un cœur de père ; il donnera à Lucrèce la monstrueuse des entrailles de mère. Et de cette façon sa conscience se reposera du moins tranquille et sereine sur son œuvre. Le drame qu'il rêve et qu'il tente de réaliser pourra toucher à tout sans se souiller à rien. Faites circuler dans tout une pensée morale et compatissante, et il n'y a plus rien de difforme ni de repoussant. A la chose la plus hideuse mêlez une idée religieuse, elle deviendra sainte et pure. Attachez Dieu au gibet, vous avez la croix.

Préface de MARIE TUDOR (novembre 1833)

Par l'importance de ses définitions et la richesse de ses suggestions, la préface de *Marie Tudor* est l'un des textes les plus révélateurs de l'esthétique du drame romantique, dont elle énonce les plus *grandioses ambitions*.

Grandeur et vérité sont les principes majeurs du drame. De leur subtil dosage dépend la réussite de l'œuvre et son efficacité dramatique. Réunir et combler dans un même ravissement les admirateurs de Corneille et ceux de Molière, les âmes éprises de grandeur et les esprits affamés de vérité, c'est, à la manière de Shakespeare, réaliser l'unité de l'art et l'unanimité du public. A égale distance d'un réalisme étroit et d'une emphase gratuite, le drame prétend concilier les exigences de la vérité avec celles de l'art.

Si, à l'exception de Shakespeare, aucun des dramaturges français ne satisfait entièrement les exigences modernes, c'est parce que la spécificité de leur art et l'étroitesse de leurs intentions leur interdisaient une large vision du monde. En opposition à toutes les formes limitées du théâtre passé — tragédie, comédie, tragi-comédie, tragédie philosophique, comédie révolutionnaire —, Hugo dresse un genre universel, prestigieux par l'étendue de son registre et la diversité de ses tons. Pour un tel théâtre, tout est sujet, « tout ce qui est dans la nature est dans l'art ». Embrassant dans une gigantesque synthèse l'immense fresque de l'homme et de l'histoire, de la vie et du monde, le drame tend vers la représentation universelle de l'existence. Ainsi apparaît le terme dernier des ambitions romantiques : réaliser, sans limites ni restrictions, *le drame total de l'humanité et de l'univers* (Texte 16).

texte 16   GRANDEUR ET VÉRITÉ

Il y a deux manières de passionner la foule au théâtre : par le grand et par le vrai. Le grand prend les masses, le vrai saisit l'individu.

Le but du poète dramatique, quel que soit d'ailleurs l'ensemble de ses idées sur l'art, doit donc toujours être, avant tout, de chercher le grand, comme Corneille, ou le vrai, comme Molière ; ou, mieux encore, et c'est ici le plus haut sommet où puisse monter le génie, d'atteindre tout à la fois le grand et le vrai, le grand dans le vrai, le vrai dans le grand, comme Shakespeare.

Car, remarquons-le en passant, il a été donné à Shakespeare, et c'est ce qui fait la souveraineté de son génie, de concilier, d'unir, d'amalgamer sans cesse dans son œuvre ces deux qualités, la vérité et la grandeur, qualités presque opposées, ou tout au moins tellement distinctes, que le défaut de chacune d'elles constitue le contraire de l'autre. L'écueil du vrai, c'est le petit ; l'écueil du grand, c'est le faux. Dans tous les ouvrages de Shakespeare, il y a du grand qui est vrai et du vrai qui est grand. Au centre de toutes ses créations, on retrouve le point d'intersection de la grandeur et de la vérité ; et là où les choses grandes et les choses vraies se croisent, l'art est complet. Shakespeare, comme Michel-Ange, semble avoir été créé pour résoudre ce problème étrange dont le simple énoncé paraît absurde : — rester toujours dans la nature, tout en en sortant quelquefois. — Shakespeare exagère les proportions, mais il maintient les rapports. Admirable toute-puissance du poète ! il fait des choses plus hautes que nous qui vivent comme nous. Hamlet, par exemple, est aussi vrai qu'aucun de nous, et plus grand. Hamlet est colossal, et pourtant réel. C'est que Hamlet, ce n'est pas vous, ce n'est pas moi, c'est nous tous. Hamlet, ce n'est pas un homme, c'est l'homme.

Dégager perpétuellement le grand à travers le vrai, le vrai à travers le grand, tel est donc, selon l'auteur de ce drame, et en maintenant, du reste, toutes les autres idées qu'il a pu développer ailleurs sur ces matières, tel est le but du poète au théâtre. Et ces deux mots, *grand* et *vrai*, renferment tout. La vérité contient la moralité, le grand contient le beau.

Ce but, on ne lui supposera pas la présomption de croire qu'il l'a jamais atteint, ou même qu'il pourra jamais l'atteindre ; mais on lui permettra de se rendre à lui-même publiquement ce témoignage qu'il n'en a jamais cherché d'autre au théâtre jusqu'à ce jour. Le nouveau drame qu'il vient de faire représenter est un effort de plus vers ce but rayonnant. Quelle est, en effet, la pensée qu'il a tenté de réaliser dans *Marie Tudor ?* La voici. Une reine qui soit une femme. Grande comme reine. Vraie comme femme.

Il l'a déjà dit ailleurs, le drame comme il le sent, le drame comme il voudrait le voir créer par un homme de génie, le drame selon le dix-neuvième siècle, ce n'est pas la tragi-comédie hautaine, démesurée, espagnole et sublime de Corneille ; ce n'est pas la tragédie abstraite, amoureuse, idéale et divinement élégiaque de Racine ; ce n'est pas la comédie profonde, sagace, pénétrante, mais trop impitoyablement ironique, de Molière ; ce n'est pas la tragédie à intention philosophique de Voltaire ; ce n'est pas la comédie à action révolutionnaire de Beaumarchais ; ce n'est pas plus que tout cela, mais c'est tout cela à la fois ; ou, pour mieux dire, ce n'est rien de tout cela. Ce n'est pas, comme chez ces grands hommes, un seul côté des choses systématiquement et perpétuellement mis en lumière, c'est tout regardé à la fois sous toutes les faces. S'il y avait un homme aujourd'hui qui pût réaliser le drame comme nous le comprenons, ce drame, ce serait le cœur humain, la tête humaine, la passion humaine, la volonté humaine ; ce serait le passé ressuscité au profit du présent ; ce serait l'histoire que nos pères ont faite, confrontée avec l'histoire que nous faisons ; ce serait le mélange sur la scène de tout ce qui est mêlé dans la vie ; ce serait une émeute là et une causerie d'amour ici, et dans la causerie d'amour une leçon pour le peuple, et dans l'émeute un cri pour le cœur ; ce serait le rire ; ce seraient les larmes ; ce serait le bien, le mal, le haut, le bas, la fatalité, la providence, le génie, le hasard, la société, le monde, la nature, la vie ; et au-dessus de tout cela on sentirait planer quelque chose de grand !

Victor HUGO

Préface de RUY BLAS (1838)

Comme toute grande œuvre, *Ruy Blas* est susceptible de diverses interprétations et suscite parmi les spectateurs autant de réactions qu'ils comptent de catégories d'esprit. Selon que l'on envisage l'action dramatique, le conflit psychologique ou la signification historique de la pièce, *Ruy Blas* évoque le heurt des conditions et des ambitions, la passion de deux cœurs humains ou l'avènement du peuple dans une monarchie corrompue. Chaque personnage est lui-même porteur d'un *symbolisme polyvalent*, social, politique ou humain. Dans la préface de l'œuvre, Hugo justifie cette superposition d'intentions et élargit le débat en définissant les moyens et les buts du drame en fonction d'une analyse psychologique des *diverses espèces de spectateurs*.

Malgré le simplisme apparent de la division du public en trois catégories — les femmes, les penseurs et la foule — dont Hugo lui-même reconnaît les perpétuelles interférences, cette distinction isole nettement les *trois sources du plaisir dramatique* — sensation, émotion et méditation — qui correspondent aux trois principaux foyers d'intérêt d'une pièce théâtrale — action, passion et caractères —. Tandis que les genres traditionnels — tragédie, comédie et mélodrame — se sont attachés essentiellement à susciter l'une de ces diverses jouissances pour satisfaire une part choisie du public, l'ambition du drame est de réaliser *l'unité de l'art dramatique* en fondant les caractères spécifiques de chaque genre particulier. La triple valeur — dramatique, psychologique et philosophique — du drame garantit l'universalité de son art et de sa portée (Texte 17).

texte 17   THÉÂTRE ET PUBLIC

Trois espèces de spectateurs composent ce qu'on est convenu d'appeler le public : premièrement, les femmes ; deuxièmement, les penseurs ; troisièmement, la foule proprement dite. Ce que la foule demande presque exclusivement à l'œuvre dramatique, c'est de l'action ; ce que les femmes y veulent avant tout, c'est de la passion ; ce qu'y cherchent plus spécialement les penseurs, ce sont des caractères. Si l'on étudie attentivement ces trois classes de spectateurs, voici ce qu'on remarque : la foule est tellement amoureuse de l'action, qu'au besoin elle fait bon marché des caractères et des passions[1]. Les femmes, que l'action intéresse d'ailleurs, sont si absorbées par les développements de la passion, qu'elles se préoccupent peu du dessin des caractères ; quant aux penseurs, ils ont un tel goût de voir des caractères, c'est-à-dire des hommes, vivre sur la scène, que, tout en accueillant volontiers la passion comme incident naturel dans l'œuvre dramatique, ils en viennent presque à y être importunés par l'action. Cela tient à ce que la foule demande surtout au théâtre des sensations ; la femme, des émotions ; le penseur, des méditations. Tous veulent un plaisir ; mais ceux-ci, le plaisir des yeux ; celles-là, le plaisir du cœur ; les derniers, le plaisir de l'esprit. De là, sur notre scène, trois espèces d'œuvres bien distinctes : l'une vulgaire et inférieure, les deux autres illustres et supérieures, mais qui toutes les trois satisfont un besoin : le mélodrame pour la foule ; pour les femmes, la tragédie qui analyse la passion ; pour les penseurs, la comédie qui peint l'humanité.

Disons-le en passant, nous ne prétendons rien établir ici de rigoureux, et nous prions le lecteur d'introduire de lui-même dans notre pensée les restrictions qu'elle peut contenir. Les généralités admettent toujours les exceptions ; nous savons fort bien que la foule est une grande chose dans laquelle on trouve tout, l'instinct du beau comme le goût du médiocre, l'amour de l'idéal comme l'appétit du commun ; nous savons également que tout penseur complet doit être femme par les côtés délicats du cœur ; et nous n'ignorons pas que, grâce à cette loi mystérieuse qui lie les sexes l'un à l'autre aussi bien par l'esprit que par le corps, bien souvent dans une femme il y a un penseur. Ceci posé, et après avoir prié de nouveau le lecteur de ne pas attacher un sens trop absolu aux quelques mots qui nous restent à dire, nous reprenons.

Pour tout homme qui fixe un regard sérieux sur les trois sortes de spectateurs dont nous venons de parler, il est évident qu'elles ont toutes les trois raison. Les femmes ont raison de vouloir être émues, les penseurs ont raison de vouloir être enseignés, la foule n'a pas tort de vouloir être amusée. De cette évidence se déduit la loi du drame. En effet, au-delà de cette barrière de feu qu'on appelle la rampe du théâtre, et qui sépare le monde réel du monde idéal, créer et faire vivre, dans les conditions combinées de l'art et de la nature, des caractères, c'est-à-dire, et nous le répétons, des hommes ; dans ces hommes, dans ces caractères, jeter des passions qui développent ceux-ci et modifient ceux-là ; et enfin, du choc de ces caractères et de ces passions avec les grandes lois providentielles, faire sortir la vie humaine, c'est-à-dire les événements grands, petits, douloureux, comiques, terribles, qui contiennent pour le cœur ce plaisir qu'on appelle l'intérêt, et pour l'esprit cette leçon qu'on appelle la morale : tel est le but du drame. On le voit, le drame tient de la tragédie par la peinture des passions, et de la comédie par la peinture des caractères. Le drame est la troisième grande forme de l'art,

---

1. C'est-à-dire du style. Car, si l'action peut, dans beaucoup de cas, s'exprimer par l'action même, les passions et les caractères, à très peu d'exceptions près, ne s'expriment que par la parole. Or la parole au théâtre, la parole fixée et non flottante, c'est le style. Que le personnage parle comme il doit parler, *sibi constet*, dit Horace. Tout est là.

comprenant, enserrant, et fécondant les deux premières. Corneille et Molière existeraient indépendamment l'un de l'autre, si Shakespeare n'était entre eux, donnant à Corneille la main gauche, à Molière la main droite. De cette façon, les deux électricités opposées de la comédie et de la tragédie se rencontrent, et l'étincelle qui en jaillit, c'est le drame.

Victor HUGO

William Shakespeare (1864)

« Le vrai titre de cet ouvrage, écrivait Hugo dans la préface de son *William Shakespeare*, serait : *A propos de Shakespeare* ». Destinée à préfacer une traduction nouvelle entreprise par François-Victor Hugo, l'œuvre déborda aussitôt son but primitif, s'élargit en une somme de la pensée esthétique et philosophique de Hugo. Au contact de cette œuvre gigantesque qui, depuis la *Préface de Cromwell*, ne cesse de hanter et de stimuler son génie, Hugo se laisse aller à méditer sur les plus vastes problèmes de l'art et sur les plus hautes conceptions du drame.

Avant Shakespeare, le drame avait jeté ses premières fulgurations dans le *Livre de Job* et l'œuvre d'Eschyle. « Shakespeare l'ancien, c'est Eschyle. » Dans le IVe chapitre de la première partie, avec l'œuvre titanesque de *Shakespeare l'ancien*, Hugo confronte les plus hauts sommets du drame. De ce théâtre de géants émane, comme une marque distinctive, quelque chose de plus grand que la grandeur, l'immensité sans bornes ni mesure, au-delà de toutes les limites de l'art et du goût humains. Immensité par l'étendue et la vérité des registres : le drame embrasse les styles dramatiques les plus divers, se prolonge dans le lyrisme et l'épopée. Immensité par l'ampleur et la vastitude des sujets : du drame cosmique d'Eschyle au drame plus humain de Shakespeare s'affirme, comme le trait fondamental du drame, tel que le rêve l'exilé de Guernesey, *la hantise du grandiose et du colossal* (Texte 18).

texte 18   IMMENSITÉ DU DRAME

C'est une étrange forme d'art que le drame. Son diamètre va des *Sept Chefs devant Thèbes* au *Philosophe sans le savoir*, et de Brid'oison à Œdipe. Thyeste en est, Turcaret aussi. Si vous voulez le définir, mettez dans votre définition Électre et Marton.

Le drame est déconcertant. Il déroute les faibles. Cela tient à son ubiquité. Le drame a tous les horizons. Qu'on juge de sa capacité. L'épopée a pu être fondue dans le drame, et le résultat, c'est cette merveilleuse nouveauté littéraire qui est en même temps une puissance sociale, le roman.

L'épique, le lyrique et le dramatique amalgamés, le roman est ce bronze. *Don Quichotte* est iliade, ode et comédie.

Tel est l'élargissement possible du drame.

Le drame est le plus vaste récipient de l'art. Dieu et Satan y tiennent ; voyez Job.

A se placer au point de vue de l'art absolu, le propre de l'épopée, c'est la grandeur ; le propre du drame, c'est l'immensité. L'immense diffère du grand en ce qu'il exclut, si bon lui semble, la dimension, en ce qu' « il passe la mesure », comme on dit vulgairement, et en ce qu'il peut, sans perdre la beauté, perdre la proportion. Il est harmonieux comme la voie lactée. C'est par l'immensité que le drame commence, il y a quatre mille ans, dans Job, que nous venons de rappeler, et, il y a deux mille cinq cents ans, dans Eschyle ; c'est par l'immensité qu'il se continue dans Shakespeare. Quels personnages prend Eschyle ? Les volcans, une de ses trilogies perdues s'appelle *L'Etna ;* puis les montagnes, le Caucase avec Prométhée ; puis la mer, l'Océan sur son dragon, et les vagues, les océanides ; puis le vaste orient, *Les Perses ;* puis les ténèbres sans fond, *Les Euménides.* Eschyle fait la preuve de l'homme par le géant. Dans Shakespeare le drame se rapproche de l'humanité, mais reste colossal. Macbeth semble un Atride polaire. Vous le voyez, le drame ouvre la nature, puis ouvre l'âme ; et nulle limite à cet horizon. Le drame c'est la vie, et la vie c'est tout. L'épopée peut n'être que grande, le drame est forcé d'être immense.

Cette immensité, c'est tout Eschyle, et c'est tout Shakespeare.

LE DRAME SYMBOLISTE

Maurice MAETERLINCK

Le Trésor des humbles (1896)
Le Tragique quotidien

Principal introducteur en France du théâtre scandinave, Lugné-Poe monta en 1894 le drame d'Ibsen : *Solness le constructeur*. Dans un article publié par *Le Figaro* le 2 avril et repris dans un recueil postérieur, *Le Trésor des humbles*, sous le titre « Le Tragique quotidien », Maeterlinck, présentant et interprétant l'œuvre d'Ibsen, expose en fait les principes fondamentaux de son propre théâtre et du drame symboliste français.

Par opposition au tragique extérieur des aventures mélodramatiques, Maeterlinck définit un *tragique quotidien*, intime et silencieux, étranger aux crises de l'existence et de l'âme. Tandis que la violence de l'action et de la passion absorbe la pensée du héros et détourne son attention des réalités surnaturelles, l'apparente insignifiance de la vie quotidienne est propice à l'appréhension des *puissances mystérieuses de la destinée*.

La nature de ce tragique détermine celle de l'action. La manifestation du surnaturel n'exige pas en effet le recours à une action mouvementée, ni même au traditionnel conflit des passions. Aussi éloigné du drame d'aventure que du drame psychologique, le théâtre symboliste sera un *théâtre statique*, dans la tradition de la tragédie antique, mettant en lumière l'étrangeté de l'existence quotidienne et la présence occulte du surnaturel. Suivant en cela l'exemple des arts plastiques, le théâtre devra exprimer la mystérieuse poésie qui émane des objets familiers.

Un tel théâtre, excluant le pathétique de l'action comme les mouvements de la passion, recourt nécessairement à *l'envoûtement du dialogue*. Mais les paroles elles-mêmes valent moins par leur signification immédiate, leur teneur dramatique et psychologique, que par leurs *suggestions* secrètes et leur charme irrationnel. C'est au-delà de l'action et du sentiment, dans une apparente gratuité, que le dialogue retrouvera une signification mystérieuse, étrangère au drame extérieur, porteuse d'une ineffable et magique puissance (Texte 19).

texte 19   LE TRAGIQUE QUOTIDIEN

Il y a un tragique quotidien qui est bien plus réel, bien plus profond et bien plus conforme à notre être véritable que le tragique des grandes aventures. Il est facile de le sentir, mais il n'est pas aisé de le montrer, parce que ce tragique essentiel n'est pas simplement matériel ou psychologique. Il ne s'agit plus ici de la lutte déterminée d'un être contre un être, de la lutte d'un désir contre un autre désir ou de l'éternel combat de la passion et du devoir. Il s'agirait plutôt de faire voir ce qu'il y a d'étonnant dans le fait seul de vivre. Il s'agirait plutôt de faire voir l'existence d'une âme en elle-même, au milieu d'une immensité qui n'est jamais inactive. Il s'agirait plutôt de faire entendre, par-dessus les dialogues ordinaires de la raison et des sentiments, le dialogue plus solennel et ininterrompu de l'être et de sa destinée. Il s'agirait plutôt de nous faire suivre les pas hésitants et douloureux d'un être qui s'approche ou s'éloigne de sa vérité, de sa beauté ou de son Dieu. Il s'agirait encore de nous montrer et de nous faire entendre mille choses analogues que les poètes tragiques nous ont fait entrevoir en passant. Mais voici le point essentiel : ce qu'ils nous ont fait entrevoir en passant ne pourrait-on tenter de le montrer avant le reste ? Ce qu'on entend sous le roi Lear, sous Macbeth, sous Hamlet, par exemple, le chant mystérieux de l'infini, le silence menaçant des âmes ou des Dieux, l'éternité qui gronde à l'horizon, la destinée ou la fatalité qu'on aperçoit intérieurement sans que l'on puisse dire à quels signes on la reconnaît, ne pourrait-on, par je ne sais quelle interversion des rôles, les rapprocher de nous tandis qu'on éloignerait les acteurs ? Est-il donc hasardeux d'affirmer que le véritable tragique de la vie, le tragique normal, profond et général, ne commence qu'au moment où ce qu'on appelle les aventures, les douleurs et les dangers sont passés ? Le bonheur n'aurait-il pas le bras plus long que le malheur et certaines de ses forces ne s'approcheraient-elles pas davantage de l'âme humaine ? Faut-il absolument hurler comme les Atrides pour qu'un Dieu éternel se montre en notre vie et ne vient-il jamais s'asseoir sous l'immobilité de notre lampe ? N'est-ce pas la tranquillité qui est terrible lorsqu'on y réfléchit et que les astres la surveillent ; et le sens de la vie se développe-t-il dans le tumulte ou le silence ? N'est-ce pas quand on nous dit à la fin des histoires « Ils furent heureux » que la grande inquiétude devrait faire son entrée ? Qu'arrive-t-il tandis qu'ils sont heureux ? Est-ce que le bonheur ou un simple instant de repos ne découvre pas des choses plus sérieuses et plus stables que l'agitation des passions ? N'est-ce pas alors que la marche du temps et bien d'autres marches plus secrètes deviennent enfin visibles et que les heures se précipitent ? Est-ce que tout ceci n'atteint pas des fibres plus profondes que le coup de poignard des drames ordinaires ? N'est-ce pas quand un homme se croit à l'abri de la mort extérieure que l'étrange et silencieuse tragédie de l'être et de l'immensité ouvre vraiment les portes de son théâtre ? Est-ce tandis que je fuis devant une épée nue que mon existence atteint son point le plus intéressant ? Est-ce toujours dans un baiser qu'elle est la plus sublime ? N'y a-t-il pas d'autres moments où l'on entend des voix plus permanentes et plus pures ? Votre âme ne fleurit-elle qu'au fond des nuits d'orage ? On dirait qu'on l'a cru jusqu'ici. Presque tous nos auteurs tragiques n'aperçoivent que la vie d'autrefois ; et l'on peut affirmer que tout notre théâtre est anachronique et que l'art dramatique retarde du même nombre d'années que la sculpture. Il n'en est pas de même de la bonne peinture et de la bonne musique, par exemple, qui ont su démêler et reproduire les traits plus cachés, mais non moins graves et étonnants de la vie d'aujourd'hui. Elles ont observé que cette vie n'avait perdu en surface décorative que pour gagner en profondeur, en signification intime et en gravité spirituelle. Un bon peintre ne peindra plus Marius vainqueur des Cimbres ou l'assassinat du duc de Guise, parce que la psychologie de la victoire ou du meurtre est élémentaire et exceptionnelle, et que le vacarme inutile d'un acte violent étouffe la voix plus profonde, mais hésitante et discrète, des êtres et des choses. Il représentera une maison perdue dans la campagne, une porte ouverte au bout d'un corridor, un visage ou des mains au repos ; et ces simples images pourront ajouter quelque chose à notre conscience de la vie ; ce qui est un bien qu'il n'est plus possible de perdre.

Mais nos auteurs tragiques, de même que les peintres médiocres qui s'attardent à la peinture d'histoire, placent tout l'intérêt de leurs œuvres dans la violence de l'anecdote qu'ils reproduisent. Et ils prétendent nous divertir au même genre d'actes qui réjouissaient des barbares à qui les attentats, les meurtres et les trahisons qu'ils représentent étaient habituels. Tandis que la plupart de nos vies se passent loin du sang, des cris et des épées, et que les larmes des hommes sont devenues silencieuses, invisibles et presque spirituelles...

Lorsque je vais au théâtre, il me semble que je me retrouve quelques heures au milieu de mes ancêtres, qui avaient de la vie une conception simple, sèche et brutale, que je ne me rappelle plus et à laquelle je ne puis plus prendre part. J'y vois un mari trompé qui tue sa femme, une femme qui empoisonne son amant, un fils qui venge son père, un père qui immole ses enfants, des enfants qui font mourir leur père, des rois assassinés, des vierges violées, des bourgeois emprisonnés, et tout le sublime traditionnel, mais, hélas ! si superficiel et si matériel, du sang, des larmes extérieures et de la mort. Que peuvent me dire des êtres qui n'ont qu'une idée fixe et qui n'ont pas le temps de vivre parce qu'il leur faut mettre à mort un rival ou une maîtresse ?

J'étais venu dans l'espoir de voir quelque chose de la vie rattachée à ses sources et à ses mystères par des liens que je n'ai l'occasion ni la force d'apercevoir tous les jours. J'étais venu dans l'espoir d'entrevoir un moment la beauté, la grandeur et la gravité de mon humble existence quotidienne. J'espérais qu'on m'aurait montré je ne sais quelle présence, quelle puissance ou quel dieu qui vit avec moi dans ma chambre. J'attendais je ne sais quelles minutes supérieures que je vis sans les connaître au milieu de mes plus misérables heures ; et je n'ai le plus souvent découvert qu'un homme qui m'a dit longuement pourquoi il est jaloux, pourquoi il empoisonne ou pourquoi il se tue.

J'admire Othello, mais il ne me paraît pas vivre de l'auguste vie quotidienne d'un Hamlet, qui a le temps de vivre parce qu'il n'agit pas. Othello est admirablement jaloux. Mais n'est-ce peut-être pas une vieille erreur de penser que c'est au moment où une telle passion et d'autres d'une égale violence nous possèdent que nous vivons véritablement ? Il m'est arrivé de croire qu'un vieillard assis dans son fauteuil, attendant simplement sous la lampe, écoutant sans le savoir toutes les lois éternelles qui règnent autour de sa maison, interprétant sans le comprendre ce qu'il y a dans le silence des portes et des fenêtres et dans la petite voix de la lumière, subissant la présence de son âme et de sa destinée, inclinant un peu la tête, sans se douter que toutes les puissances de ce monde interviennent et veillent dans la chambre comme des servantes attentives, ignorant que le soleil lui-même soutient au-dessus de l'abîme la petite table sur laquelle il s'accoude, et qu'il n'y a pas un astre du ciel ni une force de l'âme qui soient indifférents au mouvement d'une paupière qui retombe ou d'une pensée qui s'élève, — il m'est arrivé de croire que ce vieillard immobile vivait, en réalité, d'une vie plus profonde, plus humaine et plus générale que l'amant qui étrangle sa maîtresse, le capitaine qui remporte une victoire ou « l'époux qui venge son honneur ».

On me dira peut-être qu'une vie immobile ne serait guère visible, qu'il faut bien l'animer de quelques mouvements et que ces mouvements variés et acceptables ne se trouvent que dans le petit nombre de passions employées jusqu'ici. Je ne sais s'il est vrai qu'un théâtre statique soit impossible. Il me semble même qu'il existe. La plupart des tragédies d'Eschyle sont des tragédies immobiles. Je ne parle pas de *Prométhée* et des *Suppliantes* où rien n'arrive ; mais toute la tragédie des *Choéphores*, qui est cependant le plus terrible drame de l'antiquité, piétine comme un mauvais rêve devant le tombeau d'Agamemnon, jusqu'à ce que le meurtre jaillisse, comme un éclair, de l'accumulation des prières qui se replient sans cesse sur elles-mêmes. Examinez à ce point de vue quelques autres des plus belles tragédies des anciens : *Les Euménides, Antigone, Électre, Œdipe à Colone.* « Ils ont admiré, dit Racine dans sa préface de *Bérénice*, ils ont admiré l'*Ajax* de Sophocle, qui n'est autre chose qu'Ajax qui se tue de regret à cause de la fureur où il est tombé après le refus qu'on lui a fait des armes d'Achille. Ils ont admiré le *Philoctète*, dont tout le sujet est Ulysse qui vient pour surprendre les flèches d'Hercule. L'*Œdipe* même, quoique tout plein de reconnaissances, est moins chargé de matière que la plus simple tragédie de nos jours. »

Est-ce autre chose que la vie à peu près immobile ? D'habitude, il n'y a même pas d'action psychologique, qui est mille fois supérieure à l'action matérielle et qui semble indispensable, mais qu'ils parviennent néanmoins à supprimer ou à réduire d'une façon merveilleuse, pour ne laisser subsister d'autre intérêt que celui qu'inspire la situation de l'homme dans l'univers. Ici, nous ne sommes plus chez les barbares, et l'homme ne s'agite plus au milieu de passions élémentaires qui ne sont pas les seules choses intéressantes qu'il y ait en lui. On a le temps de le voir en repos. Il ne s'agit plus d'un moment exceptionnel et violent de l'existence, mais de l'existence elle-même. Il est mille et mille lois plus puissantes et plus vénérables que les lois des passions ; mais ces lois lentes, discrètes et silencieuses, comme tout ce qui est doué d'une force irrésistible, ne s'aperçoivent et ne s'entendent que dans le demi-jour et le recueillement des heures tranquilles de la vie.

Lorsque Ulysse et Néoptolème viennent demander à Philoctète les armes d'Hercule, leur action en elle-même est aussi simple et aussi indifférente que celle d'un homme de nos jours qui entre dans une maison pour y visiter un malade, d'un voyageur qui frappe à la porte d'une auberge ou d'une mère qui attend au coin du feu le retour de son enfant. Sophocle marque en passant d'un trait rapide le caractère de ses héros. Mais ne peut-on pas affirmer que l'intérêt principal de la tragédie ne se trouve pas dans la lutte qu'on y voit entre l'habileté et la loyauté, entre le désir de la patrie, la rancune et l'entêtement de l'orgueil ? Il y a autre chose ; et c'est l'existence supérieure de l'homme qu'il s'agit de faire voir. Le poète ajoute à la vie ordinaire un je ne sais quoi qui est le secret des poètes, et tout à coup elle apparaît dans sa prodigieuse grandeur, dans sa soumission aux puissances inconnues, dans ses relations qui ne finissent pas, et dans sa misère solennelle. Un chimiste laisse tomber quelques gouttes mystérieuses dans un vase qui ne semble contenir que de l'eau claire : et aussitôt un monde de cristaux s'élève jusqu'aux bords et nous révèle ce qu'il y avait en suspens dans ce vase, où nos yeux incomplets n'avaient rien aperçu. Ainsi dans *Philoctète*, il semble que la petite psychologie des trois personnages principaux ne forme que les parois du vase qui contient l'eau claire, qui est la vie ordinaire dans laquelle le poète va laisser tomber les gouttes révélatrices de son génie...

Aussi, n'est-ce pas dans les actes, mais dans les paroles, que se trouvent la beauté et la grandeur des belles et grandes tragédies. Est-ce seulement dans les paroles qui accompagnent et expliquent les actes qu'elles se trouvent ? Non ; il faut qu'il y ait autre chose que le dialogue extérieurement nécessaire. Il n'y a guère que les paroles qui semblent d'abord inutiles qui comptent dans une œuvre. C'est en elles que se trouve son âme. A côté du dialogue indispensable, il y a presque toujours un autre dialogue qui semble superflu. Examinez attentivement et vous verrez que c'est le seul que l'âme écoute profondément, parce que c'est en cet endroit seulement qu'on lui parle. Vous reconnaîtrez aussi que c'est la qualité et l'étendue de ce dialogue inutile qui détermine la qualité et la portée ineffable de l'œuvre. Il est certain que, dans les drames ordinaires, le dialogue indispensable ne répond pas du tout à la réalité ; et ce qui fait la beauté mystérieuse des plus belles tragédies se trouve tout juste dans les paroles qui se disent à côté de la vérité stricte et apparente. Elle se trouve dans les paroles qui sont conformes à une vérité plus profonde et incomparablement plus voisine de l'âme invisible qui soutient le poème. On peut même affirmer que le poème se rapproche de la beauté et d'une vérité supérieure dans la mesure où il élimine les paroles qui expliquent les actes pour les remplacer par des paroles qui expliquent non pas ce qu'on appelle un « état d'âme », mais je ne sais quels efforts insaisissables et incessants des âmes vers leur beauté et vers leur vérité. C'est dans cette mesure aussi qu'il se rapproche de la vie véritable.

Le Trésor des humbles, Mercure de France.

Stéphane MALLARMÉ

Divagations (1897)
Planches et feuillets

Chroniqueur de la *Revue Indépendante*, correspondant du *National Observer* de Londres, où il publie en 1893 des articles sur les drames de Dujardin et de Maeterlinck, Mallarmé n'est cependant pas un amateur de théâtre : « Je n'allais que rarement au théâtre, confie-t-il dans la bibliographie de ses *Divagations* : d'où peut-être la chimérique exactitude de tels aperçus ». Aussi les articles recueillis dans cet ouvrage expriment-ils moins un système dramatique cohérent que la vision d'un *théâtre idéal*, tel que le rêve celui qui fut, à partir de 1885, le chef reconnu du mouvement symboliste.

Sensible à l'éblouissement de l'opéra wagnérien et, dira Valéry, « plein d'une sublime jalousie[1] », Mallarmé ambitionne de hausser le vers au ton de la musique ou, selon ses propres formules, « d'achever la transposition, au Livre, de la symphonie ou uniment de reprendre notre bien[2] ». Dans le livre, un lecteur attentif discerne la structure, le rythme et l'enseignement du drame, et reconstruit par la méditation un *théâtre intérieur*, réalisant pour chacun les folles jouissances de Louis II de Bavière qui pour lui seul exigeait que s'accomplissent les fastes de la cérémonie théâtrale. Ce paradoxal *refus de la scène et de l'acteur* caractérise la conception symboliste d'un *théâtre poétique*, idéal, délivré des entraves de la représentation et soumis aux seules exigences de la pensée.

Le théâtre symboliste n'est cependant pas ce pur rêve intérieur. Contrairement aux poèmes dramatiques de Régnier ou Ferdinand Herold, *l'art de Maeterlinck* respecte les formes extérieures du théâtre. *La Princesse Maleine*, saluée par Mirbeau comme la révéla-

---

1. P. VALÉRY, *Pièces sur l'art. Œuvres*, Bibliothèque de la Pléiade, t. II, p. 1276.
2. MALLARMÉ, *Crise de vers, Œuvres*, Bibliothèque de la Pléiade, p. 367.

tion dramatique du siècle et l'héritière du génie shakespearien, institue cependant un style théâtral très original. Par l'étrangeté et la déshumanisation des personnages, l'indécision et le balbutiement du dialogue, l'oppression d'une atmosphère fantastique et l'absence d'action apparente, *La Princesse Maleine* échappe aux techniques traditionnelles.

Pelléas et Mélisande (Texte XIII) semble aussi relever davantage du livre que de la scène. Le refus de la mécanique théâtrale, le dépouillement du dialogue, le piétinement de l'action, exténuent jusqu'à l'effacement la trame mélodramatique, qui subsiste cependant comme le thème supporte la variation mélodique. La musicalité du langage et le retour de perpétuelles répétitions achèvent de créer ce climat d'étrangeté et de désarroi, cette « harmonie épouvantée et sombre », qui constituent le style spécifique du drame de Maeterlinck (Texte 20).

texte 20   LE THÉATRE ET LE LIVRE

Tout, la polyphonie magnifique instrumentale, le vivant geste ou les voix des personnages et des dieux, au surplus un excès apporté à la décoration matérielle, nous le considérons, dans le triomphe du génie, avec Wagner, éblouis par une telle cohésion, ou un art, qui aujourd'hui devient la poésie : or va-t-il se faire que le traditionnel écrivain de vers, celui qui s'en tient aux artifices humbles et sacrés de la parole, tente, selon sa ressource unique subtilement élue, de rivaliser ! Oui, en tant qu'un opéra sans accompagnement ni chant, mais parlé ; maintenant le livre essaiera de suffire, pour entr'ouvrir la scène intérieure et en chuchoter les échos. Un ensemble versifié convie à une idéale représentation : des motifs d'exaltation ou de songe s'y nouent entre eux et se détachent, par une ordonnance et leur individualité. Telle portion incline dans un rythme ou mouvement de pensée, à quoi s'oppose tel contradictoire dessin : l'un et l'autre, pour aboutir et cessant, où interviendrait plus qu'à demi comme sirènes confondues par la croupe avec le feuillage et les rinceaux d'une arabesque, la figure, que demeure l'idée. Un théâtre, inhérent à l'esprit, quiconque d'un œil certain regarda la nature le porte avec soi, résumé de types et d'accords ; ainsi que les confronte le volume ouvrant des pages parallèles. Le précaire recueil d'inspiration diverse, c'en est fait ; ou du hasard, qui ne doit, et pour sous-entendre le parti pris, jamais qu'être simulé. Symétrie, comme elle règne en tout édifice, le plus vaporeux, de vision et de songes. La jouissance vaine cherchée par feu le Rêveur-roi de Bavière dans une solitaire présence aux déploiements scéniques, la voici, à l'écart de la foule baroque moins que sa vacance aux gradins, atteinte par le moyen ou restaurer le texte, nu, du spectacle. Avec deux pages et leurs vers, je supplée, puis l'accompagnement de tout moi-même, au monde ! ou j'y perçois, discret, le drame.

Cette moderne tendance soustraire à toutes contingences de la représentation, grossières ou même exquises jusqu'à présent, l'œuvre par excellence ou poésie, régit de très strictes intelligences, celle, en premier lieu, de M. de Régnier ainsi que le suggère une vue de ses *Poèmes*. Installer, par la convergence de fragments harmoniques à un centre, là même, une source de drame latente qui reflue à travers le poème, désigne la manière et j'admire, pas moins, le jeu où insista M. Ferdinand Herold, il octroie l'action ouvertement et sans réticence : acteurs le port noté par la déclamation, ou le site, des chants, toute une multiple partition avec l'intègre discours.

Autre, l'art de M. Maeterlinck qui, aussi, inséra le théâtre au livre !

Non cela symphoniquement comme il vient d'être dit, mais avec une expresse succession de scènes, à la Shakespeare ; il y a lieu, en conséquence, de prononcer ce nom quoique ne se montre avec le dieu aucun rapport, sauf de nécessaires. M. Octave Mirbeau qui sauvegarde certainement l'honneur de la presse en faisant que toujours y ait été parlé ne fût-ce qu'une fois, par lui, avec quel feu, de chaque œuvre d'exception, voulant éveiller les milliers d'yeux soudain, eut raison, à l'apparition d'invoquer Shakespeare, comme un péremptoire signe littéraire, énorme ; puis il nuança son dire de sens délicats.

Lear, Hamlet lui-même et Cordélie, Ophélie, je cite des héros reculés très avant dans la légende ou leur lointain spécial, agissent en toute vie, tangibles, intenses : lus, ils froissent la page, pour surgir, corporels. Différente j'envisageai la *Princesse Maleine*, une après-midi de lecture restée l'ingénue et étrange que je sache ; où domina l'abandon, au contraire, d'un milieu à quoi, pour une cause, rien de simplement humain ne convenait. Les murs, un massif arrêt de toute réalité, ténèbres, basalte, en le vide d'une salle — les murs, plutôt de quelque épaisseur isolées les tentures, vieillies en la raréfaction locale ; pour que leurs hôtes déteints avant d'y devenir les trous, étirant, une tragique fois, quelque membre de douleur habituel, et même souriant, balbutiassent ou radotassent, seuls, la phrase de leur destin. Tandis qu'au serment du spectateur vulgaire, il n'aurait existé personne ni rien ne se serait passé, sur ces dalles. Bruges, Gand, terroir de primitifs, désuétude... on est loin, par ces fantômes, de Shakespeare.

Pelléas et Mélisande sur une scène exhale, de feuillets, le délice. Préciser ? Ces tableaux, brefs, suprêmes : quoi que ce soit a été rejeté de préparatoire et machinal, en vue que paraisse, extrait, ce qui chez un spectateur se dégage de la représentation, l'essentiel. Il semble que soit jouée une variation supérieure sur l'admirable vieux mélodrame. Silencieusement presque et abstraitement au point que dans cet art, où tout devient musique dans le sens propre, la partie d'un instrument même pensif, violon, nuirait, par inutilité. Peut-être que si tacite atmosphère inspire à l'angoisse qu'en ressent l'auteur ce besoin souvent de proférer deux fois les choses, pour une certitude qu'elles l'aient été et leur assurer, à défaut de tout, la conscience de l'écho. Sortilège fréquent, autrement inexplicable, entre cent ; qu'on nommerait à tort procédé.

Le Poète, je reviens au motif, hors d'occasion prodigieuse comme un Wagner, éveille, par l'écrit, l'ordonnateur de fêtes en chacun ; ou, convoque-t-il le public, une authenticité de son intime munificence éclate avec charme.

Œuvres, Bibliothèque de la Pléiade, Gallimard.

Maurice MAETERLINCK

Préface du Théâtre (1901)

De 1890 à 1900, Maeterlinck a composé la part la plus importante et la plus originale de son théâtre. Aussi peut-il en 1901, dans la préface d'une édition collective de ses œuvres, définir les fondements de son esthétique dramatique.

Par *l'intervention de puissances surnaturelles* dont l'hostilité brise sans raison les destinées humaines, le théâtre de Maeterlinck restaure le tragique dans le drame. Le mystère et la menace de ces forces occultes, à la fois naturelles et divines, mais étrangères à toute théologie traditionnelle, confèrent au drame un climat spécifique d'étrangeté et de terreur. Dans un monde en proie à un sort ironique et jaloux, la mort et l'amour retrouvent leur antique fonction et redeviennent les formes privilégiées du destin.

L'arrière-plan métaphysique du drame de Maeterlinck révèle l'exigence de surnaturel qui caractérise la conscience moderne et témoigne du renouveau spiritualiste propre à la fin du siècle dernier. Si la mythologie ancienne ne paraît plus à même d'exprimer l'angoisse contemporaine, les dogmes chrétiens, discrédités par un demi-siècle de scepticisme et de matérialisme, n'apportent plus au penseur les certitudes nécessaires à l'élaboration de l'œuvre d'art. A défaut d'une révélation que la science moderne n'a point encore su donner, l'imagination devra forger ce personnage invisible et présent dont l'indifférence, la bienveillance ou l'hostilité envers l'homme sous-tend l'action dramatique. L'évolution du théâtre de Maeterlinck, du pessimisme des premiers drames à l'optimisme nuancé d'*Aglavaine et Sélysette*, symbolise *l'angoisse métaphysique d'une génération* oppressée par l'asphyxie matérialiste et tendue vers une espérance surnaturelle.

Dans cette voie, les dramaturges étrangers avaient précédé les symbolistes français et leur offraient de séduisants modèles. Tolstoï et Ibsen, par leur recours aux mystérieuses puissances de l'âme ou aux obscures lois de l'hérédité, avaient introduit dans le drame cette troisième dimension qui l'arrache aux banalités du mélodrame et aux lieux-communs de la psychologie pour lui prêter une signification symbolique et métaphysique. Mais cette approche du surnaturel demeure encore insuffisante et gauche. Le drame moderne, pour atteindre son plein épanouissement esthétique et symbolique, exige une certitude et une cohérence métaphysiques dont les consciences contemporaines sont cruellement privées. En ce sens le théâtre de Maeterlinck est bien, selon la formule de M. Guy Michaud dans son livre sur *Le Message du symbolisme*, un « théâtre de l'attente[1] ». Mais au moment même où Maeterlinck exprimait son doute et son espérance, le jeune Claudel publiait dans *L'Arbre* un ensemble de drames dont la structure et l'enseignement reposaient sur les fondements redécouverts des dogmes traditionnels (Texte 21).

texte 21   THÉÂTRE ET MYSTIQUE

I

Le texte de ces petits drames, que mon éditeur réunit aujourd'hui en trois volumes, n'a guère été modifié. Ce n'est point qu'ils me semblent parfaits. Il s'en faut bien, mais on n'améliore pas un poème par des corrections successives. Le meilleur et le pire y confondent leurs racines, et souvent, à tenter de les démêler, on perdrait l'émotion particulière et le charme léger et presque inattendu, qui ne pouvaient fleurir qu'à l'ombre d'une faute qui n'avait pas encore été commise.

Il eût, par exemple, été facile de supprimer dans *La Princesse Maleine* beaucoup de naïvetés dangereuses, quelques scènes inutiles et la plupart de ces répétitions étonnées qui donnent aux personnages l'apparence de somnambules un peu sourds constamment arrachés à un songe pénible. J'aurais pu leur épargner ainsi quelques sourires, mais l'atmosphère et le paysage même où ils vivent en eussent paru changés. Du reste ce manque de promptitude à entendre et à répondre, tient intimement à leur psychologie et à l'idée un peu hagarde qu'ils se font de l'univers. On peut ne pas approuver cette idée, on peut aussi y revenir après avoir parcouru bien des certitudes. Un poète plus âgé que je n'étais alors et qui l'eût accueillie, non pas à l'entrée mais à la sortie de l'expérience de la vie, aurait su transformer en sagesse et en beautés solides, les fatalités trop confuses qui s'y agitent. Mais telle quelle, l'idée anime tout le drame et il serait impossible de l'éclairer davantage sans enlever à celui-ci la seule qualité qu'il possède : une certaine harmonie épouvantée et sombre.

II

Les autres drames dans l'ordre où ils parurent, à savoir : *L'Intruse*, *Les Aveugles* (1890), *Les Sept princesses* (1891), *Pelléas et Mélisande* (1892), *Alladine et Palomides*, *Intérieur* et *La Mort de Tintagiles* (1894) présentent une humanité et des sentiments plus précis, en proie à des forces aussi inconnues, mais un peu mieux dessinées. On y a foi à d'énormes puissances,

---

1. G. MICHAUD, *Message poétique du symbolisme*, Nizet 1947. t. III, p. 445.

invisibles et fatales, dont nul ne sait les intentions, mais que l'esprit du drame suppose malveillantes, attentives à toutes nos actions, hostiles au sourire, à la vie, à la paix, au bonheur. Des destinées innocentes mais involontairement ennemies, s'y nouent, et s'y dénouent pour la ruine de tous, sous les regards attristés des plus sages, qui prévoient l'avenir mais ne peuvent rien changer aux jeux cruels et inflexibles que l'amour et la mort promènent parmi les vivants. Et l'amour et la mort et les autres puissances y exercent une sorte d'injustice sournoise, dont les peines — car cette injustice ne récompense pas, — ne sont peut-être que des caprices du destin. Au fond, on y trouve l'idée du Dieu chrétien, mêlée à celle de la fatalité antique, refoulée dans la nuit impénétrable de la nature, et, de là, se plaisant à guetter, à déconcerter, à assombrir les projets, les pensées, les sentiments et l'humble félicité des hommes.

III

Cet inconnu prend le plus souvent la forme de la mort. La présence infinie, ténébreuse, hypocritement active de la mort remplit tous les interstices du poème. Au problème de l'existence il n'est répondu que par l'énigme de son anéantissement. Du reste, c'est une mort indifférente et inexorable, aveugle, tâtonnant à peu près au hasard, emportant de préférence les plus jeunes et les moins malheureux, simplement parce qu'ils se tiennent moins tranquilles que les plus misérables, et que tout mouvement trop brusque dans la nuit attire son attention. Il n'y a autour d'elle que de petits êtres fragiles, grelottants, passivement pensifs, et les paroles prononcées, les larmes répandues ne prennent d'importance que de ce qu'elles tombent dans le gouffre au bord duquel se joue le drame, et y retentissent d'une certaine façon qui donne à croire que l'abîme est très vaste parce que tout ce qui s'y va perdre y fait un bruit confus et assourdi.

. . . .

IX

Dans le temps, le génie à coup sûr, parfois le simple et honnête talent, réussissaient à nous donner au théâtre cet arrière-plan profond, ce nuage des cimes, ce courant d'infini, tout ceci et tout cela, qui n'ayant ni nom ni forme, nous autorise à mêler nos images en en parlant, et paraît nécessaire pour que l'œuvre dramatique coule à pleins bords et atteigne son niveau idéal. Aujourd'hui, il y manque presque toujours ce troisième personnage, énigmatique, invisible mais partout présent, qu'on pourrait appeler le personnage sublime, qui, peut-être, n'est que l'idée inconsciente mais forte et convaincue que le poète se fait de l'univers et qui donne à l'œuvre une portée plus grande, je ne sais quoi qui continue d'y vivre après la mort du reste et permet d'y revenir sans jamais épuiser sa beauté. Mais convenons qu'il manque aussi à notre vie présente. Reviendra-t-il ? Sortira-t-il d'une conception nouvelle et expérimentale de la justice ou de l'indifférence de la nature, d'une de ces énormes lois générales de la matière ou de l'esprit que nous commençons à peine d'entrevoir ? En tout cas, gardons-lui sa place. Acceptons, s'il le faut, que rien ne la vienne occuper pendant le temps qu'il mettra à se dégager des ténèbres, mais n'y installons plus de fantômes. Son attente, et son siège vide dans la vie, ont par eux-mêmes une signification plus grande que tout ce que nous pourrions asseoir sur le trône que notre patience lui réserve.

Pour mon humble part, après les petits drames que j'ai énumérés plus haut, il m'a semblé loyal et sage d'écarter la mort de ce trône auquel il n'est pas certain qu'elle ait droit. Déjà, dans le dernier, que je n'ai pas nommé parmi les autres, dans *Aglavaine et Sélysette*, j'aurais voulu qu'elle cédât à l'amour, à la sagesse ou au bonheur une part de sa puissance. Elle ne m'a pas obéi, et j'attends, avec la plupart des poètes de mon temps, qu'une autre force se révèle.

Théâtre, Fasquelle.

Guillaume APOLLINAIRE

Prologue des MAMELLES DE TIRÉSIAS (1916)

Dans la préface des *Mamelles de Tirésias*, Apollinaire justifie l'étiquette de « drame surréaliste » par laquelle il désigne cette « œuvre de jeunesse », composée, dit-il, dès 1903. Le néologisme « surréaliste » a été forgé pour opposer les caractères du drame aussi bien à l'idéalisme symboliste qu'au réalisme naturaliste :

« L'idéalisme vulgaire des dramaturges qui ont succédé à Victor Hugo, écrit-il, a cherché la vraisemblance dans une couleur locale de convention qui fait pendant au naturalisme en trompe-l'œil des pièces de mœurs dont on trouverait l'origine bien avant Scribe, dans la comédie larmoyante de Nivelle de la Chaussée.

« Et pour tenter, sinon une rénovation du théâtre, du moins un effort personnel, j'ai pensé qu'il fallait revenir à la nature même, mais sans l'imiter à la manière des photographes.

« Quand l'homme a voulu imiter la marche, il a créé la roue qui ne ressemble pas à une jambe. Il a fait ainsi du surréalisme sans le savoir ».

Le *Prologue* de la pièce, ajouté en 1916, contient les principes fondamentaux de cette dramaturgie nouvelle. A l'encontre des drames sérieux des XVIIIe et XIXe siècles, et selon la tradition farcesque d'*Ubu-Roi*, le drame d'Apollinaire n'a d'autre intention que d'amuser le spectateur. La leçon de civisme qu'il contient,

> « Écoutez ô Français la leçon de la guerre
> Et faites des enfants vous qui n'en faisiez guère »,

n'est pas de nature à assombrir le ton, qui sera celui de la fantaisie et du burlesque, sans exclure — mais Apollinaire a-t-il réalisé ce programme ? — le tragique et le pathétique. Mettant à contribution les arts les plus divers, le drame moderne fera appel à *toutes les ressources du spectacle*, et composera la symphonie baroque des couleurs, des gestes et des sons.

Mais Apollinaire ne s'en tient pas longtemps aux antiques préceptes de la *Préface de Cromwell*. S'opposant diamétralement aux revendications des romantiques, et dépassant largement les audaces symbolistes, l'article essentiel du credo surréaliste proclame la légitimité et la nécessité d'un *irréalisme intégral*. Refusant tout asservissement à la vérité comme à la vraisemblance, aux catégories du temps et de l'espace comme aux lois de la nature, le dramaturge moderne est un *démiurge souverain*, qui ne connaît aucune restriction à son imagination créatrice et à sa fantaisie poétique. La vérité dramatique est étrangère au « trompe-l'œil », soumise à la cohérence interne d'un univers autonome et soustrait aux exigences de la logique quotidienne. Par son refus du réalisme, son recours à l'insolite, et sa tentative d'exprimer une vérité profonde par l'abandon aux fantasmes de l'imagination, le drame surréaliste d'Apollinaire annonce bien des aspects de l' « anti-théâtre » contemporain (Texte 22).

texte 22   LE DRAME SURRÉALISTE

On tente ici d'infuser un esprit nouveau au théâtre
Une joie une volupté une vertu
Pour remplacer ce pessimisme vieux de plus d'un siècle
Ce qui est bien ancien pour une chose si ennuyeuse
La pièce a été faite pour une scène ancienne
Car on ne nous aurait pas construit de théâtre nouveau
Un théâtre rond à deux scènes
Une au centre l'autre formant comme un anneau
Autour des spectateurs et qui permettra
Le grand déploiement de notre art moderne
Mariant souvent sans lien apparent comme dans la vie
Les sons les gestes les couleurs les cris les bruits
La musique la danse l'acrobatie la poésie la peinture
Les chœurs les actions et les décors multiples

Vous trouverez ici des actions
Qui s'ajoutent au drame principal et l'ornent
Les changements de ton du pathétique au burlesque
Et l'usage raisonnable des invraisemblances
Ainsi que des acteurs collectifs ou non
Qui ne sont pas forcément extraits de l'humanité
Mais de l'univers entier
Car le théâtre ne doit pas être un art en trompe-l'œil

Il est juste que le dramaturge se serve
De tous les mirages qu'il a à sa disposition
Comme faisait Morgane sur le Mont-Gibel
Il est juste qu'il fasse parler les foules les objets inanimés
S'il lui plaît
Et qu'il ne tienne pas plus compte du temps
Que de l'espace

Son univers est sa pièce
A l'intérieur de laquelle il est le dieu créateur
Qui dispose à son gré
Les sons les gestes les démarches les masses les couleurs
Non pas dans le seul but
De photographier ce que l'on appelle une tranche de vie
Mais pour faire surgir la vie même dans toute sa vérité
Car la pièce doit être un univers complet
Avec son créateur
C'est-à-dire la nature même
Et non pas seulement
La représentation d'un petit morceau
De ce qui nous entoure ou de ce qui s'est jadis passé

Prologue des *Mamelles de Tirésias*, Gallimard.

Paul CLAUDEL

Positions et Propositions, II (1934)
Religion et poésie

Malgré des dons critiques éminents, Claudel, le plus original et le plus fécond des dramaturges symbolistes, n'a jamais exposé de théorie systématique du drame. C'est au hasard des conférences et des interviews, des confidences et des souvenirs, que l'auteur de *Tête d'Or* laisse apparaître sa conception personnelle du théâtre.

Militant catholique, Claudel ne sépare pas son art de sa religion. Dans une conférence faite en anglais à Baltimore le 14 novembre 1927 et recueillie dans le tome II des *Positions et Propositions*, Claudel expose les avantages que la foi lui paraît apporter au poète. A la rhétorique harmonieuse de la poésie classique, aux cris discordants de la révolte moderne, Claudel oppose les ressources que la poésie catholique peut tirer de la louange, de la joie et de l'intelligence de l'ordre universel. Mais parce que le dogme chrétien soumet le monde à un ordre et à une loi, il y introduit aussi un principe de lutte, et par là fonde le drame, qui est *action et affrontement*. En creusant autour de la destinée humaine les deux abîmes du bien et du mal, du Ciel et de l'Enfer, la Révélation chrétienne confère à la finitude de l'homme une *signification infinie*, projette l'éphémère dans l'éternel. Dans un monde où tout est ordonné en fonction d'une finalité aussi impérieuse que mystérieuse, où chaque geste de l'existence et jusqu'à la mort revêt une signification spirituelle, la foi confère à l'action dramatique la plénitude de sa valeur spirituelle et surnaturelle (Texte 23).

texte 23 DRAME ET RELIGION

Le troisième avantage que nous apporte la Religion est le *Drame*. Dans un monde où vous ne connaissez le oui et le non de rien, où il n'y a pas de loi, morale ni intellectuelle, où toute chose est permise, où il n'y a rien à espérer et rien à perdre, où le mal n'apporte pas de punition et le bien pas de récompense, dans un tel monde il n'y a pas de drame parce qu'il n'y a pas de lutte, et il n'y a pas de lutte parce qu'il n'y a rien qui en vaille la peine. Mais avec la Révélation Chrétienne, avec les immenses et énormes idées du Ciel et de l'Enfer qui sont autant au-dessus de notre compréhension que le ciel étoilé est au-dessus de nos têtes, les actions humaines, la destinée humaine, sont investies d'une valeur prodigieuse. Nous sommes capables de faire un bien infini et un mal infini. Nous avons à trouver notre Route, conduite ou égarée, comme des héros d'Homère, par des amis ou des ennemis invisibles, parmi les vicissitudes les plus passionnantes et les plus imprévues, vers des sommets de lumière ou des abîmes de misère. Nous sommes comme les acteurs d'un drame très intéressant écrit par un auteur infiniment sage et bon où nous tenons un rôle essentiel, mais où il nous est impossible de connaître d'avance la moindre péripétie. Pour nous la vie est toujours nouvelle et toujours intéressante parce qu'à chaque seconde nous avons quelque chose de nouveau à apprendre et quelque chose de nécessaire à accomplir. Le dernier acte, comme dit Pascal, est toujours sanglant, mais aussi il est toujours magnifique, car la Religion n'a pas seulement mis le Drame dans la vie, elle a mis à son terme, dans la Mort, la forme la plus haute du drame, qui, pour tout vrai disciple de notre Divin Maître, est le *Sacrifice*.

Positions et Propositions, II, Gallimard.

Paul CLAUDEL

A propos de la première représentation du SOULIER DE SATIN au Théâtre-Français (1943)

La préface de l'édition pour la scène du *Soulier de satin*, représenté au Théâtre-Français le 27 novembre 1943, contient les réflexions qu'inspira à l'auteur l'une des premières répétitions de son drame. Placé « au sein de cette caverne abstraite et close que l'on appelle un théâtre, admis au spectacle intérieur de cette chose qui fut si longtemps création de [sa] seule imagination, maintenant dilatée jusqu'à une existence parlante et agissante », Claudel médite sur la signification du drame qui se déroule sous ses yeux.

Par sa structure, ses ressorts et son action, le drame lui paraît être essentiellement *composition*. Il l'est d'abord *matériellement*, par la convergence de tous les moyens techniques nécessaires pour la réalisation de la pièce, par cette ordonnance indispensable au déroulement de l'action théâtrale comme à l'accomplissement de notre destinée humaine. Il l'est encore *psychologiquement*, par le conflit des forces fondamentales du bien et du mal qui s'affrontent dans le cœur humain comme sur la scène. S'opposant à une célèbre formule de Gide, Claudel définit le drame comme une lutte entre principes adverses et situe le conflit non sur le plan strictement humain des sentiments et de la raison, comme c'est le cas dans le théâtre traditionnel, mais sur le plan surnaturel où s'affrontent les instincts primordiaux de l'homme et les impératifs irrationnels de la loi religieuse. De ce conflit naît enfin une composition supérieure, selon laquelle s'ordonnent les infinies conséquences qui rayonnent de chacun de nos gestes. A une action linéaire et mécanique se substitue alors, selon le vœu de Hugo et de Vigny, une *action concentrique* ou, selon la formule de Claudel, « conférente », dont la convergence et l'unité n'excluent pas la diversité et la complexité (Texte 24).

texte 24   DRAME ET COMPOSITION

En attendant, seul hôte au sein de cette profonde cavité, chargé du rôle contemplatif, je suis installé, pour ainsi dire, dans l'avenir, et j'attends l'apparition derrière moi des scènes qui s'avancent et s'enchaînent l'une à l'autre vers le dénouement. Ici l'action ne profite pas d'un site aménagé pour autre chose qu'elle. D'en haut et d'en bas, de gauche à droite, les divers éléments s'en réunissent pour aspirer les acteurs et le drame. Mais n'est-ce pas ainsi, nous le sentons tous confusément, que les choses se passent dans la vie réelle ? N'attendons-nous pas tous l'appel impitoyable du régisseur et de ce drame autour de nous qui requiert notre entrée et notre sortie ? Le moment est venu !

Car nous ne sommes pas chargés seuls de notre destinée. Nous sommes engagés à notre place dans une entreprise. On a eu besoin de nous pour une espèce d'interprétation et d'exposé intelligible d'une situation. On nous a confié l'exécution, en commun avec des partenaires qui se révèlent l'un après l'autre, d'une espèce d'énorme parabole où sont intéressées pour la plus grande gloire de Dieu les fibres les plus secrètes et les plus sensibles de notre humanité, mais *Le Pire n'est pas toujours sûr*.

Le drame ne fait que détacher, dessiner, compléter, illustrer, imposer, installer dans le domaine du général et du paradigme, l'événement, la péripétie, le conflit essentiel et central qui fait le fond de toute vie humaine. Il transforme en acte pour aboutir à une conclusion une certaine potentialité contradictoire de forces en présence.

Quelles dans *Le Soulier de Satin* ?

Les plus primitives entre lesquelles le cœur humain ait jamais été partagé. D'une part, le désir passionné du bonheur individuel où la philosophie la plus austère reconnaît non seulement le ressort essentiel mais l'aspiration légitime de toute énergie consciente ou inconsciente de la créature. D'autre part, l'injonction d'un impératif extérieur dont ce désir a à s'accommoder. Quand ces deux forces, je n'hésite pas à le dire, toutes deux sacrées, se trouvent en opposition, il y a une question à résoudre, une solution à pratiquer, il y a drame. Sans opposition, pas de composition.

Et c'est ici le sens de la réponse que j'ai faite jadis à la boutade célèbre de M. André Gide : *Ce n'est pas avec de bons sentiments qu'on fait de bonne littérature*. Avec les bons sentiments tout seuls (d'ailleurs qu'entend-on par là ?), c'est possible : mais avec les mauvais encore moins. Rien de moins dramatique, de plus morne, de moins intéressant que l'instinct qui va à sa satisfaction par le chemin de l'immédiat. En privant ce profond désir de bien en nous, que l'on peut aussi bien appeler animal que moral, de tout contour dessiné par l'opposition, on n'arrive qu'à l'insipide constatation d'une dilatation dans le vide, ou à l'amer refoulement de la conscience du spectateur qui ne va pas sans protestation. Sans le bien, sans le désir du bien, il n'y a pas de mal. Sans bons sentiments il n'y en a pas de mauvais. Et sans lutte pas de progrès.

Cette opposition peut venir de la raison ou de la morale, et loin de moi la pensée de minimiser le caractère efficace et respectable de ces freins. Mais je ne crois pas exagérer en disant que devant certaines poussées venant du plus profond de notre être et déchaînées par des rencontres où tout de même il n'est pas entièrement illusoire de voir une manière de fatalité, ils sont insuffisants. Comme le marin en perdition, le chevaucheur de ces raz-de-marée n'a plus qu'un recours, c'est la prière. Il n'a plus qu'une chose à faire, c'est de recommander son âme à Dieu. C'est le parti que prennent les douloureux héros de la pièce actuellement en voie de fait. Prouhèze donne son soulier à la Sainte Vierge. Elle se défie d'elle-même et la voilà astucieusement qui a mis la Sainte Vierge désormais de moitié dans ses initiatives.

S'il s'agissait uniquement de raison ou de morale, il y aurait ici ouverture à d'interminables discussions. Notre théâtre français, classique ou bourgeois, est rempli à ce sujet de plaidoiries plus intéressantes les unes que les autres. Mais les héros du *Soulier* ne sont pas des avocats, ce sont des croyants. Ils ne se trouvent pas placés devant une proposition dialectique, devant un thème à discuter, mais comment dire ? devant un rugissement ! devant une interdiction formulée une fois pour toutes comme par une seule émission de la voix, imprimée d'un seul coup comme par la foudre sur le granit : *Non moechaberis.*

Voici qu'elle est intervenue entre deux êtres qui savent pourtant qu'ils ne trouveront que l'un dans l'autre leur complément réciproque. L'Invisible à première vue ne semble pas de force à résister. Et la nature en effet, sauvage, déchaînée, triompherait sans doute, si elle ne contenait en elle-même sous elle-même un principe de trahison. Sous le cœur, il y a ce qui fait battre le cœur, et qu'il a reçu d'ailleurs. Il y a le désir qui veut, mais il y a quelque chose en nous de plus ancien que le désir, qui ne veut pas. Et cette chose en nous, contre nous, ce qu'il y a de plus redoutable est qu'elle trouve partout, hors de nous, contre nous, des alliances et des complicités. Le plus faible geste d'effort contre la violence qui nous submerge, Dieu s'arrange pour ne pas le laisser sans efficacité et bien plus, pour faire tourner le mal à l'avantage du bien. A la tentation il oppose une autre tentation. *Deus escreve direito por linhas tortas*, dit le proverbe portugais. C'est en vain que Prouhèze essaie de sortir du ravin, c'est en vain qu'elle envoie sa lettre. Il manque un soulier à son pied comme à celui de ses messagers. Et c'est en vain que Rodrigue essaye d'amincir jusqu'à la rupture l'obstacle qui le sépare de la faute. Son frère le Jésuite a fait contre lui un pacte avec la mer, il a fait un pacte avec l'horizon.

Et c'est là l'argument que j'employais contre Gide dans cette lettre que je ne lui ai jamais écrite : *Le bien compose et le mal ne compose pas.*

En présence du sacrement, en présence de l'anneau qui symbolise le redoutable pouvoir de deux créatures de se donner sans aucune possibilité de reprise, Rodrigue et Prouhèze se fournissent l'un à l'autre le spectacle de leur impuissance, jusqu'à l'aveu définitif, jusqu'à cette espèce de contrat entre eux de renoncement, jusqu'à cette espèce de *Non* sacramentel ! Mais bientôt ils s'aperçoivent que leur douloureux sacrifice sous leurs pas a produit des conséquences inépuisables, dont la terre seule n'est pas assez large pour parfaire les anneaux divers et concentriques ; il faut que le Ciel et l'éternité y viennent ajouter les leurs. Conséquences directes et indirectes, proches et lointaines, les Quatre Journées ne sont pas assez larges pour en faire jouer tous les aspects. Et finalement cet enfant merveilleux ! On parle des volontés de la nature : en nous, hors de nous, il n'y a qu'un moyen, au rebours de leur opposition apparente, d'y satisfaire, c'est la volonté de Dieu.

Paris, le 14 novembre 1943.

Théâtre, II, p. 1369-1371, Bibliothèque de la Pléiade, Gallimard, 1956.

LE DRAME CONTEMPORAIN

CHAPITRE IV

Bertolt BRECHT

Postface à MAHAGONNY (1927)

Les notes qui suivent *Mahagonny*, opéra représenté en 1927, contiennent, sous la forme d'un tableau synoptique, un exposé net et concis des théories dramatiques de Brecht. A la forme « dramatique » qui régit le théâtre traditionnel, Brecht oppose une forme « épique » dont les buts et les techniques soient appropriés aux exigences d'un art réformateur et aux postulats de la dialectique matérialiste.

Tandis que le « jeu » dramatique tend à prêter à la fiction théâtrale l'éphémère réalité de la représentation, le « récit » épique rend à l'action son caractère de fable. Délivré d'une illusoire participation, le public retrouve, avec une authentique attitude de « spectateur », la liberté du regard et du jugement. Aux fallacieux prestiges de l'illusion succède alors le légitime exercice de la raison, à la fascination du spectacle la stimulation de l'esprit. A l'antique dramaturgie de l'illusion, Brecht substitue une moderne *dramaturgie de la réflexion*.

Cette conception du théâtre s'appuie sur une *interprétation matérialiste de l'homme et de l'histoire*. A une philosophie « essentialiste » qui postule une nature humaine éternelle et universelle, correspond un théâtre dramatique et psychologique, attentif à la dissection intellectuelle et morale d'une conscience soumise à ses lois internes. Un théâtre matérialiste au contraire n'envisage l'homme qu'en tant qu'*être social*, conditionné par des influences extérieures et indépendantes de sa volonté, soumis aux perpétuelles modifications que lui inflige *un monde en constant devenir*. En même temps qu'elles démontrent l'infinie plasticité de l'homme, les variations du héros dramatique invitent le spectateur à prendre conscience des nécessaires réformes qu'il convient d'apporter à la société : et c'est par là que le théâtre est appelé à devenir un ferment de révolution sociale et d'ascension humaine (Texte 25).

texte 25   THÉÂTRE DRAMATIQUE ET THÉÂTRE ÉPIQUE

LA FORME DRAMATIQUE DU THÉÂTRE	LA FORME ÉPIQUE DU THÉÂTRE
est action,	est narration,
implique le spectateur dans l'action,	fait du spectateur un observateur, mais
épuise son activité intellectuelle,	éveille son activité intellectuelle,
lui est occasion de sentiments.	l'oblige à des décisions.
Phénomène affectif.	Vision du monde.
Le spectateur est plongé dans quelque chose.	Le spectateur est placé devant quelque chose.
Suggestion.	Arguments.
Les sentiments sont conservés tels quels.	Les sentiments sont poussés jusqu'à la prise de conscience.
Le spectateur est en plein dans l'action, il la vit.	Le spectateur est placé devant l'événement, il l'étudie.
L'homme est supposé connu.	L'homme est l'objet de l'enquête.
L'homme est immuable.	L'homme change et change les choses et les hommes.
Intérêt passionné pour le dénouement.	Intérêt passionné pour le déroulement.
Une scène pour l'autre.	Chaque scène pour soi.
Croissance organique.	Montage.
Déroulement linéaire.	Déroulement discursif.
Évolution continue.	Bonds.
L'homme donné et immuable.	L'homme comme processus.
Sentiment.	Raison.

Extrait de *Remarques sur l'Opéra.* Grandeur et décadence de la ville de Mahagonny, texte français de Gérard Eudeline et Jean Tailleur, L'Arche éditeur, Paris, 1963.

193

Bertolt BRECHT

Petit organon pour le théâtre (1948)

Dramaturge plus créateur que théoricien, Bertolt Brecht, au terme d'une longue et féconde carrière, composa un *Petit Organon pour le théâtre*, publié par la revue *Sinn und Form* en 1949, où est exprimé l'essentiel de ses idées dramatiques. A une critique du théâtre « aristotélicien » fondé sur l'illusion, se joint la théorie d'un théâtre moderne, mise en œuvre dans les pièces de Brecht, et recourant aux techniques de la « distanciation ».

Sans contester au théâtre sa valeur traditionnelle de divertissement, et tout en proscrivant un didactisme moral trop abrupt, Brecht exige une adaptation du drame aux préoccupations d'un *monde moderne* issu de la révolution scientifique. A une génération d'architectes et de constructeurs, appliqués à modifier et à exploiter la nature au service de l'homme, le théâtre doit offrir l'image d'une société elle-même susceptible de rectification et de *transformation*. Tandis que le théâtre classique proposait au spectateur la vision d'un monde immuable et fixé par la magie de l'illusion dramatique, le théâtre moderne stimulera ses facultés créatrices en lui montrant les expériences et les tentatives d'*une société en perpétuel devenir*. Critique et constructif comme le monde moderne dont il doit constituer le divertissement spécifique, ce théâtre sera, au sens le plus fort du mot, « récréation ».

De tel buts exigent un renouvellement des techniques. Pour susciter chez le spectateur l'activité critique et l'énergie réformatrice, le dramaturge devra renoncer à la traditionnelle esthétique de l'illusion, qui anéantit par sa fascination toute liberté de jugement comme toute volonté de modification. Au lieu de resserrer jusqu'à l'effacement la distance qui sépare la fiction théâtrale de la vérité sociale, le dramaturge devra, par tous les moyens dont il dispose, rétablir et accuser cet intervalle qui préserve le spectateur de l'aliénation et lui restitue son autonomie spirituelle : tel est le sens de la fameuse « *distanciation* » (« Verfremdungseffekt », ou « effet V. »), qui en projetant sur le familier le sceau de l'insolite, ôte au monde son immuabilité et restitue à l'homme son pouvoir de rectification. L' « historisation », qui rendra aux personnages leur relativité, mais aussi leur plasticité, l'intercalation de musique et de chant, l'irréalisme et le détachement de l'interprétation, seront autant de procédés valables pour engendrer chez l'acteur comme chez le spectateur ce *recul* nécessaire à une saine vision et à une critique objective du drame. Cette même « distance » de l'acteur au personnage qui dans le *Paradoxe sur le comédien* était la condition suprême du réalisme et de l'illusion dramatiques, devient chez Brecht le fondement d'un irréalisme théâtral qu'il considère, contrairement à Diderot, comme la source d'une véritable efficacité dramatique (Texte 26).

texte 26   EFFICACITÉ ET DISTANCIATION

Dans notre théâtre, face à la nature et la société, quelle attitude créatrice prendrons-nous pour le plaisir de tous, nous les enfants de l'ère scientifique ?

Cette attitude est critique. Elle consiste, devant un fleuve, à en régulariser le cours ; devant un arbre fruitier, à le greffer ; devant le problème du transport, à construire des véhicules terrestres, maritimes et aériens ; devant la société, à la transformer. Nos images de la vie sociale, nous les donnons pour les dompteurs de fleuve et les arboriculteurs, les constructeurs de véhicules et les révolutionnaires ; et nous les invitons tous dans notre théâtre, en les priant de ne pas oublier, une fois chez nous, leurs joyeux intérêts. Car nous voulons livrer le monde à leur esprit et à leur cœur pour qu'ils le transforment à leur gré.

Bien sûr, le théâtre ne peut adopter une attitude aussi libre qu'en s'abandonnant au plus impétueux des courants qui traversent la société et en s'unissant à ces hommes qui, de par leur condition, sont nécessairement les plus impatients d'apporter à celle-ci de grands changements. A supposer que nous n'eussions pas d'autres raisons, le désir d'exercer notre art en conformité avec les exigences de notre époque serait encore, à lui seul, un motif suffisant pour pousser notre théâtre dans les faubourgs où il attend, comme ouvert à tous vents, la grande masse de ceux qui produisent beaucoup et vivent mal, pour leur permettre de se divertir utilement de leurs grands problèmes.... S'il veut avoir le droit et les moyens de fabriquer des reproductions efficaces de la réalité, le théâtre doit s'engager dans la réalité.

... Aux bâtisseurs de la société il expose les expériences de la société, celles d'hier comme celles d'aujourd'hui, mais de manière à faire une « jouissance » des sentiments, des idées et des impulsions que les plus passionnés, les plus sages et les plus actifs d'entre nous tirent des événements de l'heure ou du siècle. Qu'ils trouvent donc leur plaisir dans la sagesse qui découle de l'heureuse solution des problèmes, ou dans la colère, forme efficace que peut prendre la pitié pour les opprimés, ou dans le respect du respect témoigné aux gestes et sentiments humains, c'est-à-dire pleins d'humanité, bref dans tout ce qui divertit ceux qui produisent...

Pour mener à bien cette entreprise, il ne nous sera guère possible de laisser le théâtre dans l'état où nous le trouvons. Pénétrons dans une de ses salles et observons l'effet qu'il produit sur les spectateurs. Si nous jetons un regard autour de nous, nous apercevons des silhouettes immobiles, plongées dans un état étrange. Certaines semblent tendre tous leurs muscles dans un effort violent ; d'autres au contraire ont cédé à l'épuisement et restent là, le muscle flasque et relâché. Entre tous ces hommes, point de communication ; on dirait une assemblée de dormeurs dont le sommeil, agité, serait traversé de mauvais rêves : ils dorment sur le dos, comme on dit de ceux qui font des cauchemars. Ils ont les yeux ouverts, mais ne voient pas : ils fixent. Ils n'entendent pas non plus, ils tendent l'oreille. Ils sont comme envoûtés : l'expression vient du Moyen Age, du temps des clercs et des sorcières. Voir et entendre, c'est être actif, et d'une manière qui peut être divertissante, mais ces gens-là sont inactifs et comme des objets que l'on manie. L'état d'absence où ils sont plongés, tandis qu'ils s'abandonnent à des sensations confuses et violentes, est d'autant plus profond que le jeu des comédiens est meilleur, aussi les souhaiterions-nous, ces comédiens, les plus mauvais possible, car cet état-là nous déplaît...

Tel que nous le trouvons, le théâtre ne montre pas la structure de la société reproduite sur la scène comme offrant prise à la société présente dans la salle : pour avoir péché contre certains principes fondamentaux de la société de son temps, Œdipe est exécuté ; les dieux s'en chargent, ils échappent à la critique. Les grands solitaires de Shakespeare, qui portent en eux l'étoile de leur destin, se jettent dans leurs vaines frénésies de meurtres sans que rien les arrête et préparent leur perte de leurs propres mains ; si bien que c'est la vie et non la mort qui devient obscène à l'heure de leur effondrement ; la catastrophe finale reste à l'abri de toute critique. Des sacrifices humains encore et toujours ! Des réjouissances barbares ! Bon, nous savons que les barbares ont un art. Faisons le nôtre !...

Ce champ de relations, il importe de le caractériser dans sa relativité historique. Il nous faut rompre avec l'habitude que nous avons de dépouiller de leurs particularités les structures sociales des diverses époques du passé jusqu'à les faire ressembler toutes plus ou moins à la nôtre, qui du coup paraît être là de toute éternité et pour toute éternité. Nous, ce que nous voulons, c'est garder à chaque époque son caractère propre et ne jamais perdre de vue ce qu'elle avait d'éphémère pour que la nôtre puisse, à son tour, être reconnue comme éphémère...

Que nous donnions aux actions des mobiles sociaux variables selon l'époque, et il sera plus difficile de s'identifier avec les personnages. Le spectateur ne pourra plus se dire : moi aussi, j'agirais ainsi ; mais tout au plus : moi aussi j'aurais agi ainsi dans de telles conditions. Et si nous jouons comme des pièces historiques des pièces tirées de notre époque, il se pourrait que le spectateur découvre la relativité de ses conditions de vie. Or cette prise de conscience est la première manifestation de l'esprit critique...

L'image « historisée » ne sera pas sans présenter quelque similitude avec ces esquisses qui gardent encore autour du personnage achevé les traces d'autres mouvements et d'autres traits ébauchés par l'artiste. On peut aussi imaginer un homme qui tiendrait dans une vallée un discours où il lui arriverait de changer d'opinion ou de dire des phrases contradictoires : l'écho, mêlant sa voix à la sienne, confronterait les phrases...

La technique de jeu qui, dans l'entre-deux-guerres, fut adoptée au Schiffbauerdamm-Theater de Berlin pour tenter de produire de telles images repose sur l'effet d'éloignement (effet V). Une représentation « éloignée » est une représentation qui permet, certes, de reconnaître l'objet représenté, mais aussi de le montrer comme insolite. Déjà, pour « éloigner » leurs personnages, les théâtres antique et médiéval utilisaient des masques d'hommes ou d'animaux (et aujourd'hui encore, dans le théâtre asiatique, la musique et la pantomime servent à produire des effets V). Sans doute ces effets V empêchaient-ils le spectateur d'entrer dans la peau des personnages, mais cette technique n'en reposait pas moins, sinon plus, que celle qui vise à l'identification, sur la suggestion hypnotique. Les buts sociaux de ces anciens effets V étaient totalement différents des nôtres.

Les anciens effets V dérobent à l'intervention du spectateur une réalité dont ils font quelque chose d'immuable ; quant aux nouveaux effets, ils n'ont en soi rien de bizarre. Le sceau du bizarre, c'est le regard non-scientifique qui l'appose sur ce qui n'est pas encore connu. Les nouveaux effets d'éloignement n'eurent qu'à ôter aux événements susceptibles d'être modifiés par la société le sceau du « familier » qui aujourd'hui les protège.

Ce qui est depuis longtemps inchangé paraît inchangeable. Où que nous nous tournions, nous rencontrons des choses qui vont trop de soi pour que nous fassions l'effort de les comprendre. ... Pour que toutes ces choses données apparaissent comme douteuses, il faudrait pouvoir y porter ce regard « étranger » avec lequel le grand Galilée considéra un luste qui oscillait. Lui, ces oscillations l'étonnèrent, comme s'il se les était imaginées différentes, comme s'il ne pouvait se les expliquer, et c'est ainsi que la loi du mouvement pendulaire fut découverte. C'est ce regard, aussi difficile que fructueux, que le théâtre doit provoquer par ses représentations de la vie des hommes. Il doit mener son public à l'étonnement, et y parvient avec une technique qui « éloigne » le familier.

Extrait de « Petit organon pour le théâtre », 1948, *Écrits sur le théâtre* de **Bertolt** Brecht, texte français de Gérald Eudeline et Jean Tailleur, L'Arche, éditeur, Paris, 1963.

Henri GOUHIER

Le Théâtre et l'existence (1952)

Après avoir montré dans son livre sur *L'Essence du théâtre* que « le drame est dans le monde avant d'être au théâtre », que « le théâtre ne crée pas les catégories dramatiques » mais « en joue »[1], et que ces catégories elles-mêmes impliquent une vision du monde qui oriente les œuvres qui leur appartiennent, M. Henri Gouhier tente dans *Le Théâtre et l'existence* de définir les principes métaphysiques qui sous-tendent chacune des catégories, tragique, comique et « dramatique ». Ce sont en effet ces catégories métaphysiques, et non les abstractions littéraires des genres, qui déterminent le climat spécifique des pièces.

Constatant qu'il est des tragédies sans mort, comme *Bérénice*, mais qu'il n'est pas de drame où ne s'amoncellent les cadavres et où ne pèse pour le moins la menace de la mort ou d'une disgrâce équivalente à la mort, M. Gouhier propose de considérer « *la mort comme principe du dramatique* »[2]. Mais la mort elle-même n'est dramatique que si à l' « événement » s'ajoute une « signification », si « le point de vue de croque-mort » ne vient en voiler le scandale et l'horreur[3]. S'il n'est pas de philosophie qui atténue la douleur étonnée de l'homme devant le fait de la mort, les options métaphysiques peuvent dépouiller la mort de sa signification dramatique et du même coup anéantir ou métamorphoser le drame. Un rationalisme qui dépossède l'individu au profit d'une Humanité impersonnelle, une idéologie qui nie le droit de l'homme à la vie, estompent jusqu'à l'effacement la notion de drame. Il n'est de drame que dans un monde où la mort conserve sa valeur et son mystère.

Si le drame s'évanouit dans un système philosophique où la vie et la mort sont également discréditées, subsistera-t-il dans une métaphysique spiritualiste pour qui la

---

1. H. GOUHIER, *L'Essence du théâtre*, (Paris, Plon, 1943), p. 167.
2. H. GOUHIER, *Le Théâtre et l'existence*, p. 76.
3. H. GOUHIER, *Le Théâtre et l'existence*, p. 76-78.

mort n'est que le seuil de l'immortalité ? L'idéalisme platonicien ou la religion chrétienne n'anéantissent-ils pas le drame au même titre qu'une idéologie totalitaire ? *Polyeucte* semble le type même de la « tragédie sans drame » où la mort est dépossédée de son mystère et de son horreur, mais où une transcendance divine rétablit le tragique aux dépens du dramatique. Cependant la Passion et la Rédemption, en réintroduisant la mort dans l'univers chrétien, restaurent du même coup le drame. Le théâtre de Claudel offre alors l'exemple de « drames tragiques » où l'homme, à l'imitation de son Dieu, est à la fois crucifié et béatifié par la mort qui dépasse, au nom d'une transcendance tragique, la souffrance dramatique (Texte 27).

texte 27 LE DRAMATIQUE ET LA MÉTAPHYSIQUE

La signification dramatique de la mort est déchiffrée ici à travers des réactions indépendantes des interprétations religieuses ou métaphysiques sur son au-delà.

Ce qui intéresse la définition du dramatique, c'est, devant la mort, cette philosophie des gens qui ne font pas de philosophie ou des philosophes en tant qu'ils ne pensent pas encore selon leur philosophie.

On pourra discuter sur la religion de Shakespeare : ces recherches ne peuvent ni accroître, ni diminuer, ni modifier l'émotion dramatique que soulève la triste histoire de Roméo et Juliette. La mort de Ruy Blas et celle d'Hernani sont dramatiquement indépendantes du déisme que professe Victor Hugo, comme celle d'Yseult, abstraite de ses résonances tragiques, l'est du panthéisme de Schopenhauer mis en musique par Wagner.

« Elle me résistait, je l'ai assassinée ! (il jette le poignard aux pieds du Colonel.) » L'effet dramatique, lui, est irrésistible : il nous est tout à fait indifférent d'apprendre que Dumas père ne croit pas à son âme, comme il nous en avertit dans l' « explication » versifiée qui précède *Antony*[1].

Au théâtre comme dans la vie, matérialistes et spiritualistes, athées et chrétiens, sceptiques et positivistes éprouvent devant la mort une horreur étonnée qui n'exprime ni leur matérialisme, ni leur spiritualisme, ni une philosophie, mais la difficulté que l'homme éprouve à penser la mort de quelqu'un sous la catégorie du « tout naturel ». C'est ensuite que la méditation s'attache à cette difficulté, transformant une réaction spontanée en foi religieuse, en vérité métaphysique ou en illusion.

La philosophie du drame n'est donc liée à aucune philosophie particulière de la mort. Ce qui ne veut pas dire que les philosophies de la mort soient sans effet sur la réalité dramatique. Que, par elles, la mort cesse d'être un

---

[1].   Viens donc, ange du mal dont la voix me convie ;
Car il est des instants où, si je te voyais,
Je pourrais, pour son sang, t'abandonner ma vie
Et mon âme... si j'y croyais.

mystère et notre réaction devient absurde, absurdité peut-être émouvante mais qu'une logique impitoyable dénonce.

La mort cesse d'être un mystère quand on sait de façon absolument sûre ou bien qu'elle est une fin ou bien qu'elle est un commencement. Qu'en résulte-t-il pour le drame ?

Lorsque la réflexion réduit la mort à un épisode strictement naturel et entièrement expliqué au niveau de la biologie, la mort ne supporte plus une signification dramatique puisqu'à dire vrai elle perd toute signification. Ainsi, le dramatique ne subsiste qu'à la faveur d'un retard du cœur sur la raison : la sagesse peut l'excuser, non le justifier ; l'art ne peut même l'excuser, car, n'exprimant plus un mystère authentique, il ne représente plus qu'un pathétique de qualité inférieure.

Mais il y a deux manières bien différentes de dire ces choses. Les uns discréditent le dramatique parce qu'ils mettent l'homme au-dessus de la personne ; les autres, parce qu'ils le laissent au-dessous.

Ce qu'il y a de vraiment et spécifiquement humain en chacun de nous est une Raison impersonnelle ; ou bien un Esprit qui se réalise au cours des siècles dans ces puissances anonymes que sont la science, l'art, la morale ; ou encore une Humanité qui grandit à la fois au-dessus et à travers les histoires individuelles... Dans ces perspectives, la mort défait les existences dont la nature est d'être passagères, elle n'atteint pas ce qu'il y a de plus humain dans l'homme, elle n'est rien de plus que ce qu'elle paraît être, la décomposition d'un organisme et d'un psychisme. C'est lui faire trop d'honneur que d'en faire un drame.

Est-ce la mort du drame ?

Il est facile de déduire ces idées : il l'est beaucoup moins de les vivre. De là un refus dramatique du dramatique. Refuser l'existence à la personne et transformer la mort en idée claire, regarder cette mort en face avec la volonté de ne pas idéaliser le cadavre, c'est bien une nouvelle forme du combat avec l'Ange, avec l'Ange qui, dans les tableaux des vieux maîtres, emporte l'âme au ciel. Le pathétique qui se fuit n'en est pas moins pathétique, celui du scientiste décidé à sentir comme il pense, celui de Léon Brunschvicg dont le sourire affirme que sa propre mort ne l'intéresse guère[1]. Ne croyons pas que les philosophies les plus strictement rationalistes soient sèches et inhumaines : elles disent avec ferveur que la sérénité est la suprême valeur, que rien n'est plus beau qu'un matin d'été, que l'intelligence se plaît dans

---

1. Rappelons-nous l'émouvant dialogue au Congrès Descartes de 1937 : Léon Brunschvicg : « La mort de Léon Brunschvicg intéresse beaucoup moins Léon Brunschvicg que la mort de Gabriel Marcel n'intéresse Gabriel Marcel. » — Gabriel Marcel : « Admettons que l'égoïsme m'inspire quand je me préoccupe de ma mort. Mais comment qualifier l'attitude qui se satisfait d'un pareil désintéressement, quand il s'agit de la mort de l'être aimé ? » Gaston Fessard, *Théâtre et Mystère*, Introduction à la pièce de G. Marcel, *La Soif*, p. 40 ; cf. G. Marcel, *Le Mystère de l'être*, II, Foi et réalité, Aubier, 1951, p. 152.

un monde sans drame. Elles ne nient pas le drame : elles prétendent que le drame ne vaut pas la peine d'être pensé. Et c'est leur manière de le dénouer.

Dans le drame qui surgit de sa propre défaite, le principe du dramatique reste le même: le fait de traiter la mort comme étrange et étrangère. Si un effort héroïque est demandé au philosophe qui prive la mort de son mystère, c'est que ce mystère résiste. Si elle est naturelle, en effet, pourquoi des regrets ? pourquoi des larmes ? Parce que, même à quatre-vingts-ans, ce mort aurait pu vivre encore quelques années ? Mais pourquoi, à cent ans, cette possibilité lui serait-elle refusée ? Il est trop clair que l'émotion ne naît pas d'un calcul et ne disparaît pas avec un calcul. Devant la mort, le philosophe ne se comporte pas selon sa philosophie tout simplement parce qu'il est un homme et non une raison pure. Que ce soit seulement la carcasse qui tremble, que le mystère soit un mythe dont une mystification vitale adapte l'imagerie aux progrès de l'esprit, qu'est-ce que cela prouve ? Que plus les puissances qui dramatisent la mort sont instinctives et primitives, plus la lutte de l'intelligence est dramatique.

Ainsi on ne verra point le drame disparaître du monde en se tournant vers les philosophies qui visent au-dessus de lui : il faudrait plutôt regarder celles qui se déroulent au-dessous. Là, il ne s'agit plus de le surmonter dans une résignation héroïque à la mort mais de penser et d'agir au niveau d'une existence rendue, pour ainsi dire, infradramatique par un certain mépris des hommes ou du moins par le mépris de certains hommes.

Il n'y a aucun drame pour le pharaon qui condamne aux travaux mortels les esclaves employés à construire la pyramide, ni pour Napoléon à l'instant où il compense les pertes de la journée par « une nuit de Paris » ; pas davantage au point de vue du gouvernement qui sert le bien commun en supprimant les incurables. La raison n'est certes pas embarrassée pour rationaliser ces conduites, ou dans une morale des maîtres ou dans une théologie de l'État ou dans une métaphysique du salut public. Autant de doctrines qui excluent le dramatique non pour élever l'homme au-dessus de son drame, mais pour lui enlever la possibilité de l'atteindre.

Que devient, par exemple, un drame comme celui que François de Curel concevait dans *La Nouvelle idole* ? Un médecin inocule le cancer à une tuberculeuse incurable ; mais la tuberculose guérit et le cancer demeure. D'abord, les données mêmes de l'exposition changent : qu'un savant, pour servir la science et l'humanité, expérimente sur une malade incurable comme sur un lapin, c'est normal ; là où le héros de François de Curel voit un terrible cas de conscience, il n'y a même plus un problème. Pourtant, peu importe ce premier drame puisque notre biologiste s'en libère ; voici maintenant celui dont il ne se libère pas : une guérison imprévisible transforme l'expérimentation en crime. Attention ! Ce nouveau drame n'éclate qu'en vertu d'un droit à la vie reconnu à toute personne humaine : il se dissout avec ce droit. Une histoire récente a montré, et pas au théâtre, des savants expérimentant sur des hommes sacrifiés pour des raisons n'ayant aucun rapport avec leur état de santé : à leur point de vue, il eût été impossible de tirer un drame de leurs travaux, même au théâtre.

Y a-t-il encore drame dans une vision du monde où la mort sera traitée comme un phénomène d'usure, pour celle des vieillards, ou un phénomène d'inadaptation, pour celle des enfants ? Y a-t-il drame dans une vision du monde où ce fait biologique ne jouira que d'une importance sociologique, représentant la disparition d'un combattant ou d'un producteur ou d'un parasite ? Si l'homme n'est qu'un faisceau de fonctions vitales et sociales, la mort, selon la juste remarque de M. Gabriel Marcel, « apparaît comme une mise hors d'usage, comme une chute dans l'inutilisable, comme *déchet* pur »[1], ce qui la prive de tout rayonnement dramatique.

Pour devenir exterminatrices, les idéologies commencent par ôter toute signification à la mort : c'est là le meilleur moyen de n'être plus encombré par les personnes ; il ne reste alors que du « matériel humain », du bon matériel et du mauvais.

Les plus grands drames de l'histoire ne s'expliquent peut-être que par la perte du sens dramatique.

La mort cesse d'être dramatique quand s'évanouit le mystère que l'existence de la personne ajoute à l'épisode biologique. Mais la certitude métaphysique ou religieuse d'une autre vie ne produit-elle pas le même effet que la certitude contraire ? Si la dissolution du composé organique laisse intacte l'existence de l'unité personnelle, il n'y a pas plus de mystère ni, par suite, de drame que dans la perspective où l'âme s'éteint avec le regard. En un sens, l'affirmation d'un ordre surnaturel commence par réintroduire la catégorie du « tout naturel » dans notre pensée de la mort : il est de sa nature que le corps soit soumis à la corruption comme à la génération, il est de sa nature que l'âme tombée des cieux ne partage pas le sort de son associé.

Socrate mourant interdit les larmes et les gémissements. « N'ai-je pas renvoyé les femmes pour éviter ces fausses notes ? Vous connaissez le précepte : il faut mourir avec des paroles heureuses »[2]. Ne sait-il pas que « son voyage. d'ici là-bas », est un simple changement de résidence[3] ? De là aussi la sérénité des gisants dans nos chapelles, la joie dont le peintre chrétien illumine le saint quittant ce monde, et cette « douce mort » où Jean-Sébastien Bach révèle une douceur de vivre.

Fin ou commencement, c'est toujours la mort sans drame. Aussi est-il parfois difficile de savoir en quel sens le mystère est dépassé. Dans le *Requiem* de Fauré, où l'émotion s'intensifie par élimination du dramatique, les uns reconnaîtront la sérénité du sage que n'effleure même plus la pensée de sa finitude, les autres, la tendresse confiante de l'âme ouverte à la lumière.

---

1. *Position et approches concrètes du mystère ontologique*, dans *Le Monde cassé*, Desclée De Brouwer, 1933, p. 258.
2. PLATON, *Phédon* 117 d ; traduction donnée par A.-J. Festugière, *Socrate*, Flammarion, 1934, p. 163.
3. *Ibidem*, 116 c et Festugière, p. 162.

Ainsi, mort totale et immortalité impliquent, l'une comme l'autre, effacement du dramatique, mais, dans le second cas, le mouvement s'opère toujours au profit du tragique.

La certitude de Socrate et la foi du chrétien expriment la présence d'une transcendance. « Au-delà » ne signifie pas un « après » temporel mais un « au-dessus » non spatial : la mort est, pour chaque homme, la fin du monde et la fin des siècles, le commencement d'une existence hors du temps. La vie éternelle ne peut donc être comparée à une vie indéfiniment prolongée ; entre elle et les millions de millénaires que l'imagination peut évoquer, il y a cette rupture radicale que marque le mot transcendance : l'âme du comte d'Orgaz retourne à Dieu.

Une horizontale sépare deux mondes : dans le bas, l'enterrement du seigneur d'Orgaz ; au-dessus, sa réception à la Cour céleste. Au premier plan, saint Augustin et saint Étienne, couverts de riches étoffes, s'inclinent pour soulever le cadavre du seigneur d'Orgaz. Derrière eux, des gentilshommes, des prêtres, des moines forment, dit Barrès, « une sorte de frise ». « Le miracle qui s'accomplit devant eux les édifie sans les étonner. Aussi bien, comment s'étonneraient-ils d'avoir la visite de ces deux saints, puisqu'ils savent qu'au même moment l'âme du seigneur d'Orgaz reçoit audience de la Cour céleste... »[1] Il n'y a plus de drame sur la terre quand la lumière éternelle dissipe le mystère de la mort, mais le beau chant funèbre du Greco s'élève avec la douceur tragique des certitudes inspirées.

Si le tragique manifeste la présence d'une transcendance, l'immortalité crée une situation où le dramatique est comme absorbé par le tragique.

La mort n'est ni cause ni condition du tragique ; le plus souvent, elle ajoute un drame à la tragédie : mais il arrive que la transcendance tragique atténue et, à la limite, supprime son mystère dramatique. Tel est, semble-t-il, le cas de Polyeucte....

Est-ce à dire que *Polyeucte* représente la tragédie typiquement chrétienne ? La transcendance est ici celle de l'Église triomphante, la transcendance sans drame des cours célestes, des ascensions, des assomptions. Polyeucte donne « des nausées » au poète de *Partage de midi* et du *Soulier de satin*[2]. L'univers où Mésa cherche Dieu et trouve Ysé, où Dieu parle à Don Rodrigue par la voix de Doña Prouhèze, cet univers-là est celui de l'Église militante où la transcendance tragique s'affirme dans une action dramatique.

Un péché qui entraîne la mort et une mort qui appelle la rédemption, tels sont les deux faits qui définissent l'histoire chrétienne, de sorte que celle-ci devient chrétienne au moment même où elle devient à la fois tragique par la présence de Dieu et dramatique par la mort de l'homme.

---

1. Maurice BARRÈS, *Greco ou le secret de Tolède*, Émile-Paul, 1912, p. 11-12.
2. Robert BRASILLACH, *Notre avant-guerre*, Grasset, 1941, lettre de Claudel à l'auteur, p. 315-317 : « ... Polyeucte n'est qu'un fier-à-bras grotesque, et ce n'est pas avec des rodomontades imbéciles qu'on affronte l'Enfer ! Tout le reste n'est qu'orgueil, exagération pionnerie, ignorance de la nature humaine, cynisme et mépris des vérités les plus élémentaires de la morale... »

L'histoire chrétienne ne juxtapose pas le drame à la tragédie : ici, le drame est tragique comme la tragédie est dramatique. Dieu condamne à mort Adam et Ève ; mais cette mort n'est pas seulement celle du corps : le pécheur a perdu la vie éternelle avec la vie terrestre. L'immortalité ne promet pas nécessairement le repos dans la paix que berce la musique des anges : au mystère dramatique de la mort ici-bas, elle superpose un autre drame avec une autre mort et un autre mystère. Le salut est une victoire sur la mort : il introduit donc une relation essentiellement dramatique entre Dieu et l'homme puisque ce dernier joue sa vie, relation qui est aussi essentiellement tragique puisqu'elle introduit dans le jeu une puissance transcendante.

Que l'histoire chrétienne de l'humanité et de chaque homme unisse une tragédie et un drame, n'est-ce point ce que montre la vie exemplaire du Dieu fait homme ? En elle s'affirme la présence tragique d'une transcendance au principe d'une existence doublement vouée à la mort, par la condition humaine qu'elle assume et par la volonté divine de payer au plus haut prix la rédemption du monde. Tragédie et drame sont les deux bois de la Croix.

« Rendez-moi patient à mon tour du bois que vous voulez que je supporte.

« Car il nous faut porter la croix avant que la croix nous porte »[1].

Dans la tragédie sans drame de *Polyeucte*, la croix porte les hommes même quand elle est l'instrument de leur supplice. Dans le drame tragique de *Partage de midi* et du *Soulier de satin*, les hommes portent la croix sans savoir que la croix les porte.

Le Théâtre et l'existence, chapitre III, § III, Aubier, éditeur.

---

1. Paul CLAUDEL, *Le Chemin de la croix*, 2e station, dans *Corona benignitatis...*, N.R.F., 1920, p. 210.

Gabriel MARCEL

Théâtre et philosophie
dans LE THÉÂTRE CONTEMPORAIN

(Recherches et Débats du Centre catholique des intellectuels français,
cahier n° 2, octobre 1952)

A une époque où les écrivains entendaient plus que jamais délivrer un « message »
et ne s'interdire aucun domaine de la pensée, il importait de définir les relations du théâtre
et de la philosophie, et de déterminer les conditions auxquelles le drame peut mettre en
œuvre un système métaphysique sans compromettre ses propres vertus dramatiques.
Philosophe et dramaturge, l'auteur de *La Chapelle ardente* et du *Monde cassé* était
particulièrement qualifié pour analyser le problème du *théâtre philosophique* en général
et ses incidences dans son œuvre personnelle.

Récusant sans ambages la légitimité dramatique d'un théâtre à thèse ou d'un théâtre
didactique exploité comme un pur instrument de propagande' ou de profession de foi,
Gabriel Marcel tente de définir un théâtre où l'expression des idées philosophiques ne
compromette pas l'autonomie dramatique de la pièce. Il convient pour cela qu'auteurs
et spectateurs, accordant plus d'attention aux personnages qu'aux idées exprimées,
accèdent à une sorte *d'impartialité souveraine* qui leur permette de dominer le débat en
participant également à l'univers philosophique de chacun des héros. Loin de prêter sa
force persuasive à une violation des consciences, le théâtre, en élargissant le champ de
réflexion du spectateur, deviendra au contraire une source incomparable de culture
philosophique et de libre jugement. Telle est bien la leçon donnée par les plus grands
dramaturges, de Shakespeare à Ibsen, de Molière à Musset, et parmi les modernes, par tous
ceux des écrivains qui ont su ne pas subordonner le dramatique au philosophique, mais
conserver cette attention à *la vérité concrète et humaine* qui préserve à la fois la vertu
dramatique de la pièce et la liberté morale du spectateur (Texte 28).

texte 28   THÉÂTRE ET PHILOSOPHIE

Avant de marquer les relations qui lient mon œuvre philosophique et mon théâtre, je pense qu'il convient d'indiquer d'une façon tout à fait générale comment se pose le problème du théâtre philosophique. L'interprétation courante doit être rejetée sans l'ombre d'une hésitation. Je veux dire par là qu'on ne saurait admettre en aucune manière qu'il puisse être légitime, du point de vue d'une esthétique dramatique digne de ce nom, d'utiliser le théâtre comme une sorte de plate-forme d'où l'auteur par le truchement de ses personnages s'appliquerait à communiquer aux spectateurs telle idée (par exemple dans le domaine social ou religieux) qu'il jugerait nécessaire de répandre.

Si je dis qu'une telle conception est illégitime, c'est qu'elle est rigoureusement incompatible avec une exigence d'autonomie sans laquelle il ne peut pas y avoir d'art digne de ce nom. Le dramaturge au moins en Occident — je laisse à dessein de côté le théâtre sacral d'Extrême-Orient — est avant tout préoccupé de faire vivre sur la scène des êtres qui doivent présenter ce que j'appellerai une charge de réalité supérieure à celle que nous pouvons trouver communément chez les gens avec lesquels l'expérience quotidienne nous met en contact. Il faut d'ailleurs ajouter que cette *surréalité* du véritable personnage de théâtre ne doit jamais être cherchée du côté de l'abstraction et de la généralité. Comme l'avait fort bien vu Gide, qui parlait d'ailleurs plutôt du roman que du théâtre, le personnage le plus universel est en même temps le plus fortement individualisé.

Si un théâtre philosophique est possible, il ne l'est donc qu'à condition de poser la priorité des êtres par rapport aux idées. Comme l'a admirablement vu Gerhart Hauptmann, l'art dramatique relève de la pensée pensante et non point de la pensée pensée. On pourrait dire encore que les idées au théâtre ne peuvent jamais être mises qu'entre guillemets ; ceci veut dire qu'elles ne sont jamais imputables qu'à celui qui les exprime et dont sur un certain plan elles-mêmes traduisent la personnalité. En aucun cas elles ne peuvent être déliées de leur contexte, en aucun cas elles ne doivent apparaître comme l'expression de ce que pense l'auteur. Celui-ci dans une œuvre dramatique ne peut posséder que ce que j'appellerai une présence d'absence, comme le Dieu transcendant dans le monde qu'il a créé : il s'en est en quelque manière retiré et pourtant ne cesse de l'animer. Je continue à penser que cette analogie théologique doit toujours être présente à l'esprit si l'on veut comprendre le rapport singulier qui unit l'auteur dramatique à ses personnages. Mais s'il en est ainsi, il faudra se garder de considérer le théâtre philosophique comme un sorte d'enclave dans le théâtre en général. Il faudra bien plutôt penser que plus le théâtre se conforme à sa mission ou à sa vocation profonde, plus il devient — involontairement — philosophique.

Mais que faut-il entendre exactement par là ?

J'ai souvent fait observer que chacun de nous souffre plus ou moins obscurément, plus ou moins confusément, d'être condamné par les lois implacables de la vie à ne considérer les autres et lui-même que d'un point de vue particulier qui est celui de ses intérêts, de ses préjugés, qui correspond en tout cas à son appartenance sociale, religieuse, etc... Cette souffrance le plus souvent indistincte comporte une sorte de contrepartie, le besoin de s'élever à un plan de « sur-conscience » où il cesse d'être prisonnier de son mode d'insertion dans le monde. C'est à ce besoin, c'est à cette exigence que le théâtre, comme d'ailleurs le roman — mais plus rigoureusement et plus parfaitement que celui-ci, — vient donner satisfaction. Le dramaturge digne de ce nom *est* à la fois ses différents personnages, quelque opposés qu'ils soient les uns aux autres. Ne disons pas qu'il est impartial, car l'impartialité est liée à une certaine abstraction : il est plutôt universellement partial, un peu comme l'est une mère qui préfère à la fois tous ses enfants.

LE THÉATRE EST PHILOSOPHIQUE DANS LA MESURE OU IL EST ÉCLAIRANT ET LIBÉRATEUR

Mais il s'agit bien entendu pour le dramaturge d'élever le spectateur à ce niveau, de le contraindre en quelque manière à surmonter ses propres tendances partisanes, et par là même à entrevoir tout au moins — non pas dans l'abstrait mais concrètement ce que peut être une justice supérieure.

Je dirais ainsi que le théâtre est philosophique dans la mesure où il est à la fois éclairant et libérateur. Il s'oppose par là de la façon la plus radicale au théâtre idéologique qui, lui, est au contraire toujours dominé par l'esprit d'abstraction et risque par là même d'exercer sur les esprits une action fanatisante — alors que le premier souci du dramaturge philosophe est au contraire de défanatiser.

Il faudrait naturellement, à la lumière de ces observations très générales, considérer l'histoire de l'art dramatique en particulier chez les modernes. C'est vraisemblablement avant tout chez Shakespeare, tout au moins dans ses plus grandes œuvres, qu'on pourrait trouver la vérification de ce que je viens de dire. On pourrait aussi la découvrir chez nos grands classiques, mais bien des nuances devraient ici être introduites. Je songe en particulier à Molière : c'est sans doute dans *Don Juan* et dans *Le Misanthrope* qu'on pourrait le mieux discerner cette sorte d'affleurement philosophique involontaire. On peut dire d'une façon tout à fait générale qu'il est d'autant plus sensible qu'il est moins délibéré, et cette remarque permet, je crois, d'entrevoir les limites de la tragédie cornélienne.

Au XIXe siècle, c'est à tout prendre chez les plus grands dramaturges allemands, le Schiller de *Marie Stuart*, le Kleist du *Prince de Hombourg*, chez le Musset de *Lorenzaccio* et beaucoup plus tard chez Ibsen que cette grande leçon a été le mieux comprise. Encore faudrait-il introduire ici d'importantes réserves, car il est bien certain qu'à plusieurs reprises Ibsen a sacrifié à la pièce à thèse, et c'est là la partie périssable de son œuvre : mais il y le reste, il y a *Les Revenants, Rosmersholm, Jean-Gabriel Borckmann*.

Il est important de reconnaître d'autre part que de nos jours la pensée existentielle — et certes non pas exclusivement chez ceux qui ont prétendu l'élaborer techniquement — a rendu possible entre théâtre et philosophie une entente beaucoup plus profonde, beaucoup plus intime que celle qui avait été conclue antérieurement. Car après tout la pensée existentielle prétend justement partir des situations concrètes fondamentales, et non point d'essences trop souvent objectivées d'une façon indue et dont il s'agirait de dégager analytiquement les implications.

En ce qui concerne J.-P. Sartre, je dirai sans hésitation qu'il s'est révélé bon auteur dramatique dans la mesure où il est resté fidèle à l'aspect existentiel de sa pensée. Là au contraire où il est retombé dans un athéisme dogmatique qui n'a justement rien à voir avec la pensée existentielle en tant que telle, il s'est lui-même condamné à retomber dans les erreurs de la pièce à thèse : au Sartre de *Le Diable et le Bon Dieu*, c'est celui des *Mains sales* qu'il convient d'opposer. Je dirais d'autre part que le Jean Anouilh d'*Antigone* dans cette perspective, bien qu'il soit totalement dépourvu de prétentions phisolophiques, et peut-être pour cette raison même, doit être jugé beaucoup plus important — sur le plan théâtral s'entend — que le Camus de *Caligula* ou surtout de *L'État de siège*.

Le Théâtre contemporain
« Recherches et Débats », cahier n° 2, octobre 1952, Fayard.

Eugène IONESCO

Notes et Contre-notes (1962)

Dans diverses déclarations, interviews, polémiques, publiées depuis ses premiers succès de scandale, et réunies dans le recueil des *Notes et Contre-notes*, Ionesco, répondant à l'incompréhension ou à l'indignation de la critique, tente d'éclairer le public sur les intentions et les méthodes d'une dramaturgie apparemment étrangère à toutes les lois du théâtre.

Cet « anti-théâtre » n'est en fait qu'une tentative de « théâtre pur », au sens où l'on entend « poésie pure ». Dépouillé de toutes les contingences dramatiques, psychologiques, historiques et même logiques, le théâtre se réduit à un schéma formel, à une *architecture dynamique*, fondée sur le conflit de forces opposées. Parfaitement gratuite et autonome, la construction dramatique, analogue à la composition picturale ou musicale, ne se réfère qu'à ses lois spécifiques et aux modes d'expression les plus élémentaires — gestes, mime, parole, — qui puissent exprimer les impulsions fondamentales de l'être. Ainsi se crée un univers dramatique original, où personnages, dialogues et pensées, purs matériaux de l'édifice dramatique, perdent toute existence et toute finalité propres pour n'être plus que des « valeurs » et des composantes dans la composition et l'architecture dramatiques.

Une telle conception exclut radicalement tout « engagement » du théâtre au service d'une cause ou d'une idéologie quelconque. Aussi n'est-il pas de plus grand adversaire du théâtre brechtien que l'auteur de *La Cantatrice chauve*. A un théâtre « populaire », qui n'est que la forme la plus agressive du théâtre idéologique et didactique, Ionesco oppose un *théâtre purement dramatique et mythique*, s'aventurant dans les zones les plus profondes et les plus obscures de l'âme humaine, et traduisant par les gestes les plus primitifs les fantasmes personnels de l'auteur et les angoisses universelles de l'homme (Texte 29).

texte 29   DRAME PUR ET ANTI-THÉÂTRE

Le drame pur, disons l'action tragique est donc bien ceci : une action prototype, une action modèle de caractère universel, dans laquelle se reconnaissent et viennent se fondre les histoires, les actions particulières appartenant à la catégorie de l'action modèle jouée. (L'universalité ou la permanence est niée à notre époque héraclito-hégéliano-marxiste. Je suis convaincu pourtant que par réaction à notre époque, comme cela se produit normalement, une nouvelle période avec une nouvelle mode intellectuelle viendra réhabiliter, un de ces jours, les idées universelles.)

Je voudrais pouvoir, quelquefois, pour ma part, dépouiller l'action théâtrale de tout ce qu'elle a de particulier ; son intrigue, les traits accidentels de ses personnages, leurs noms, leur appartenance sociale, leur cadre historique, les raisons apparentes du conflit dramatique, toutes justifications, toutes explications, toute la logique du conflit. Le conflit existerait, autrement il n'y aurait pas théâtre, mais on n'en connaîtrait pas la raison. On peut parler de dramatisme, à propos de peinture, d'œuvres figuratives comme celle de Van Gogh, ou d'œuvres non figuratives. Ce dramatisme résulte tout simplement d'une opposition de formes, de lignes, d'antagonismes abstraits, sans motivations psychologiques. On parle du dramatisme d'une œuvre musicale. On dit aussi qu'un phénomène naturel (orages) ou un paysage est dramatique. La grandeur et la vérité de ce dramatisme résident dans le fait qu'il n'est pas explicable. Au théâtre on veut motiver. Et dans le théâtre d'aujourd'hui on veut le faire de plus en plus. De cette façon on le rabaisse.

Avec des chœurs parlés et un mime central, soliste (peut-être assisté de deux ou trois autres au plus), on arriverait par des gestes exemplaires, quelques paroles et des mouvements purs à exprimer le conflit pur, le drame pur, dans sa vérité essentielle, l'état existentiel même, son auto-déchirement et ses déchirements perpétuels : réalité pure, a-logique, a-psychologique (au-delà de ce qu'on appelle aujourd'hui absurde et non absurde), des pulsions, impulsions, expulsions.

Mais comment arriver à représenter le non-représentable ? Comment figurer le non-figuratif, non figurer le figuratif ?

C'est bien difficile. Tâchons au moins de « particulariser » le moins possible, de désincarner le plus possible, ou alors, faire autre chose : inventer l'événement unique, sans rapports, sans ressemblances avec aucun autre événement ; créer un univers irremplaçable, étranger à tout autre, un nouveau cosmos dans le cosmos avec ses lois et concordances propres, un langage qui ne serait qu'à lui : un monde qui ne serait que *le mien*, irréductible mais finissant par se communiquer, se substituer à l'autre, avec lequel les autres s'identifieraient (je crains que cela ne soit pas possible).

Il est vrai cependant que le moi absolu c'est l'universel.

Surtout ne faire aucun effort dans le but de réaliser ce qu'on appelle un théâtre populaire. Le théâtre « populaire » est à rejeter au même titre que le théâtre dit « bourgeois » ou de « boulevard ». Pourquoi ? Parce que aussi bien le théâtre « bourgeois » que le théâtre « populaire » sont des théâtres non-populaires. L'un et l'autre sont également coupés des sources profondes de l'âme humaine. L'un et l'autre sont les produits de gens vivant retranchés dans leur petit monde, prisonniers de leurs obsessions idéologiques qui n'expriment que leur propre schizophrénie et qu'ils prennent pour des vérités fondamentales devant être absolument enseignées au monde entier. En réalité, leur théâtre populaire est un théâtre d'édification et d'éducation politique.

Le théâtre de boulevard que l'on accuse d'être bourgeois, c'est-à-dire, celui d'une minorité, est pourtant spontanément et curieusement aimé par le grand public de toutes les classes.

Une pièce de boulevard plaît au banquier, au fonctionnaire, au petit employé, à ma concierge, à l'ouvrier, etc.

Je suis pour un anti-théâtre, dans la mesure où l'anti-théâtre serait un théâtre anti-bourgeois et anti-populaire (si l'on entend par théâtre anti-populaire, le théâtre didactique dont nous venons de parler). Vouloir délibérément rendre le théâtre populaire c'est, en somme, le trivialiser, le simplifier, le rendre rudimentaire. Le théâtre bourgeois est lui aussi un théâtre trivial et simpliste... parce que « populaire ».

Mais un théâtre issu du « peuple » c'est-à-dire des profondeurs extra-sociales de l'esprit, ne serait admis dans l'état d'esprit actuel, ni par les bourgeois, ni par les socialistes, ni par les intellectuels qui pullulent dans les cafés de Saint-Germain-des-Prés et dans les salles de rédaction.

Il nous faudrait un théâtre mythique : celui-là serait universel. Le théâtre d'idées est aussi, malgré lui, un théâtre de mythes...mais dégradés : des idées qui ne sont pas l'Idée.

Le théâtre vraiment issu de l'âme populaire serait primitif, riche ; le théâtre pseudo-populaire, didactique, n'est que primaire, alphabétique. Je suis pour un théâtre primitif, contre un théâtre primaire.

Tout le monde n'arrive évidemment pas à écrire pour tout le monde. On n'arrive pas aisément aux sources communes, universelles de l'esprit. Il faut écrire pour soi, c'est ainsi que l'on peut arriver aux autres.

Notes et Contre-notes. Gallimard

Troisième Partie

ANTHOLOGIE DRAMATIQUE

DRAMES BOURGEOIS

CHAPITRE I

Denis DIDEROT

TEXTE I   Le Père de famille (1758)

Le Père de famille est une illustration exemplaire de la théorie des « conditions ». Cette « tragédie domestique » peint la vie tour à tour banale et pathétique d'un foyer bourgeois. A travers les péripéties d'une intrigue romanesque, l'auteur nous dévoile les travaux et les jours de *la vie intime*, les préoccupations matérielles et financières, les souffrances cachées et les joies profondes afférentes à la « condition » du Père de famille.

A l'acte II, le rideau se lève sur une jolie *scène d'intérieur*, calquée sur les peintures de « genre » des intimistes du XVIIIe siècle chers à l'auteur des *Salons*. Cette parenthèse dramatique, soustraite à l'intrigue, offre l'exemple d'un de ces « tableaux » prônés par la poétique de Diderot, où chaque détail des gestes, des attitudes, des vêtements, est noté avec une rare précision, où la mimique importe plus qu'un dialogue volontairement banal et décousu, et où apparaît, non sans bonheur, une évidente recherche de pittoresque décoratif. Une autre trouvaille technique est l'entrelacement de deux conversations parallèles et distinctes, où les propos futiles des dames se mêlent aux graves paroles du Père en un délicat contrepoint. Tant d'audace parut incompatible avec les traditions scéniques, et cette originale tentative de réalisme fut sacrifiée à la représentation.

Mais cette scène descriptive n'est pas perdue pour la vertu. Le Père de famille manifeste à l'égard de ses serviteurs et de son prochain cette bienveillance prévenante, cette générosité sincère mais prudente et mesurée, qui sont l'idéal de la morale bourgeoise. Le ton s'élève dans la scène suivante, où le *didactisme philosophique* succède sans transition au réalisme familier. Haine de la vie conventuelle, éloge du mariage et de la famille, au nom du dévouement à la société et de la soumission aux lois de la « Nature » : les thèmes chers aux « philosophes » ne manquent pas d'apporter au drame leur inévitable contribution moralisatrice.

Acte II, scène première

LE PÈRE DE FAMILLE, CÉCILE, MADEMOISELLE CLAIRET, MONSIEUR LE BON, UN PAYSAN, MADAME PAPILLON, marchande à la toilette, avec une de ses ouvrières ; LA BRIE, PHILIPPE, domestique qui vient se présenter ; UN HOMME vêtu de noir qui a l'air d'un pauvre honteux, et qui l'est.

(Toutes ces personnes arrivent les unes après les autres. Le paysan se tient debout, le corps penché sur son bâton. Madame Papillon, assise dans un fauteuil, s'essuie le visage avec son mouchoir ; sa fille de boutique est debout à côté d'elle, avec un petit carton sous le bras. M. Le Bon est étalé négligemment sur un canapé. L'homme vêtu de noir est retiré à l'écart, debout dans un coin, auprès d'une fenêtre. La Brie est en veste et en papillotes. Philippe est habillé. La Brie tourne autour de lui, et le regarde un peu de travers, tandis que M. Le Bon examine avec sa lorgnette la fille de boutique de madame Papillon. Le Père de famille entre, et tout le monde se lève. Il est suivi de sa fille, et sa fille précédée de sa femme de chambre, qui porte le déjeuner de sa maîtresse. Mademoiselle Clairet fait, en passant, un petit salut de protection à madame Papillon. Elle sert le déjeuner de sa maîtresse sur une petite table. Cécile s'assied d'un côté de cette table. Le Père de famille est assis de l'autre. Mademoiselle Clairet est debout, derrière le fauteuil de sa maîtresse.)

LE PÈRE DE FAMILLE, *au Paysan.*

    Ah ! c'est vous, qui venez enchérir sur le bail de mon fermier de Limeuil. J'en suis content. Il est exact. Il a des enfants. Je ne suis pas fâché qu'il fasse avec moi ses affaires. Retournez-vous-en.

(Mademoiselle Clairet fait signe à madame Papillon d'approcher.)

CÉCILE, *à madame Papillon, bas.*

    M'apportez-vous de belles choses ?

LE PÈRE DE FAMILLE, *à son intendant.*

    Eh bien ! Monsieur Le Bon, qu'est-ce qu'il y a ?

MADAME PAPILLON, *bas à Cécile.*

    Mademoiselle, vous allez voir.

MONSIEUR LE BON.

Ce débiteur, dont le billet est échu depuis un mois, demande encore à différer son payement.

LE PÈRE DE FAMILLE.

Les temps sont durs ; accordez-lui le délai qu'il demande. Risquons une petite somme, plutôt que de le ruiner.

(Pendant que la scène marche, madame Papillon et sa fille de boutique déploient sur des fauteuils, des perses, des indiennes, des satins de Hollande, etc. Cécile, tout en prenant son café, regarde, approuve, désapprouve, fait mettre à part, etc.)

MONSIEUR LE BON.

Les ouvriers qui travaillaient à votre maison d'Orsigny sont venus.

LE PÈRE DE FAMILLE.

Faites leur compte.

MONSIEUR LE BON.

Cela peut aller au delà des fonds.

LE PÈRE DE FAMILLE.

Faites toujours. Leurs besoins sont plus pressants que les miens ; et il vaut mieux que je sois gêné qu'eux.

(A sa fille).

Cécile, n'oubliez pas mes pupilles. Voyez s'il n'y a rien là qui leur convienne…

(Ici il aperçoit le Pauvre honteux. Il se lève avec empressement. Il s'avance vers lui, et lui dit bas :)

Pardon, monsieur ; je ne vous voyais pas… Des embarras domestiques m'ont occupé… Je vous avais oublié.

(Tout en parlant, il tire une bourse qu'il lui donne furtivement, et tandis qu'il le reconduit et qu'il revient, l'autre scène avance.)

MADEMOISELLE CLAIRET.

Ce dessin est charmant.

CÉCILE.

Combien cette pièce ?

MADAME PAPILLON.

Dix louis, au juste.

MADEMOISELLE CLAIRET.

C'est donner.

(Cécile paye.)

LE PÈRE DE FAMILLE, *en revenant, bas, et d'un ton de commisération.*

Une famille à élever, un état à soutenir, et point de fortune !

CÉCILE.

Qu'avez-vous là, dans ce carton ?

LA FILLE DE BOUTIQUE.

Ce sont des dentelles.

(Elle ouvre son carton.)

CÉCILE, *vivement*.

Je ne veux pas les voir. Adieu, madame Papillon.

(Mademoiselle Clairet, madame Papillon et sa fille de boutique sortent.)

MONSIEUR LE BON.

Ce voisin, qui a formé des prétentions sur votre terre, s'en désisterait peut-être, si...

LE PÈRE DE FAMILLE.

Je ne me laisserai pas dépouiller. Je ne sacrifierai point les intérêts de mes enfants à l'homme avide et injuste. Tout ce que je puis, c'est de céder, si l'on veut, ce que la poursuite de ce procès pourra me coûter. Voyez.

(Monsieur Le Bon va pour sortir.)

LE PÈRE DE FAMILLE, *le rappelle, et lui dit :*

A propos, monsieur Le Bon. Souvenez-vous de ces gens de province. Je viens d'apprendre qu'ils ont envoyé ici un de leurs enfants ; tâchez de me le découvrir.

(A La Brie, qui s'occupait à ranger le salon.)

Vous n'êtes plus à mon service. Vous connaissiez le dérèglement de mon fils. Vous m'avez menti. On ne ment pas chez moi.

CÉCILE, *intercédant*.

Mon père !

LE PÈRE DE FAMILLE.

Nous sommes bien étranges. Nous les avilissons ; nous en faisons de malhonnêtes gens, et lorsque nous les trouvons tels, nous avons l'injustice de nous en plaindre.

(A La Brie.)

Je vous laisse votre habit, et je vous accorde un mois de vos gages. Allez.

(A Philippe.)

Est-ce vous dont on vient de me parler ?

PHILIPPE.

Oui, monsieur.

LE PÈRE DE FAMILLE.

Vous avez entendu pourquoi je le renvoie. Souvenez-vous-en. Allez, et ne laissez entrer personne.

Scène 11

LE PÈRE DE FAMILLE, CÉCILE

LE PÈRE DE FAMILLE.

Ma fille, avez-vous réfléchi ?

CÉCILE.

Oui, mon père.

LE PÈRE DE FAMILLE.

Qu'avez-vous résolu ?

CÉCILE.

De faire en tout votre volonté.

LE PÈRE DE FAMILLE.

Je m'attendais à cette réponse.

CÉCILE.

Si cependant il m'était permis de choisir un état...

LE PÈRE DE FAMILLE.

Quel est celui que vous préféreriez ?... Vous hésitez... Parlez, ma fille.

CÉCILE.

Je préférerais la retraite.

LE PÈRE DE FAMILLE.

Que voulez-vous dire ? Un couvent ?

CÉCILE.

Oui mon père. Je ne vois que cet asile contre les peines que je crains.

LE PÈRE DE FAMILLE.

Vous craignez des peines, et vous ne pensez pas à celles que vous me causeriez ? Vous m'abandonneriez ? Vous quitteriez la maison de votre père pour un cloître ? La société de votre oncle, de votre frère et la mienne, pour la servitude ? Non ma fille, cela ne sera point. Je respecte la vocation religieuse ; mais ce n'est pas la vôtre. La nature, en vous accordant les qualités sociales, ne vous destina point à l'inutilité... Cécile, vous soupirez... Ah ! Si ce dessein te venait de quelque cause secrète, tu ne sais pas le sort que tu te préparerais. Tu n'as pas entendu les gémissements des infortunées dont tu irais augmenter le nombre. Ils percent la nuit et le silence de leurs prisons. C'est alors, mon enfant, que les larmes coulent amères et sans témoin, et que les couches solitaires en sont arrosées... Mademoiselle, ne me parlez jamais de couvent... Je n'aurai point donné la vie à un enfant ; je ne l'aurai point élevé ; je n'aurai point travaillé sans relâche à assurer son bonheur, pour le laisser descendre tout vif dans un tombeau ; et avec lui, mes espérances et celles de la société trompées... Et qui la repeuplera de citoyens vertueux, si les femmes les plus dignes d'être les mères de famille s'y refusent ?

CÉCILE.

Je vous ai dit, mon père, que je ferais en tout votre volonté.

LE PÈRE DE FAMILLE.

Ne me parlez donc jamais de couvent.

CÉCILE.

Mais j'ose espérer que vous ne contraindrez pas votre fille à changer d'état, et que, du moins, il lui sera permis de passer des jours tranquilles et libres à côté de vous.

LE PÈRE DE FAMILLE.

Si je ne considérais que moi, je pourrais approuver ce parti. Mais je dois vous ouvrir les yeux sur un temps où je ne serai plus... Cécile, la nature a ses vues ; et si vous regardez bien, vous verrez sa vengeance sur tous ceux qui les ont trompées ; les hommes, punis du célibat par le vice ; les femmes, par le mépris et par l'ennui... Vous connaissez les différents états ; dites-moi, en est-il un plus triste et moins considéré que celui d'une fille âgée ? Mon enfant, passé trente ans, on suppose quelque défaut de corps ou d'esprit à celle qui n'a trouvé personne qui fût tenté de supporter avec elle les peines de la vie. Que cela soit ou non, l'âge avance, les charmes passent, les hommes s'éloignent, la mauvaise humeur prend ; on perd ses parents, ses connaissances, ses amis. Une fille surannée n'a plus autour d'elle que des indifférents qui la négligent, ou des âmes intéressées qui comptent ses jours. Elle le sent, elle s'en afflige ; elle vit sans qu'on la console, et meurt sans qu'on la pleure.

CÉCILE.

Cela est vrai. Mais est-il un état sans peine ; et le mariage n'a-t-il pas les siennes ?

LE PÈRE DE FAMILLE.

Qui le sait mieux que moi ? Vous me l'apprenez tous les jours. Mais c'est un état que la nature impose. C'est la vocation de tout ce qui respire... Ma fille, celui qui compte sur un bonheur sans mélange, ne connaît ni la vie de l'homme, ni les desseins du ciel sur lui... Si le mariage expose à des peines cruelles, c'est aussi la source des plaisirs les plus doux. Où sont les exemples de l'intérêt pur et sincère, de la tendresse réelle, de la confiance intime, des secours continus, des satisfactions réciproques, des chagrins partagés, des soupirs entendus, des larmes confondues, si ce n'est dans le mariage ? Qu'est-ce que l'homme de bien préfère à sa femme ? Qu'y a-t-il au monde qu'un père aime plus que son enfant ?... Ô lien sacré des époux, si je pense à vous, mon âme s'échauffe et s'élève !... O noms tendres de fils et de fille, je ne vous prononçai jamais sans tressaillir, sans être touché ! Rien n'est plus doux à mon oreille ; rien n'est plus intéressant à mon cœur... Cécile, rappelez-vous la vie de votre mère : en est-il une plus douce que celle d'une femme qui a employé sa journée à remplir les devoirs d'épouse attentive, de mère tendre, de maîtresse compatissante ?... Quel sujet de réflexions délicieuses elle emporte en son cœur, le soir, quand elle se retire !

Michel-Jean SEDAINE

TEXTE II   Le Philosophe sans le savoir
(1765)

Symbole de la grande bourgeoisie d'affaires, dont les goûts ont influé sur la nouvelle orientation du théâtre, *le négociant* est un des personnages favoris du drame. La fréquence du rôle et la sympathie déférente dont il est entouré témoignent à la fois de l'avènement d'une nouvelle classe dans un monde où l'argent est devenu la principale puissance sociale et internationale, et de la curiosité du drame pour les transformations de la société contemporaine.

Dans *Le Philosophe sans le savoir*, Sedaine place dans la bouche de son héros une analyse et une apologie raisonnées de la « condition » de négociant. Né gentilhomme, mais contraint, à la suite de circonstances fort romanesques, de prendre un « état », M. Vanderk a dû déroger, enfreindre le code des convenances aristocratiques, et braver le préjugé que dénonçait déjà Voltaire dans sa Xe *Lettre Philosophique*. Réunissant en sa personne noblesse, fortune et lumières, ce « philosophe » réconcilie la qualité et la condition, la naissance et la richesse, l'honneur et la vertu. L'état de négociant, dont la réussite est fondée sur les trois vertus du cœur, du mérite et de l'esprit, réalise, en un idéal harmonieux, l'alliance des aspirations essentielles d'un siècle généreux, industrieux et éclairé. A une époque où la noblesse sans la fortune n'est plus qu'un vain titre et la légitimation arbitraire de l'orgueil, le négociant, par sa prospérité, son prestige et son rayonnement, est le héros d'une nouvelle *aristocratie de la fortune et de la pensée*. A ce titre il méritait un rôle privilégié dans un genre dramatique où triomphe l'idéal bourgeois.

Acte II, scène IV

M. VANDERK PÈRE, M. VANDERK FILS

M. VANDERK père.

Le ciel a béni ma fortune, je ne peux pas être plus heureux, je suis estimé. Voici votre sœur bien établie ; votre beau-frère remplit avec honneur une des premières places dans la robe. Pour vous, mon fils, vous serez digne de moi et de vos aïeux : j'ai déjà remis dans notre famille tous les biens que la nécessité de servir le prince avait fait sortir des mains de nos ancêtres : ils seront à vous, ces biens ; et si vous pensez que j'aie fait par le commerce une tache à leur nom, c'est à vous de l'effacer. Mais, dans un siècle aussi éclairé que celui-ci, ce qui peut donner la noblesse n'est pas capable de l'ôter.

M. VANDERK fils.

Ah ! mon père, je ne le pense pas ; mais le préjugé est malheureusement si fort...

M. VANDERK père.

Un préjugé ! Un tel préjugé n'est rien aux yeux de la raison.

M. VANDERK fils.

Cela n'empêche pas que le commerce ne soit considéré comme un état.

M. VANDERK père.

Quel état, mon fils, que celui d'un homme qui, d'un trait de plume, se fait obéir d'un bout de l'univers à l'autre ! Son nom, son seing n'a pas besoin, comme la monnaie d'un souverain, que la valeur du métal serve de caution à l'empreinte : sa personne a tout fait ; il a signé, cela suffit.

M. VANDERK fils.

J'en conviens ; mais...

M. VANDERK père.

Ce n'est pas un peuple, ce n'est pas une seule nation qu'il sert ; il les sert toutes, et en est servi : c'est l'homme de l'univers.

M. VANDERK fils.

Cela peut être vrai ; mais enfin en lui-même qu'a-t-il de respectable ?

M. VANDERK père.

> De respectable ! Ce qui légitime dans un gentilhomme les droits de la naissance, ce qui fait la base de ses titres : la droiture, l'honneur, la probité.

M. VANDERK fils.

> Votre conduite, mon père.

M. VANDERK père.

> Quelques particuliers audacieux font armer les rois, la guerre s'allume, tout s'embrase, l'Europe est divisée ; mais ce négociant anglais, hollandais, russe ou chinois, n'en est pas moins l'ami de mon cœur : nous sommes, sur la surface de la terre, autant de fils qui lient ensemble les nations, et les ramènent à la paix par la nécessité du commerce. Voilà, mon fils, ce que c'est qu'un honnête négociant.

M. VANDERK fils.

> Et le gentilhomme donc ? et le militaire ?

M. VANDERK père.

> Je ne connais que deux états au-dessus du commerçant (en supposant encore qu'il y ait quelque différence entre ceux qui font le mieux qu'ils peuvent dans le rang où le ciel les a placés) ; je ne connais que deux états : le magistrat qui fait parler les lois, et le guerrier qui défend la patrie.

M. VANDERK fils.

> Je suis donc gentilhomme.

M. VANDERK père.

> Oui, mon fils ; il est peu de bonnes maisons auxquelles vous ne teniez, et qui ne tiennent à vous.

M. VANDERK fils.

> Mon père, pourquoi donc me l'avoir caché si longtemps ?

M. VANDERK père.

> Par une prudence peut-être inutile : j'ai craint que l'orgueil d'un grand nom ne devînt le germe de vos vertus ; j'ai désiré que vous les tinssiez de vous-même. Je vous ai épargné jusqu'à cet instant les réflexions que vous venez de faire, réflexions qui dans un âge moins avancé se seraient produites avec plus d'amertume.

Louis-Sébastien MERCIER

TEXTE III   Jean Hennuyer, évêque de Lisieux (1772)

Publié en août 1772, deuxième centenaire de la Saint-Barthélemy, ce drame est présenté par son auteur comme « une espèce d'expiation offerte à l'humanité au nom de la patrie, et un hommage rendu à la vraie religion dans la personne d'un prêtre qui la représentait alors presque seul ». La fidélité à l'histoire ne cherche pas à dissimuler *l'allusion contemporaine* : dix ans après l'exécution de Jean Calas, six ans seulement après le supplice du chevalier de La Barre, les leçons du passé sont douloureusement actuelles. Parfois attribué à Voltaire, *Jean Hennuyer* appartient à la lignée spirituelle du *Traité sur la Tolérance*.

« L'action se passe le 27 août 1572 ». Dans la ville de Lisieux atterrée par l'annonce du massacre et menacée d'une semblable tuerie, gronde l'impuissante révolte des protestants traqués. Tandis qu'ils envahissent l'évêché dans des intentions évidemment hostiles au représentant de Rome, Jean Hennuyer refuse les ordres d'extermination que lui transmet le Lieutenant du roi. Par sa générosité humaine et son authentique charité chrétienne, le prélat assure le salut des réformés et désarme leur vengeance.

Le dialogue de l'évêque et du lieutenant est une belle page, où l'importance du débat rachète l'emphase déclamatoire. Contre les exigences d'une obéissance aveugle et l'opportunisme d'une soumission politique, ce « héros de l'humanité » défend les droits de la conscience et les devoirs de la fraternité. *La haine du fanatisme et de la tyrannie* s'exprime en des formules éclatantes et d'un ton parfois très moderne, où l'on perçoit, à travers les revendications du siècle des Lumières, les plus nobles accents de *l'humanisme éternel*.

225

Acte III, scène III

JEAN HENNUYER, LE LIEUTENANT DE ROI

LE LIEUTENANT DE ROI.

> Monseigneur, je viens vous faire part des ordres nouveaux que le roi mon maître vient de nous envoyer.

HENNUYER.

> Dieu le garde ! Que nous veut-il ?

LE LIEUTENANT DE ROI.

> Les ordres portent expressément qu'aucun réformé ne puisse échapper de cette ville.

HENNUYER, *alarmé*.

> Qu'entends-je ?

LE LIEUTENANT DE ROI.

> Les protestants de Lizieux doivent suivre ceux de Paris. L'édit de mort est général. J'ai pris à cet effet de sages précautions, et la garnison est sous les armes.

HENNUYER.

> Et l'on demande de moi ?...

LE LIEUTENANT DE ROI.

> Que vous me secondiez, car nous devons agir de concert ; que vous instruisiez votre clergé de ce qu'il doit faire ; que chacun de vos prêtres monte en chaire et prêche aux catholiques de se montrer inexorables, et de n'avoir égard à aucune liaison du sang ou de l'amitié ; que tout protestant périsse, enfin, au lieu où il sera trouvé.

HENNUYER.

> Mais dans la lettre que Sa Majesté nous a écrite, elle s'excuse de tout ce qui s'est passé. Elle déclare formellement n'y être entrée pour rien (*).

(*) Le Roi écrivit le premier jour aux gouverneurs des provinces qu'il n'avait aucune part au désordre qui était le fruit de l'animosité des deux maisons de Guise et de Châtillon ; qu'ils eussent donc soin de faire entendre à tout le monde que ce qui venait d'arriver n'apporterait aucun changement aux édits de pacification, et qu'il commandait que chacun restât tranquille : mais dès le lendemain on dépêcha par toutes les villes du royaume des catholiques accrédités, chargés d'ordres verbaux tout contraires (*Esprit de la Ligue*, tome II).

LE LIEUTENANT DE ROI.

> L'ordre est changé. Sa Majesté déclare Coligni coupable d'un complot qui devait lui ôter la couronne et la vie. Sa Majesté s'attend à être servie avec autant de zèle qu'elle l'a été à Paris par ses fidèles serviteurs. Ce sont ses propres termes.

HENNUYER.

> Mais, Monsieur, puisque le roi a changé deux fois d'avis, ne pourrions-nous pas en attendre un troisième ; et dans un cas de cette importance, ne serait-ce pas le servir très fidèlement que de lui laisser le temps de la réflexion ?

LE LIEUTENANT DE ROI.

> Non, Monseigneur ; ceci est une affaire de religion, et vous regarde particulièrement. Nos projets doivent être unanimes. Encore quelques heures, et la race de ces mécréants aura disparu. Nos soldats brûlent de servir la cause des autels et du trône, et je crois que vos prêtres ne s'y prêteront pas les derniers.

HENNUYER.

> Aucun, Monsieur, croyez-moi, aucun ne participera à cette sanglante trahison. Le pur ministère auquel Dieu nous a destinés est d'enseigner, et non de violenter les consciences, de prier et non de contraindre, d'annoncer la parole évangélique avec la flamme de la charité, et non de forger à notre gré une doctrine persécutrice, opposée à celle de notre divin maître. Ce n'est que par des exemples de douceur, de modération et de vertu qu'il nous est permis de convaincre autrui de la supériorité de notre croyance... Je ne connais point, Monsieur, d'autre voie pour convertir.

LE LIEUTENANT DE ROI.

> Ce langage dans votre bouche assurément a de quoi m'étonner... Ainsi, loin d'approuver la conduite du roi, vous refusez d'obéir à l'ordre qu'il vous envoie ?

HENNUYER.

> Oui, je suis loin de répondre aux ordres homicides que vous m'apportez...

LE LIEUTENANT DE ROI, *surpris*.
> Y pensez-vous, Monseigneur ?

HENNUYER.

> J'y pense très bien, Monsieur. Et depuis quand les conciles et les tribunaux ont-ils décidé qu'il fallait percer le cœur de celui qui ne pensait pas comme nous ?

227

LE LIEUTENANT DE ROI.

>Mais, songez-vous, Monseigneur, que par une désobéissance aussi formelle, vous vous rendrez coupable du crime de lèse-majesté au premier chef ?

HENNUYER.

>C'est en ne protégeant pas contre lui ses sujets, que je croirais me rendre grandement criminel.

LE LIEUTENANT DE ROI.

>Envisagez, de grâce, le péril où vous vous exposez... Voilà l'ordre qui me concerne. Voici le vôtre... Lisez...

HENNUYER, *avec un noble courroux.*

>Je refuse, vous dis-je, de l'accepter... L'ordre me paraît injuste, cruel, inexécutable.

LE LIEUTENANT DE ROI.

>Est-ce à nous d'examiner les ordres du souverain ? Dieu l'a mis sur le trône, il règne par lui. C'est à lui seul qu'il est responsable de ses actions. Elles n'ont d'autre juge que la Divinité même.

HENNUYER.

>Le monarque qui dit ne devoir répondre qu'à Dieu, dit, en d'autres termes, ne vouloir répondre à personne ; car, méconnaissant les lois, il méconnaît l'auteur de toute justice.

LE LIEUTENANT DE ROI.

>Notre devoir est d'obéir. Nous ne répondons ni du bien ni du mal qui peut arriver. Nos ordres remplis, nous sommes dégagés du reste. Si chaque sujet se mêlait de peser les raisons du monarque, que deviendrait alors son autorité ?

HENNUYER.

>Cette manière de raisonner convient parfaitement au militaire, lorsqu'il est en campagne, ou rangé en bataille devant l'ennemi. Comme il ne fait alors qu'un avec le tout, dont le général est la tête et l'âme, le moment décide, et la volonté particulière doit être anéantie. Mais, répondez-moi, Monsieur : s'il venait toutefois un ordre à tel régiment de fondre sur tel autre de son parti, et de tourner les armes contre ses propres concitoyens, alors on supposerait, je pense, que c'est un malentendu, un moment d'erreur, de trouble et de vertige, et l'on se dispenserait, à ce que j'imagine, de massacrer ses camarades. Il en est de même aujourd'hui. Un délire fanatique a transporté la cour de Charles. Gardez-vous de confondre cette crise violente et passagère avec les lois fondamentales de la monarchie ; celles-ci peuvent être

oubliées, mais elles seront toujours en vigueur, parce qu'elles se trouvent d'accord avec la conscience, l'honneur et la raison ; bien différentes, par conséquent, de cet ordre furieux et insensé qui les outrage également. Comme le principe qui l'a dicté est cruel et absurde, cette volonté d'un homme doit être constamment rejetée par tout citoyen digne de ce nom.

LE LIEUTENANT DE ROI.

Monseigneur, je n'admets point de ces distinctions, et je ne me pique pas de raisonner si profondément.

HENNUYER.

Il ne faut pas raisonner profondément pour sentir qu'on est homme et chrétien, avant que d'être sujet ; que le monarque, qui passe, n'est point la patrie ; qu'il est des bornes que le pouvoir royal ne saurait franchir, sans quoi le sujet ne serait plus qu'un vil instrument de servitude ; que la vertu enfin est de toute éternité dans le cœur de l'homme, pour l'avertir quand il doit obéir ou résister. Il est de ces ordres sanguinaires que la Divinité même, s'il était possible qu'elle les donnât, ne pourrait faire adopter à l'homme juste... Quoi ! Charles âgé de vingt-deux ans ordonnera à des prélats sexagénaires, à de braves et anciens officiers, d'égorger au premier clin d'œil cent mille de leurs concitoyens ; et nous, étouffant toute équité, toute lumière naturelle, nous ne saurions que nous baigner dans leur sang ! Si Charles venait à changer, s'il nous ordonnait de suivre le culte de ceux mêmes qu'il vient de proscrire, il faudrait donc, par le même principe, abjurer la foi antique de l'Église, et mépriser le salut de nos âmes ?... L'humanité, croyez-moi, a ses droits bien avant ceux de la royauté. Qui ne parle plus en homme ne peut plus commander en roi... Il faut donc, Monsieur, servir notre jeune monarque en lui désobéissant, cela devient un devoir ; et je ne serais pas étonné qu'il punît demain de mort ceux qui auraient été assez lâches pour avoir hâté l'exécution de pareils ordres.

LE LIEUTENANT DE ROI.

Permettez-moi de ne point entrer dans ces détails. Il serait aussi inutile que dangereux de s'y arrêter... Joignez-vous à moi, Monseigneur, je vous en prie pour la dernière fois... Je serais forcé d'envoyer un grief contre vous ; ne vous perdez pas... ceci pourrait avoir des suites plus funestes que vous ne pensez... Laissez ces malheureux subir leur sort : le roi ne fait sans doute, en les immolant, que prévenir leurs fureurs.

HENNUYER.

Ah ! Dieu ! ce n'est donc pas assez de commettre le crime, on entreprend encore de le justifier !... Vous m'avez assez entendu pour faire votre rapport, Monsieur... croyez que rien ne pourra jamais me faire changer de réponse... S'il vous reste quelque chose d'humain, apprenez à penser comme moi.

LE LIEUTENANT DE ROI.

J'obéis à ma religion, Monseigneur, et j'en fais gloire. N'a-t-elle pas enseigné dans tous les temps à obéir aux rois, quels qu'ils soient ? N'a-t-elle pas décidé qu'ils avaient la puissance du glaive ? N'a-t-elle pas défendu aux sujets de juger de la légitimité des desseins d'un monarque, ni de celle des moyens qu'il jugerait à propos d'employer ? Quand le fils aîné de l'Église s'élève contre les hérétiques, il affermit la gloire de son sceptre, et sa volonté devient une loi sacrée.

HENNUYER.

Vous êtes dans l'erreur, vous dis-je... Ceci est une œuvre de violence, de perfidie et de scélératesse. Vous renverseriez donc la patrie, si le chef l'ordonnait ?... La loi a pour caractère non équivoque le consentement général de la nation ; et depuis quand les peuples se sont-ils élu un roi despote, arbitraire, absolu ? Depuis quand lui ont-ils remis le pouvoir de les égorger avec leur propre épée ? S'il règne sur eux, ce n'est que pour les défendre contre l'ennemi, pour maintenir l'harmonie dans l'intérieur du royaume, pour veiller quand ils dorment, et non pour disposer de leurs jours au gré de son caprice.

LE LIEUTENANT DE ROI.

Mais si le monarque a des coupables à punir ?

HENNUYER.

S'il a ce malheur, alors le cri universel doit constater le forfait, et déposer contre les criminels. Il est aisé de reconnaître la voix publique ; elle se fait entendre, ou plutôt elle tonne au-dessus du diadème. Nulle excuse pour le souverain qui y ferme l'oreille. Encore ne doit-il signer l'arrêt qu'après l'avoir lu écrit dans les yeux de ces hommes de loi consacrés à la justice, interprètes et dépositaires des droits des citoyens, dont les vertus et les travaux ont gagné dès longtemps la confiance des peuples ; il doit se redouter lui-même, et craindre surtout cette ambition cachée d'une plus grande autorité, qui conduit toujours à des démarches iniques. S'il méprise ces formes augustes, barrière utile à lui-même comme aux autres, il tombe dans toutes les surprises qu'on lui a préparées. Son pouvoir devient une tyrannie énorme, et ses exécuteurs ne sont plus que ses complices.

LE LIEUTENANT DE ROI.

Votre refus est formel... Vous allez le signer, s'il vous plaît, Monseigneur... Je dois me mettre en règle.

HENNUYER, *prenant une plume.*

> Oui, je le signerai, et de tout mon sang, s'il le faut.

(Il prend l'ordre, le parcourt des yeux, et les lève au ciel en soupirant.)

> En croirai-je mes yeux ? Quel monument pour la race future !
> « N'épargnez ni les vieillards, ni les femmes enceintes, ni enfants
> agissant et à la mamelle (*). » Dieu qui tiens en main le cœur
> des rois, daigne changer le sien !

(Il écrit, se lève, et prenant l'ordre, qu'il remet au Lieutenant de roi :)

> Tenez, Monsieur ; Dieu veuille que celui qui l'a envoyé le jette
> au feu en recevant ma réponse !

(Le Lieutenant de roi se retire en regardant l'évêque comme un homme perdu.)

(*) Propres termes des ordres envoyés aux commandants de province par Charles IX
et le duc de Guise.

Louis-Sébastien MERCIER

TEXTE IV   La Brouette du Vinaigrier
(1775)

Le chef-d'œuvre de Mercier est peut-être la meilleure réussite du drame au XVIIIe siècle. Par le choix des personnages, la notation des attitudes, la banalité des situations, l'humanité des sentiments, le souci de moralité, *La Brouette du vinaigrier*, **tour à tour** *comique et pathétique, réaliste et romanesque, populaire et bourgeoise,* allie l'originalité à l'exemplarité et la convention à la vie.

La demande en mariage du vinaigrier, au dernier acte, justifie le titre et résume les traits caractéristiques du drame. Dans le salon cossu où le père Dominique pousse sans façons une brouette chargée d'un mystérieux baril, se déroule une scène attendrissante qui contraste avec le pathétique de la tragédie familiale vécue par le négociant ruiné, en proie aux souffrances et aux humiliations d'une injuste et brutale misère. La familiarité du langage et des attitudes, la franchise et la malice du joyeux vieillard, le scepticisme et l'ébahissement de l'homme d'affaires devant la fortune de l'humble vinaigrier, confèrent au dénouement cette *gaîté touchante* qui distingue le drame de la farce, cette vérité sans apprêts qui transpose sur la scène les émotions de la vie.

A l'enjouement d'une intrigue de comédie se superpose *la leçon morale, sociale et* **humaine** du drame. En vantant la simplicité, le courage et le désintéressement du vinaigrier, Mercier exalte le bon sens et la bonté populaires, ces « vertus d'un homme obscur » tellement plus émouvantes que les exploits de héros fabuleux ou les frivolités d'insipides marquis, et dont le drame a pour tâche d'être l'illustration (Textes 6 et 7). De plus, par son mépris des traditions les plus élémentaires du mariage bourgeois, la démarche du vinaigrier joint la hardiesse sociale à la hardiesse dramatique. Par delà une critique des unions fondées sur l'intérêt, cette scène contient, comme l'annonce la préface, une dénonciation de la toute-puissance de l'argent et des méfaits de la monstrueuse disproportion des fortunes. Les revendications sociales de Mercier demeurent cependant fidèlement conformes à *l'idéal bourgeois* de sécurité fondée sur une fortune honnêtement acquise et prudemment exploitée.

Mélange des tons, réalisme discret, moralité fondée sur les antiques préceptes des traditions bourgeoises et les jeunes dogmes de l'égalité démocratique : *La Brouette du vinaigrier* réussit à satisfaire toutes les exigences théoriques du drame sans que l'intention moralisante alourdisse le mouvement de l'intrigue, entrave la spontanéité du dialogue ou altère la fraîcheur des caractères.

Acte III, scène IV

M. DELOMER, DOMINIQUE père

DOMINIQUE PÈRE, *s'approchant de l'oreille de M. Delomer.*

Oui, Monsieur ; c'est moi qui viens vous offrir un parti pour Mademoiselle ; m'entendez-vous ?... Cette chère enfant est si aimable, si bonne !...

M. DELOMER, *regardant Dominique père.*

Vous, père Dominique ! voilà qui est neuf. Qui peut, s'il vous plaît, vous avoir chargé ?...

DOMINIQUE PÈRE.

Je parle au nom d'un jeune homme dont la famille et les mœurs vous sont bien connues.

M. DELOMER.

Bon !

DOMINIQUE PÈRE.

Oh ! pour ce jeune homme-là, il aime la demoiselle, il l'aime sincèrement ; le respect est le fondement de cet amour, car il le rend timide et muet ; je parle ici pour lui, il la prendrait pauvre comme riche, j'en réponds : eh bien ! n'est-ce pas là de la tendresse ?

M. DELOMER.

Achevez, dites ; quel est-il, ce jeune homme ?

DOMINIQUE PÈRE, *avec fermeté.*

C'est mon fils.

M. DELOMER.

Votre fils ?

DOMINIQUE PÈRE, *hardiment*.

Oui, Monsieur, mon fils...

M. DELOMER.

Certes, je ne m'y attendais pas... comment ! lui à qui je m'ouvre tout entier, il aurait pu former de secrètes prétentions ! il vous aurait chargé !...

DOMINIQUE PÈRE.

Il ne m'a chargé de rien. C'est moi qui veux cela... Avez-vous pris garde comme il s'est enfui, quand il a vu que je voulais vous parler ?... Loin d'avoir nourri le moindre espoir, il sèche secrètement de chagrin, tantôt demandant à voyager et tantôt ne le voulant plus : il est nuit et jour dans l'état le plus tourmentant ; et moi je n'ai appris qu'aujourd'hui le supplice de ce pauvre garçon : car vous m'auriez vu plus tôt ; tenez, si ce matin je ne lui eusse serré le bouton, il se serait laissé mourir de consomption sans que nous sussions pourquoi.

M. DELOMER.

Vous me surprenez étonnamment, je n'aurais jamais soupçonné...

DOMINIQUE PÈRE.

Je me suis dit, puisqu'il l'aime si fort, il ne peut que la rendre heureuse et être heureux lui-même ; vous connaissez son cœur, son esprit, ses talents, il suit le même état que le vôtre, il est estimable, vous l'estimez, pourquoi n'aurait-il pas la préférence ?

M. DELOMER.

Bon père Dominique, y pensez-vous ? Je vous pardonne... vous êtes père... mais...

DOMINIQUE PÈRE.

Monsieur, il n'y a pas la moindre tache dans notre famille, nous allons tous la tête levée. Vous auriez tort de vous scandaliser de ma demande : allez, sous cet habit grossier, je sais ce que c'est que le monde, il est des préjugés que l'on sacrifie sans peine, pour peu que l'on raisonne. J'ai vu les grands, j'ai vu les petits ; ma foi, tout bien considéré, tout est de niveau. Ce qui en fait la différence ne vaut pas la peine d'être compté : mon fils a du savoir, de la figure, de l'honnêteté, des mœurs, de l'amour pour l'ordre et le travail, et qui sait jusqu'où ce garçon-là doit monter... c'est un grain de moutarde qui peut lever bien haut.

M. DELOMER.

Vous avez raison, et je ne songeais pas qu'à commencer dès ce jour, je ne dois pas trouver un si grand intervalle entre lui et moi :

(en soupirant)

Ah quel jour, quel jour !... mais dites-moi la vérité, est-ce de son consentement que vous me déclarez ses sentiments, vous n'êtes pas fait pour vous avilir jusqu'au mensonge ?

DOMINIQUE PÈRE.

Il s'agirait de sa vie, que je ne mentirais pas : vous ne connaissez donc point le père Dominique ! La démarche que je fais n'est point de son aveu. Il est aussi loin d'en attendre le succès que je suis, moi, plein de confiance.

M. DELOMER.

Vous pourriez cependant vous abuser.

DOMINIQUE PÈRE, *avec une certaine assurance.*

Non, Monsieur, je ne m'abuse point.

M. DELOMER.

Mais vous êtes singulier !

DOMINIQUE PÈRE.

Mais je suis vrai. Point de détours avec moi, vous pensez peut-être que ce sont de ces tendresses de dot, comme en a M. Jullefort.

M. DELOMER.

Ne prononcez pas le nom de cet homme-là, il m'anime trop le sang.

DOMINIQUE PÈRE.

C'est seulement pour vous faire entendre que, si j'eusse soupçonné dans mon fils la moindre idée d'intérêt, je ne m'en serais pas mêlé. J'ai descendu dans son cœur, je l'ai trouvé tout rempli de cette flamme que vous et moi avons sentie à son âge ; je me souviens de mon jeune temps... L'objet en est digne, et j'en suis d'une joie inexprimable. Dites deux mots et voilà deux heureux, que dis-je ? en voilà quatre.

M. DELOMER.

Vous croyez donc que ma fille y consentirait sans peine ? Vous l'aurait-il fait entrevoir ? Parlez : il faut que je sache tout.

DOMINIQUE PÈRE.

Mais je crois, entre nous soit dit, que mon fils jeune, aimable, poli, assez bien tourné, doit lui revenir mieux que ce M. Julle... ah ! pardonnez ; je ne l'ai pas nommé !

M. DELOMER.

Encore un mot... votre fils vous a-t-il paru tout à l'heure avoir aussi fortement envie de l'épouser que lorsqu'il vous en a fait ce matin le premier aveu ?

235

DOMINIQUE PÈRE.

Vous penseriez que du matin au soir mon fils serait capable... mais je vous dirais...

M. DELOMER.

Dans de certaines circonstances il ne faut qu'une heure pour produire de grands changements... je l'ai éprouvé.

DOMINIQUE PÈRE.

J'aurais seulement voulu que vous l'eussiez écouté un instant avant que d'entrer : la moindre de ses expressions, quand il parle d'elle, vous aurait touché, et vous en aurait plus appris que tout ce que je pourrais vous dire.

M. DELOMER.

Cela me fait beaucoup de peine.

DOMINIQUE PÈRE.

Beaucoup de peine !

M. DELOMER.

Je ne puis lui donner mon consentement.

DOMINIQUE PÈRE, *fièrement.*

Et pourquoi, s'il vous plaît ? La raison ?... à tout il y a une raison.

M. DELOMER.

Je vais vous la dire. Ne croyez pas que ce soit une fausse idée de mésalliance qui me domine : quand il y en aurait une, son mérite aplanirait cette difficulté : il est vrai que je me suis senti choqué au premier mot, je vous l'avoue ; j'ai eu cette faiblesse : et c'en est une des plus grandes ; car, en réfléchissant bien, je ne dois voir en vous que mon égal, votre état ne diffère du mien que par un extérieur moins brillant : dans le fond et vu du côté réel, c'est, du plus au moins, toujours vendre pour gagner.

DOMINIQUE PÈRE.

Toujours vendre pour gagner, c'est bien dit cela.

M. DELOMER.

Votre fils est un jeune homme qui sûrement d'ici à quelques années trouvera un excellent parti, pour peu qu'il se répande dans le monde ; de mon côté je veux le recommander à ce qu'il y a de mieux.

INIQUE PÈRE.

Tenez, recommandez-le seulement à Mademoiselle votre fille : voilà tout ce que nous vous demandons.

M. DELOMER.

> Ma fille n'est plus à marier, dès demain elle entrera au couvent ; l'avenir seul m'apprendra si elle doit un jour en sortir.

DOMINIQUE PÈRE.

> Vous auriez la cruauté de la mettre sous la grille, quand on vous dit qu'elle a un amant !... Savez-vous bien que je serais un homme à vous dire des choses dures ? N'êtes-vous pas son père, comme je le suis de mon fils ? et ce cœur, ce cœur qui nous bat pour un enfant, ne le sentez-vous pas tressaillir pour son bonheur ?... Cloîtrer une si aimable fille, à son âge !... ah ! prenez garde...

M. DELOMER.

> Vous ne savez point quelles sont mes raisons : la nécessité contraint la meilleure volonté. Puisqu'il faut vous le dire, je ne suis pas assez riche pour établir ma fille, je ne peux lui rien donner, rien ; c'est la plus exacte vérité, et voilà la vraie cause de cette rupture dont je viens de vous faire part ; vous vous étonnez, vous ouvrez de grands yeux ; mais cela est ainsi.

DOMINIQUE PÈRE, *avec une joie concentrée.*

> Vous n'avez rien à lui donner ! Bon, bon... tant mieux, tant mieux.

M. DELOMER.

> Une banqueroute, après vingt ans de travaux, me remet au même point d'où je suis parti.

DOMINIQUE PÈRE.

> Bon, bon.

M. DELOMER.

> Je ne la refuserais pas à un homme assez riche par lui-même pour commencer une maison ; mais ne pouvant aider aucunement votre fils qui n'a rien, vous pensez bien qu'il est inutile d'y songer. Je ne souffrirai pas qu'il l'épouse pour vivre dans le malaise... non, non, jamais... Il y a trop d'amertumes à boire dans cette gêne étroite ; et sans un peu d'abondance l'amour lui-même se détruit et fait place à la discorde.

DOMINIQUE PÈRE.

> C'est-à-dire que si mon fils était riche de combien seulement ? Voyons.

M. DELOMER.

> Oh ! s'il avait seulement dix mille écus pour commencer... vous riez !

DOMINIQUE PÈRE.

Oui, je ris, dix mille écus ! Achevez.

M. DELOMER.

Je le préférerais au plus riche négociant de Paris ; car, je ne vous le cèle pas, il m'est agréable en tout point ; et si je ne me trouvais réduit... mais le commerce, mon cher Dominique, est semblable à une mer tantôt calme et tout à coup orageuse. Les mêmes vents qui font voler votre vaisseau, l'engloutissent. J'ai fait naufrage sous un ciel qui paraissait serein. C'est à vous de faire entendre raison à votre fils ; il a l'esprit juste, il sentira, de lui-même, combien le sort est contraire à ses vœux.

DOMINIQUE PÈRE.

Me donnez-vous votre parole que, s'il n'y avait point d'autres obstacles, votre fille serait à lui ?

M. DELOMER.

Oh ! de bon cœur... puisse-t-il acquérir tout le bien que je lui souhaite ; mais, s'il faut vous le dire, pour un homme de probité, cela devient plus difficile que jamais.

DOMINIQUE PÈRE, *regardant son baril.*

Allons, mon baril, allons, parle pour moi... Vil argent ! c'est donc à toi et non au mérite personnel qu'il faut devoir le bonheur de mon fils ! J'ai bien fait d'y penser :
(reprenant la main à Monsieur Delomer)
Touchez-là, c'est une affaire faite.

M. DELOMER.

Vous perdez l'esprit !

DOMINIQUE PÈRE.

Voyez, voyez seulement ce qui est là dessus ma brouette.

M. DELOMER.

Eh bien, quelle folie !

DOMINIQUE PÈRE, *le prend par la main, et le conduit au baril.*

Écoutez bien : là-dedans sont trois mille sept cent soixante et dix-huit louis d'or, en rouleaux bien comptés et six sacs de douze cents livres : il n'y a rien de plus ni de moins : voulez-vous voir ? J'en suis le maître.

M. DELOMER.

Quel langage ! vous m'étourdissez.

DOMINIQUE PÈRE.

Rien n'est plus juste, il faut voir quand on doute.

(Il tire un petit maillet de sa poche et défonce le baril ; il fait sonner des sacs et défait un rouleau.)

Tenez, voyez, palpez.

M. DELOMER, *jetant un cri*.

Est-il possible ? mais c'est de l'or.

DOMINIQUE PÈRE.

C'est là mon porte-feuille à moi ; il est sûr celui-là... point de fausse monnaie... tout en espèces sonnantes.

M. DELOMER.

En vérité, je ne sais que dire : comment ! c'est à vous ?... mais d'où vient tout cela ?

DOMINIQUE PÈRE.

De m'être toujours levé de grand matin... voilà quarante-cinq ans que je suis à peu près vêtu comme vous voyez, et depuis quarante-cinq ans le labeur de chaque soleil a amené successivement une petite portion de cette masse. Tandis que vous autres dépensiez chaque jour, j'amassais chaque jour, j'économisais ; depuis que je me connais, je me suis amusé de la fantaisie de me bâtir une grosse somme, non par avarice au moins ; mais pour pouvoir assurer le bien-être de ma vieillesse et de ceux qui viendraient après moi. Je n'ai point connu les privations de la lésinerie. J'ai été frugal et laborieux, voilà tout mon secret : je ne puis dire moi-même comment cette masse s'est formée : mais, à force de suivre mon idée, j'ai eu toutes sortes de petits avantages qui sont venus accumuler mon petit trésor. Jamais l'amour d'un plus grand gain ne m'a fait hasarder ce que la fortune m'avait une fois envoyé, j'ai bien tenu ce que je tenais ; et le diable, par conséquent, n'a pu me l'emporter : il est vrai qu'ensuite l'ambition d'élever mon fils n'a pas laissé que de m'aiguillonner. A mesure qu'il grandissait, l'amour paternel a fait des miracles, ou plutôt Dieu a béni mon projet, puisque, sans cet argent, que j'ai lieu de chérir, mon fils, mon cher fils devenait malheureux.

M. DELOMER.

Je ne puis en revenir : et votre dessein est en m'apportant cette somme ?...

DOMINIQUE PÈRE.

De faire son établissement d'accord entre vous trois... ce n'est plus là mon affaire ; tout est à vous, partagez... J'ai un marais de trois arpents au faubourg Saint-Victor, joint à une petite maisonnette : c'est tout ce qu'il me faut pour ma subsistance et mon plaisir, je ne veux rien de plus...

M. DELOMER.

Quoi ! vous abandonneriez ?...

DOMINIQUE PÈRE.

Faites-les venir, vous dis-je : voilà le plus grand plaisir de ma vie. Demain je pourrais mourir et je serais privé de ce spectacle délicieux...

(Avec sentiment.)

Mon fils ! la jouissance de mon héritage ne sera point attristée par mon deuil.

M. DELOMER.

Je suis hors de moi... la surprise, l'admiration... je n'ai pas la force de parler, la joie... je vais vous les faire venir.

Pierre Caron de BEAUMARCHAIS

TEXTE V   La Mère coupable (1792)

Dernier acte d'une trilogie, *La Mère coupable* permet de mesurer, sur un cas privilégié, la distance qui sépare le registre du drame de celui de la comédie. Les personnages du *Barbier de Séville* et du *Mariage de Figaro* se retrouvent en effet, « vingt ans après »[1], dans une situation déjà contenue de façon latente dans *La Folle journée*, mais singulièrement aggravée par les circonstances, la souffrance et le temps. L'âge et le malheur ont durci les caractères, creusé les traits, multiplié les heurts. Qu'il est loin, le temps des romances et des déguisements, des rubans volés et des baisers surpris ! L'exquise tendresse de la Comtesse pour son page favori s'est muée en un souvenir douloureux, lourd de tout le poids de la faute et du remords. L'ardente jalousie du Comte a fait place à la fureur haineuse de l'époux déshonoré. A la frêle silhouette de Chérubin, entraîné dans la mort par sa passion égarée, succède la timide figure de son fils Léon, aujourd'hui en butte à la malveillance de son père putatif.

Aussi la confrontation entre les époux fait-elle sinistrement écho à leur rencontre du *Mariage*. Le sujet comme le ton de cette « scène » intime sont empreints des plus sombres couleurs du drame. La violence de l'altercation, le désarroi de la Comtesse, l'indignation du Comte, tout contribue à créer un climat de *tragédie familiale*, de pathétique quotidien. Les procédés du *mélodrame* sont largement mis à contribution : des lettres surprises livrent les secrets enfouis dans les cœurs : une substitution de médaillon, destinée à confondre l'épouse infidèle, provoque une terreur délirante. C'est déjà le ton du drame de mœurs moderne.

Enfin « le pieux repentir de cette femme infortunée »[1], le spectacle des souffrances endurées pour une faute si ancienne, la cruauté de l'expiation, le malheur des innocentes victimes, ne manqueront pas de faire couler de bienfaisantes larmes. L'intensité de *l'attendrissement* prêtera aux leçons de l'expérience cette puissance émotive qui garantit *la moralité du drame*.

---

1. *Un mot sur* La Mère coupable (1797).

Acte iv, scène xiii

LA COMTESSE, LE COMTE, LÉON caché

LE COMTE, *sèchement.*

Madame, on dit que vous me demandez ?

LA COMTESSE, *timidement.*

J'ai cru, monsieur, que nous serions plus libres dans ce cabinet que chez vous.

LE COMTE.

M'y voilà, madame ; parlez.

LA COMTESSE, *tremblante.*

Asseyons-nous, monsieur, je vous conjure, et prêtez-moi votre attention.

LE COMTE, *impatient.*

Non, j'entendrai debout ; vous savez qu'en parlant je ne saurais tenir en place.

LA COMTESSE, *s'asseyant, avec un soupir, et parlant bas.*

Il s'agit de mon fils... monsieur.

LE COMTE, *brusquement.*

De votre fils, madame ?

LA COMTESSE.

Et quel autre intérêt pourrait vaincre ma répugnance à engager un entretien que vous ne recherchez jamais ? Mais je viens de le voir dans un état à faire compassion : l'esprit troublé, le cœur serré de l'ordre que vous lui donnez de partir sur-le-champ ; surtout du ton de dureté qui accompagne cet exil. Eh ! comment a-t-il encouru la disgrâce d'un p... d'un homme si juste ? Depuis qu'un exécrable duel nous a ravi notre autre fils...

LE COMTE, *les mains sur le visage, avec un air de douleur.*

Ah !...

LA COMTESSE.

Celui-ci, qui jamais ne dût connaître le chagrin, a redoublé de soins et d'attentions pour adoucir l'amertume des nôtres !

LE COMTE, *se promenant doucement.*

Ah !...

LA COMTESSE.

Le caractère emporté de son frère, son désordre, ses goûts et sa conduite déréglée nous en donnaient souvent de bien cruels. Le Ciel sévère, mais sage en ses décrets, en nous privant de cet enfant, nous en a peut-être épargné de plus cuisants pour l'avenir.

LE COMTE, *avec douleur*.

Ah !... ah !...

LA COMTESSE.

Mais, enfin, celui qui nous reste a-t-il jamais manqué à ses devoirs ? Jamais le plus léger reproche fut-il mérité de sa part ? Exemple des hommes de son âge, il a l'estime universelle : il est aimé, recherché, consulté. Son p... protecteur naturel, mon époux seul, paraît avoir les yeux fermés sur un mérite transcendant, dont l'éclat frappe tout le monde.

(Le Comte se promène plus vite sans parler. — La Comtesse prenant courage de son silence, continue d'un ton plus ferme et l'élève par degrés.)

En tout autre sujet, monsieur, je tiendrais à fort grand honneur de vous soumettre mon avis, de modeler mes sentiments, ma faible opinion sur la vôtre ; mais il s'agit... d'un fils...

(Le Comte s'agite en marchant.)

Quand il avait un frère aîné, l'orgueil d'un très grand nom le condamnant au célibat, l'ordre de Malte était son sort. Le préjugé semblait alors couvrir l'injustice de ce partage entre deux fils

(timidement)

égaux en droits.

LE COMTE, *s'agite plus fort*. (A **part**, d'un ton étouffé.)

Égaux en droits !...

LA COMTESSE, *un peu plus fort*.

Mais depuis deux années qu'un accident affreux... les lui a tous transmis, n'est-il pas étonnant que vous n'ayez rien entrepris pour le relever de ses vœux ? Il est de notoriété que vous n'avez quitté l'Espagne que pour dénaturer vos biens, par la vente ou par les échanges. Si c'est pour l'en priver, monsieur, la haine ne va pas plus loin ! Puis, vous le chassez de chez vous et semblez lui fermer la maison p... par vous habitée ! Permettez-moi de vous le dire, un traitement aussi étrange est sans excuse aux yeux de la raison. Qu'a-t-il fait pour le mériter ?

LE COMTE, *s'arrête ; d'un ton terrible*.

Ce qu'il a fait !

LA COMTESSE, *effrayée*.

Je voudrais bien, monsieur, ne pas vous offenser !

LE COMTE, *plus fort.*

Ce qu'il a fait, madame ! Et c'est vous qui le demandez ?

LA COMTESSE, *en désordre.*

Monsieur, monsieur ! vous m'effrayez beaucoup !

LE COMTE, *avec fureur.*

Puisque vous avez provoqué l'explosion du ressentiment qu'un respect humain enchaînait, vous entendrez son arrêt et le vôtre.

LA COMTESSE, *plus troublée.*

Ah, monsieur ! ah, monsieur !

LE COMTE.

Vous demandez ce qu'il a fait ?

LA COMTESSE, *levant les bras.*

Non, monsieur ! ne me dites rien.

LE COMTE, *hors de lui.*

Rappelez-vous, femme perfide, ce que vous avez fait vous-même ! et comment, recevant un adultère dans vos bras, vous avez mis dans ma maison cet enfant étranger, que vous osez nommer mon fils !

LA COMTESSE, *au désespoir, veut se lever.*

Laissez-moi m'enfuir, je vous prie.

LE COMTE, *la clouant sur son fauteuil.*

Non, vous ne fuirez pas ; vous n'échapperez point à la conviction qui vous presse.

(Lui montrant sa lettre.)

Connaissez-vous cette écriture ? Elle est tracée de votre main coupable ! et ces caractères sanglants qui lui servent de réponse...

LA COMTESSE, *anéantie.*

Je vais mourir ! Je vais mourir.

LE COMTE, *avec force.*

Non, non ! vous entendrez les traits que j'en ai soulignés !
(Il lit avec égarement.)

« Malheureux insensé ! notre sort est rempli ; votre crime, le mien, reçoit sa punition. Aujourd'hui, jour de Saint-Léon, patron de ce lieu et le vôtre, je viens de mettre au monde un fils, mon opprobre et mon désespoir... »

(Il parle.)

Et cet enfant est né le jour de Saint-Léon, plus de dix mois après mon départ pour la Vera Cruz !

(Pendant qu'il lit très fort, on entend la Comtesse égarée, dire des mots coupés qui partent du délire.)

LA COMTESSE, *priant, les mains jointes.*

Grand Dieu ! tu ne permets donc pas que le crime le plus caché demeure toujours impuni !

LE COMTE.

... Et de la main du corrupteur

(Il lit.)

« L'ami qui vous rendra ceci, quand je ne serai plus, est sûr. »

LA COMTESSE, *priant.*

Frappe, mon Dieu, car je l'ai mérité !

LE COMTE, *lit.*

« Si la mort d'un infortuné vous inspirait un reste de pitié, parmi les noms qu'on va donner à ce fils, héritier d'un autre... »

LA COMTESSE, *priant.*

Accepte l'horreur que j'éprouve en expiation de ma faute !

LE COMTE, *lit.*

« Puis-je espérer que le nom de Léon... »

(Il parle.)

Et ce fils s'appelle Léon !

LA COMTESSE, *égarée, les yeux fermés.*

Mon Dieu ! mon crime fut bien grand, s'il égala ma punition ! Que ta volonté s'accomplisse !

LE COMTE, *plus fort.*

Et, couverte de cet opprobre, vous osez me demander compte de mon éloignement pour lui ?

LA COMTESSE, *priant toujours.*

Qui suis-je pour m'y opposer, lorsque ton bras s'appesantit ?

LE COMTE.

Et, lorsque vous plaidez pour l'enfant de ce malheureux, vous avez au bras mon portrait !

LA COMTESSE, *en le détachant, le regarde.*

Monsieur, monsieur, je le rendrai ; je sais que je n'en suis pas digne.

(Dans le plus grand égarement.)

Ciel ! que m'arrive-t-il ? Ah ! je perds la raison ! Ma conscience troublée fait naître des fantômes ! — Réprobation anticipée !... Je vois ce qui n'existe pas... Ce n'est plus vous ; c'est lui qui me fait signe de le suivre, d'aller le rejoindre au tombeau !

LE COMTE, *effrayé.*

> Comment ? Eh bien ! non, ce n'est pas...

LA COMTESSE, *en délire.*

> Ombre terrible ! éloigne-toi !

LE COMTE, *crie avec douleur.*

> Ce n'est pas ce que vous croyez !

LA COMTESSE, *jette le bracelet par terre.*

> Attends... Oui, je t'obéirai...

LE COMTE, *plus troublé.*

> Madame, écoutez-moi...

LA COMTESSE.

> J'irai... Je t'obéis... Je meurs.

(Elle reste évanouie)

LE COMTE, *effrayé, ramasse le bracelet.*

> J'ai passé la mesure... Elle se trouve mal... Ah ! Dieu ! courons lui chercher du secours.

(Il sort. Il s'enfuit. — Les convulsions de la douleur font glisser la Comtesse à terre.)

DRAMES ROMANTIQUES

CHAPITRE II

Alexandre DUMAS

TEXTE VI   Henri III et sa cour (1829)

En proclamant sa dette envers Hugo, Mérimée, Vitet, Loève-Veymars, Cavé et Dittmer, Alexandre Dumas plaçait *Henri III et sa cour* sous le patronage des maîtres du théâtre historique. C'était situer lucidement et définir exactement le sens et la portée de son drame. Aux attraits du mélodrame, *Henri III* joignait le *pittoresque de la couleur locale et le charme de la chronique.*

Le rideau se lève à l'acte II sur une scène typiquement « historique », dépourvue d'action dramatique comme d'analyse psychologique, et dont la seule ambition est d'évoquer, à travers les méandres d'une conversation familière, *l'atmosphère d'une époque et la vie d'une société.* Dans un décor riche en couleurs, Dumas campe les « mignons » du roi Henri III : oisifs, paresseux, efféminés, ils n'ont geste ni parole qui ne trahisse leur frivolité. Dans une sorte de revue défilent tous les divertissements en vogue, toutes les modes à l'honneur, depuis les habitudes les plus invétérées jusqu'aux plus récentes trouvailles. Pour renforcer l'illusion et ressusciter la vie concrète du passé, Dumas multiplie allusions et anecdotes, énumère les plus menus événements de l'actualité, cite les noms et les surnoms familiers à l'époque. Pour achever ce tableau d'histoire, il restait à évoquer l'arrière-plan politique, les rivalités et les intrigues qui fourmillent à l'ombre du trône, auprès d'un roi indécis et dissolu, à la veille de la Journée des Barricades. Rarement tant d'habileté fut déployée pour résumer, en une courte scène, la vie d'une cour partagée entre le divertissement, la galanterie et l'ambition.

Acte II, scène I

JOYEUSE, SAINT-MÉGRIN, D'ÉPERNON, SAINT-LUC, DU HALDE, PAGES

Une salle du Louvre. — A gauche, deux fauteuils et quelques tabourets préparés pour le roi, la reine-mère et les courtisans. Joyeuse est couché dans l'un de ces fauteuils, et Saint-Mégrin, debout, appuyé sur le dossier de l'autre. Du côté opposé, d'Épernon est assis à une table sur laquelle est posé un échiquier. Au fond, Saint-Luc fait des armes avec du Halde. Chacun d'eux a près de lui un page à ses couleurs.

D'ÉPERNON.

Messieurs, qui de vous fait ma partie d'échecs, en attendant le retour du roi ? Saint-Mégrin, ta revanche ?

SAINT-MÉGRIN.

Non, je suis distrait aujourd'hui.

JOYEUSE.

Oh ! décidément, c'est la prédiction de l'astrologue... Vrai Dieu ! c'est un véritable sorcier. Sais-tu bien qu'il avait prédit à Dugast qu'il n'avait plus que quelques jours à vivre, quand la reine Marguerite l'a fait assassiner ? Je parie que c'est un horoscope du même genre qui occupe Saint-Mégrin, et que quelque grande dame dont il est amoureux...

SAINT-MÉGRIN, *l'interrompant vivement.*

Mais, toi-même, Joyeuse, que ne fais-tu la partie de d'Épernon ?

JOYEUSE.

Non, merci.

D'ÉPERNON.

Est-ce que tu veux réfléchir aussi, toi ?

JOYEUSE.

C'est au contraire, pour ne pas être obligé de réfléchir.

SAINT-LUC.

Eh bien, veux-tu faire des armes avec moi, vicomte ?

JOYEUSE.

C'est trop fatigant, et puis tu n'es pas de ma force. Fais une œuvre charitable, tire d'Épernon d'embarras...

SAINT-LUC.

Soit.

JOYEUSE, *tirant un bilboquet de son escarcelle.*

Vive Dieu ! messieurs, voilà un jeu... Celui-là ne fatigue ni le corps ni l'esprit... Sais-tu bien que cette nouvelle invention a eu un succès prodigieux chez la présidente ? A propos, tu n'y étais pas, Saint-Luc ; qu'es-tu donc devenu ?...

SAINT-LUC.

J'ai été voir les Gelosi ; tu sais, ces comédiens italiens qui ont obtenu la permission de représenter des mystères à l'hôtel de Bourbon.

JOYEUSE.

Ah ! oui,... moyennant quatre sous par personne.

SAINT-LUC.

Et puis, en passant... Un instant, d'Épernon, je n'ai pas joué.

JOYEUSE.

Et puis, en passant ?...

SAINT-LUC.

Où ?

JOYEUSE.

En passant, disais-tu ?...

SAINT-LUC.

Oui... Je me suis arrêté en face de Nesle, pour y voir poser la première pierre d'un pont qu'on appellera le pont Neuf.

D'ÉPERNON.

C'est Ducerceau qui l'a entrepris... On dit que le roi va lui accorder des lettres de noblesse.

JOYEUSE.

Et justice sera faite... Sais-tu bien qu'il m'épargnera au moins six cents pas, toutes les fois que je voudrai aller à l'école Saint-Germain ?

(Il laisse tomber son bilboquet, et appelle son page, qui est à l'autre bout de la salle.)
Bertrand, mon bilboquet...

SAINT-LUC.

Messieurs, grande réforme ! Ce matin, Mme de Sauves m'a dit en confidence que le roi avait abandonné les fraises gaudronnées pour prendre les collets renversés à l'italienne.

D'ÉPERNON.

Eh ! que ne nous disais-tu pas cela !... Nous serons en retard d'un jour... Tiens, Saint-Mégrin le savait, lui...

(A son page.)
Que je trouve demain un collet renversé au lieu de cette fraise...

SAINT-LUC, *riant.*

Ah ! ah !... tu te souviens que le roi t'a exilé quinze jours, parce qu'il manquait un bouton à ton pourpoint...

JOYEUSE.

Eh bien moi, je vais te rendre nouvelle pour nouvelle. Antraguet rentre aujourd'hui en grâce.

SAINT-LUC.

Vrai ?...

JOYEUSE.

Oui, il est décidément guisard... C'est le Balafré qui a exigé du roi qu'il lui rendît son commandement... Depuis quelque temps, le roi fait tout ce qu'il veut...

D'ÉPERNON.

C'est qu'il a besoin de lui... Il paraît que le Béarnais est en campagne, le harnais sur le dos...

JOYEUSE.

Vous verrez que ce damné d'hérétique nous fera battre pendant l'été... Mettez-vous donc en campagne de cette chaleur-là... avec cent cinquante livres de fer sur le corps !... pour revenir hâlé comme un Andalou...

SAINT-LUC.

Ce serait un mauvais tour à te faire, Joyeuse...

JOYEUSE.

Je l'avoue ; j'ai plus peur d'un coup de soleil que d'un coup d'épée... et, si je le pouvais, je me battrais toujours, comme Bussy d'Amboise l'a fait dans son dernier duel, au clair de la lune...

SAINT-LUC.

Quelqu'un a-t-il de ses nouvelles ?

D'ÉPERNON.

Il est toujours dans l'Anjou, près de Monsieur... C'est encore un ennemi de moins pour le guisard.

JOYEUSE.

A propos de guisard, Saint-Mégrin, sais-tu ce qu'en dit la maréchale de Retz ? Elle dit qu'auprès du duc de Guise, tous les princes paraissent peuple.

SAINT-MÉGRIN.

Guise !... toujours Guise !... Vive Dieu !... que l'occasion s'en présente

(tirant son poignard et coupant son gant en morceaux),

et, de par saint Paul de Bordeaux ! je veux hacher tous ces petits princes lorrains comme ce gant.

JOYEUSE.

Bravo, Saint-Mégrin !... Vrai Dieu ! je le hais autant que toi.

SAINT-MÉGRIN.

Autant que moi ! malédiction ! si cela est possible ; je donnerais mon titre de comte pour sentir, cinq minutes seulement, son épée contre la mienne... Cela viendra peut-être...

Victor HUGO

TEXTE VII   Le Roi s'amuse (1832)

C'est dans la préface de *Lucrèce Borgia* que Victor Hugo définit parallèlement la signification de ce drame et de celui qu'il considère comme la seconde pièce d'une « bilogie », *Le Roi s'amuse* : « Ainsi, écrit-il, la paternité sanctifiant la difformité physique, voilà *Le Roi s'amuse* ; la maternité purifiant la difformité morale, voilà *Lucrèce Borgia*. » Nés de la même intention dramatique, les deux pièces illustrent également la théorie hugolienne du grotesque et du sublime, les contrastes et les métamorphoses que suscite l'alliance de ces principes opposés.

Grotesque, Triboulet ne l'est pas seulement par sa laideur et sa difformité, mais surtout par sa bassesse morale et sa méchanceté foncière, qui lui ont inspiré d'insulter lâchement à la disgrâce d'un malheureux vieillard dont la malédiction ne cessera de le poursuivre. La jalousie, l'amertume et la rancœur, l'humiliation et la haine se partagent ce cœur avide de vengeance et de calomnie. Car *le grotesque n'est pas le comique*, mais l'ensemble des formes du mal, de la laideur et du vice que le manichéisme hugolien oppose aux puissances de beauté et d'amour. Le grotesque, tel que le définit la *Préface de Cromwell*, assume « tous les ridicules, toutes les infirmités, toutes les laideurs », mais aussi « les passions, les vices, les crimes ». Il est « tour à tour Iago, Tartuffe, Basile ; Polonius, Harpagon, Bartholo ; Falstaff, Scapin, Figaro ». Il est à la fois le risible et l'odieux, la sottise et la haine, la perfidie et l'horreur ; il rassemble l'immense peuple des disgrâciés : de Dandin à Prusias, de don Juan à Méphistophélès, des sorcières de Macbeth aux fossoyeurs d'Hamlet (Texte 11). Recélant en lui tout l'inépuisable tragique du bouffon, Triboulet est un *type complet de grotesque*.

Dans l'univers de Hugo, il n'est point de ténèbres sans lumière, ni de grotesque sans sublime. La conscience même de son abjection et l'obsession de sa monstruosité ouvrent à Triboulet les voies de la *rédemption*. Surtout, en cette âme dégradée, survit un sentiment pur et délicat : sous l'habit du pitre bat un cœur de père. Le fou de cour ne pénètre pas dans l'asile de l'innocence et son nom même y est inconnu. Le monde de la souffrance et du mépris s'arrête au seuil du refuge qui abrite le bonheur et l'amour. Lorsque la corruption royale aura forcé cette dernière citadelle, lorsque le fou devra s'avouer père pour reconquérir sa fille et venger son honneur perdu, alors c'est au sein même du grotesque et de l'horreur que jaillira l'éclair du sublime.

Acte II, scène II

TRIBOULET, *seul.*

TRIBOULET, *seul.*

    Ce vieillard m'a maudit !... — Pendant qu'il me parlait,
Pendant qu'il me criait : — Oh ! sois maudit, valet !
Je raillais sa douleur ! — Oh ! oui, j'étais infâme,
Je riais, mais j'avais l'épouvante dans l'âme.

(Il va s'asseoir sur le petit banc près de la table de pierre.)

    Maudit !

(Profondément rêveur et la main sur son front.)

              Ah ! la nature et les hommes m'ont fait
Bien méchant, bien cruel et bien lâche en effet !
O rage ! être bouffon ! ô rage ! être difforme !
Toujours cette pensée ! et, qu'on veille ou qu'on dorme,
Quand du monde en rêvant vous avez fait le tour,
Retomber sur ceci : Je suis bouffon de cour !
Ne vouloir, ne pouvoir, ne devoir et ne faire
Que rire ! — Quel excès d'opprobre et de misère !
Quoi ! ce qu'ont les soldats, ramassés en troupeau
Autour de ce haillon qu'ils appellent drapeau,
Ce qui reste, après tout, au mendiant d'Espagne,
A l'esclave en Tunis, au forçat dans son bagne,
A tout homme ici-bas qui respire et se meut,
Le droit de ne pas rire et de pleurer, s'il veut,
Je ne l'ai pas ! — O Dieu ! triste et l'humeur mauvaise,
Pris dans un corps mal fait où je suis mal à l'aise,
Tout rempli de dégoût de ma difformité,
Jaloux de toute force et de toute beauté,
Entouré de splendeurs qui me rendent plus sombre,
Parfois, farouche et seul, si je cherche un peu d'ombre,
Si je veux recueillir et calmer un moment
Mon âme qui sanglote et pleure amèrement,
Mon maître tout à coup survient, mon joyeux maître,
Qui, tout-puissant, aimé des femmes, content d'être,
A force de bonheur oubliant le tombeau,

Grand, jeune, et bien portant, et roi de France, et beau,
Me pousse avec le pied dans l'ombre où je soupire,
Et me dit en baillant : Bouffon ! fais-moi donc rire !
— O pauvre fou de cour ! — C'est un homme, après tout.
— Eh bien ! la passion qui dans son âme bout,
La rancune, l'orgueil, la colère hautaine,
L'envie et la fureur dont sa poitrine est pleine,
Le calcul éternel de quelque affreux dessein,
Tous ces noirs sentiments qui lui rongent le sein,
Sur un signe du maître, en lui-même il les broie,
Et, pour quiconque en veut, il en fait de la joie !
— Abjection ! — S'il marche, ou se lève, ou s'assied,
Toujours il sent le fil qui lui tire le pied.
— Mépris de toute part ! — Tout homme l'humilie.
Ou bien, c'est une reine, une femme jolie,
Demi-nue et charmante, et dont il voudrait bien,
Qui le laisse jouer sur son lit, comme un chien !
Aussi, mes beaux seigneurs, mes railleurs gentilshommes,
Hun ! comme il vous hait bien ! quels ennemis nous sommes !
Comme il vous fait parfois payer cher vos dédains !
Comme il sait leur trouver des contre-coups soudains !
Il est le noir démon qui conseille le maître.
Vos fortunes, messieurs, n'ont plus le temps de naître,
Et, sitôt qu'il a pu dans ses ongles saisir
Quelque belle existence, il l'effeuille à plaisir !
— Vous l'avez fait méchant ! — O douleur ! est-ce vivre ?
Mêler du fiel au vin dont un autre s'enivre,
Si quelque bon instinct germe en soi, l'effacer,
Étourdir de grelots l'esprit qui veut penser,
Traverser, chaque jour, comme un mauvais génie,
Des fêtes, qui pour vous ne sont qu'une ironie,
Démolir le bonheur des heureux, par ennui,
N'avoir d'ambition qu'aux ruines d'autrui,
Et contre tous, partout où le hasard vous pose,
Porter toujours en soi, mêler à toute chose,
Et garder, et cacher sous un rire moqueur
Un fond de vieille haine extravasée au cœur !
Oh ! je suis malheureux ! —

(Se levant du banc de pierre où il est assis.)

Mais ici, que m'importe ?
Suis-je pas un autre homme en passant cette porte ?
Oublions un instant le monde dont je sors.
Ici, je ne dois rien apporter du dehors.

(Retombant dans sa rêverie.)

— Ce vieillard m'a maudit ! — Pourquoi cette pensée
Revient-elle toujours lorsque je l'ai chassée ?
Pourvu qu'il n'aille rien m'arriver ?

(Haussant les épaules.)

Suis-je fou ?

(Il va à la porte de la maison et frappe. Elle s'ouvre. Une jeune fille vêtue de blanc en sort, et se jette joyeusement dans ses bras.)

Scène III

TRIBOULET, BLANCHE

TRIBOULET.

Ma fille !

(Il la serre sur sa poitrine avec transport.)

Oh ! mets tes bras à l'entour de mon cou.
— Sur mon cœur ! — Près de toi, tout rit, rien ne me pèse,
Enfant ! je suis heureux, et je respire à l'aise !

(Il la regarde d'un œil enivré.)

— Plus belle tous les jours ! Tu ne manques de rien,
Dis ? — Es-tu bien ici ? — Blanche, embrasse-moi bien !

BLANCHE, *dans ses bras.*

Comme vous êtes bon, mon père !

TRIBOULET, *s'asseyant.*

Non, je t'aime,
Voilà tout. N'es-tu pas ma vie et mon sang même ?
Si je ne t'avais point, qu'est-ce que je ferais,
Mon Dieu !

BLANCHE, *lui posant la main sur le front.*

Vous soupirez. Quelques chagrins secrets,
N'est-ce pas ? Dites-les à votre pauvre fille.
Hélas ! je ne sais pas, moi, quelle est ma famille.

TRIBOULET.

Enfant, tu n'en as pas !

BLANCHE.

J'ignore votre nom.

TRIBOULET.

Que t'importe mon nom ?

BLANCHE.

Nos voisins de Chinon,
De la petite ville où je fus élevée,
Me croyaient orpheline avant votre arrivée.

TRIBOULET.

> J'aurais dû t'y laisser. C'eût été plus prudent.
> Mais je ne pouvais plus vivre ainsi cependant.
> J'avais besoin de toi, besoin d'un cœur qui m'aime.

(Il la serre de nouveau dans ses bras.)

BLANCHE.

> Si vous ne voulez pas me parler de vous-même...

TRIBOULET.

> Ne sors jamais !

BLANCHE.

> Je suis ici depuis deux mois,
> Je suis allée en tout à l'église huit fois.

TRIBOULET.

> Bien.

BLANCHE.

> Mon bon père, au moins parlez-moi de ma mère !

TRIBOULET.

> Ah ! ne réveille pas une pensée amère,
> Ne me rappelle pas qu'autrefois j'ai trouvé
> — Et, si tu n'étais là, je dirais : j'ai rêvé, —
> Une femme, contraire à la plupart des femmes,
> Qui, dans ce monde où rien n'appareille les âmes,
> Me voyant seul, infirme, et pauvre, et détesté,
> M'aima pour ma misère et ma difformité.
> Elle est morte, emportant dans la tombe avec elle
> L'angélique secret de son amour fidèle,
> De son amour, passé sur moi comme un éclair,
> Rayon du paradis tombé dans mon enfer !
> Que la terre, toujours à nous recevoir prête,
> Soit légère à ce sein qui reposa ma tête !
> — Toi, seule, m'est restée ! —

(Levant les yeux au ciel.)

> Eh bien ! mon Dieu, merci !

(Il pleure et cache son front dans ses mains.)

BLANCHE.

> Que vous devez souffrir ! Vous voir pleurer ainsi,
> Non, je ne le veux pas, non, cela me déchire !

TRIBOULET, *amèrement.*

> Et que dirais-tu donc si tu me voyais rire ?

BLANCHE.

> Mon père, qu'avez-vous ? Dites-moi votre nom.
> Oh ! versez dans mon sein toutes vos peines !

TRIBOULET.

> Non.
> A quoi bon me nommer ? Je suis ton père. — Écoute,
> Hors d'ici, vois-tu bien, peut-être on me redoute,
> Qui sait ? l'un me méprise et l'autre me maudit.
> Mon nom, qu'en ferais-tu quand je te l'aurais dit ?
> Je veux ici du moins, je veux, en ta présence,
> Dans ce seul coin du monde où tout soit innocence,
> N'être pour toi qu'un père, un père vénéré,
> Quelque chose de saint, d'auguste et de sacré !

BLANCHE.

> Mon père !

TRIBOULET, *la serrant avec emportement dans ses bras.*

> Est-il ailleurs un cœur qui me réponde ?
> Oh ! je t'aime pour tout ce que je hais au monde !
> — Assieds-toi près de moi. Viens, parlons de cela.
> Dis, aimes-tu ton père ? Et, puisque nous voilà
> Ensemble, et que ta main entre mes mains repose,
> Qu'est-ce donc qui nous force à parler d'autre chose ?
> Ma fille, ô seul bonheur que le ciel m'ait permis,
> D'autres ont des parents, des frères, des amis,
> Une femme, un mari, des vassaux, un cortège
> D'aïeux et d'alliés, plusieurs enfants, que sais-je ?
> Moi, je n'ai que toi seule ! Un autre est riche. Eh bien,
> Toi seule es mon trésor et toi seule es mon bien !
> Un autre croit en Dieu. Je ne crois qu'en ton âme !
> D'autres ont la jeunesse et l'amour d'une femme,
> Ils ont l'orgueil, l'éclat, la grâce et la santé,
> Ils sont beaux ; moi, vois-tu, je n'ai que ta beauté !
> Chère enfant ! — Ma cité, mon pays, ma famille,
> Mon épouse, ma mère, et ma sœur, et ma fille,
> Mon bonheur, ma richesse, et mon culte, et ma loi,
> Mon univers, c'est toi, toujours toi, rien que toi !
> De tout autre côté ma pauvre âme est froissée.
> — Oh ! si je te perdais !... Non, c'est une pensée
> Que je ne pourrais pas supporter un moment !
> — Souris-moi donc un peu. — Ton sourire est charmant.
> Oui, c'est toute ta mère ! — Elle était aussi belle.
> Tu te passes souvent la main au front comme elle,
> Comme pour l'essuyer, car il faut au cœur pur

Un front tout innocence et des cieux tout azur.
Tu rayonnes pour moi d'une angélique flamme,
A travers ton beau corps mon âme voit ton âme,
Même les yeux fermés, c'est égal, je te vois.
Le jour me vient de toi. Je me voudrais parfois
Aveugle, et l'œil voilé d'obscurité profonde,
Afin de n'avoir pas d'autre soleil au monde !

Victor HUGO

TEXTE VIII   Marie Tudor (novembre 1833)

Dans la préface de son drame (Texte 16), Hugo définit en ces termes le caractère de Marie Tudor tel qu'il l'a conçu : « Une reine qui soit une femme. Grande comme reine. Vraie comme femme ». *L'alliance de vérité et de grandeur*, qui constitue l'ambition suprême du drame, commence donc au cœur même des personnages.

Grande et vraie, la reine ne l'est jamais autant que lorsqu'elle refuse, au nom de son amour et de son pouvoir souverains, de laisser exécuter son favori Fabiani qu'elle a condamné en vertu des mêmes droits. Le pouvoir sert la passion comme la passion stimule le pouvoir, la vérité s'assure sur la grandeur et la grandeur légitime la vérité. *La vérité de la femme*, c'est son inconstance et son caprice, sa faiblesse et son irrésolution : *la grandeur de la reine*, c'est son droit à l'inconstance et la souveraineté de son caprice, l'orgueil de sa faiblesse et la désinvolture de son irrésolution. La vérité de la femme, c'est l'humiliation et la confusion d'un aveu, c'est la soumission à un amour irrépressible, lucide et résigné, c'est la conscience et l'acceptation de la trahison et de la lâcheté. La grandeur de la reine, c'est sa morgue et sa toute-puissance, son mépris de l'opinion, de la cour et du monde. Ainsi la vérité de la passion humanise la rigueur de la tyrannie, et l'altière majesté de la reine rehausse la cruelle humiliation de la femme. A égale distance de la platitude bourgeoise et de l'outrance tragique, le drame respecte la vérité humaine au sein de la grandeur héroïque.

Troisième journée, Première partie, Scène IV

LA REINE, SIMON RENARD, JANE, cachée

LA REINE.

Ah ! le changement vous étonne ! Ah ! je ne me ressemble plus à moi-même ! Eh bien ! qu'est-ce que cela me fait ? c'est comme cela. Maintenant, je ne veux plus qu'il meure !

SIMON RENARD.

Votre majesté avait pourtant arrêté hier que l'exécution aurait lieu aujourd'hui.

LA REINE.

Comme j'avais arrêté avant-hier que l'exécution aurait lieu hier. Comme j'avais arrêté dimanche que l'exécution aurait lieu lundi. Aujourd'hui, j'arrête que l'exécution aura lieu demain.

SIMON RENARD.

En effet, depuis le deuxième dimanche de l'avent que l'arrêt de la chambre étoilée a été prononcé, et que les deux condamnés sont revenus à la Tour, précédés du bourreau, la hache tournée vers leur visage, il y a trois semaines de cela, votre majesté remet chaque jour la chose au lendemain.

LA REINE.

Eh bien ! est-ce que vous ne comprenez pas ce que cela signifie, monsieur ! est-ce qu'il faut tout vous dire, et qu'une femme mette son cœur à nu devant vous, parce qu'elle est reine, la malheureuse, et que vous représentez ici le prince d'Espagne, mon futur mari ? Mon Dieu, monsieur, vous ne savez pas cela, vous autres, chez une femme le cœur a sa pudeur comme le corps. Eh bien, oui, puisque vous voulez le savoir, puisque vous faits semblant de ne rien comprendre, oui, je remets tous les jours l'exécution de Fabiani au lendemain, parce que chaque matin, voyez-vous, la force me manque à l'idée que la cloche de la Tour de Londres va sonner la mort de cet homme, parce que je me sens défaillir à la pensée qu'on aiguise une hache pour cet homme, parce que je me sens mourir de songer qu'on va clouer une bière pour cet homme, parce que je suis femme, parce que je suis faible, parce que suis folle, parce que j'aime cet homme, pardieu ! — En avez-vous assez ? êtes-vous satisfait ? comprenez-vous ? Oh ! je trouverai moyen de me venger un jour sur vous de tout ce que vous me faites dire, allez !

SIMON RENARD.

Il serait temps cependant d'en finir avec Fabiani. Vous allez épouser mon royal maître, le prince d'Espagne, madame.

LA REINE.

Si le prince d'Espagne n'est pas content, qu'il le dise, nous en épouserons un autre. Nous ne manquons pas de prétendants. Le fils du roi des Romains, le prince de Piémont, l'infant de Portugal, le cardinal Polus, le roi de Danemark et lord Courtenay sont aussi bons gentilshommes que lui.

SIMON RENARD.

Lord Courtenay ! lord Courtenay !

LA REINE.

Un baron anglais, monsieur, vaut un prince espagnol. D'ailleurs lord Courtenay descend des empereurs d'Orient. Et puis, fâchez-vous si vous voulez !

SIMON RENARD.

Fabiani s'est fait haïr de tout ce qui a un cœur dans Londres.

LA REINE.

Excepté de moi.

SIMON RENARD.

Les bourgeois sont d'accord sur son compte avec les seigneurs. S'il n'est pas mis à mort aujourd'hui même, comme l'a promis votre majesté...

LA REINE.

Eh bien ?

SIMON RENARD.

Il y aura émeute des manants.

LA REINE.

J'ai mes lansquenets.

SIMON RENARD.

Il y aura complot des seigneurs.

LA REINE.

J'ai le bourreau.

SIMON RENARD.

Votre majesté a juré sur le livre d'heures de sa mère qu'elle ne lui ferait pas grâce.

LA REINE.

Voici un blanc-seing qu'il m'a fait remettre, et dans lequel je jure sur ma couronne impériale que je la lui ferai. La couronne de mon père vaut le livre d'heures de ma mère. Un serment détruit l'autre. D'ailleurs, qui vous dit que je lui ferai grâce ?

SIMON RENARD.

Il vous a bien audacieusement trahie, madame !

LA REINE.

Qu'est-ce que cela me fait ? Tous les hommes en font autant. Je ne veux pas qu'il meure. Tenez, mylord... — monsieur le bailli, veux-je dire mon Dieu ! vous me troublez tellement l'esprit que je ne sais vraiment plus à qui je parle ! — tenez, je sais tout ce que vous allez me dire. Que c'est un homme vil, un lâche, un misérable ! Je le sais comme vous, et j'en rougis. Mais je l'aime. Que voulez-vous que j'y fasse ? j'aimerais peut-être moins un honnête homme. D'ailleurs, qui êtes-vous, tous tant que vous êtes ? Valez-vous mieux que lui ? Vous allez me dire que c'est un favori, et que la nation anglaise n'aime pas les favoris. Est-ce que je ne sais pas que vous ne voulez le renverser que pour mettre à sa place le comte de Kildare, ce fat, cet irlandais ? Qu'il fait couper vingt têtes par jour ! Qu'est-ce que cela vous fait ? Et ne me parlez pas du prince d'Espagne. Vous vous en moquez bien ! Ne me parlez pas du mécontentement de M. de Noailles, l'ambassadeur de France. M. de Noailles est un sot, et je le lui dirai à lui-même. D'ailleurs, je suis une femme, moi, je veux et ne veux plus, je ne suis pas tout d'une pièce. La vie de cet homme est nécessaire à ma vie. Ne prenez pas cet air de candeur virginale et de bonne foi, je vous en supplie. Je connais toutes vos intrigues. Entre nous, vous savez, comme moi, qu'il n'a pas commis le crime pour lequel il est condamné. C'est arrangé. Je ne veux pas que Fabiani meure. Suis-je la maîtresse ou non ? Tenez, monsieur le bailli, parlons d'autre chose, voulez-vous ?

SIMON RENARD.

Je me retire, madame. Toute votre noblesse vous a parlé par ma voix.

LA REINE.

Que m'importe la noblesse !

SIMON RENARD, *à part*.

Essayons du peuple.

(Il sort avec un profond salut.)

LA REINE, *seule*.

Il est sorti d'un air singulier. Cet homme est capable d'émouvoir quelque sédition. Il faut que j'aille en hâte à la maison de ville. — Holà, quelqu'un !

Alfred de MUSSET

TEXTE IX   Lorenzaccio (1834)

Inspiré de la *Storia fiorentina* de Varchi et d'*Une conspiration en 1537*, « scène historique » de George Sand, mais transformé par le génie créateur de Musset, *Lorenzaccio* s'est enrichi d'une profonde résonance humaine. A partir d'une relation pittoresque mais confuse, d'un canevas dramatique élaboré mais schématique, Musset a composé un drame complexe qui, tout en évoquant la Florence de la Renaissance, reflète les préoccupations contemporaines et trahit un poignant conflit intérieur.

Si le site et l'architecture de Florence, que Musset et George Sand avaient à peine visitée sur le chemin de Venise, sont fort discrètement évoqués, la vie florentine sous Alexandre de Médicis est richement dépeinte. De nombreuses et précises allusions aux institutions, à la corruption du despote, à la servilité du peuple, à l'agitation des grandes familles, ressuscitent le climat moral et politique du temps et constituent un exemple réussi de couleur locale.

Mais la Florence de 1537 ne laisse pas d'évoquer la France de 1833. La déception et la rancœur qui devaient suivre l'assassinat du duc Alexandre sont celles des républicains au lendemain de la révolution de Juillet : le même bavardage inconsistant, la même rhétorique creuse, la même impuissance à l'action discréditent les patriotes de 1537 et ceux de 1830. Par la naïveté de ses ambitions et l'inefficacité de ses rêveries, Philippe Strozzi symbolise la vanité et *l'échec de tout idéalisme politique*. C'est l'inaction et l'incapacité des chefs républicains qui favorisèrent à Florence le rétablissement de la tyrannie comme à Paris la restauration de la monarchie autoritaire.

Lorenzaccio n'est cependant pas tant le drame de Florence que celui de Musset. Hanté par la nostalgie de la pureté perdue et le spectre d'une indélébile corruption, Lorenzaccio ressent douloureusement l'avilissement de la débauche. *La comédie du vice* a irrémédiablement corrompu l'âme vertueuse, le masque s'est confondu avec le visage, l'histrion avec l'homme. L'unité de l'être a été reconquise dans la dégradation. Le dialogue de Lorenzaccio et de son fantôme, c'est celui d'Octave et de Coelio, ces deux parts de Musset dont l'affrontement ne cessa jamais de déchirer le cœur du poète.

En cette âme divisée, éprise d'absolu et blessée par la vie, se résume la destinée d'*un enfant du siècle*. Le dégoût du monde et l'aspiration à l'idéal, le rêve de bonheur et le mépris de l'homme, le mystère d'une élection surnaturelle, la tentation de la grandeur et l'orgueil de l'exploit solitaire, apparentent le débauché au héros. Cette débauche même est le stigmate du génie. Admiratrice de Byron, la génération de 1830 subit l'éblouissement du satanisme, le sombre prestige du cynisme et du vice. Un meurtre gratuit et désespéré couronne le drame d'un héros pour qui le crime est paradoxalement la dernière étincelle de la vertu, le suprême éclat de l'orgueil et l'amère justification du mépris.

Acte III, scène III

PHILIPPE STROZZI, LORENZO

LORENZO.

Ma jeunesse a été pure comme l'or. Pendant vingt ans de silence, la foudre s'est amoncelée dans ma poitrine ; et il faut que je sois réellement une étincelle du tonnerre, car tout à coup, une certaine nuit que j'étais assis dans les ruines du Colisée antique, je ne sais pourquoi je me levai ; je tendis vers le ciel mes bras trempés de rosée, et je jurai qu'un des tyrans de la patrie mourrait de ma main. J'étais un étudiant paisible, je ne m'occupais alors que des arts et des sciences, et il m'est impossible de dire comment cet étrange serment s'est fait en moi. Peut-être est-ce là ce qu'on éprouve quand on devient amoureux.

PHILIPPE.

J'ai toujours eu confiance en toi, et cependant je crois rêver.

LORENZO.

Et moi aussi. J'étais heureux alors, j'avais le cœur et les mains tranquilles ; mon nom m'appelait au trône, et je n'avais qu'à laisser le soleil se lever et se coucher pour voir fleurir autour de moi toutes les espérances humaines. Les hommes ne m'avaient fait ni bien ni mal ; mais j'étais bon, et, pour mon malheur éternel j'ai voulu être grand. Il faut que je l'avoue, si la Providence m'a poussé à la résolution de tuer un tyran, quel qu'il fût, l'orgueil m'y a poussé aussi. Que te dirais-je de plus ? Tous les Césars du monde me faisaient penser à Brutus.

PHILIPPE.

L'orgueil de la vertu est un noble orgueil. Pourquoi t'en défendrais-tu ?

LORENZO.

Tu ne sauras jamais, à moins d'être fou, de quelle nature est la pensée qui m'a travaillé. Pour comprendre l'exaltation fiévreuse qui a enfanté en moi le Lorenzo qui te parle, il faudrait que mon cerveau et mes entrailles fussent à nu sous un scalpel. Une statue qui descendrait de son piédestal pour marcher parmi les hommes sur la place publique serait peut-être semblable à ce que j'ai été le jour où j'ai commencé à vivre avec cette idée : il faut que je sois un Brutus.

PHILIPPE.

Tu m'étonnes de plus en plus.

LORENZO.

J'ai voulu d'abord tuer Clément VII. Je n'ai pas pu le faire, parce qu'on m'a banni de Rome avant le temps. J'ai recommencé mon ouvrage avec Alexandre. Je voulais agir seul, sans le secours d'aucun homme. Je travaillais pour l'humanité ; mais mon orgueil restait solitaire au milieu de tous mes rêves philanthropiques. Il fallait donc entamer par la ruse un combat singulier avec mon ennemi. Je ne voulais pas soulever les masses, ni conquérir la gloire bavarde d'un paralytique comme Cicéron. Je voulais arriver à l'homme, me prendre corps à corps avec la tyrannie vivante, la tuer, et après cela porter mon épée sanglante sur la tribune, et laisser la fumée du sang d'Alexandre monter au nez des harangueurs, pour réchauffer leur cervelle ampoulée.

PHILIPPE.

Quelle tête de fer as-tu, ami ! quelle tête de fer !

LORENZO.

La tâche que je m'imposais était rude avec Alexandre. Florence était comme aujourd'hui noyée de vin et de sang. L'empereur et le pape avaient fait un duc d'un garçon boucher. Pour plaire à mon cousin, il fallait arriver à lui, porté par les larmes des familles ; pour devenir son ami et acquérir sa confiance, il fallait baiser sur ses lèvres épaisses tous les restes de ses orgies. J'étais pur comme un lis, et cependant je n'ai pas reculé devant cette tâche. Ce que je suis devenu à cause de cela, n'en parlons pas. Tu dois comprendre que j'ai souffert, et il y a des blessures dont on ne lève pas l'appareil impunément. Je suis devenu vicieux, lâche, un objet de honte et d'opprobre — qu'importe ? Ce n'est pas de cela qu'il s'agit.

PHILIPPE.

Tu baisses la tête, tes yeux sont humides.

LORENZO.

Non, je ne rougis point ; les masques de plâtre n'ont point de rougeur au service de la honte. J'ai fait ce que j'ai fait. Tu sauras seulement que j'ai réussi dans mon entreprise. Alexandre viendra bientôt dans un certain lieu d'où il ne sortira pas debout. Je suis au terme de ma peine, et sois certain, Philippe, que le buffle sauvage, quand le bouvier l'abat sur l'herbe, n'est pas entouré de plus de filets, de plus de nœuds coulants que je n'en ai tissu autour de mon bâtard. Ce cœur, jusques auquel une armée ne serait pas parvenue en un an, il est maintenant à nu sous ma main ; je n'ai qu'à laisser tomber mon stylet pour qu'il y entre. Tout sera fait. Maintenant, sais-tu ce qui m'arrive, et ce dont je veux t'avertir ?

PHILIPPE.

Tu es notre Brutus, si tu dis vrai.

LORENZO.

Je me suis cru un Brutus, mon pauvre Philippe ; je me suis souvenu du bâton d'or couvert d'écorce. Maintenant, je connais les hommes, et je te conseille de ne pas t'en mêler.

PHILIPPE.

Pourquoi ?

LORENZO.

Ah ! vous avez vécu tout seul, Philippe. Pareil à un fanal éclatant, vous êtes resté immobile au bord de l'océan des hommes, et vous avez regardé dans les eaux la réflexion de votre propre lumière. Du fond de votre solitude, vous trouviez l'océan magnifique sous le dais splendide des cieux. Vous ne comptiez pas chaque flot, vous ne jetiez pas la sonde ; vous étiez plein de confiance dans l'ouvrage de Dieu. Mais moi, pendant ce temps-là, j'ai plongé — je me suis enfoncé dans cette mer houleuse de la vie — j'en ai parcouru toutes les profondeurs, couvert de ma cloche de verre — tandis que vous admiriez la surface, j'ai vu les débris des naufrages, les ossements et les Léviathans.

PHILIPPE.

Ta tristesse me fend le cœur.

LORENZO.

C'est parce que je vous vois tel que j'ai été, et sur le point de faire ce que j'ai fait, que je vous parle ainsi. Je ne méprise point les hommes ; le tort des livres et des historiens est de nous les montrer différents de ce qu'ils sont. La vie est comme une cité — on peut y rester cinquante ou soixante ans sans voir autre chose que des promenades et des palais — mais il ne faut pas entrer dans les tripots, ni s'arrêter, en rentrant chez soi, aux fenêtres des mauvais quartiers. Voilà mon avis, Philippe. — S'il s'agit de sauver tes enfants, je te dis de rester tranquille ; c'est le meilleur moyen pour qu'on te les renvoie après une petite semonce. — S'il s'agit de tenter quelque chose pour les hommes, je te conseille de te couper les bras, car tu ne seras pas longtemps à t'apercevoir qu'il n'y a que toi qui en aies.

PHILIPPE.

Je conçois que le rôle que tu joues t'ait donné de pareilles idées. Si je te comprends bien, tu as pris, dans un but sublime, une route hideuse, et tu crois que tout ressemble à ce que tu as vu.

LORENZO.

Je me suis réveillé de mes rêves, rien de plus. Je te dis le danger d'en faire. Je connais la vie, et c'est une vilaine cuisine, sois-en persuadé, ne mets pas la main là-dedans, si tu respectes quelque chose.

PHILIPPE.

Arrête ; ne brise pas comme un roseau mon bâton de vieillesse. Je crois à tout ce que tu appelles des rêves ; je crois à la vertu, à la pudeur et à la liberté.

LORENZO.

Et me voilà dans la rue, moi, Lorenzaccio ? et les enfants ne me jettent pas de la boue ? Les lits des filles sont encore chauds de ma sœur, et les pères ne prennent pas, quand je passe, leurs couteaux et leurs balais pour m'assommer ? Au fond de ces dix mille maisons que voilà, la septième génération parlera encore de la nuit où j'y suis entré, et pas une ne vomit à ma vue un valet de charrue qui me fende en deux comme une bûche pourrie ? L'air que vous respirez, Philippe, je le respire ; mon manteau de soie bariolé traîne paresseusement sur le sable fin des promenades ; pas une goutte de poison ne tombe dans mon chocolat — que dis-je ? ô Philippe ! les mères pauvres soulèvent honteusement le voile de leurs filles quand je m'arrête au seuil de leurs portes ; elles me laissent voir leur beauté avec un sourire plus vil que le baiser de Judas — tandis que moi, pinçant le menton de la petite, je serre les poings de rage en remuant dans ma poche quatre ou cinq méchantes pièces d'or.

PHILIPPE.

Que le tentateur ne méprise pas le faible ; pourquoi tenter, lorsque l'on doute ?

LORENZO.

Suis-je un Satan ? Lumière du ciel ! je m'en souviens encore ; j'aurais pleuré avec la première fille que j'ai séduite, si elle ne s'était mise à rire. Quand j'ai commencé à jouer mon rôle de Brutus moderne, je marchais dans mes habits neufs de la grande confrérie du vice comme un enfant de dix ans dans l'armure d'un géant de la fable. Je croyais que la corruption était un stigmate et que les monstres seuls le portaient au front. J'avais commencé à dire tout haut que mes vingt années de vertu étaient un masque étouffant — ô Philippe ! j'entrai alors dans la vie, et je vis qu'à mon approche tout le monde en faisait autant que moi ; tous les masques tombaient devant mon regard ; l'Humanité souleva sa robe, et me montra, comme à un adepte digne d'elle, sa monstrueuse nudité. J'ai vu les hommes tels qu'ils sont, et je me suis dit : Pour qui est-ce donc que je travaille ? Lorsque je parcourais les rues de Florence, avec mon fantôme à mes côtés, je regardais autour de moi, je cherchais les visages qui me donnaient du cœur, et je me demandais : Quand j'aurai fait mon coup, celui-là en profitera-t-il ? — J'ai vu les républicains dans leurs cabinets, je suis entré dans les boutiques, j'ai écouté et j'ai guetté. J'ai recueilli les discours des gens du peuple, j'ai vu l'effet que produisait sur eux la tyrannie ; j'ai bu, dans les banquets patriotiques, le vin qui engendre la métaphore et la prosopopée, j'ai avalé entre deux baisers les larmes les plus vertueuses ; j'attendais toujours que l'humanité me laissât voir sur sa face quelque chose d'honnête. J'observais... comme un amant observe sa fiancée en attendant le jour de ses noces !...

PHILIPPE.

Si tu n'as vu que le mal, je te plains, mais je ne puis te croire. Le mal existe, mais non pas sans le bien, comme l'ombre existe, mais non sans la lumière.

LORENZO.

Tu ne veux voir en moi qu'un mépriseur d'hommes ; c'est me faire injure. Je sais parfaitement qu'il y en a de bons, mais à quoi servent-ils ? que font-ils ? comment agissent-ils ? Qu'importe que la conscience soit vivante, si le bras est mort ? Il y a de certains côtés par où tout devient bon : un chien est un ami fidèle ; on peut trouver en lui le meilleur des serviteurs, comme on peut voir aussi qu'il se roule sur les cadavres, et que la langue avec laquelle il lèche son maître sent la charogne d'une lieue. Tout ce que j'ai à voir, moi, c'est que je suis perdu, et que les hommes n'en profiteront pas plus qu'ils ne me comprendront.

PHILIPPE.

Pauvre enfant, tu me navres le cœur ! Mais si tu es honnête, quand tu auras délivré ta patrie, tu le redeviendras. Cela réjouit mon vieux cœur, Lorenzo, de penser que tu es honnête ; alors tu jetteras ce déguisement hideux qui te défigure, et tu redeviendras d'un métal aussi pur que les statues de bronze d'Harmodius et d'Aristogiton.

LORENZO.

Philippe, Philippe, j'ai été honnête. La main qui a soulevé une fois le voile de la vérité ne peut plus le laisser retomber ; elle reste immobile jusqu'à la mort, tenant toujours ce voile terrible, et l'élevant de plus en plus au-dessus de la tête de l'homme, jusqu'à ce que l'ange du sommeil éternel lui bouche les yeux.

PHILIPPE.

Toutes les maladies se guérissent ; et le vice est aussi une maladie.

LORENZO.

Il est trop tard — je me suis fait à mon métier. Le vice a été pour moi un vêtement, maintenant, il est collé à ma peau. Je suis vraiment un ruffian, et quand je plaisante sur mes pareils, je me sens sérieux comme la Mort au milieu de ma gaieté. Brutus a fait le fou pour tuer Tarquin, et ce qui m'étonne en lui, c'est qu'il n'y ait pas laissé sa raison. Profite de moi, Philippe, voilà ce que j'ai à te dire — ne travaille pas pour ta patrie.

PHILIPPE.

Si je te croyais, il me semble que le ciel s'obscurcirait pour toujours et que ma vieillesse serait condamnée à marcher à tâtons. Que tu aies pris une route dangereuse, cela peut être ; pourquoi ne pourrais-je en prendre une autre qui me mènerait au même point ? Mon intention est d'en appeler au peuple, et d'agir ouvertement.

LORENZO.

Prends garde à toi, Philippe, celui qui te le dit sait pourquoi il le dit. Prends le chemin que tu voudras, tu auras toujours affaire aux hommes.

PHILIPPE.

Je crois à l'honnêteté des républicains.

LORENZO.

Je te fais une gageure. Je vais tuer Alexandre ; une fois mon coup fait, si les républicains se comportent comme ils le doivent, il leur sera facile d'établir une république, la plus belle qui ait jamais fleuri sur la terre. Qu'ils aient pour eux le peuple, et tout est dit. — Je te gage que ni eux ni le peuple ne feront rien. Tout ce que je te demande, c'est de ne pas t'en mêler ; parle, si tu le veux, mais prends garde à tes paroles, et encore plus à tes actions. Laisse-moi faire mon coup — tu as les mains pures, et moi, je n'ai rien à perdre.

PHILIPPE.

Fais-le, et tu verras.

LORENZO.

Soit — mais souviens-toi de ceci. Vois-tu dans cette petite maison cette famille assemblée autour d'une table ? ne dirait-on pas des hommes ? Ils ont un corps, et une âme dans ce corps. Cependant, s'il me prenait envie d'entrer chez eux, tout seul, comme me voilà, et de poignarder leur fils aîné au milieu d'eux, il n'y aurait pas un couteau de levé sur moi.

PHILIPPE.

Tu me fais horreur. Comment le cœur peut-il rester grand, avec des mains comme les tiennes ?

LORENZO.

Viens, rentrons à ton palais, et tâchons de délivrer tes enfants.

PHILIPPE.

Mais pourquoi tueras-tu le duc, si tu as des idées pareilles ?

LORENZO.

Pourquoi ? tu le demandes ?

PHILIPPE.

Si tu crois que c'est un meurtre inutile à ta patrie, pourquoi le commets-tu ?

LORENZO.

Tu me demandes cela en face ? regarde-moi un peu. J'ai été beau, tranquille et vertueux.

PHILIPPE.

Quel abîme ! quel abîme tu m'ouvres !

LORENZO.

Tu me demandes pourquoi je tue Alexandre ? Veux-tu donc que je m'empoisonne, ou que je saute dans l'Arno ? veux-tu donc que je sois un spectre et qu'en frappant sur ce squelette...

(il frappe sa poitrine),

il n'en sorte aucun son ? Si je suis l'ombre de moi-même, veux-tu donc que je m'arrache le seul fil qui rattache aujourd'hui mon cœur à quelques fibres de mon cœur d'autrefois ! Songes-tu que ce meurtre, c'est tout ce qui me reste de ma vertu ? Songes-tu que je glisse depuis deux ans sur un mur taillé à pic, et que ce meurtre est le seul brin d'herbe où j'aie pu cramponner mes ongles ? Crois-tu donc que je n'ai plus d'orgueil, parce que je n'ai plus de honte ? et veux-tu que je laisse mourir en silence l'énigme de ma vie ? Oui, cela est certain, si je pouvais revenir à la vertu, si mon apprentissage du vice pouvait s'évanouir, j'épargnerais peut-être ce conducteur de bœufs — mais j'aime le vin, le jeu et les filles, comprends-tu cela ? Si tu honores en moi quelque chose, toi qui me parles, c'est mon meurtre que tu honores, peut-être justement parce que tu ne le ferais pas. Voilà assez long-temps, vois-tu, que les républicains me couvrent de boue et d'infa-mie ; voilà assez longtemps que les oreilles me tintent, et que l'exécration des hommes empoisonne le pain que je mâche. J'en ai assez de me voir conspué par des lâches sans nom, qui m'accablent d'injures pour se dispenser de m'assommer, comme ils le devraient. J'en ai assez d'entendre brailler en plein vent le bavardage humain ; il faut que le monde sache un peu qui je suis, et qui

269

il est. Dieu merci, c'est peut-être demain que je tue Alexandre ; dans deux jours j'aurai fini. Ceux qui tournent autour de moi avec des yeux louches, comme autour d'une curiosité monstrueuse apportée d'Amérique, pourront satisfaire leur gosier et vider leur sac à paroles. Que les hommes me comprennent ou non, qu'ils agissent ou qu'ils n'agissent pas, j'aurai dit aussi ce que j'ai à dire ; je leur ferai tailler leur plume, si je ne leur fais pas nettoyer leurs piques, et l'Humanité gardera sur sa joue le soufflet de mon épée marqué en traits de sang. Qu'ils m'appellent comme ils voudront, Brutus ou Érostrate, il ne me plaît pas qu'ils m'oublient. Ma vie entière est au bout de ma dague, et que la Providence retourne ou non la tête en m'entendant frapper, je jette la nature humaine à pile ou face sur la tombe d'Alexandre — dans deux jours, les hommes comparaîtront devant le tribunal de ma volonté.

PHILIPPE.

Tout cela m'étonne, et il y a dans tout ce que tu m'as dit des choses qui me font peine, et d'autres qui me font plaisir. Mais Pierre et Thomas sont en prison et je ne saurais là-dessus m'en fier à personne qu'à moi-même. C'est en vain que ma colère voudrait ronger son frein ; mes entrailles sont émues trop vivement. Tu peux avoir raison, mais il faut que j'agisse ; je vais rassembler mes parents.

LORENZO.

Comme tu voudras, mais prends garde à toi. Garde-moi le secret, même avec tes amis, c'est tout ce que je te demande.

Alfred de VIGNY

TEXTE X   Chatterton (1835)

« Drame de la pensée », « page de philosophie », *Chatterton* est « l'examen d'une blessure de l'âme ». Dans ce drame intérieur, l'action matérielle compte peu, « l'action morale est tout[1] ». Les notes consignées dans la *Dernière Nuit de travail* qui précède le drame dévoilent clairement les intentions morales et philosophiques de Vigny. Pour lui, Chatterton est moins un personnage historique qu'un prétexte dramatique, « un nom d'homme », un « symbole », *le type du poète dans la cité*. L'évocation de la douloureuse destinée du jeune poète anglais ne sera pour Vigny que l'occasion d'illustrer « le martyre perpétuel et la perpétuelle immolation du Poète », le supplice de « l'homme spiritualiste étouffé par une société matérialiste »[1].

Foncièrement inadapté aux besognes et aux exigences de la vie concrète, inutile au sein d'une communauté asservie aux intérêts matériels, le poète est universellement méprisé et honni. Voué, par un don fatal et une vocation irrésistible, aux délices de la contemplation et du rêve, son acharnement au travail et la fécondité même de sa création sont méconnus dans une société indifférente aux valeurs spirituelles. Une irréductible contradiction entre l'action et la pensée condamne le poète à la mutilation ou à la mort, au reniement ou au suicide.

Une telle conception du poète reflète l'amertume et la misanthropie de l'auteur des *Destinées*, mais aussi *la vision romantique du héros*. Par la fatalité de son inspiration, cette élection mystérieuse qui le retranche du commun des mortels, par son ennui de vivre et son aspiration à l'idéal, par la discordance entre la jeunesse d'un cœur pur et la lassitude d'un esprit désabusé, le poète se confond avec le héros. Élu et maudit, solitaire et souffrant, Chatterton rejoint les grandes figures de Vigny, qui, de Moïse à Stello, symbolisent la destinée du poète et du penseur.

---

1. *Dernière nuit de travail*, préface de *Chatterton*.

Acte I, scène v

LE QUAKER, RACHEL, CHATTERTON

CHATTERTON, *après avoir embrassé Rachel, qui court au devant de lui, donne la main au Quaker.*

Bonjour, mon sévère ami.

LE QUAKER.

Pas assez comme ami, et pas assez comme médecin. Ton âme te ronge le corps. Tes mains sont brûlantes et ton visage est pâle. — combien de temps espères-tu vivre ainsi ?

CHATTERTON.

Le moins possible. — Mistress Bell n'est-elle pas ici ?

LE QUAKER.

Ta vie n'est-elle donc utile à personne ?

CHATTERTON

Au contraire, ma vie est de trop à tout le monde.

LE QUAKER.

Crois-tu fermement ce que tu dis ?

CHATTERTON.

Aussi fermement que vous croyez à la charité chrétienne.
(Il sourit avec amertume.)

LE QUAKER.

Quel âge as-tu donc ? Ton cœur est pur et jeune comme celui de Rachel, et ton esprit expérimenté et vieux comme le mien.

CHATTERTON.

J'aurai demain dix-huit ans.

LE QUAKER.

Pauvre enfant !

CHATTERTON.

Pauvre ? oui. — Enfant ? non... J'ai vécu mille ans !

LE QUAKER.

Ce ne serait pas assez pour savoir la moitié de ce qu'il y a de mal parmi les hommes. — Mais la science universelle, c'est l'infortune.

CHATTERTON.

Je suis donc bien savant !... Mais j'ai cru que Mistress Bell était ici. — Je viens d'écrire une lettre qui m'a bien coûté.

LE QUAKER.

Je crains que tu ne sois trop bon. Je t'ai bien dit de prendre garde à cela. Les hommes sont divisés en deux parts : martyrs et bourreaux. Tu seras toujours martyr de tous, comme la mère de cette enfant-là.

CHATTERTON, *avec un élan violent.*

La bonté d'un homme ne le rend victime que jusqu'où il le veut bien, et l'affranchissement est dans sa main.

LE QUAKER.

Qu'entends-tu par là ?

CHATTERTON, *embrassant Rachel, dit de la voix la plus tendre.*

Voulons-nous faire peur à cette enfant ? et si près de l'oreille de sa mère ?

LE QUAKER.

Sa mère a l'oreille frappée d'une voix moins douce que la tienne, elle n'entendrait pas. — Voilà trois fois qu'il la demande !

CHATTERTON, *s'appuyant sur le fauteuil où le Quaker est assis.*

Vous me grondez toujours ; mais dites-moi seulement pourquoi on ne se laisserait pas aller à la pente de son caractère, dès qu'on est sûr de quitter la partie quand la lassitude viendra ? Pour moi, j'ai résolu de ne me point masquer et d'être moi-même jusqu'à la fin, d'écouter, en tout, mon cœur dans ses épanchements comme dans ses indignations, et de me résigner à bien accomplir ma loi. A quoi bon feindre le rigorisme, quand on est indulgent ? On verrait un sourire de pitié sous ma sévérité factice, et je ne saurais trouver un voile qui ne fût transparent. — On me trahit de tout côté, je le vois, et me laisse tromper par dédain de moi-même, par ennui de prendre ma défense. J'envie quelques hommes en voyant le plaisir qu'ils trouvent à triompher de moi par des ruses grossières ; je les vois de loin en ourdir les fils, et je ne me baisserais pas pour en rompre un seul, tant je suis devenu indifférent à ma vie. Je suis d'ailleurs assez vengé par leur abaissement, qui m'élève à mes yeux, et il me semble que la Providence ne peut laisser aller longtemps les choses de la sorte. N'avait-elle pas son but en me créant ainsi ? Ai-je le droit de me roidir contre elle pour réformer la nature ? Est-ce à moi de démentir Dieu ?

LE QUAKER.

En toi, la rêverie continuelle a tué l'action.

CHATTERTON.

Eh ! qu'importe, si une heure de cette rêverie produit plus d'œuvres que vingt jours de l'action des autres ? Qui peut juger entre eux et moi ? N'y a-t-il pour l'homme que le travail du corps, et le labeur de la tête n'est-il pas digne de quelque pitié ? Eh ! grand Dieu ! la seule science de l'esprit, est-ce la science des nombres ? Pythagore est-il le Dieu du monde ? Dois-je dire à l'inspiration ardente : « Ne viens pas, tu es inutile ? »

LE QUAKER.

Elle t'a marqué au front de son caractère fatal. Je ne te blâme pas mon enfant, mais je te pleure.

CHATTERTON.
(Il s'assied.)

Bon quaker, dans votre société fraternelle et spiritualiste, a-t on pitié de ceux que tourmente la passion de la pensée ? Je le crois ; je vous vois indulgent pour moi, sévère pour tout le monde ; cela me calme un peu.

(Ici Rachel va s'asseoir sur les genoux de Chatterton.)

En vérité, depuis trois mois, je suis presque heureux ici : on n'y sait pas mon nom, on ne m'y parle pas de moi, et je vois de beaux enfants sur mes genoux.

LE QUAKER.

Ami, je t'aime pour ton caractère sérieux. Tu serais digne de nos assemblées religieuses, où l'on ne voit pas l'agitation des papistes, adorateurs d'images, où l'on n'entend pas les chants puérils des protestants. Je t'aime, parce que je devine que tout le monde te hait. Une âme contemplative est à charge à tous les désœuvrés remuants qui couvrent la terre : l'imagination et le recueillement sont deux maladies dont personne n'a pitié ! — Tu ne sais seulement pas les noms des ennemis secrets qui rôdent autour de toi ; mais j'en sais qui te haïssent d'autant plus qu'ils ne te connaissent pas.

CHATTERTON, *avec chaleur.*

Et cependant, n'ai-je pas quelque droit à l'amour de mes frères, moi qui travaille pour eux nuit et jour ; moi qui cherche avec tant de fatigues, dans les ruines nationales, quelques fleurs de poésie dont je puisse extraire un parfum durable ; moi qui veux ajouter une perle de plus à la couronne de l'Angleterre, et qui plonge dans tant de mers et de fleuves pour la chercher ?

(Ici Rachel quitte Chatterton ; elle va s'asseoir sur un tabouret aux pieds du quaker et regarde des gravures.)

Si vous saviez mes travaux !... J'ai fait de ma chambre la cellule d'un cloître ; j'ai béni et sanctifié ma vie et ma pensée ; j'ai raccourci ma vue, et j'ai éteint devant mes yeux les lumières de notre âge ; j'ai fait mon cœur plus simple : je me suis appris le parler enfantin du vieux temps ; j'ai écrit, comme le roi Harold au duc Guillaume, en vers à demi saxons et francs ; et ensuite, cette Muse du dixième siècle, cette Muse religieuse, je l'ai placée dans une châsse comme une sainte. — Ils l'auraient brisée s'ils l'avaient crue faite de ma main : ils l'ont adorée comme l'œuvre d'un moine qui n'a jamais existé, et que j'ai nommé Rowley.

LE QUAKER.

Oui, ils aiment assez à faire vivre les morts et mourir les vivants.

CHATTERTON.

Cependant on a su que ce livre était fait par moi. On ne pouvait plus le détruire, on l'a laissé vivre ; mais il ne m'a donné qu'un peu de bruit, et je ne puis faire d'autre métier que celui d'écrire. — J'ai tenté de me ployer à tout, sans y parvenir. — On m'a parlé de travaux exacts ; je les ai abordés, sans pouvoir les accomplir. — Puissent les hommes pardonner à Dieu de m'avoir ainsi créé ! — Est-ce excès de force, ou n'est-ce que faiblesse honteuse ? Je n'en sais rien, mais jamais je ne pus enchaîner dans des canaux étroits et réguliers les débordements tumultueux de mon esprit, qui toujours inondait ses rives malgré moi. J'étais incapable de suivre les lentes opérations des calculs journaliers, j'y renonçai le premier. J'avouai mon esprit vaincu par le chiffre, et j'eus dessein d'exploiter mon corps. Hélas ! mon ami ! autre douleur ! autre humiliation ! — Ce corps, dévoré dès l'enfance par les ardeurs de mes veilles, est trop faible pour les rudes travaux de la mer ou de l'armée ; trop faible même pour la moins fatigante industrie.

(Il se lève avec une agitation involontaire.)

Et d'ailleurs, eussé-je les forces d'Hercule, je trouverais toujours entre moi et mon ouvrage l'ennemie fatale née avec moi : la fée malfaisante trouvée sans doute dans mon berceau, la Distraction, la Poésie ! — Elle se met partout ; elle me donne et m'ôte tout ; elle charme et détruit toute chose pour moi ; elle m'a sauvé... elle m'a perdu !

LE QUAKER.

Et à présent que fais-tu donc ?

CHATTERTON.

Que sais-je ?... J'écris. — Pourquoi ? Je n'en sais rien... Parce qu'il le faut.

(Il tombe assis et n'écoute plus la réponse du quaker. Il regarde Rachel et l'appelle près de lui.)

LE QUAKER.

La maladie est incurable !

CHATTERTON.

La mienne ?

LE QUAKER.

Non, celle de l'humanité. — Selon ton cœur, tu prends en bienveillante pitié ceux qui te disent : « Sois un autre homme que celui que tu es » ; moi selon ma tête, je les ai en mépris, parce qu'ils veulent dire : « Retire-toi de notre soleil ; il n'y a pas de place pour toi. » Les guérira qui pourra. J'espère peu en moi ; mais, du moins, je les poursuivrai.

Edmond ROSTAND

TEXTE XI   Chantecler (1910)

Par sa date et son style, *Chantecler* peut être considéré comme le dernier éclair du drame romantique français et marquer la limite où le *romantisme flamboyant* se dissout en un *lyrisme* teinté de *symbolisme*. Tandis que *Cyrano* et *L'Aiglon* rappelaient le style dramatique de *Ruy Blas* et d'*Hernani*, *Chantecler*, par la fantaisie de l'inspiration, l'éclat du vers et la poésie des suggestions, prolonge la veine des derniers essais dramatiques de Hugo, de ce *Théâtre en liberté* où s'épanouit, en dehors de toute contingence scénique, la rêverie du contemplateur.

Dans cet hymne à la lumière, ce chant de gloire au dieu soleil, éclate soudain un étrange silence, bruissant des mille murmures de la nuit, des imperceptibles froissements d'une vie obscure. A la splendeur du jour succède la mystérieuse beauté d'un *nocturne*. La poésie devient *musique*. L'alexandrin, à la dérive, éclate en onomatopées, se dissout en allitérations expressives, scintille de tous les feux des rimes intérieures, orchestre la discordante harmonie des bruits de la nature, mime le concert de la féerie nocturne.

L'évocation de la nuit animale n'est pas seulement le prétexte d'une description musicale. La conjuration des nocturnes contre Chantecler, c'est le combat de l'ombre contre la lumière, de la nuit contre le jour et, à la limite, du dionysiaque contre l'apollinien. Les animaux sont ici chargés d'un *symbolisme psychologique et humain* : contre la franche et souveraine noblesse du Coq se liguent toutes les formes de l'envie, de la perfidie, de la sottise, de l'hypocrisie, de la médiocrité, de l'aveuglement et du conformisme. Chantecler, comme Orphée, est aussi le poète et le prêtre du soleil, le serviteur de la beauté et de la lumière spirituelles, en proie aux sarcasmes du vulgaire et à la morgue des pédants, mais triomphant dans la certitude de son élection divine. Hymne à la nature, au soleil, à la poésie, *Chantecler*, sous la fantaisie de l'affabulation et la verve étincelante du style, exalte les rêves du poète de Cambo.

Acte I, scène VIII

LA BASSE-COUR endormie. LE CHAT, réveillé sur le mur. TROIS CHATS-HUANTS, puis LA TAUPE et la voix du COUCOU.

UN CHAT-HUANT.
            Deux yeux verts ?...

LE CHAT, *dressé sur le mur, et regardant les autres yeux phosphorescents.*
            Six yeux d'or ?...

LE CHAT-HUANT.
                              Sur le mur ?...

LE CHAT.
                                        Sur la grange ?...
(Il appelle.)
            Hiboux !

LE CHAT-HUANT.
            Matou !

LE CHAT.
                  Chats !...

LES TROIS CHATS-HUANTS.
                        Chat !...

LE CHAT.
                              ... huants !

UN DES CHATS-HUANTS.
                                    ... miaulant !

LE MERLE, *s'éveillant.*
                                          Qu'entends-je ?

PREMIER CHAT-HUANT, *au Chat.*
            Grand complot contre lui !

LE CHAT.
                        Ce soir ?

LES TROIS CHATS-HUANTS.
                              Oui ! oui ! oui !

LE CHAT, *joyeux.*
                                                Pffitt !
            Où ?

LES CHATS-HUANTS.
            Dans les houx ! houx ! houx !

LE CHAT.

                         Quelle heure ?

LES CHATS-HUANTS.

                              Huit ! huit ! huit !

(Zigzags de Chauves-Souris dans l'air.)

PREMIER CHAT-HUANT.
      Chauves-Souris avec lesquelles la nuit jongle !...

LE CHAT.
      Elles sont pour nous ?

LES TROIS CHATS-HUANTS.
                Oui.

PREMIER CHAT-HUANT.
                Taupe dont j'entends l'ongle !...

LE CHAT.
      Elle est pour nous ?

LES TROIS CHATS-HUANTS.
                Oui.

LE CHAT, *parlant vers la porte de la maison.*
                Toi, sonne bien les huit coups,
      Coucou de la petite horloge !

PREMIER CHAT-HUANT.
              Il est pour nous ?

LE CHAT.
      Oui. — Et même il y a, noirs veilleurs taciturnes,
      Quelques oiseaux du jour qui sont pour les Nocturnes !

LE DINDON, *s'avançant au milieu d'un groupe furtif qui feignait seulement de dormir dans la basse-cour.*
      C'est ce soir, chers yeux ronds ? Vous irez ?

LES CHATS-HUANTS.
                  Nous irons !

PREMIER CHAT-HUANT.
      Il y aura tous les yeux ronds des environs !

LE MERLE, *à part.*
      Je voudrais bien voir ça !

PATOU, *tout en dormant.*
              Rrrrr...

LE CHAT, *pour rassurer les Nocturnes.*

Le Chien rêve... il gronde !

CHANTECLER, *dans l'intérieur du poulailler.*
Cô...

LES HIBOUX, *effrayés.*
Lui ! lui ! lui !

LE DINDON.

Fuyez !

PREMIER CHAT-HUANT.

Mais non : l'ombre est profonde.
Et nous disparaîtrons rien qu'en fermant les yeux !
(Ils ferment leurs yeux lumineux. Nuit noire. Chantecler paraît au haut de l'échelle.)

CHANTECLER, *au Merle.*
Tu n'as rien entendu, Merle noir ?

LE MERLE.

Si, mon vieux !

LES CHATS-HUANTS, *effrayés.*
Hein ?

LE MERLE.
Le sombre complot !

CHANTECLER.

Ah ?...

LE MERLE, *avec une emphase mélodramatique.*

Contre toi... Frissonne !

CHANTECLER, *rassuré.*
Blagueur !
(Il rentre)

LES CHANTS-HUANTS, *rouvrant les yeux.*
Il est rentré !

LE MERLE, *satisfait.*

Je n'ai trahi personne !

UN CHAT-HUANT.
Ce Merle est donc pour nous ?...

LE MERLE.

Non... mais puis-je aller voir ?

UN CHAT-HUANT.

> Jamais l'oiseau de nuit ne mange un oiseau noir.
> Tu peux venir !

LE MERLE.

> Le mot de passe ?

LE CHAT-HUANT.

> Ombre et Rapace !

LA FAISANE, *sortant sa tête de la niche.*

> J'étouffe sous le toit de cette maison basse,
> Et...

(Apercevant les Nocturnes.)

> Oh !

(Elle se rejette vivement en arrière, mais reste aux aguets.)

LES CHATS-HUANTS.

> Chut !

(Ils ferment rapidement leurs yeux, puis, n'entendant plus rien, les rouvrent.)

> Rien... Partons !

UNE VOIX, *dans le groupe resté éveillé.*

> Bonne chance, Hiboux !

LE CHAT-HUANT.

> Merci. Mais pourquoi donc êtes-vous tous pour nous ?

LE CHAT.

> Ah ! La nuit fait sortir ce qu'on cache à soi-même !
> Je n'aime pas le Coq parce que le Chien l'aime.

LE DINDON.

> Je n'aime pas le Coq, moi, Dindon, *propter hoc*
> Que, l'ayant vu poussin, je ne l'admets pas coq !

UN CANARD.

> Moi, Canard, parce que, comme il n'a pas de toiles
> Entre les doigts, il trace en marchant des étoiles !

UN POULET.

> Je n'aime pas le Coq parce que je suis laid !

UN AUTRE.

> Je n'aime pas le Coq parce qu'en violet
> Il a son portrait peint dans toutes les assiettes !

UN AUTRE.

> Je n'aime pas le Coq parce qu'aux girouettes
> Il a sur tous les toits une statue en toc !

UN CHAT-HUANT, *à un gros poulet.*

> Eh bien, et toi, Chapon ?

LE CHAPON, *sèchement.*

> Je n'aime pas le Coq !

LE COUCOU, *commençant à sonner huit heures à l'intérieur de la maison.*

> Coucou !

PREMIER CHAT-HUANT.

> L'heure !

LE COUCOU.

> Coucou !

DEUXIÈME CHAT-HUANT.

> Partons !

LE COUCOU.

> Coucou !

(Un rayon blanc vient baigner tout un côté de la cour.)

PREMIER CHAT-HUANT.

> La lune !

LE COUCOU.

> Coucou !

PREMIER CHAT-HUANT, *ouvrant les ailes.*

> Fendons l'air bleu !...

LE COUCOU.

> Coucou !

LA TAUPE, *dont la tête sort tout d'un coup de terre.*

> ... La terre brune !...

PREMIER CHAT-HUANT.

> Tiens ! la Taupe !

LE COUCOU.

> Coucou !

PREMIER CHAT-HUANT, *à la Taupe.*

> Toi, pourquoi le hais-tu ?

LA TAUPE.

> Je le hais parce que je ne l'ai jamais vu !

LE COUCOU.

Coucou !

PREMIER CHAT-HUANT.

Et toi, Coucou, pourquoi, t'en rends-tu compte ?

LE COUCOU. *en sonnant son dernier coup.*

Parce qu'il n'a jamais besoin qu'on le remonte !
— Coucou !

PREMIER CHAT-HUANT.

Et nous n'aimons...

DEUXIÈME CHAT-HUANT, *vivement, aux autres.*

On doit nous réclamer...

TOUS, *ouvrant leurs ailes.*

... Pas le Coq parce que...

(Ils s'envolent. Silence.)

LA FAISANE, *sortant lentement de la niche.*

Je commence à l'aimer !

(Le rideau tombe.)

Chantecler, Fasquelle.

VILLIERS DE L'ISLE-ADAM

TEXTE XII   Axël (1890)

Publié en 1890 par Huysmans et Mallarmé, mais composé dès 1872, *Axël* est le premier chef-d'œuvre du drame symboliste. Classé par l'auteur parmi ses « œuvres métaphysiques », ce drame « injouable » tenta l'audacieux génie de Paul Fort et Lugné-Poe, qui tous deux durent renoncer à porter à la scène une œuvre apparemment réservée à la délectation solitaire des amateurs de poèmes. En 1894 cependant, Paul Larochelle, directeur d'un Théâtre de la Rive Gauche, réalisa une somptueuse mise en scène qui remporta le plus vif succès et démontra la valeur dramatique de la pièce.

Idéaliste hégélien, catholique tenté par l'occultisme, Villiers exprime, en un style poétique et lyrique aux amples mouvements et aux profondes résonances, l'éternel et primordial *conflit entre l'attrait du monde et l'appel de l'infini*. Dans les trois premières parties du drame — « le monde religieux », « le monde tragique », « le monde occulte », — Sara de Maupers et Axël d'Auersperg, êtres de beauté et d'intelligence, ont successivement renoncé aux prestiges de la contemplation mystique, de la frivolité mondaine et de l'initiation magique, pour s'adonner aux tentations du « monde passionnel ». A ces âmes idéales éperdument éprises l'une de l'autre, la découverte de l'incommensurable trésor dissimulé dans les sépulcres du château d'Auersperg confère une puissance sans bornes et ouvre le champ de toutes les voluptés humaines : c'est « L'épreuve par l'or et par l'amour », la tentation de la puissance et du plaisir.

L'excès même de leur bonheur et la magnificence de leur rêve vont conduire les amants à une renonciation totale. Tandis que Sara, toute féminine, symbolise l'appel de la vie et l'invitation au *bonheur terrestre*, Axël incarne la virile exigence d'idéal, l'intarissable *soif d'absolu* qui détourne l'homme des jouissances finies de l'existence. Dans l'obituaire ruisselant de pierreries où pénètrent, comme un dernier appel de la terre, l'écho assourdi des chants de joie et les premiers rayons du soleil levant, Axël et Sara, dans un recueillement et une exaltation mystiques, renonceront par une « option suprême » aux éphémères plaisirs d'une existence vouée à la déchéance et à la désillusion, pour s'élancer et se perdre, au delà de la mort, dans l'infini de leur être spirituel.

Par la *somptuosité du décor*, le *lyrisme du langage*, le *symbolisme des personnages* et *l'idéalisme de la pensée*, *Axël*, réunissant une triple inspiration hugolienne, faustienne et wagnérienne, offrait aux dramaturges de 1890 un remarquable modèle du drame symboliste.

QUATRIÈME PARTIE : LE MONDE PASSIONNEL
II. - L'OPTION SUPRÊME

AXËL, SARA

AXËL, *grave et impénétrable.*

> A quoi bon les réaliser [nos rêves] ?... ils sont si beaux !

SARA, *surprise un peu — se retourne vers lui en le regardant.*

> Mon bien-aimé, que veux-tu dire ?

AXËL, *toujours tranquille et grave.*

> Laisse tomber ces draperies, Sara : j'ai assez vu le soleil.

(Un silence.)

SARA, *anxieuse, à elle-même et l'observant encore.*

> Pâle, — et les yeux fixés à terre, — il médite quelque projet.

AXËL, *à demi-voix, pensif, et comme à lui-même.*

> Sans doute, un dieu me jalouse en cet instant, moi qui peux mourir.

SARA.

> Axël, Axël, m'oublies-tu déjà, pour des pensées divines ?... Viens, voici la terre ! viens vivre !

AXËL, *froid, souriant et scandant nettement ses paroles.*

> Vivre ? Non. — Notre existence est remplie, — et sa coupe déborde ! — Quel sablier comptera les heures de cette nuit! L'avenir ?... Sara, crois en cette parole : nous venons de l'épuiser. Toutes les réalités, demain, que seraient-elles, en comparaison des mirages que nous venons de vivre ? A quoi bon monnayer,

à l'exemple des lâches humains, nos anciens frères, cette drachme d'or à l'effigie du rêve, — obole du Styx — qui scintille entre nos mains triomphales !

La qualité de notre espoir ne nous permet plus la terre. Que demander, sinon de pâles reflets de tels instants, à cette misérable étoile, où s'attarde notre mélancolie ? La Terre, dis-tu ? Qu'a-t-elle donc jamais réalisé, cette goutte de fange glacée, dont l'Heure ne sait que mentir au milieu du ciel ? C'est elle, ne le vois-tu pas, qui est devenue l'Illusion ! Reconnais-le, Sara : nous avons détruit, dans nos étranges cœurs, l'amour de la vie — et c'est bien en RÉALITÉ que nous sommes devenus nos âmes ! Accepter, désormais, de vivre, ne serait plus qu'un sacrilège envers nous-mêmes. Vivre ? les serviteurs feront cela pour nous.

Rassasiés pour une éternité, levons-nous de table et, en toute justice, laissons aux malheureux dont la nature est de ne pouvoir mesurer qu'à la Sensation la valeur des réalités le soin de ramasser les miettes du festin. — J'ai trop pensé pour daigner agir !

SARA, *troublée et inquiète.*

Ce sont-là des paroles surhumaines : comment oser les comprendre ! — Axël, ton front doit brûler ; tu as la fièvre : laisse ma douce voix te guérir !

AXËL, *avec une impassibilité souveraine.*

Mon front ne brûle pas ; je ne parle pas vainement — et la seule fièvre dont il faille, en effet, nous guérir, est celle d'exister. — Chère pensée, écoute ! et toi-même décideras, ensuite. — Pourquoi chercher à ressusciter une à une des ivresses dont nous venons d'éprouver la somme idéale et vouloir plier nos si augustes désirs à des concessions de tous les instants où leur essence, même amoindrie, s'annulerait demain sans doute ? Veux-tu donc accepter, avec nos *semblables*, toutes les pitiés que *Demain* nous réserve, les satiétés, les maladies, les déceptions constantes, la vieillesse et donner le jour encore à des êtres voués à l'ennui de continuer ?... Nous, dont un Océan n'apaiserait pas la soif, allons-nous consentir à nous satisfaire de quelques gouttes d'eau, parce que tels insensés ont prétendu, avec d'insignifiants sourires, qu'après tout c'était la sagesse ? Pourquoi daigner répondre *amen* à toutes ces litanies d'esclaves ? — Fatigues bien stériles, Sara ! et peu dignes de succéder à cette miraculeuse nuit nuptiale où, vierges encore, nous nous sommes cependant à jamais possédés !

SARA, *d'une voix oppressée.*

Ah ! c'est presque divin ! Tu veux mourir.

AXËL.

Tu vois le monde extérieur à travers ton âme : il t'éblouit ! mais il ne peut nous donner une seule heure comparable, en intensité d'existence, à une seconde de celles que nous venons de vivre. L'accomplissement réel, absolu, parfait, c'est le moment intérieur que nous avons éprouvé l'un de l'autre, dans la splendeur funèbre de ce caveau. Ce moment idéal, nous l'avons subi : le voici donc irrévocable, de quelque nom que tu le nommes ! Essayer de le revivre, en modelant, chaque jour, à son image, une poussière, toujours décevante, d'apparences extérieures, ne serait que risquer de le dénaturer, d'en amoindrir l'impression divine, de l'anéantir au plus pur de nous-mêmes. Prenons garde de ne pas savoir mourir pendant qu'il en est temps encore.

Oh ! le monde extérieur ! Ne soyons pas dupes du vieil esclave, enchaîné à nos pieds, dans la lumière, et qui nous promet les clefs d'un palais d'enchantements, alors qu'il ne cache, en sa noire main fermée, qu'une poignée de cendres ! Tout à l'heure, tu parlais de Bagdad, de Palmyre, que sais-je ? de Jérusalem. Si tu savais quel amas de pierres inhabitables, quel sol stérile et brûlant, quels nids de bêtes immondes, sont, en *réalité*, ces pauvres bourgades, qui t'apparaissent, resplendissantes de souvenirs, au fond de cet Orient que tu portes en toi-même ! Et quelle tristesse ennuyée te causerait leur seul aspect !... Va, tu les as pensées ? il suffit : ne les regarde pas. La terre, te dis-je, est gonflée comme une bulle brillante, de misère et de mensonges, et, fille du néant originel, crève au moindre souffle, Sara, de ceux qui s'en approchent ! Éloignons-nous d'elle, tout à fait ! brusquement ! dans un sursaut sacré !... Le veux-tu ? Ce n'est pas une folie : tous les dieux qu'adora l'Humanité l'ont accompli avant nous, sûrs d'un Ciel, du ciel de leurs êtres !... Et je trouve, à leur exemple, que nous n'avons plus rien à faire ici.

SARA.

Non ! c'est impossible !... Ce n'est plus véritable ! — C'est inhumain plutôt même que surhumain ! Mon amant ! pardonne ! j'ai peur ! Tu me donnes le vertige. — Oh ! je défendrai la vie ! Songe ! mourir — ainsi ? Nous, jeunes et pleins d'amour, maîtres d'une souveraine opulence ! beaux et intrépides ! tout radieux d'intelligence, de noblesse et d'espoirs ! Quoi ! tout de suite ? Sans voir le soleil, une fois encore — et lui dire adieu ! Songe ! C'est si terrible !... Veux-tu — demain ? Peut-être, demain, serai-je plus forte, n'étant plus à moi-même !

AXËL.

O ma bien-aimée ! O Sara ! Demain, je serais le prisonnier de ton corps splendide ! Ses délices auront enchaîné la chaste énergie qui m'anime en cet instant ! Mais bientôt, puisque c'est une loi des êtres, si nos transports allaient s'éteindre, et si quelque heure maudite devait sonner, où notre amour, pâlissant, dissipé en ses propres flammes...

Oh ! n'attendons pas cette heure triste. — Notre résolution n'est-elle pas si sublime qu'il ne faut pas laisser à nos esprits le temps de s'en réveiller !

(Un profond silence.)

SARA, *pensive.*

Je tremble : — mais c'est peut-être d'orgueil, aussi !... Certes, si tu persistes, je t'obéirai ! je te suivrai dans la nuit inconnue. — Pourtant, souviens-toi de la race humaine !

AXËL.

L'exemple que je lui laisse vaut bien ceux qu'elle m'a donnés.

SARA.

Ceux qui luttent pour la Justice disent que — se tuer, c'est déserter.

AXËL.

Sentence de mendiants, pour qui Dieu n'est qu'un gagne-pain.

SARA.

Peut-être serait-il plus beau de songer au bien de tous !

AXËL.

L'univers s'entre-dévore ; à ce prix est le bien de... tous.

SARA, *un peu éperdue.*

Quoi ! renoncer à tant de joies ?... Abandonner ce trésor à ces ténèbres ! n'est-ce pas cruel ?

AXËL.

L'homme n'emporte dans la mort que ce qu'il renonça de posséder dans la vie. En vérité — nous ne laissons ici qu'une écorce vide. Ce qui fait la valeur de ce trésor est en nous-mêmes.

SARA, *d'une voix plus sourde.*

Nous savons ce que nous quittons : non pas *ce* que nous allons trouver!

AXËL.

Nous retournons, purs et forts, vers *ce* qui nous inspire l'héroïsme vertigineux de l'affronter.

SARA.

Entends-tu le rire du genre humain, s'il apprenait jamais la ténébreuse histoire, la folie surhumaine de notre mort ?

AXËL.

Laissons les apôtres du Rire dans l'épaisseur. La vie, tous les jours, se charge de les bâtonner de son châtiment.

(Les premiers rayons de l'aurore traversent le vitrail.)

SARA, *pensive, après un silence.*

> Mourir !

AXËL, *souriant.*

> O bien-aimée ! je ne te propose pas de me survivre, tant je suis persuadé que tu ne te soucie déjà plus, en ta conscience, de ce leurre misérable qu'on appelle « vivre ».

(Il regarde autour de lui, comme cherchant des yeux le poignard.)

SARA, *relevant la tête, maintenant d'une pâleur de cierge.*

> Non. J'ai dans cet anneau, sous cette émeraude, un foudroyant poison : cherchons une coupe entre les plus belles, parmi ces orfèvreries... et qu'il en soit fait selon ta volonté.

AXËL, *l'enlaçant dans ses bras et la considérant dans une extase sombre.*

> O fleur du monde !

(Après un moment, il la quitte et se dirige vers les monceaux étincelants du souterrain. — Sara, pendant qu'il remue les joyaux et les objets d'or, a repris, sur les tombes, les grands colliers de diamants et s'est parée en silence.)

SARA, *doucement, vers les vitraux.*

> Quel beau soleil !

AXËL, *revenant et tenant à la main une coupe magnifique incrustée de pierreries, regarde Sara, puis l'observant, et d'une voix douce.*

> Veux-tu nous promener dans la plaine, en cueillant des fleurs de ce printemps ? Quelle joie de sentir le vent du matin dans nos cheveux ! Viens ! nos lèvres se toucheront sur la même primevère !...

SARA, *qui a deviné la mélancolique pensée d'Axël.*

> Non. Je t'aime plus que la vue du soleil : nos lèvres toucheront leurs empreintes sur le bord radieux de cette coupe ! — Voici mon anneau... de fiancée, aussi !

(Elle ôte son anneau familial, presse le ressort de l'émeraude et répand au fond de la coupe d'Axël les quelques grains de poudre brune qui se trouvent dans le chaton d'or.)

AXËL.

> La rosée tombe encore ; quelques-unes de ces claires larmes suffiront pour dissoudre ce poison dans ce calice sacré !

(Il monte sur un sépulcre, près du soupirail ; et tandis que Sara caresse, distraitement, un lévrier de marbre, élevant sa main droite où rayonne son hanap tragique, il passe le bras au dehors, à travers les barreaux.)

> Ainsi, le ciel sera de complicité avec notre suicide !

(Au loin, des voix, dans les forêts, chantent un chant du matin : ils écoutent.)

CHŒUR DES BÛCHERONS, *dans l'éloignement.*

En joie ! en joie !
Sus aux grands arbres dont la mort nous donne le pain !
Aux approches matinales, sous les ombrages d'or,
Bûcheron, réveilleur des oiseaux, écoute !
Le vent, les voix, les feuilles, les ailes !
Tout chante, au fond des bois :
Gloire à Dieu !

SARA.

Les entends-tu ? Dieu ? disent-ils ! — Eux aussi, les tueurs de forêts !

AXËL.

Laisse une belle syllabe tomber en paix dans l'âme des derniers bois !

SARA, *pensive, comme à elle-même.*

J'ai tenu la hache, aussi ! mais — je n'ai pas frappé.

(Dans les plaines, appels, fanfares.)

UKKO, *dans le lointain.*

Sur le versant des monts fleuris
Voici la fiancée !
La rosée, au bas de sa robe blanche,
Jette une broderie de perles ;
Salut à mon jeune amour !
— Ils se baissent devant les vierges,
Les yeux d'un enfant germain !
C'est pourquoi ses pas sonneront sur la terre.

AXËL.

Ce sont des enfants qui s'épousent ! Prononce, vers eux, une parole de bonheur : quelque pensée leur venant de toi, Sara, les rendra, sans doute, plus charmants encore l'un pour l'autre !

SARA, *souriante, se détournant vers le soupirail.*

O vous, les insoucieux, qui chantez, là-bas, sur la colline... soyez-bénis !

AXËL, *redescendant vers elle.*

Les lueurs de cette lampe nuptiale pâlissent devant les rayons du jour ! Elle va s'éteindre. Nous aussi.

(Élevant sa coupe.)

Vieille terre, je ne bâtirai pas les palais de mes rêves sur ton sol ingrat : je ne porterai pas de flambeau, je ne frapperai pas d'ennemis.

Puisse la race humaine, désabusée de ses vaines chimères, de ses vains désespoirs, et de tous les mensonges qui éblouissent les yeux faits pour s'éteindre — ne consentant plus au jeu de cette morne énigme, — oui, puisse-t-elle finir, en s'enfuyant indifférente, à notre exemple, sans t'adresser même un adieu.

SARA, *toute étincelante de diamants, inclinant la tête sur l'épaule d'Axël et comme perdue en un ravissement mystérieux.*

Maintenant, puisque l'infini seul n'est pas un mensonge, enlevons-nous, oublieux des autres paroles humaines, en notre même Infini !

(Axël porte à ses lèvres la coupe mortelle, — boit, — tressaille et chancelle ; Sara prend la coupe, achève de boire le reste du poison, — puis ferme les yeux. — Axël tombe ; Sara s'incline vers lui, frémit, et les voici gisant, entrelacés, sur le sable de l'allée funéraire, échangeant sur leurs lèvres le souffle suprême.

Puis, ils demeurent immobiles, inanimés.

A présent, le soleil jaunit les marbres, les statues ; le grésillement de la lampe et du flambeau se résout en fumée dans le rais lumineux qui flue obliquement du soupirail. — Une pièce d'or tombe, roule et sonne comme l'heure contre un sépulcre. — Et — troublant le silence du lieu terrible où deux êtres humains viennent ainsi de vouer eux-mêmes leurs âmes à l'exil du CIEL — on entend, du dehors, les murmures éloignés du vent dans le vaste des forêts, les vibrations d'éveil de l'espace, la houle des plaines, le bourdonnement de la Vie.)

FIN

Axël, Mercure de France.

Maurice MAETERLINCK

TEXTE XIII   Pelléas et Mélisande (1892)

La représentation de *Pelléas et Mélisande*, le 17 mai 1893, est une grande date de l'histoire du théâtre symboliste, car elle fut la première initiative personnelle de Lugné-Poe et préluda à la fondation de l'Œuvre. Mais par sa beauté poétique et son symbolisme mystique, le drame était en lui-même un des chefs-d'œuvre du théâtre idéaliste.

Mallarmé a pertinemment défini *Pelléas* « une variation supérieure sur l'admirable vieux mélodrame » (Texte 20). *Mélodramatique* est en effet l'action extérieure de la pièce : la passion du prince Golaud pour une mystérieuse inconnue rencontrée au bord d'un lac, l'envoûtement réciproque de Mélisande et de Pelléas, le jeune frère de Golaud, la vengeance de l'époux, la mort des amants. Mais sur cette trame banale, Maeterlinck a su, par la magie du style et la suggestion du symbole, créer un *drame poétique et mystique*.

Mélisande, secrète, mystérieuse, ingénue et fascinante, est moins une jeune femme que l'incarnation fragile de la beauté, de *l'idéal*, du rêve et du surnaturel. Elle est aussi pour Pelléas le visage ou l'instrument d'une obscure et cruelle *destinée* qui précipite les innocents dans les pièges de la passion. La rivalité des deux frères échappe dès lors au mélodrame pour se charger d'une résonance mystique. Dans le décor et l'action, chaque détail est ainsi revêtu, au-delà de sa valeur pittoresque ou dramatique, d'une signification *symbolique*. Dans les jeux d'ombre et de lumière chers à Maeterlinck se discerne tout un drame idéal du désir et de la pureté, du charnel et du spirituel, du terrestre et du divin. Dans la féerie lunaire de cet univers en demi-teintes, tout est présage, signe et prémonition. Les choses sont elles-mêmes douées d'une étrange vie et semblent se prêter aux jeux du destin.

Aux suggestions des images se joint *l'envoûtement* d'un dialogue dont l'insignifiance et l'exténuation mêmes invitent à rechercher le sens au-delà de la teneur explicite des paroles. Les répétitions et les suspensions obstinées, la brièveté et la transparence de ces répliques réduites à l'imperceptible trait d'une épure, creusent derrière la façade des mots un profond champ de *mystère* qui confère au drame son timbre et sa résonance poétiques.

Acte IV, scène IV

Une fontaine dans le parc.
Entre Pelléas.

PELLÉAS.

C'est le dernier soir... le dernier soir... Il faut que tout finisse...
J'ai joué comme un enfant autour d'une chose que je ne soup-
çonnais pas... J'ai joué en rêve autour des pièges de la destinée...
Qui est-ce qui m'a réveillé tout à coup ? Je vais fuir en criant de
joie et de douleur comme un aveugle qui fuirait l'incendie de
sa maison... Je vais lui dire que je vais fuir... Mon père est
hors de danger ; et je n'ai plus de quoi me mentir à moi-même...
Il est tard ; elle ne vient pas... Je ferais mieux de m'en aller
sans la revoir... Il faut que je la regarde bien cette fois-ci... Il
y a des choses que je ne me rappelle plus... on dirait, par moment,
qu'il y a plus de cent ans que je ne l'ai revue... Et je n'ai pas
encore regardé son regard... Il ne me reste rien si je m'en vais
ainsi. Et tous ces souvenirs... c'est comme si j'emportais un
peu d'eau dans un sac de mousseline... Il faut que je la voie
une dernière fois, jusqu'au fond de son cœur... Il faut que je
lui dise tout ce que je n'ai pas dit...

(Entre Mélisande.)

MÉLISANDE.

Pelléas !

PELLÉAS.

Mélisande ! — Est-ce toi, Mélisande ?

MÉLISANDE.

Oui.

PELLÉAS.

Viens ici : ne reste pas au bord du clair de lune. — Viens ici.
Nous avons tant de choses à nous dire... Viens ici dans l'ombre
du tilleul.

MÉLISANDE.

Laissez-moi dans la clarté...

PELLÉAS.

On pourrait nous voir des fenêtres de la tour. Viens ici ; ici,
nous n'avons rien à craindre. — Prends garde ; on pourrait
nous voir...

MÉLISANDE.

Je veux qu'on me voie...

PELLÉAS.

Qu'as-tu donc ? — Tu as pu sortir sans qu'on s'en soit aperçu ?

MÉLISANDE.

Oui ; votre frère dormait...

PELLÉAS.

Il est tard. — Dans une heure on fermera les portes. Il faut prendre garde. Pourquoi es-tu venue si tard ?

MÉLISANDE.

Votre frère avait un mauvais rêve. Et puis ma robe s'est accrochée aux clous de la porte. Voyez, elle est déchirée. J'ai perdu tout ce temps et j'ai couru...

PELLÉAS.

Ma pauvre Mélisande !... J'aurais presque peur de te toucher... Tu es encore hors d'haleine comme un oiseau pourchassé... C'est pour moi, pour moi que tu fais tout cela ?... J'entends battre ton cœur comme si c'était le mien... Viens ici... plus près, plus près de moi...

MÉLISANDE.

Pourquoi riez-vous ?

PELLÉAS.

Je ne ris pas ; — ou bien je ris de joie, sans le savoir... Il y aurait plutôt de quoi pleurer...

MÉLISANDE.

Nous sommes venus ici il y a bien longtemps... Je me rappelle...

PELLÉAS.

Oui... oui... Il y a de longs mois. — Alors, je ne savais pas... Sais-tu pourquoi je t'ai demandé de venir ce soir ?

MÉLISANDE.

Non.

PELLÉAS.

C'est peut-être la dernière fois que je te vois... Il faut que je m'en aille pour toujours...

MÉLISANDE.

Pourquoi dis-tu toujours que tu t'en vas ?...

PELLÉAS.

Je dois te dire ce que tu sais déjà ? — Tu ne sais pas ce que je vais te dire ?

MÉLISANDE.

Mais non, mais non ; je ne sais rien...

PELLÉAS.

Tu ne sais pas pourquoi il faut que je m'éloigne...

(Il l'embrasse brusquement.)

Je t'aime...

MÉLISANDE. (A voix basse).

Je t'aime aussi...

PELLÉAS.

Oh ! Qu'as-tu dit, Mélisande !... Je ne l'ai presque pas entendu !
On a brisé la glace avec des fers rougis !... Tu dis cela d'une voix
qui vient du bout du monde !... Je ne t'ai presque pas entendue...
Tu m'aimes ? — Tu m'aimes aussi ?... Depuis quand m'aimes-tu ?

MÉLISANDE.

Depuis toujours... Depuis que je t'ai vu...

PELLÉAS.

Oh ! comme tu dis cela !... On dirait que ta voix a passé sur la mer
au printemps !... Je ne l'ai jamais entendue jusqu'ici... on dirait
qu'il a plu sur mon cœur ! Tu dis cela si franchement !... Comme
un ange qu'on interroge !... Je ne puis pas le croire, Mélisande !...
Pourquoi m'aimerais-tu ? — Mais pourquoi m'aimes-tu ? — Est-ce
vrai ce que tu dis ? — Tu ne me trompes pas ? — Tu ne mens
pas un peu, pour me faire sourire ?...

MÉLISANDE.

Non ; je ne mens jamais ; je ne mens qu'à ton frère...

PELLÉAS.

Oh ! comme tu dis cela !... Ta voix ! ta voix... Elle est plus
fraîche et plus franche que l'eau !... On dirait de l'eau pure
sur mes lèvres !... On dirait de l'eau pure sur mes mains...
Donne-moi, donne-moi tes mains... Oh ! tes mains sont petites !...
Je ne savais pas que tu étais si belle !... Je n'avais jamais rien
vu d'aussi beau, avant toi... J'étais inquiet, je cherchais partout
dans la maison... Je cherchais partout dans la campagne...
Et je ne trouvais pas la beauté... Et maintenant je t'ai trouvée !...
Je t'ai trouvée... Je ne crois pas qu'il y ait sur la terre une femme
plus belle !... Où es-tu ? — Je ne t'entends plus respirer...

MÉLISANDE.

C'est que je te regarde...

PELLÉAS.

Pourquoi me regardes-tu si gravement ? — Nous sommes déjà
dans l'ombre. — Il fait trop noir sous cet arbre. Viens dans la
lumière. Nous ne pouvons pas voir combien nous sommes heureux.
Viens, viens ; il nous reste si peu de temps...

MÉLISANDE.

Non, non ; restons ici... Je suis plus près de toi dans l'obscurité...

PELLÉAS.

Où sont tes yeux ? — Tu ne vas pas me fuir ? — Tu ne songes pas à moi en ce moment.

MÉLISANDE.

Mais si, mais si, je ne songe qu'à toi...

PELLÉAS.

Tu regardais ailleurs...

MÉLISANDE.

Je te voyais ailleurs...

PELLÉAS.

Tu es distraite... Qu'as-tu donc ? — Tu ne me sembles pas heureuse...

MÉLISANDE.

Si, si ; je suis heureuse, mais je suis triste...

PELLÉAS.

On est triste, souvent, quand on s'aime...

MÉLISANDE.

Je pleure toujours lorsque je songe à toi...

PELLÉAS.

Moi aussi... moi aussi, Mélisande... Je suis tout près de toi ; je pleure de joie et cependant...

(Il l'embrasse encore.)

— Tu es étrange quand je t'embrasse ainsi... Tu es si belle qu'on dirait que tu vas mourir...

MÉLISANDE.

Toi aussi...

PELLÉAS.

Voilà, voilà... Nous ne faisons pas ce que nous voulons... Je ne t'aimais pas la première fois que je t'ai vue...

MÉLISANDE.

Moi non plus... J'avais peur...

PELLÉAS.

Je ne pouvais pas regarder tes yeux... Je voulais m'en aller tout de suite... et puis...

MÉLISANDE.

Moi, je ne voulais pas venir... Je ne sais pas encore pourquoi, j'avais peur de venir...

PELLÉAS.

Il y a tant de choses qu'on ne saura jamais... Nous attendons toujours ; et puis... Quel est ce bruit ? — On ferme les portes !...

MÉLISANDE.

Oui, on a fermé les portes...

PELLÉAS.

Nous ne pouvons plus rentrer ! — Entends-tu les verrous ! — Écoute ! écoute !... les grandes chaînes !... Il est trop tard, il est trop tard !...

MÉLISANDE.

Tant mieux ! tant mieux ! tant mieux !

PELLÉAS.

Tu ?... Voilà, voilà !... Ce n'est plus nous qui le voulons !... Tout est perdu, tout est sauvé ! tout est sauvé ce soir ! — Viens ! viens... Mon cœur bat comme un fou jusqu'au fond de ma gorge...

(Il l'enlace.)

Écoute ! écoute ! mon cœur est sur le point de m'étrangler... viens ! viens !... Ah ! qu'il fait beau dans les ténèbres !...

MÉLISANDE.

Il y a quelqu'un derrière nous !...

PELLÉAS.

Je ne vois personne...

MÉLISANDE.

J'ai entendu du bruit...

PELLÉAS.

Je n'entends que ton cœur dans l'obscurité...

MÉLISANDE.

J'ai entendu craquer les feuilles mortes...

PELLÉAS.

C'est le vent qui s'est tu tout à coup... Il est tombé pendant que nous nous embrassions...

MÉLISANDE.

Comme nos ombres sont grandes ce soir !...

PELLÉAS.

Elles s'enlacent jusqu'au fond du jardin... Oh ! qu'elles s'embrassent loin de nous !... Regarde ! Regarde !...

MÉLISANDE, *d'une voix étouffée*.

A-a-h ! — Il est derrière un arbre !

PELLÉAS.

Qui ?

MÉLISANDE.

Golaud !

PELLÉAS.

Golaud ? — où donc ? — Je ne vois rien...

MÉLISANDE.

Là au bout de nos ombres...

PELLÉAS.

Oui, oui ; je l'ai vu... Ne nous retournons pas brusquement...

MÉLISANDE.

Il a son épée.

PELLÉAS.

Je n'ai pas la mienne...

MÉLISANDE.

Il a vu que nous nous embrassions.

PELLÉAS.

Il ne sait pas que nous l'avons vu... Ne bouge pas ; ne retourne pas la tête... Il se précipiterait... Il restera là tant qu'il croira que nous ne savons pas... Il nous observe... Il est encore immobile... Va-t'en, va-t'en tout de suite par ici... Je l'attendrai... je l'arrêterai...

MÉLISANDE.

Non, non, non !...

PELLÉAS.

Va-t'en ! va-t'en ! il a tout vu !... Il nous tuera !...

MÉLISANDE.

Tant mieux ! tant mieux ! tant mieux !...

PELLÉAS.

Il vient ! il vient !... Ta bouche !... Ta bouche !...

MÉLISANDE.

Oui !... oui !... oui !...

(Ils s'embrassent éperdument.)

PELLÉAS.

Oh ! oh ! Toutes les étoiles tombent !...

MÉLISANDE.

Sur moi aussi ! sur moi aussi !...

PELLÉAS.

Encore ! encore !... donne ! donne !...

MÉLISANDE.

Toute ! toute ! toute !...

(Golaud se précipite sur eux l'épée à la main, et frappe Pelléas, qui tombe au bord de la fontaine. Mélisande fuit épouvantée.)

MÉLISANDE, *fuyant*.

Oh ! oh ! Je n'ai pas de courage !... Je n'ai pas de courage !...

(Golaud la poursuit à travers le bois, en silence.)

Pelléas et Mélisande, Fasquelle.

Paul *CLAUDEL*

TEXTE XIV   La Ville (1901)

Publiée en 1901 dans le recueil collectif de *L'Arbre*, la 2ᵉ version de *La Ville* est un remaniement, plus accessible et plus dramatique, d'une première version composée dès 1890. Claudel y exprime donc, dans la forme dense et poétique du *verset* qui lui est propre, les sentiments et l'état d'âme qui étaient les siens lorsque, jeune étudiant en Droit fraîchement converti, il arpentait longuement les rues de l'écrasante capitale qui représentait pour lui, confiait-il dans ses *Mémoires improvisés*, « une espèce de Sodome ou de Gomorrhe[1] » dont il aspirait à fuir l'étouffante oppression.

Opposant les deux figures symboliques du *Poète* et de *l'Ingénieur*, le dialogue entre Cœuvre et Isidore de Besme dévoile les hantises d'une époque et d'un esprit. La fin du XIXᵉ siècle est l'ère du scientisme matérialiste, dont Claudel a si souvent stigmatisé l'asphyxiante atmosphère intellectuelle et morale. A la religion désertée s'est substitué le culte de l'homme, à la glorification de Dieu l'exploitation du monde et la mise en valeur des richesses naturelles. Telle est la tâche de l'Ingénieur, dominateur de la matière, maître et dispensateur de l'énergie, patron et protecteur de la ville ouvrière. Face à ce Dieu d'un monde utile, le Poète apparaît singulièrement gratuit, frivole et anachronique. Son message obscur reste sans profit pour le profane comme pour le sage. Plus attentif à percevoir l'harmonie du monde qu'à en interpréter les lois ou à en exploiter les ressources, le Poète est le contemplateur extasié devant l'irrationnelle splendeur de l'univers et capable, par un chant arraché malgré lui au plus profond de lui-même, d'accorder l'homme au monde.

Mais dans un univers athée, ni le Poète ni le Savant ne peuvent connaître le bonheur. Tandis que l'un souffre de son isolement et de la vanité d'une parole qui ne chante que pour elle-même et ne suscite aucun écho, l'autre succombe au vertige de l'éphémère et à la nausée d'une existence dépourvue de sens. Leur double échec symbolise la faillite d'une poésie pure et d'une science utile que ne soutient et ne justifie aucune finalité métaphysique,

---

1. P. CLAUDEL, *Mémoires improvisés*, Gallimard, N.R.F., 1954, p. 69.

la décadence d'une société ploutocratique prospère et raffinée, mais vouée aux tourments de la solitude et du désespoir. Retraçant la crise spirituelle d'une âme et d'une époque, *La Ville* est le *drame des temps modernes*.

Acte premier

Entrent par des côtés différents Isidore de Besme et Cœuvre

BESME.

Qui va là ?

CŒUVRE.

Isidore de Besme, je vous salue.

BESME.

Soyez le bienvenu, Cœuvre, dans mon jardin fermé.

CŒUVRE.

Je possède, dès que j'y entre,
Ce jardin, Besme, plus que vous ne le possédez.
Avec ses arbres et ses rochers et ses terrasses,
Et ses parfums de fleurs superposés à l'odeur des feuillages,
Il occupe une certaine place dans l'ombre, comme un poème
　submergé dans la pensée.
Comme un bouquet disposé dans un vase profond,
Ce jardin qui trempe dans la nuit donne lieu à m'y enfoncer.
Après l'affreuse agitation
De la Ville dans la lumière impitoyable, qué cette ombre est douce
　à mes yeux meurtris ! O ténèbres, que votre accès est plein de
　consolation !

BESME.

Avez-vous une peine aussi à y cacher ?

CŒUVRE.

C'est vrai ; oui, Besme, je pense que vous dites vrai, je souffre.

BESME.

N'en êtes-vous pas assuré ?

CŒUVRE.

Un musicien a plus de souci de trouver les harmonies de la note
　qu'il entend
Que d'en supputer les vibrations.

BESME.

Je l'avoue, Cœuvre, vous me remplissez d'étonnement !
Pour moi qui suis savant dans les choses de la matière,
De toute substance que je saisis entre mes mains, je suis prêt à
　dégager les éléments, à relever les propriétés et les fonctions.
Et, comme d'un nombre soumis aux opérations d'une éternelle
　arithmétique,

Je sais qu'aucune part de cette somme qu'il est n'est inutile
  ou vaine ;
Et de même chaque être vivant a sa tâche prescrite avec sa
  provision d'énergie.
Voilà qui est certain et satisfaisant.
Mais toi, Cœuvre, qui es-tu et à quoi est-ce que tu sers ?
Tu n'es même pas ce bouffon qui monte sur sa chaise pour amuser
  le public.
Le sot à tes paroles ne trouve point de joie, et le sage n'y trouve
  point d'instruction ;
Car à l'un leur sens échappe et à l'autre,
Leur lien dans de profondes ténèbres comme une tige.

CŒUVRE.

O Besme, pour comprendre ce que je suis et ce que je dis,
Il t'est besoin d'une autre science.
Et pour l'acquérir, oubliant un raisonnement profane, il te suffit
  d'ouvrir les yeux à ce qui est.
O Besme, si cette feuille devient jaune,
Ce n'est point parce que la terre occupe telle position sur son
  orbite, ce n'est point parce que les canaux obstrués se flétrissent,
Et ce n'est point non plus pour que, tombant, elle abrite et
  nourrisse au pied de l'arbre les graines et les insectes.
Elle jaunit pour fournir saintement à la feuille voisine qui est
  rouge l'accord de la note nécessaire.
Toutes choses sont présentes, et entre le futur et entre le passé il
  n'y a suite que sur un même plan.
Et si tu demandes à quoi je sers, tu commets un désordre, tu
  confonds les catégories.
A quoi sert la couleur de tes cheveux ?
A quoi sert l'orchidée qui est au fond de la forêt vierge, le
  saphir que nul mineur ne fera sortir de sa gangue ?
Inconnu des hommes, l'Être qui nous a créés et nous conserve
  en nous considérant
Nous connaît, et nous contribuons secrètement à sa gloire.

BESME.

O toi, qui comme la langue résides dans un lieu obscur !
S'il est vrai, comme jaillit l'eau de la terre,
Que la nature pareillement entre les lèvres du poète nous ait
  ouvert une source de paroles,
Explique-moi d'où vient ce souffle par ta bouche façonné en mots.
Car, quand tu parles, comme un arbre qui de toute sa feuille
S'émeut dans le silence de Midi, la paix en nous peu à peu succède
  à la pensée.
Par le moyen de ce chant sans musique et de cette parole sans
  voix, nous sommes accordés à la mélodie de ce monde.
Tu n'expliques rien, ô poète, mais toutes choses par toi nous
  deviennent explicables.

CŒUVRE.

O Besme, je ne parle pas selon ce que je veux, mais je conçois
dans le sommeil.
Et je ne saurais expliquer d'où je retire ce souffle, c'est le souffle
qui m'est retiré.
Dilatant ce vide que j'ai en moi, j'ouvre la bouche,
Et, ayant aspiré l'air, dans ce legs de lui-même par lequel l'homme
à chaque seconde *expire* l'image de sa mort,
Je restitue une parole intelligible.
Et, l'ayant dite, je sais ce que j'ai dit.
Ainsi j'arrive peu à peu à rendre votre mal manifeste.

BESME.

N'est-il pas vrai, ô Cœuvre, que toute parole est une réponse, ou
l'appelle ?
Et c'est pourquoi tout vers autre que le tien
Rhythme ou rime, comporte ou comprend
Un élément extérieur à lui-même.

CŒUVRE.

C'est vrai.

BESME.

Mais toi,
Qui t'interroge ou à qui est-ce que tu réponds ?
Où est cet échange, cette mystérieuse respiration dont tu parles ?

CŒUVRE.

Il est vrai, ô Besme, et tu as proprement découvert mon mal.
Je suis environné par le doute et j'éprouve avec terreur l'écho.
Toute parole est une explication de l'amour, mais, bien que ce
cœur en soit rempli,
Qui m'aime, ou qui peut dire que je l'aime ?
Tel le vin de la vigne que les uns boivent doux,
Et que celui-ci met en réserve dans sa cave, et que cet autre
Distille en une ardente eau-de-vie, par la transformation du sucre.

BESME.

Ainsi tu te tiens isolé entre tous les hommes, n'étant point
rattaché à eux
Par le lien de la parole. O Cœuvre, plante-nous plutôt sur la
table ce vin ; apporte au festin commun ta part.
Ne sois pas parmi nous l'inutile et l'excommunié.

CŒUVRE.

Excommunié de quelle foi ?

(Pause.)

BESME.

Il n'est plus de dieux et le vent leur traverse la bouche ;
Nul prêtre, l'autel au ventre, n'honore plus la Nuit étoilée et
la double porte du Soleil.

Au lieu de l'idole qui sur le parfum du vin et sur la fumée de
l'holocauste
Ouvrait un nez de bois et des yeux de porcelaine,
L'homme lui-même est monté sur le piédestal.
Et le monde lui a été livré dans l'immensité de son herbe, et nous
y avons établi des chemins de fer.
Et chacun, au repas, s'assoit à son propre autel.
Et que dis-tu, moi Besme, que je suis ?

CŒUVRE.

La contenance, la barbe, le feu de l'œil décèlent
Saturne, patron des ingénieurs et des lieux plantés d'arbres.
Certes, nul ne te reprochera que tu fus, parmi les hommes, inutile.
Nouveau Prométhée, profond mime,
Pénétrant en les imitant les mouvements les plus secrets de la
nature,
Tu les fis servir aux usages humains.
Nul doute qu'un jour tu ne mettes les planètes au travail comme
des mules,
Que tu n'ajustes tes turbines au coup de l'Océan, que tu n'utilises
la poussée de la sève et la répercussion de la lumière
Pour moudre notre grain et tisser notre chemise.

BESME.

Il est vrai, Cœuvre, n'en doute aucunement.
Et c'est une des causes pour lesquelles avec vérité tu peux
m'appeler le Père de la Ville.
Car, de même que les oiseaux aquatiques s'assemblent sur les
marécages,
Ou que les usines se pressent au fil des torrents,
C'est ainsi que les multitudes ouvrières se sont assises autour
des fleuves de force que j'ai fait jaillir de la terre.
Tu as vu au milieu de mon jardin mes réservoirs tels que des mers :
J'ai édifié le remblai, j'ai maçonné la citerne. Car c'est moi
Qui donne l'eau à la Ville, et le mouvement, et la lumière.
Et je me tiens ici comme la roue motrice qui tourne sur elle-même
et à qui la courroie s'attache,
Et où par toute la Ville vient prendre vie le peuple des tours, des
scies, des marteaux et des meules, rang sur rang, étage sur étage,
le monde des broches et des métiers.
O Cœuvre, tu disais tout à l'heure que je saurais assujettir la
poussée de la source et de la sève ;
Mais celle de la pensée est plus forte, et c'est dans la mienne que
toute la Ville
Trouve le principe de son activité et de sa vie.
Regarde par la nuit, Cœuvre, le lieu humain
Rendre une lumière comme la mer femelle !
Par moi, pour moi, la Ville des hommes s'étend autour de moi,
Afin que je connaisse la joie et qu'il reçoivent de moi l'assistance.

CŒUVRE.

Oui, Besme.

BESME.

C'est ainsi que j'ai été fait un dieu.
Entends-tu ? Ici, pas une main droite aidée de la main gauche
Qui ne travaille pour moi, pas une de ces millions de têtes qui
  grouillent à mes pieds
Qui ne me paye loyer, pas une parcelle de la matière
D'où l'opération de l'homme ne sache extraire de l'or
Pour moi.
Car, de même que le soleil enveloppe tout le monde de ses rayons,
C'est ainsi que l'or splendide et subtil m'est nécessaire pour
Cette jouissance universelle, pareille à une considération de
  l'esprit,
Au-dessus de quoi je suis constitué entre les hommes.

CŒUVRE.

Tu es grand, Besme.

BESME, *violemment*.

Plût au ciel que je ne fusse pas né !
Ou que je n'eusse pas reçu ce don fatal de la vision
Par quoi je tiens au milieu de la nuit sans mesure et sans
  dimensions ma propre lumière !

CŒUVRE.

Eh quoi ?

BESME.

Tu n'ignores pas ces allures patientes et sournoises
Par où une morne volupté, pénétrant peu à peu notre sens intime,
Si l'esprit alourdi se laisse une fois fléchir, enlace et captive
  en un moment notre imagination et notre volonté.
Pour moi, je connais un mal plus noir, un esclavage plus triste.

CŒUVRE.

Quel ?

BESME.

Le mal de la mort, la connaissance de la mort.
Ce fut durant que je travaillais, alignant en paix des chiffres
  sur le papier,
Que cette pensée pour la première fois me remplit comme un
  sombre éclair :
Maintenant je fais ceci, et tout à l'heure je ferai telle autre chose ;
Tout à l'heure, je *serai* gai, ou je *serai* triste ; bon, méchant,
  avare, prodigue, patient, irritable ;
Et je *suis* vivant, jusqu'à ce que je ne *sois* plus.
Mais comme chacun de ces adjectifs repose sur ce mot permanent,
  en quoi est-ce que je suis moi-même continuel ?

Une torpeur m'envahit, la dissolution sépare mes doigts de la plume.

Le désir avec la raison du travail m'a fui et je demeure immobile.

Je subsiste, je pense.

O que je puisse ne pas penser !

La nécessité soumet, attache les hommes l'un à l'autre.

Mais moi, étant riche, je suis libre ; étant libre, je suis seul ; et seul, je supporte sur moi seul la charge de toute la mort, la malédiction totale de tout homme et de tout être qui est vivant.

CŒUVRE.

Tu parles du mal caché. A quoi bon vivre ?
— Je distingue l'odeur des lys !

BESME.

La pêche n'est rien de plus sous la dent qu'un navet ; les cheveux de la femme me paraissent comme les poils d'un âne.

Je bois l'eau du froid marais, je m'abreuve à la coupe de la mort !

Sache que parfois je descends d'ici la nuit et je m'en vais dans la ville, et par les rues désertes, au milieu d'un peuple qui dort, j'erre comme un homme perdu.

O pierres !

O habitation funèbre et dérisoire ! ô lieu humain où l'homme s'est ménagé d'être seul avec lui-même ! ô tombeau, que tes voies me paraissent inextricables !

L'homme ne sortira point du sépulcre qu'il s'est construit.

(Pause.— La lune se lève.)

CŒUVRE.

Cependant les peupliers frémissent au-dessus de nous. La lune se lève.

Ouvrant les paupières, et les fermant, je vois, tour à tour, de mes yeux et dans ma pensée, l'espace illuminé.

O la splendeur de la pleine mer,

Alors que l'ombre des grands nuages se peint sur les solitudes luisantes !

Je te salue, ô Reine de la Nuit !

(Pause.)

BESME.

Salut, porte-lumière !

(Pause.)

CŒUVRE.

Ovation à la resplendissante Lune, œil de la gloire !

Tu manifestes, sans le détruire, le mystère du Ciel avec son étendue.

Car, comme le maître nouveau d'un palais qui le visite, un flambeau à la main,

Tu marches en l'éclairant à travers la salle de la Nuit vide.

Et bien que tu chérisses d'autres séjours, toute eau
Qui tombe, sauvage,
Ou domestique sous les feuilles, moulin, scierie, qui se tient
  debout sous la roue mouvante ;
Et tu favorises de nouveaux amants qui, s'embrassant,
Ont perdu toute puissance de se séparer.
Et le fleuve herbeux, cycnéen ;
— Aime
Ce jardin parmi le lieu qui ne montre rien que d'aride, Diane !
Je te salue avec, ne t'offrant rien d'autre,

(Il prend de la terre et la répand.)

    Cette libation de terre.
Les fleurs nouvelles te rendent, Lampe du Sommeil, l'encens.

Paul Claudel, *La Ville* (2ᵉ version)
Théâtre I, Bibliothèque de la Pléiade, Gallimard, éditeur.

Paul CLAUDEL

TEXTE XV   Le Soulier de Satin (1928-1929)

« J'ai travaillé à ce livre pendant cinq ans. C'est le résumé de toute mon œuvre poétique et dramatique[1] », confiait à Frédéric Lefèvre l'auteur du *Soulier de satin*. Par l'ampleur du mouvement, la richesse des thèmes et l'épanouissement du style, ce drame « testamentaire » est l'un des sommets de la pensée et de l'art de Claudel.

Dans la forteresse de Mogador, avant-poste de la chrétienté au seuil des royaumes maures, Doña Prouhèze rêve à Don Rodrigue, vice-roi des Indes occidentales récemment conquises par le roi très catholique d'Espagne. Entre les deux amants, séparés par toutes les lois humaines et divines, la distance de l'océan, et celle, plus infranchissable encore, d'une héroïque mais encore incomplète renonciation. Dans un instant de ravissement extatique où Prouhèze, affranchie des liens terrestres, parvient jusqu'au seuil de la vie surnaturelle, s'engage entre elle et son ange gardien un dialogue mystique, où s'exprime *la conception claudélienne de l'amour et de la providence divine.*

Dans la lutte entre l'appel de Dieu et l'attrait du monde, entre l'hameçon du pêcheur d'âmes qui amène sa prise et le torrent des passions humaines qui l'entraîne, il semble que la condition charnelle et l'attachement passionnel fassent obstacle à l'attraction surnaturelle, que le cri du cœur et de la chair couvrent la voix de l'ange. Mais l'amour humain, loin d'exclure ou d'éteindre la vocation divine, l'annonce au contraire et la

---

1. F. LEFÈVRE, *Une heure avec...*, 5ᵉ série, p. 115 (Gallimard, « Les documents bleus », 1929).

favorise, d'autant mieux qu'il est plus profond et donc voué à demeurer insatisfait. Dans les desseins mystérieux de Dieu, la femme, cette « promesse qui ne peut être tenue[1] », n'est pour l'homme qu'une « *amorce* », une tentation, une espérance nécessairement trompée, une blessure par où s'infiltrera la grâce, une aspiration que l'objet aimé, dans sa finitude, se révélera incapable de remplir, et que seule pourra combler la plénitude de la joie divine. En ce sens la femme, par le désir qu'elle inspire, peut devenir l'instrument non de la perdition, mais du salut. « Deus escreve direito por linhas tortas », dit le proverbe portugais qui sert d'exergue au *Soulier de satin*. La tentation et même le péché — « etiam peccata[2] » — peuvent aplanir les voies de la grâce. Mais pour que s'accomplisse cette transmutation de l'amour coupable en amour divin, l'amante doit renoncer aux joies éphémères de la terre et accepter de n'être plus pour l'homme que l'insatiable désir d'un au-delà surnaturel. C'est par cette suprême *renonciation* que Rodrigue et Prouhèze, à l'issue de l'ultime rencontre qui clôt la troisième « journée », obtiendront d'être l'un pour l'autre la source et le principe de la joie et du salut éternels.

Si Prouhèze touche au terme de sa mission et n'a plus qu'à attendre de Rodrigue la mort libératrice, le conquistador doit encore, selon les plans divins, et pour achever l'œuvre unificatrice de Christophe Colomb, dépasser l'Amérique vers l'Orient et porter aux peuples d'Asie le vivant témoignage de Dieu. Ainsi s'établira, entre le destinée céleste de Prouhèze et la destinée terrestre de Rodrigue, cette *correspondance mystique* qui est la clef de la structure dramatique claudélienne (Texte 24).

Cet apaisement et ce rayonnement dans le sacrifice sont la conclusion du *Soulier de satin* et l' « explication » dernière que Claudel a donnée lui-même du drame personnel qui bouleversa et orienta sa vie, et dont *Partage de midi* demeure l'émouvant témoignage.

Drame humain de l'exil et du renoncement, drame grandiose de la conquête du monde par la civilisation chrétienne, drame spirituel du péché et du salut, tour à tour psychologique, historique et mystique, *Le Soulier de satin* est peut-être la plus haute approximation de ce *drame total* qu'ambitionnèrent romantiques et symbolistes.

IIIe Journée, scène VIII (première version)

L'ANGE GARDIEN.
>   Ne me reconnais-tu pas ?

DONA PROUHÈZE.
>   Je ne sais. Je ne vois qu'une forme incertaine comme une ombre
>   dans le brouillard.

L'ANGE GARDIEN.
>   C'est moi. J'étais là. Je ne t'ai jamais quittée.
>   Ton Ange Gardien.
>   Crois-tu pour de bon que tu étais sans moi jusqu'à présent ?
>   il y avait une continuité entre nous. Tu me touchais.

---

1. P. CLAUDEL, *La Ville*, acte III. *Théâtre*, Bibliothèque de La Pléiade, tome I, p. 490.
2. SAINT-AUGUSTIN, cité par P. CLAUDEL, en exergue du *Soulier de Satin*.

Ainsi quand vient l'automne comme il fait chaud encore ! l'air
est bleu, l'hirondelle partout trouve une pâture abondante,
Et cependant, comment le sait-elle ? le temps est venu, rien ne
l'empêchera de partir, il le faut, elle part, bravant la mer.
Elle n'est pas embarrassée de la direction.
Et de même dans la conversation quelqu'un qui est tout entraîné
et saisi par la conversation,
S'il entend un violon quelque part ou simplement deux ou trois
fois de suite ces coups qu'on tape sur un morceau de bois,
Peu à peu il se tait, il est interrompu, il est ailleurs comme on
dit, il prête l'oreille.
Et toi-même, dis-moi s'il est bien vrai que tu ne l'aies jamais
ressenti au fond de toi-même entre le cœur et le foie, ce coup
sourd, cet arrêt net, cette touchée urgente ?

DONA PROUHÈZE.

Je ne les connais que trop.

L'ANGE GARDIEN.

C'était mon hameçon au fond de tes entrailles et moi je réglais
le fil comme un pêcheur longanime. Vois-le autour de mon
poignet enroulé. Il n'en reste plus que quelques brasses.

DONA PROUHÈZE.

Il est donc vrai que je vais mourir ?

L'ANGE GARDIEN.

Et qui sait si tu n'es pas morte déjà ? D'où te viendraient autrement cette indifférence au lieu, cette impuissance au poids ?
Si près de la frontière, qui sait de quel côté il est en mon pouvoir
de te faire à mon gré par jeu passer et repasser ?

DONA PROUHÈZE.

Où suis-je et où es-tu ?

L'ANGE GARDIEN.

Ensemble et séparés. Loin de toi avec toi.
Mais pour te faire pénétrer cette union du temps avec ce qui
n'est pas le temps, de la distance avec ce qui n'est pas l'espace,
d'un mouvement avec un autre mouvement, il me faudrait cette
musique que tes oreilles encore ne sont pas capables de supporter.
Où dis-tu qu'est le parfum ? *où* diras-tu qu'est le son ? Entre
le parfum et le son quelle est la frontière commune ? Ils existent
en même temps. Et moi j'existe avec toi.
Écoute-moi qui existe. Laisse-toi persuader par ces eaux peu à
peu qui te délient. Abandonne cette terre que tu crois solide et
qui n'est que captive.
Un mélange fragile à chaque seconde palpité de l'être avec le
néant.

DONA PROUHÈZE.

Ah ! quand tu parles, de nouveau je ressens au fond de moi le fil ! la traction de ce désir rectiligne au rebours du flot dont j'ai tant de fois éprouvé la reprise et la détente.

L'ANGE GARDIEN.

Le pêcheur amène sa prise du fleuve vers la terre. Mais moi, c'est vers ces eaux que j'habite que métier m'est de ramener ce poisson qui leur appartient.

DONA PROUHÈZE.

Comment y passerai-je avec ce corps pesant, épais ?

L'ANGE GARDIEN.

Il te faudra le laisser par derrière un peu.

DONA PROUHÈZE.

Ou comment me passerai-je de lui ?

L'ANGE GARDIEN.

N'est-il pas déjà un peu tard pour me le demander ?

DONA PROUHÈZE.

Moi-même, cette dépouille que je vois là-bas abandonnée sur le sable, c'est ça ?

L'ANGE GARDIEN.

Essaye si tu pourrais encore t'y accommoder.

DONA PROUHÈZE.

La cire ne prend pas plus exactement une empreinte, l'eau un vase,
Que je ne remplis ce corps dans toutes ses parties ; est-ce remplir ou comprendre ? Veuve désormais,
Cette société qui l'animerait impuissante à y prêter mes lèvres.
Le corps, suis-je dehors ou dedans ce corps ? Je le vis en même temps je le vois. Tous les moments de sa vie je les vis ensemble d'un seul coup.
Ah ! pauvre Doña Prouhèze, quelle pitié tu m'inspires ! je vois, je comprends tout !

L'ANGE GARDIEN.

Est-ce qu'elle est seule ?

DONA PROUHÈZE.

Non. A travers elle j'aperçois une autre ombre, un homme dans la nuit qui marche.

L'ANGE GARDIEN.

Regarde mieux. Que vois-tu ?

DONA PROUHÈZE.

Rodrigue, je suis à toi !

L'ANGE GARDIEN.

De nouveau le fil à mon poignet s'est déroulé.

DONA PROUHÈZE.

Rodrigue, je suis à toi !

L'ANGE GARDIEN.

Il entend, il s'arrête, il écoute. Il y a ce silence, il y a ce faible
passage dans les palmes, il y a une âme du Purgatoire qui monte
au Ciel.

Il y a cet énorme nuage au milieu de l'air arrêté, il y a ce soleil
incertain qui éclaire les flots sans nombre, ce soleil dont on voit
bien que ce n'est pas celui du jour, la lune sur l'Océanie !

Et de nouveau comme une bête captive par le taon pourchassée,
je le vois entre les deux murs qui reprend sa course furieuse,
son amère faction.

Ne s'arrêtera-t-il jamais ? Ah quelle route désespérée il a déjà
piétinée entre ces deux murs !

DONA PROUHÈZE.

Je le sais. Nuit et jour je ne cesse d'entendre ce pas.

L'ANGE GARDIEN.

Es-tu contente qu'il souffre ?

DONA PROUHÈZE.

Arrête, dur pêcheur ! Ne tire pas ainsi ce fil ! Oui, je suis contente
qu'il souffre pour moi.

L'ANGE GARDIEN.

Crois-tu que c'est pour toi qu'il a été créé et mis au monde ?

DONA PROUHÈZE.

Oui, oui ! Oui, je crois du fond de mon cœur que c'est pour moi
qu'il a été créé et mis au monde.

L'ANGE GARDIEN.

Es-tu pour une âme d'homme assez grande ?

DONA PROUHÈZE.

Oui, je suis assez grande pour lui.

L'ANGE GARDIEN.

Est-ce ainsi que tu me réponds au seuil de la mort ?

DONA PROUHÈZE.

Frère, il faut faire mourir cette pauvre créature vite et ne pas
souffrir qu'elle soit si bête davantage.

L'ANGE GARDIEN.

> Qui te retient d'aller vers lui ?

DONA PROUHÈZE.

> C'est ce fil qui me retient.

L'ANGE GARDIEN.

> De sorte que si je te lâchais...

DONA PROUHÈZE.

> Ah ! ce n'est plus un poisson, c'est un oiseau que tu verrais à
> tire d'aile ! La pensée n'est pas si prompte, la flèche ne fend pas
> l'air si vite,
> Que de l'autre côté de la mer je ne serais cette épouse riante
> et sanglotante entre ses bras !

L'ANGE GARDIEN.

> N'as-tu point appris que c'est le cœur qui doit obéir et non pas
> matériellement la volonté par un obstacle astreinte ?

DONA PROUHÈZE.

> J'obéis comme je peux.

L'ANGE GARDIEN.

> Il est donc temps que je tire sur le fil.

DONA PROUHÈZE.

> Mais moi je peux tirer si fort en arrière qu'il rompe !

L'ANGE GARDIEN.

> Que dirais-tu si je te demandais entre Dieu et Rodrigue de
> choisir ?

DONA PROUHÈZE.

> Tu es, tu es un pêcheur trop habile.

L'ANGE GARDIEN.

> Trop habile pourquoi ?

DONA PROUHÈZE.

> Pour faire sentir la question avant que la réponse soit prête.
> Où serait l'art de la pêche ?

L'ANGE GARDIEN.

> Si je la posais cependant ?

DONA PROUHÈZE.

> Je suis sourde ! je suis sourde ! Un poisson sourd ! Je suis sourde
> et n'ai point entendu !

L'ANGE GARDIEN.

>Mais quoi, ce Rodrigue, mon ennemi, qui me retient que je ne le frappe ? Ce n'est point le fil seulement que ma main sait manier, mais le trident.

DONA PROUHÈZE.

>Et moi je le cacherai, si fort entre mes bras que tu ne le verras plus.

L'ANGE GARDIEN.

>Tu ne lui fais que du mal.

DONA PROUHÈZE.

>Mais lui me dit chaque nuit autre chose.

L'ANGE GARDIEN.

>Qu'est-ce qu'il dit ?

DONA PROUHÈZE.

>C'est un secret entre nous.

L'ANGE GARDIEN.

>Tes larmes suffisent à le révéler.

DONA PROUHÈZE.

>Je suis Agar dans le désert ! Sans mains, sans yeux, il y a quelqu'un qui m'a rejointe amèrement dans le désert !
>C'est le désir qui étreint le désespoir ! C'est l'Afrique par-dessus la mer qui épouse les terres empoisonnées du Mexique !

L'ANGE GARDIEN.

>Sœur, il nous faut apprendre passage vers des climats plus heureux.

DONA PROUHÈZE.

>Ce que ma main chaque nuit lui jure, il n'est pas en mon pouvoir de le démentir.

L'ANGE GARDIEN.

>C'est ainsi que le poisson se croit plus sage que le pêcheur.
>Il se mutine et se débat sur place, ignorant que chacun de ses soubresauts
>Réjouit le vieillard dans les roseaux embusqué
>Qui le tient et ne le laissera pas s'enfuir.

DONA PROUHÈZE.

>Pourquoi te joues-tu de lui cruellement et si tu ne l'amènes au bord ne lui rends-tu pas liberté ?

L'ANGE GARDIEN.

Mais quoi, si tu n'étais pas seulement une prise pour moi, mais une amorce ?

DONA PROUHÈZE.

Rodrigue, c'est avec moi que tu veux le capturer ?

L'ANGE GARDIEN.

Cet orgueilleux, il n'y avait pas d'autre moyen de lui faire comprendre le prochain, de le lui entrer dans la chair ;
Il n'y avait pas d'autre moyen de lui faire comprendre la dépendance, la nécessité et le besoin, un autre sur lui,
La loi sur lui de cet être différent pour aucune autre raison si ce n'est qu'il existe.

DONA PROUHÈZE.

Eh quoi ! Ainsi c'était permis ? cet amour des créatures l'une pour l'autre, il est donc vrai que Dieu n'en est pas jaloux ? l'homme entre les bras de la femme...

L'ANGE GARDIEN.

Comment serait-Il jaloux de ce qu'Il a fait ? et comment aurait-Il rien fait qui ne Lui serve ?

DONA PROUHÈZE.

L'homme entre les bras de la femme oublie Dieu.

L'ANGE GARDIEN.

Est-ce L'oublier que d'être avec Lui ? est-ce ailleurs qu'avec Lui d'être associé au mystère de Sa création
Franchissant de nouveau pour un instant l'Éden par la porte de l'humiliation et de la mort ?

DONA PROUHÈZE.

L'amour hors du sacrement n'est-il pas le péché ?

L'ANGE GARDIEN.

Même le péché ! Le péché aussi sert.

DONA PROUHÈZE.

Ainsi il était bon qu'il m'aime ?

L'ANGE GARDIEN.

Il était bon que tu lui apprennes le désir.

DONA PROUHÈZE.

Le désir d'une illusion ? d'une ombre qui pour toujours lui échappe ?

L'ANGE GARDIEN.

Le désir est de ce qui est, l'illusion est ce qui n'est pas. Le désir au travers de l'illusion
Est de ce qui est au travers de ce qui n'est pas.

DONA PROUHÈZE.

Mais je ne suis pas une illusion, j'existe ! Le bien que je puis seule lui donner existe.

L'ANGE GARDIEN.

C'est pourquoi il faut lui donner le bien et aucunement le mal.

DONA PROUHÈZE.

Mais cruellement entraînée par toi je ne puis lui donner rien du tout.

L'ANGE GARDIEN.

Voudrais-tu lui donner le mal ?

DONA PROUHÈZE.

Oui, plutôt que de rester ainsi stérile et inféconde, ce que tu appelles le mal.

L'ANGE GARDIEN.

Le mal est ce qui n'existe pas.

DONA PROUHÈZE.

Unissons donc notre double néant !

L'ANGE GARDIEN.

Prouhèze, ma sœur, l'enfant de Dieu existe.

DONA PROUHÈZE.

Mais à quoi sert-il d'exister si je n'existe pour Rodrigue ?

L'ANGE GARDIEN.

Comment Prouhèze existerait-elle jamais autrement que pour Rodrigue, quand c'est par lui qu'elle existe ?

DONA PROUHÈZE.

Frère, je ne t'entends pas !

L'ANGE GARDIEN.

C'est en lui que tu étais nécessaire.

DONA PROUHÈZE.

O parole bien douce à entendre ! laisse-moi la répéter après toi ! eh quoi ! je lui étais nécessaire ?

L'ANGE GARDIEN.

>Non point cette vilaine et disgracieuse créature au bout de ma ligne, non point ce triste poisson.

DONA PROUHÈZE.

>Laquelle alors ?

L'ANGE GARDIEN.

>Prouhèze, ma sœur, cette enfant de Dieu dans la lumière que je salue.
>
>Cette Prouhèze que voient les Anges, c'est celle-là sans le savoir qu'il regarde, c'est celle-là que tu as à faire afin de la lui donner.

DONA PROUHÈZE.

>Et ce sera la même Prouhèze ?

L'ANGE GARDIEN.

>Une Prouhèze pour toujours que ne détruit pas la mort.

DONA PROUHÈZE.

>Toujours belle ?

L'ANGE GARDIEN.

>Une Prouhèze toujours belle.

DONA PROUHÈZE.

>Il m'aimera toujours ?

L'ANGE GARDIEN.

>Ce qui te rend si belle ne peut mourir. Ce qui fait qu'il t'aime ne peut mourir.

DONA PROUHÈZE.

>Je serai à lui pour toujours dans mon âme et dans mon corps ?

L'ANGE GARDIEN.

>Il nous faut laisser le corps en arrière quelque peu.

DONA PROUHÈZE.

>Eh quoi ! il ne connaîtra point ce goût que j'ai ?

L'ANGE GARDIEN.

>C'est l'âme qui fait le corps.

DONA PROUHÈZE.

>Comment donc l'a-t-elle fait mortel ?

L'ANGE GARDIEN.

>C'est le péché qui l'a fait mortel.

DONA PROUHÈZE.

C'était beau d'être pour lui une femme.

L'ANGE GARDIEN.

Et moi je ferai de toi une étoile.

DONA PROUHÈZE.

Une étoile ! c'est le nom dont il m'appelle toujours dans la nuit. Et mon cœur tressaillait profondément de l'entendre.

L'ANGE GARDIEN.

N'as-tu donc pas toujours été comme une étoile pour lui ?

DONA PROUHÈZE.

Séparée !

L'ANGE GARDIEN.

Conductrice.

DONA PROUHÈZE.

La voici qui s'éteint sur terre.

L'ANGE GARDIEN.

Je la rallumerai dans le ciel.

DONA PROUHÈZE.

Comment brillerai-je qui suis aveugle ?

L'ANGE GARDIEN.

Dieu soufflera sur toi.

DONA PROUHÈZE.

Je ne suis qu'un tison sous la cendre.

L'ANGE GARDIEN.

Mais moi je ferai de toi une étoile flamboyante dans le souffle du Saint-Esprit !

DONA PROUHÈZE.

Adieu donc ici-bas ! adieu, adieu, mon bien-aimé ! Rodrigue, Rodrigue là-bas, adieu pour toujours !

L'ANGE GARDIEN.

Pourquoi adieu ? pourquoi là-bas, quand tu seras plus près de lui que tu ne l'es à présent ? Associée de l'autre côté du voile à cette cause qui le fait vivre.

DONA PROUHÈZE.

Il cherche et ne me trouvera plus.

L'ANGE GARDIEN.

Comment te trouverait-il au dehors alors que tu n'es plus autre part que dedans son cœur, lui-même ?

DONA PROUHÈZE.

Tu dis vrai, c'est bien là que je serai ?

L'ANGE GARDIEN.

Cet hameçon dans son cœur profondément enfoncé.

DONA PROUHÈZE.

Il me désirera toujours ?

L'ANGE GARDIEN.

Pour les uns l'intelligence suffit. C'est l'esprit qui parle purement à l'esprit.
Mais pour les autres il faut que la chair aussi peu à peu soit évangélisée et convertie. Et quelle chair pour parler à l'homme plus puissante que celle de la femme ?
Maintenant il ne pourra plus te désirer sans désirer en même temps où tu es.

DONA PROUHÈZE.

Mais est-ce que le ciel jamais lui sera aussi désirable que moi ?

L'ANGE GARDIEN, *comme s'il tirait sur le fil.*

D'une pareille sottise tu seras punie à l'instant.

DONA PROUHÈZE, *criant.*

Ah ! frère, fais-moi durer encore cette seconde !

L'ANGE GARDIEN.

Salut, ma sœur bien-aimée ! Bienvenue, Prouhèze dans la flamme !
Les connais-tu à présent, ces eaux où je voulais te conduire ?

DONA PROUHÈZE.

Ah ! je n'en ai pas assez ! encore ! Rends-la-moi donc enfin cette eau où je fus baptisée !

L'ANGE GARDIEN.

La voici de toutes parts qui te baigne et te pénètre.

DONA PROUHÈZE.

Elle me baigne et je n'y puis goûter ! c'est un rayon qui me perce, c'est un glaive qui me divise, c'est le fer rouge effroyablement appliqué sur le nerf même de la vie, c'est l'effervescence de la source qui s'empare de tous mes éléments pour les dissoudre et les recomposer, c'est le néant à chaque moment où je sombre et Dieu sur ma bouche qui me ressuscite, et supérieure à toutes les délices, ah ! c'est la traction impitoyable de la soif, l'abomination de cette soif affreuse qui m'ouvre et me crucifie !

L'ANGE GARDIEN.

Demandes-tu que je te rende à l'ancienne vie ?

DONA PROUHÈZE.

Non, non, ne me sépares plus à jamais de ces flammes désirées !
Il faut que je leur donne à fondre et à dévorer cette carapace
affreuse, il faut que mes liens brûlent, il faut que je leur tienne à
détruire toute mon affreuse cuirasse, tout cela que Dieu n'a pas
fait, tout ce roide bois d'illusion et de péché, cette idole, cette
abominable poupée que j'ai fabriquée à la place de l'image
vivante de Dieu dont ma chair portait le sceau empreint !

L'ANGE GARDIEN.

Et ce Rodrigue, où crois-tu que tu lui sois le plus utile, ici-bas
Ou dans ce lieu maintenant que tu connais ?

DONA PROUHÈZE.

Ah ! laisse-moi ici ! ah ! ne me retire pas encore ! pendant qu'il
achève en ce lieu obscur sa course laisse-moi me consumer pour
lui comme une cire aux pieds de la Vierge !
Et qu'il sente sur son front de temps en temps tomber une goutte
de cette huile ardente !

L'ANGE GARDIEN.

C'est assez. Le temps n'est pas encore venu tout à fait pour toi
de franchir la Sainte Frontière.

DONA PROUHÈZE.

Ah ! c'est comme un cercueil où tu me remets ! Voici de nouveau
que mes membres reprennent la gaine de l'étroitesse et du poids.
De nouveau la tyrannie sur moi du fini et de l'accidentel !

L'ANGE GARDIEN.

Ce n'est plus que pour un peu de temps.

DONA PROUHÈZE.

Ces deux êtres qui de loin sans jamais se toucher se font équilibre
comme sur les plateaux opposés d'une balance.
Maintenant que l'un a changé de place, est-ce que la position
de l'autre n'en sera pas altérée ?

L'ANGE GARDIEN.

Il est vrai. Ce que tu pèses au Ciel, il faut pour qu'il l'éprouve
que nous le placions sur un autre plateau.
Il faut que sur ce petit globe il achève son étroite orbite à
l'imitation de ces distances énormes dans le Ciel qu'immobile
nous allons te donner à dévorer.

DONA PROUHÈZE.

> Il ne demandait qu'une goutte d'eau et toi, frère, aide-moi à
> lui donner l'Océan.

L'ANGE GARDIEN.

> N'est-ce pas lui qui l'attend de l'autre côté de cet horizon mystique
> si longtemps
> Qui fut celui de la vieille humanité ? ces eaux que tu as tellement
> désirées, ne sont-ce pas elles qui sont en train de le guérir de la
> terre ?
> Ce passage qu'il a ouvert, ne sera-t-il pas le premier à le franchir ?
> Au travers de cette suprême barrière d'un pôle à l'autre déjà
> Par le soleil couchant en son milieu à demi dévorée,
> A travers le nouveau il est en marche pour retrouver l'éternel

DONA PROUHÈZE.

> A l'autre bout de l'Océan il est des Iles qui l'attendent,
> Ces Iles mystérieuses au bout du monde dont je t'ai vu surgir.
> Pour l'y tirer, comment faire, maintenant que tu n'as plus mon
> corps comme amorce ?

L'ANGE GARDIEN.

> Non plus ton corps, mais ton reflet sur les Eaux amères de l'exil,
> Ton reflet sur les eaux mouvantes de l'exil sans cesse évanoui
> et reformé.

DONA PROUHÈZE.

> Maintenant je vois ton visage. Ah ! qu'il est sévère et menaçant !

L'ANGE GARDIEN.

> Tu en connaîtras un autre plus tard. Celui-ci convient à ce
> lieu de justice et de pénitence.

DONA PROUHÈZE.

> C'est pénitence qu'il va faire, lui aussi ?

L'ANGE GARDIEN.

> Les voies directes de Dieu, le temps est venu pour lui qu'il
> commence à les fouler.

DONA PROUHÈZE.

> C'est moi qui dois lui en ouvrir le seuil ?

L'ANGE GARDIEN.

> Ce qu'il désire ne peut être à la fois au Ciel et sur la terre.

DONA PROUHÈZE.

> Qu'attends-tu pour me faire mourir ?

L'ANGE GARDIEN.

> J'attends que tu consentes.

DONA PROUHÈZE.

> Je consens, j'ai consenti !

L'ANGE GARDIEN.

> Mais comment peux-tu consentir à me donner ce qui n'est pas
> **à toi ?**

DONA PROUHÈZE.

> Mon âme n'est plus à moi ?

L'ANGE GARDIEN.

> Ne l'as-tu pas donnée à Rodrigue dans la nuit ?

DONA PROUHÈZE.

> Il faut donc lui dire de me la rapporter.

L'ANGE GARDIEN.

> C'est de lui que tu dois recevoir permission.

DONA PROUHÈZE.

> Laisse-moi, mon bien-aimé ! laisse-moi partir !
> Laisse-moi devenir une étoile !

L'ANGE GARDIEN.

> Cette mort qui fera de toi une étoile, consens-tu à la recevoir
> de sa main ?

DONA PROUHÈZE.

> Ah ! je remercie Dieu ! Viens, cher Rodrigue ! je suis prête !
> sur cette chose qui est à toi lève ta main meurtrière ! sacrifie
> cette chose qui est à toi ! Mourir, mourir pour toi m'est doux !

L'ANGE GARDIEN.

> Maintenant je n'ai plus rien à te dire sinon au revoir à Dieu.
> J'ai fini ma tâche avec toi. Au revoir, sœur chérie, dans la
> lumière éternelle !

DONA PROUHÈZE.

> Ne me laisse pas encore ! Aigle divin, prends-moi pour un moment
> dans tes serres. Élève-moi le temps de compter un ! Le rond
> complet autour de nos deux existences laisse-moi le voir !
> Le chemin qu'il a à suivre, laisse-moi le rouler autour de mon
> bras afin qu'il n'y fasse pas un pas auquel je ne sois attachée,
> Et que je ne sois au bout, et qu'il ne le conduise vers moi.
> — Quelle est cette pierre que tu me montres dans ta main ?

321

L'ANGE GARDIEN.

> La pierre sur laquelle tout à l'heure son bateau va s'ouvrir, il échappe seul, la tête blanche d'écume il aborde à cette terre inconnue.
>
> Mais qu'importe le naufrage, il est arrivé ! ce n'est pas un monde nouveau qu'il s'agissait de découvrir, c'est l'ancien qui était perdu qu'il s'agissait de retrouver.
>
> Il a mis dessus l'empreinte de son pied et de sa main, il a achevé l'entreprise de Colomb, il a exécuté la grande promesse de Colomb.
>
> Car ce que Colomb avait promis au Roi d'Espagne, ce n'est pas un quartier nouveau de l'Univers, c'est la réunion de la terre, c'est l'ambassade vers ces peuples que vous sentiez dans votre dos, c'est le bruit des pieds de l'homme dans la région antérieure au matin, ce sont les passages du Soleil !
>
> Il a rejoint le Commencement de tout par la route du Soleil levant.
>
> Le voici qui rejoint ces peuples obscurs et attendants, ces compartiments en deçà de l'aurore où piétinent des multitudes enfermées !

(Le Globe a tourné, montrant tout le continent d'Asie, depuis l'Inde jusqu'à la Chine.)

> Crois-tu que Dieu ait abandonné Sa création au hasard ? Crois-tu que la forme de cette terre qu'Il a faite soit privée de signification ?
>
> Pendant que tu vas au Purgatoire, lui aussi sur terre va reconnaître cette image du Purgatoire.
>
> Lui aussi, la barrière traversée,
>
> Cette double bourse de l'Amérique après qu'il l'a prise dans sa main et rejetée, cette double mamelle à l'heure de votre après-midi présentée à votre convoitise matérielle,
>
> Il rejoint l'autre monde, le même, l'ayant pris à revers. Ici l'on souffre et attend. Et derrière cette paroi aussi haute que le ciel, là-haut, là-bas, commence l'autre versant, le monde d'où il vient, l'Église militante.
>
> Il va reconnaître ces populations agenouillées, ces portions cloisonnées et comprimées qui recherchent non pas une issue mais leur centre.
>
> L'une a la forme d'un triangle et l'autre d'un cercle,
>
> Et l'autre, ce sont ces îles déchirées que tourmentent sans fin la tempête et le feu.
>
> L'Inde pendue cuit sur place dans une vapeur brûlante, la Chine éternellement dans ce laboratoire intérieur où l'eau devient de la boue piétine ce limon mélangé à sa propre ordure.
>
> Et le troisième se déchire lui-même avec rage.
>
> Tels sont ces peuples qui gémissent et attendent, le visage tourné vers le Soleil levant.

C'est à eux qu'il est envoyé comme ambassadeur.

Il apporte avec lui assez de péché pour comprendre leurs ténèbres.

Dieu lui a montré assez de joie pour qu'il comprenne leur désespoir.

Ce Néant au bord duquel ils sont depuis si longtemps assis, ce Vide laissé par l'absence de l'Être, où se joue le reflet du Ciel, il fallait leur apporter Dieu pour qu'ils le comprennent tout à fait.

Ce n'est pas Rodrigue qui apporte Dieu, mais il faut qu'il vienne pour que le manque de Dieu où sont assises ces multitudes soit regardé.

— O Marie, Reine du Ciel, autour de qui s'enroule tout le chapelet des Cieux, ayez pitié de ces peuples qui attendent !

(Il rentre dans la Terre qui se rétrécit et devient pas plus grosse qu'une tête d'épingle. Tout l'écran est rempli par le Ciel fourmillant au travers duquel se dessine l'image gigantesque de l'Immaculée Conception.)

Le Soulier de satin,
Théâtre II, Bibliothèque de la Pléiade, Gallimard, éditeur.

LE DRAME CONTEMPORAIN CHAPITRE IV

André GIDE

TEXTE XVI   Œdipe (1931)

Après *Saül* et *Le Roi Candaule*, Gide recourt encore dans *Œdipe* à la trame des grands *mythes antiques* pour illustrer les angoisses modernes et exprimer ses propres préoccupations. Dans un dialogue tout classique, dont la finesse souriante n'a d'égale que l'élégante sobriété, les héros de la légende grecque débattent les plus hautes questions qui hantent la conscience universelle et proposent l'émouvante leçon de cet *humanisme* confiant et serein qui caractérise la morale gidienne.

Prolongeant une conversation familière entre ses deux fils, Étéocle et Polynice, Œdipe leur expose sa propre vision du monde et les principes de conduite qui ont assuré sa force et sa fortune, en hissant jusqu'au trône l'enfant trouvé, insoucieux de son origine et fier de ne devoir qu'à soi la gloire et la puissance. A la philosophie traditionaliste et mystique des prêtres, tournés vers une immuable transcendance, le vainqueur du sphinx oppose une vision de l'humanité tendue vers son avenir et maîtresse de son destin. Si l'homme est la solution de l'énigme proposée par le sphinx de Thèbes, il est aussi la clef de tous les problèmes qui assaillent l'adolescent au seuil de la vie. C'est ce *choix de l'humain* qui offre à chacun la résolution de sa propre énigme et lui permet d'affronter sa destinée particulière.

Cet humanisme intégral, qui déifie l'homme et l'érige en valeur absolue, ignore cependant la toute-puissance du Dieu qui gouverne obscurément et à notre insu chacune de nos destinées. Tirésias, aveugle au monde matériel, est l'interprète de cet univers surnaturel dont les menaces échappent à l'ambitieux et insouciant Œdipe. Au roi prisonnier d'un illusoire bonheur et d'une trompeuse sécurité, le devin laisse pressentir les pièges d'un mystérieux *destin*.

Mais la faillite du bonheur ne suffit pas à ébranler l'humanisme gidien. En enlisant l'homme dans les délices d'un paresseux bien-être, le bonheur le détourne en fait de sa vocation de *dépassement* et fait obstacle à son plein épanouissement. C'est ainsi que dans l'angoisse et l'horreur même du destin que lui réserve la « très lâche trahison de Dieu »[1], le héros gidien trouve l'accomplissement de son être et la certitude de sa grandeur.

Acte II

ÉTÉOCLE.

Tirésias nous enseigne que la parole fut donnée aux hommes par les dieux.

POLYNICE.

Je crois moins volontiers aux dieux qu'aux héros.

(Œdipe s'avance vers ses fils.)

ŒDIPE.

Bien dit ! Je vous reconnais pour mes fils. A vous entendre, (oui, je vous écoutais), je me reproche de ne pas converser davantage avec vous. Mais, je voudrais vous dire d'abord... Mes petits, respectez vos sœurs. Ce qui nous touche de trop près n'est jamais de conquête bien profitable. Pour se grandir, il faut porter loin de soi ses regards. Et puis, ne regardez pas trop en arrière. Persuadez-vous que l'humanité est sans doute beaucoup plus loin de son but que nous ne pouvons encore entrevoir, que de son point de départ que nous ne distinguons déjà plus.

ÉTÉOCLE.

Le but... Quel peut-être le but ?

ŒDIPE.

Il est devant nous, quel qu'il soit. J'imagine, beaucoup plus tard, la terre couverte d'une humanité désasservie, qui considérera notre civilisation d'aujourd'hui du même œil que nous considérons l'état des hommes au début de leur lent progrès. Si j'ai vaincu le Sphinx, ce n'est pas pour que vous vous reposiez. Ce dragon dont tu parlais, Étéocle, est pareil à celui qui m'attendait aux portes de Thèbes, où je me devais d'entrer en vainqueur. Tirésias nous embête avec son mysticisme et sa morale. On m'avait

---

1. GIDE, *Œdipe*, acte III.

appris tout cela chez Polybe... Tirésias n'a jamais rien inventé et ne saurait approuver ceux qui cherchent et qui inventent. Si inspiré par Dieu qu'il se dise, avec ses révélations, ses oiseaux, ce n'est pas lui qui sut répondre à l'énigme. J'ai compris, moi seul ai compris, que le seul mot de passe, pour n'être pas dévoré par le sphinx, c'est : l'Homme. Sans doute fallait-il un peu de courage pour le dire, ce mot. Mais je le tenais prêt dès avant d'avoir entendu l'énigme ; et ma force est que je n'admettais pas d'autre réponse, à quelle que pût être la question.

Car, comprenez bien, mes petits, que chacun de nous, adolescent, rencontre, au début de sa course, un monstre qui dresse devant lui telle énigme qui nous puisse empêcher d'avancer. Et, bien qu'à chacun de nous, mes enfants, ce sphinx particulier pose une question différente, persuadez-vous qu'à chacune de ses questions la réponse reste pareille ; oui, qu'il n'y a qu'une seule et même réponse à de si diverses questions ; et que cette réponse unique, c'est : l'Homme ; et que cet homme unique, pour un chacun de nous, c'est : Soi.

(Tirésias est entré.)

TIRÉSIAS.

Œdipe, est-ce là le dernier mot de ta sagesse ? Est-ce là que ta science aboutit ?

ŒDIPE.

C'est de là qu'elle part, au contraire. C'en est le premier mot.

TIRÉSIAS.

Les mots suivants ?

ŒDIPE.

Mes fils auront à les chercher.

TIRÉSIAS.

Ils ne les trouveront pas plus que tu ne les a trouvés toi-même.

ŒDIPE *(A part.)*

Il est plus fatigant encore que le Sphinx.

(A ses fils.)

Laissez-nous.

(Étéocle et Polynice sortent.)

TIRÉSIAS.

Oui, tu demandes que tes fils te laissent, quand tu n'as plus rien à leur dire et que ta science se trouve à court. Tu ne peux leur enseigner que l'orgueil. Toute science qui part de l'homme, et non pas de Dieu, ne vaut rien.

ŒDIPE.

J'ai longtemps cru que j'étais guidé par un dieu.

TIRÉSIAS.

Un dieu qui n'était autre que toi-même ; oui, que toi-même divinisé.

ŒDIPE.

Un dieu dont tu m'as fait comprendre que je pouvais aussi me passer.

TIRÉSIAS.

De ce faux dieu, oui certes ; mais non pas du Dieu véritable, de ce Dieu que tu refuses de connaître, mais qui, Lui, surveille tes pas, qui scrute tes pensées les plus secrètes, de Dieu qui te connaît comme tu ne te connais pas toi-même.

ŒDIPE.

D'où prends-tu que je ne me connais pas ?

TIRÉSIAS.

De ceci que tu te crois heureux.

ŒDIPE.

Pourquoi ne me croirais-je pas heureux, quand je le suis ?

TIRÉSIAS.

Le malade qui se croit sain n'a pas grand appétit de guérir.

ŒDIPE.

Prétends-tu me persuader d'être malade ?

TIRÉSIAS.

Et d'autant plus malade que tu ne sais pas que tu l'es. Œdipe, qui prétends échapper à Dieu et ignores même qui tu es, je voudrais t'apprendre à te voir.

ŒDIPE.

On dirait, à t'entendre, que l'aveugle de nous deux, c'est moi.

TIRÉSIAS.

Si mes yeux de chair sont fermés, c'est pour mieux laisser s'ouvrir ceux de l'âme.

ŒDIPE.

Avec ces yeux de l'âme, que vois-tu ?

TIRÉSIAS.

Ta misère. Mais réponds-moi : Depuis quand as-tu cessé d'adorer Dieu ?

ŒDIPE.

Depuis que j'ai cessé de m'approcher de ses autels.

TIRÉSIAS.

Certes, sans les pratiques religieuses, notre foi s'éteint. Mais pourquoi, si tu croyais encore, ne t'approchais-tu plus des autels ?

ŒDIPE.

Parce que je n'avais plus les mains pures.

TIRÉSIAS.

Quelque crime les avait-il souillées ?

ŒDIPE.

Sur la route du Dieu que j'allais consulter et du Sphinx que j'allais combattre, un meurtre que j'avais commis.

TIRÉSIAS.

Qui donc as-tu tué ?

ŒDIPE.

Un inconnu qui, sur son char, obstruait ma route.

TIRÉSIAS.

La route qui te menait à Dieu. Celle où tu rencontras le Sphinx n'est pas la même. Mais tu savais que Dieu refuse de répondre à celui dont les mains sont souillées.

ŒDIPE.

Il est vrai ; c'est pourquoi, renonçant à l'interroger, j'ai changé de route et pris celle qui me menait au sphinx.

TIRÉSIAS.

Que voulais-tu demander à Dieu ?

ŒDIPE.

De m'apprendre de qui j'étais fils. Puis, j'ai soudain pris mon parti de l'ignorer.

TIRÉSIAS.

Après ton meurtre.

ŒDIPE.

Et j'ai soudain compris l'art de faire, de cette ignorance même, ma force.

TIRÉSIAS.

Je te croyais si désireux toujours de tout connaître... Mais, avant ce parti pris d'indifférence, explique-moi donc, Œdipe : ce que tu t'apprêtais à demander à Dieu, pourquoi tu tenais tant à le savoir.

ŒDIPE.

Parce qu'un oracle avait prédit que je devrais... Tirésias, tu m'importunes, et je ne te répondrai plus.

TIRÉSIAS.

L'oracle avait prédit de même à Laïus qu'il serait tué par son fils. Œdipe, Œdipe, enfant trouvé ! Monarque impie ! C'est l'ignorance de ton passé qui te donne cette assurance. Ton bonheur est aveugle. Ouvre les yeux sur ta détresse. Dieu t'a retiré le droit d'être heureux.

(Tirésias sort.)

ŒDIPE.

Va-t'en ! Va-t'en ! Comme si le bonheur était ce que j'avais jamais cherché ! C'est pour m'en évader que je m'élançai de chez Polybe, à vingt ans, les jarrets tendus, les poings clos. Qui dira si l'aurore au-dessus du Parnasse était belle, quand j'avançais dans la rosée, vers le Dieu dont j'attendais l'oracle, ne possédant plus rien que ma force, mais riche de toutes les possibilités de mon être, et ne sachant encore qui j'étais. Oui, de la réponse du Dieu, devait dépendre ma destinée ; et je m'y soumettais avec joie... Mais il y a quelque chose ici, que je ne parviens pas à comprendre. Il est vrai que, jusqu'à présent, je n'ai pas beaucoup réfléchi. Il faut, pour réfléchir, s'arrêter. En ce temps, j'étais pressé d'agir... Quand j'ai quitté la route qui me conduisait vers le Dieu, était-ce vraiment parce que je n'avais plus les mains pures ? Je ne m'en souciais pas, alors. Il me semble même aujourd'hui que c'est mon crime qui m'achemina d'abord vers le Sphinx. Que chercher près d'un Dieu ? Des réponses. Je me sentais moi-même une réponse à je ne savais encore quelle question. Ce fut celle du Sphinx. Je l'ai vaincu, moi, perspicace. Mais, depuis, tout n'a-t-il pas été pour moi s'obscurcissant ? Mais depuis, mais depuis... Qu'as-tu fait, Œdipe ? Engourdi dans la récompense, je dors depuis vingt ans. Mais à présent, enfin, j'écoute en moi le monstre nouveau qui s'étire. Un grand destin m'attend, tapi dans les ombres du soir. Œdipe, le temps de la quiétude est passé. Réveille-toi de ton bonheur.

A. GIDE, *Œdipe*, Théâtre, N.R.F., Gallimard.

François MAURIAC

TEXTE XVII Les Mal-Aimés (1941)

Dans *Asmodée*, *Les Mal-Aimés* et *Le Passage du Malin*, Mauriac transpose à la scène l'atmosphère oppressante et le réalisme pessimiste de son univers romanesque. Par la banalité du sujet, l'âpreté des sentiments et la vérité du dialogue, *Les Mal-Aimés* sont le type achevé d'une « *tragédie domestique* » à laquelle manqueraient la prédication morale et l'optimisme philosophique du XVIIIe siècle.

Dans la solitude de sa propriété landaise, le vieux Virelade, autrefois abandonné par son épouse, ne tolère pas la perspective d'être séparé de sa fille aînée Élisabeth, promue gardienne de la maison et protectrice du bien-être paternel. Avec un machiavélisme sordide, feignant pour sa fille cadette une tendre sollicitude qu'il n'a jamais éprouvée, ce père monstrueux exercera sur sa victime un odieux chantage pour faire échouer un mariage qui soustrairait Élisabeth à sa tyrannie sénile. Dans l'univers clos d'un salon de province, le *drame familial*, où Giraudoux se plaisait à voir la forme privilégiée du tragique français, atteint une exceptionnelle intensité. Entre ces êtres murés dans une atroce intimité, perpétuellement soumis à l'investigation d'un regard scrutateur, la torture d'une continuelle présence n'a égale que la solitude des âmes en proie à leurs passions et à leurs rêves. Dans ce climat tragique où la dissimulation se joint à la lucidité, l'amour et la haine, le mépris et la pitié s'entrechoquent et interfèrent en un sinistre contrepoint. Un *pessimisme janséniste* anime ces sombres débats où se déchire une humanité en proie aux démons de l'égoïsme et de la domination.

L'intensité de la scène où Virelade insinue dans l'âme d'Élisabeth le venin du doute et de la jalousie, tient à la diabolique précision d'un dialogue dont chaque mot porte et blesse avec une infaillible sûreté. Rien n'égale l'habileté des suggestions feutrées par lesquelles le roué vieillard, avec une science sadique et un cynisme consommé, torture l'âme douloureuse et révoltée de sa fille. La force contenue de ce langage apparemment très simple et proche de la réalité quotidienne achève de conférer au drame une virulence corrosive et destructrice, qui l'apparente à ces tragédies raciniennes où s'affrontent, selon Péguy, des « êtres disgrâciés », fondamentalement cruels et blessants, et qui « finissent toujours par se vouloir du mal, ne fût-ce que de s'en faire et de s'en être fait »[1].

Acte II, scène VI

M. de VIRELADE, ÉLISABETH

VIRELADE.

Toi qui as peur la nuit, Élisabeth, je suis sûr que tu m'approuves : il faut se débarrasser d'un chien qui n'aboie pas... A quoi penses-tu, ma fille ? Tu dors debout ?

ÉLISABETH.

Qu'y avait-il dans le tiroir ?

VIRELADE.

Quel tiroir ? Ah ! oui... celui que Marianne a ouvert... Écoute : nous ne sommes séparés d'elle que par une porte, elle risque de nous entendre, et puis j'ai soif... Nous serons mieux chez moi pour causer...

ÉLISABETH.

Je n'ai plus envie de causer, père, je n'en ai plus le courage.

VIRELADE.

Tu souffres, Élisabeth. Et c'est moi qui te fais souffrir, mon adorée... Je te demande pardon. Je t'ai menti : ce n'est pas vrai que je sois content, ce soir... Si j'insiste pour boire encore un verre, c'est que je ne me sens plus la force de te faire du mal... Mais nous touchons au but, je te jure. Tout sera bientôt liquidé, réglé. Monte avec moi quelques instants... quelques instants seulement, et ce sera fini.

ÉLISABETH.

Je n'ai plus de forces, père, je suis à bout.

VIRELADE.

Tu n'auras pas besoin de parler. Moi-même, qu'ai-je encore à te dire ? Il suffira que tu ouvres le tiroir du bureau, ma fille. D'ailleurs, tu as déjà deviné... allons, viens.

---

1. Ch. PÉGUY, *Victor-Marie, comte Hugo*, § 21.

ÉLISABETH.

> Non, non... je préfère ne pas quitter cette pièce.

VIRELADE.

> Crois-tu donc que j'ignore ce qui t'y retient ? J'ai l'oreille fine, Élisabeth.

ÉLISABETH.

> Vous êtes toujours à l'affût...

VIRELADE.

> Ton infirmier ne se cache pas loin d'ici, hein ? à une portée de fusil, j'imagine... Dès que j'aurai le dos tourné, il va revenir aux nouvelles...

ÉLISABETH.

> Il reviendra si cela me plaît. J'ai vingt-neuf ans, je n'ai plus de comptes à vous rendre.

VIRELADE.

> Ainsi donc, c'est vrai ? Il est là, caché dans le noir... Si je tirais un coup de fusil au hasard, à travers les arbustes, il y aurait des chances pour qu'il reçoive quelques plombs...

ÉLISABETH.

> Qu'est-ce que vous voulez faire ?

VIRELADE.

> Rassure-toi, je n'ai aucune mauvaise idée, je n'en veux pas à sa peau. Et même... tu ne me croiras pas ? ça me plairait assez que tu lui parles une dernière fois... Oui, au fond, je le désire...

ÉLISABETH.

> Vous le désirez ?

VIRELADE.

> Oui, parce que cette nuit tu auras sûrement des choses importantes à lui confier, Élisabeth, des choses graves.

ÉLISABETH.

> Qu'ai-je à lui apprendre qu'il ne connaisse déjà ?

VIRELADE.

> Il sait déjà que Marianne est désespérée, je te l'accorde. Cela, du moins, tu ne le lui apprendras pas.

ÉLISABETH.

> Voilà donc ce que vous avez trouvé, pour nous séparer, Alain et moi. Reconnaissez que ce n'est pas très fort !

VIRELADE.

Il n'y a pas de quoi rire, ma fille. Tu n'as pas vu Marianne, cette après-midi, devant le revolver posé sur la table. Si tu l'avais vue, tu ne rirais pas.

ÉLISABETH.

Désespérée ? Quelles raisons aurait-elle d'être désespérée ?

VIRELADE.

Pourquoi me le demandes-tu, puisque tu le sais ?

ÉLISABETH.

Je vous accorde que nous avons manqué de confiance envers elle, Alain et moi, que nous l'avons froissée... Mais on ne se tue pas pour un froissement.

VIRELADE.

Non, sans doute... et c'est ce qui devrait t'ouvrir les yeux.

ÉLISABETH.

Elle a eu peur de rester seule, après mon mariage, seule ici avec vous, en tête-à-tête... Mais je l'ai rassurée. Elle sait maintenant, la pauvre chérie, que je ne l'abandonnerai jamais.

VIRELADE.

Ce n'est pas de toi qu'elle a besoin, Élisabeth. Que crois-tu donc être pour elle ?

ÉLISABETH.

Alain, en tout cas, n'est que son camarade, rien de plus.

VIRELADE.

Appelle cela un camarade... moi je veux bien.

ÉLISABETH.

Je le connais, peut-être ! je ne me fais aucune illusion : ce n'est pas un héros bien sûr ! Mais de là à jouer ce jeu ignoble avec nous deux... non, tout de même !

VIRELADE.

Que ce soit un très pauvre type, ce n'est pas à moi qu'il faut l'apprendre. Mais soyons justes : pour ce qui touche à ça, nous sommes tous de pauvres types...

ÉLISABETH.

S'il y avait eu la moindre chose entre eux, je l'aurais vite flairé, je vous le jure !

VIRELADE.

> Que tu as la mémoire courte, Élisabeth ! Rappelle-toi l'été où tu m'accompagnais à Bordeaux, tous les jours, et où nous les laissions seuls derrière nous. Souviens-toi de tes larmes dans la voiture.

ÉLISABETH.

> Oui, c'est possible qu'à cette époque-là je me sois fait des idées... Je vous soupçonnais de ce calcul... Je me disais : il espère que Marianne détournera Alain de moi...

VIRELADE.

> Comme tu me détestes, en ce moment ! Si ça devait durer, je ne le supporterais pas...

ÉLISABETH.

> Ah ! oui, je me rappelle, maintenant ! Vous saviez pourquoi je pleurais au fond de la voiture et vous vous en réjouissiez !

VIRELADE.

> Je ne m'en réjouissais pas. Je ne m'en inquiétais pas non plus. Marianne accueillait librement un camarade, un ami d'enfance, comme tu le faisais toi-même... Où était le mal ?

ÉLISABETH.

> Vous voyez bien, vous le reconnaissez vous-même : où était le mal ? Ça ne tirait pas à conséquence. Alors pourquoi essayez-vous de m'empoisonner avec ce doute ?

VIRELADE.

> Je te dis ce qui est. Il en faut si peu à une petite fille comme Marianne pour qu'elle s'attache, pour qu'elle souffre, jusqu'à n'en plus pouvoir.

ÉLISABETH.

> J'en ai assez. Découvrez d'un coup ce que vous dissimulez. Finissons-en.

VIRELADE.

> A quoi bon ? Tu ne me croirais pas. Interroge-les toi-même. Dès que j'aurai regagné ma chambre, Marianne sortira de la sienne et lui du jardin où il se cache. Pose-leur des questions. Alain n'a guère de défense devant toi et Marianne est à bout de course. Tu les auras comme tu voudras.

ÉLISABETH.

> Ah ! si c'était vrai...

VIRELADE.

> Que ferais-tu si c'était vrai ?

ÉLISABETH.

Vous pourriez vous réjouir, père, vous m'auriez toute à vous, à la fois vivante et morte...

VIRELADE.

Non, ma fille... ce sont des mots... Tu manques de mesure... Tu sais bien que tu finirais par le rappeler et que tu n'aurais pas à crier bien fort : il continuerait de rôder autour de la propriété comme il fait en ce moment. Il serait toujours tapi dans quelque massif... Je connais cette espèce de chiens... Et puis permets-moi de te le dire : dans tout cela, tu ne penses qu'à toi. Tu oublies Marianne : celle-là joue sa vie.

ÉLISABETH.

C'est votre jeu de me le faire croire.

VIRELADE.

Est-ce que je t'oblige à me croire ? Comme si tu ne savais pas déjà à quoi t'en tenir ! Tu es forte, Élisabeth. Tu traverses un défilé ; tu en es au plus noir, à cette minute, au plus étouffant... Mais tu en sortiras, nous en sortirons. Tandis que Marianne...

ÉLISABETH.

Mais, enfin, est-ce ma faute à moi ? Je ne dispose pas du cœur des autres !

VIRELADE.

Est-ce la faute de ta sœur si... Oh ! je ne sais comment te dire... Il faut pourtant que tu le saches : le jardinier les a vus, tu sais...

ÉLISABETH.

Non, je ne vous crois pas !

VIRELADE.

Sûrement, ce n'était pas très grave... Quelques baisers, ça ne compte guère, je te l'accorde. Mais l'important, c'est ce qu'ils signifient pour une jeune fille. Alain a tout de même le devoir de réparer le mal qu'il a fait. N'est-ce pas ton avis ?

ÉLISABETH.

Réparer ? Que voulez-vous dire ?

VIRELADE.

Je suis aussi le père de Marianne. Je ne l'abandonnerai pas. Il faut que cet individu apprenne qu'on ne joue pas avec une jeune fille sans être engagé envers elle...

ÉLISABETH.

Non, père, c'est impossible, je vous comprends mal... Ce n'est pas à un mariage que vous songez ?

VIRELADE.

> Comme si c'était à moi de décider ! Interroge Marianne, tâche de trouver mieux : vois s'il existe une autre issue.

ÉLISABETH.

> Celle-là serait la pire, en tout cas : croyez-vous donc que j'y survivrais ?

VIRELADE.

> Calme-toi, Élisabeth : pourquoi s'affoler ? Tu ne cours aucun risque. Tu as vingt-neuf ans : tu demeures seule maîtresse de ton sort, du sort de Marianne.

ÉLISABETH.

> C'est vrai... il n'y a aucune raison que je m'affole... D'ailleurs, je suis bien tranquille : Alain n'y consentirait pour rien au monde.

VIRELADE.

> Crois-tu ? C'est possible, après tout... Alors, tant pis pour Marianne.

ÉLISABETH.

> Elle non plus ne s'y prêtera jamais !

VIRELADE.

> Cela dépend de toi...

ÉLISABETH.

> Si vous saviez l'espèce de sentiment que vous m'inspirez à cette minute !

VIRELADE.

> Je ne le mérite pas, Élisabeth. Tu es chargée de ta sœur depuis sa petite enfance... Qui te le rappellerait si je ne le faisais moi-même ?

ÉLISABETH.

> Vous avez toujours le nom de Marianne à la bouche. Croyez-vous donc que j'ignore votre unique désir : me séparer d'Alain ?

VIRELADE.

> Mon désir ? Mais, sur ce point, je n'ai plus rien à désirer, ma fille. Quoi qu'il arrive, c'est chose faite.

ÉLISABETH.

> En tout cas, il n'épousera pas Marianne ! Vous pouvez en faire votre deuil !

VIRELADE.

N'espère pas alors que je me résigne à sa présence dans notre maison un seul jour de plus, une seule minute ! J'avais tort tout à l'heure : il a fini de rôder autour de la propriété, je te le jure ! fini de se tapir dans les massifs comme il fait en ce moment... Ça n'est pas un héros, tu en conviens toi-même. Il sait qu'à la campagne on a le droit d'abattre les rôdeurs, la nuit. Tu me reproches d'être toujours à l'affût ? C'est pour le coup que j'y serai, ma fille.

ÉLISABETH.

Je ne veux plus vous entendre, laissez-moi.

VIRELADE.

Ne me hais pas, Élisabeth, moi aussi je souffre. Je ne me couche pas. Si tu as besoin de mon aide, ouvre cette porte, j'entendrai.

ÉLISABETH.

Même si on m'assassinait, je ne vous appellerais pas.

Les Mal-Aimés, Grasset.

Henri de MONTHERLANT

TEXTE XVIII   La Reine morte (1942)

Inspirée d'une pièce de Guevara, *Régner après sa mort*, mais enrichie et transformée par les hantises personnelles de l'auteur, *La Reine morte* est la première grande œuvre dramatique de Montherlant. Moins attentif aux péripéties extérieures de l'intrigue que curieux d'explorer les plus *secrets rouages des âmes*, Montherlant met en présence des personnages complexes, mystérieux et vrais, nourris de la vie intérieure de l'auteur, et dont chacun, écrit-il dans ses notes, « devenait tour à tour le porte-parole d'un de mes *moi* »[1].

Déçu par son fils Pedro qui a épousé en secret Doña Inès de Castro, au mépris des intérêts politiques du royaume qui exigeaient une alliance avec l'Infante d'Espagne, le vieux roi du Portugal, Ferrante, hésite entre la rigueur d'un injuste châtiment et une clémence que d'aucuns pourront interpréter comme une faiblesse. « La cohérence de ce caractère, écrit Montherlant, est d'être incohérent. » Tour à tour, et presque simultanément, pitoyable et cruel, généreux et implacable, sincère et dissimulé, tendre et hautain, religieux et criminel, « bien meilleur et bien pire que le monde ne le peut savoir », semblable aux lucioles « alternativement obscures et lumineuses », il incarne « tout le clair-obscur de l'homme » et toute la « fluence » du cœur [2]. Étrange et conscient de son étrangeté, il assume de perpétuelles *contradictions* : tuant au nom d'un idéal politique auquel il ne croit plus, agissant en toute lucidité à l'encontre de ses intérêts, succombant aux pièges qu'il sait tendus à sa faiblesse, persévérant dans une attitude dont il réprouve la déloyauté. Multiple et insaisissable, « pétri de moments de moi »[1], dira Montherlant, ce personnage est animé d'une intense vie intérieure.

---

1. MONTHERLANT, préface de *La Reine morte*, *Théâtre*, Bibliothèque de la Pléiade, p. 238.
2. MONTHERLANT, notes sur *La Reine morte*, *Théâtre*, Bibliothèque de la Pléiade, p. 254.

Toute douceur et toute confiance, pénétrée et illuminée de tendresse et d'amour pour l'enfant qu'elle porte en elle, Inès de Castro semble incarner un idéal maternel tout à fait étranger aux sombres pensées de Ferrante. Être de clarté et de pureté, elle s'oppose à la ténébreuse grandeur du roi. Mais l'amour même qu'elle réserve à son fils recèle le germe du drame qui a déchiré Ferrante et bouleverse le cœur de Georges dans *Fils de personne* : cet enfant qu'elle rêve beau et pur comme elle, se révélera-t-il digne de l'amour qui lui est porté, et l'homme ne trahira-t-il pas par sa médiocrité les promesses de l'enfance ? Ainsi à travers ses personnages Montherlant exprime-t-il ce *drame de la tendresse et du mépris* qui ne cesse de hanter son œuvre romanesque et dramatique.

La richesse et la fermeté d'un dialogue dense et souple, exprimant toutes les nuances de l'âme et l'insondable mystère des êtres, achève de prêter au drame une *résonance poétique* qui accroît encore sa *force dramatique*.

Acte III, scène VI

FERRANTE, INÈS. Au fond de la pièce, dans l'ombre,
EGAS COELHO ET LES SEIGNEURS,
puis D'AUTRES PERSONNAGES

INÈS.

Est-ce que vous le ferez mettre à mort ?

FERRANTE.

J'y incline. Il y en a qui disent qu'un vieillard doit être rigoureux, parce qu'il lui faut aller vite. Et encore, que la cruauté est le seul plaisir qui reste à un vieillard, que cela remplace pour lui l'amour. Selon moi, c'est aller trop loin. Mais je croirais volontiers qu'une des meilleures garanties de longue vie est d'être insensible et implacable ; voilà une cuirasse contre la mort.

INÈS.

Si vous étiez si méchant, vous ne le diriez pas.

FERRANTE, *avec ironie.*

Je vois que vous avez une profonde connaissance de l'âme humaine.

INÈS.

Mais si Lourenço Payva n'était qu'à demi coupable, quel remords vous vous prépareriez !

FERRANTE.

Les remords meurent, comme le reste. Et il y en a dont le souvenir embaume. Mais peut-être toute cette histoire va-t-elle se dissiper comme une fumée. Car savez-vous ce que je crois ? Qu'elle est inventée de toutes pièces, ou du moins sensiblement gonflée.

INÈS.

Inventée ?

FERRANTE.

Il s'agit de m'humilier, après l'humiliation du nonce. « Les Africains n'oseraient jamais débarquer en Andalousie ni dans le royaume de Valence. » On escompte que, blessé, je voudrai blesser ; que, souris ici, pour me revancher je me ferai matou là. Et matou contre qui ? Contre Pedro et vous. Mais leur puéril calcul est déjoué. Je vois trop clair dans leurs machines.

INÈS.

Vous êtes généreux pour nous, Seigneur. — Si c'est une fable, Lourenço Payva ne sera donc pas exécuté ?

FERRANTE.

Ma foi, c'en pourrait être l'occasion.

INÈS.

L'occasion ! Mais l'exécuter pourquoi ?

FERRANTE.

Le Grand Amiral l'a dit : nous avons besoin de coupables en ce moment. Or, Lourenço Payva est sûrement coupable de quelque chose. Tout le monde est coupable de quelque chose. Tous ceux qui sont en liberté ne savent pas ce qu'ils me doivent. Et tous ceux qui sont en vie. Mais de temps en temps il faut dire non et sévir, à peu près au hasard : simple remise en main. Oui, on doit sacrifier encore des vies humaines, même quand on a cessé de prendre au sérieux leur culpabilité, comme cette armure vide de la légende qui, dressée contre le mur, assommait je ne sais quel personnage qui passait sous son gantelet de fer. Ou bien je songe encore à notre roi Henri IV de Castille, à qui certain sultan allait devoir rendre la ville de Trujillo, qu'il occupait, quand le Roi meurt. Alors, les hommes du Roi, craignant que le sultan ne s'endurcisse à défendre la ville, s'il apprend cette mort, installent le cadavre du Roi dans un fauteuil, baissent la lumière dans la salle — tenez comme dans cette salle-ci, — et les envoyés du sultan rendent les clefs de la ville au Roi mort. Moi aussi je me suis retiré, moi et toute mon âme, de mon apparence de roi ; mais cette apparence reçoit encore les honneurs, comme le cadavre du roi Henri, ou bien tue encore, et tue presque au hasard, comme l'armure vide.

DON EDUARDO, *à part.*

Le Roi délire. Cette magicienne l'ensorcelle. Son réveil sera terrible.

LE PRINCE DE LA MER, *à part.*

Il forcera au silence sans retour ceux qui auront surpris son secret.

EGAS COELHO, *à part.*

Il fera tuer la magicienne. Mais moi aussi bien, s'il me trouve ici.
(Il s'enfuit.)

INÈS.

Est-ce qu'on peut tuer pour quelque chose que l'on ne croit pas ?

FERRANTE.

Bien sûr, cela est constant. Et même mourir pour quelque chose
que l'on ne croit pas. On meurt pour des causes auxquelles on
ne croit pas, comme on meurt pour des passions qu'on n'a pas,
et pour des êtres qu'on n'aime pas. Les Africains que j'ai vus en
Afrique adoraient les pierres et les sources. Mais qu'on leur dît
que l'Islam était menacé, ils se levaient et ils allaient périr dans
la bataille pour une religion qui n'était pas la leur.

INÈS.

Comment le Roi peut-il avoir déserté son armure, lui qui me
menait il y a quelques jours à la fenêtre et qui me disait : « C'est
moi qui maintiens tout cela. Voici le peuple avec qui j'ai un
traité... » ?

FERRANTE.

Inès, cette nuit est pleine de prodiges. Je sens que je m'y dépasse,
que j'y prends ma plus grande dimension, celle que j'aurai
dans la tombe, et qu'elle est faite pour que j'y dise des choses
effrayantes de pureté. Quand je vous ai dit : « Il y a mon
peuple... », je ne mentais pas, mais je disais des paroles d'habitude,
auxquelles j'avais cru un jour, auxquelles je ne croyais plus
tout à fait dans l'instant où je les disais. J'étais comme une
vieille poule qui pondrait des coquilles vides...

INÈS.

Seigneur !

FERRANTE.

Ne soyez pas surprise. J'aime me confesser aux femmes. C'est
un penchant que j'ai. Je dois aussi chercher à faire croire que je
sens encore quelque chose, alors que je ne sens plus rien. Le
monde ne fait plus que m'effleurer. Et c'est justice, car je
m'aperçois que, toute ma vie, je n'ai fait qu'effleurer le monde.

INÈS.

Vous ne sentez plus rien !

FERRANTE.

Il y a les mots que l'on dit et les actes que l'on fait, sans y croire.
Il y a les erreurs que l'on commet, sachant qu'elles sont des
erreurs. Et il y a jusqu'à l'obsession de ce qu'on ne désire pas.

341

DON EDUARDO.

C'est l'ivresse de Noé !

(Il s'enfuit.)

(Durant les répliques qui suivent jusqu'au départ de l'ombre de l'Infante, dans le fond obscur de la salle, des ombres apparaissent, écoutent un moment, puis disparaissent avec des gestes horrifiés.)

FERRANTE.

Je me suis lamenté tout à l'heure devant vous comme une bête ; j'ai crié comme le vent. Croyez-vous que cela puisse s'accorder avec la foi dans la fonction royale ? Pour faire le roi, il faut une foi, du courage et de la force. Le courage, je l'ai. La force, Dieu me la donne. Mais la foi, ni Dieu ni moi ne peuvent me la donner. Je suis prisonnier de ce que j'ai été. Une des dames d'honneur de l'Infante disait devant moi que l'Infante était toujours crucifiée sur elle-même. Moi aussi, dans un autre sens, je suis crucifié sur moi-même, sur des devoirs qui pour moi n'ont plus de réalité. Je ne suis plus dans mon armure de fer. Mais où suis-je ?

INÈS.

Certes, je vous comprends, Sire, car moi, vous savez, les devoirs d'État ! Et l'avenir de la chrétienté ! La chrétienté est au-dedans de nous. Mais alors, pourquoi reprochez-vous à don Pedro une indifférence qui est la vôtre même ?

FERRANTE.

J'ai atteint l'âge de l'indifférence. Pedro, non. Que faire de sa vie, si on ne s'occupe pas de ces sortes de choses ?

INÈS.

Aimer. Moi, je voudrais m'enfoncer au plus profond de l'amour partagé et permis, comme dans une tombe, et que tout cesse, que tout cesse... — Mais, si vous ne croyez plus aux affaires du royaume, il y a des actes qu'un roi peut faire pour son peuple, et qui ne sont que de l'homme pour l'homme. Il y a dans votre royaume cette grande misère, cette maladie de la faim qui est continuellement à guérir. A Lisbonne, sur le quai de débarquement, j'ai vu les capitaines de votre armée, Seigneur. Ils étaient debout, adossés au mur, ils avaient leurs mains jointes comme dans la prière, et ils suivaient des yeux ceux qui débarquaient, immobiles et sans rien dire. Et leurs mains, en effet, étaient bien jointes pour une prière, car ils demandaient l'aumône. C'étaient vos chefs de guerre, Sire, et leur solde n'était pas payée. Et moi, si j'avais été le Roi, j'aurais voulu aller dénouer leurs mains moi-même et leur dire : « Plus jamais vous n'aurez faim. » Et depuis ce jour-là, il me semble que dorénavant j'aurai beau manger et manger à ma guise, j'aurai toujours faim, tant qu'eux ne seront pas rassasiés.

FERRANTE.

Aux chefs d'États on demande volontiers d'avoir de la charité. Il faudrait aussi en avoir un peu pour eux. Lorsqu'on songe aux tentations du pouvoir absolu, y résister, cela demande le respect. Quant à vos capitaines, si j'étais plus jeune je me dirais qu'il y a une maladie à guérir, bien pire que la faim de leur corps, c'est la maladie de leur âme immortelle, qui sans cesse a faim du péché. Mais à mon âge on a perdu le goût de s'occuper des autres. Plus rien aujourd'hui qu'un immense : « Que m'importe ! » qui recouvre pour moi le monde… Je voudrais ne plus m'occuper que de moi-même, à si peu de jours de me montrer devant Dieu ; cesser de mentir aux autres et de me mentir, et mériter enfin le respect que l'on me donne, après l'avoir si longtemps usurpé.

L'OMBRE DE L'INFANTE, *dans le fond de la salle.*

Inès !

INÈS.

Qui m'appelle ?

L'OMBRE.

Quelqu'un qui te veut du bien. Quitte cette salle immédiatement. N'écoute plus le Roi. Il jette en toi ses secrets désespérés, comme dans une tombe. Ensuite il rabattra sur toi la pierre de la tombe, pour que tu ne parles jamais.

INÈS.

Je ne quitterai pas celui qui m'a dit : « Je suis un roi de douleur. » Alors il ne mentait pas. Et je n'ai pas peur de lui.

L'OMBRE.

Comme tu aimes ta mort ! Comme tu l'auras aimée ! Inès, Inès, souviens-toi : les rois ont des lions dans le cœur… Souviens-toi : la marque de la chaîne sur ton cou…

INÈS.

Oh ! Je vous reconnais maintenant !

L'OMBRE.

Tu ne m'as jamais reconnue. Inès, Inès, aussitôt sur la mer, j'ai trouvé les paroles que j'aurais dû te dire pour te convaincre. Déjà toute pleine du large, déjà mon âme, à contrevent, était rebroussée vers toi. Et tout à l'heure, quand il sera trop tard, je trouverai ce qu'il eût fallu te dire à présent. Ah ! il est affreux de ne pas savoir convaincre.

INÈS.

Elle répète toujours le même cri, comme l'oiseau malurus, à la tombée du soir, sur la tristesse des étangs.

L'OMBRE.

> Inès, une dernière fois, éloigne-toi. — Non ? Tu ne veux pas ?
> Eh bien ! toi aussi, à ton tour, tu ne pourras pas convaincre.

(Elle disparaît.)

FERRANTE, *le dos tourné aux ombres.*

> Croient-ils que je ne les entends pas, qui chuchotent et s'enfuient ?
> Ils disent que je délire parce que je dis la vérité. Et ils croient
> qu'ils s'enfuient par peur de mes représailles, alors qu'ils s'enfuient
> par peur et horreur de la vérité. Le bruit de la vérité les épouvante
> comme la crécelle d'un lépreux.

INÈS.

> O mon Roi, je ne vous abandonnerai pas parce que vous dites
> la vérité, mais au contraire, moi aussi, je vous dirai la vérité
> enfin totale, que j'ai un peu retenue jusqu'ici. O mon Roi,
> puisque cette nuit est pleine de grandes choses, qu'enfin je vous
> en fasse l'aveu : un enfant de votre sang se forme en moi.

FERRANTE.

> Un enfant ! Encore un enfant ! Ce ne sera donc jamais fini !

INÈS.

> Et que vous importe s'il trouble vos projets, puisque vous venez
> de crier que vous ne croyez plus à la fonction de roi ! C'est ici
> que nous allons voir si vraiment vous étiez véridique.

FERRANTE.

> Encore un printemps à recommencer, et à recommencer moins
> bien !

INÈS.

> Moi qui aime tant d'être aimée, j'aurai fait moi-même un être
> dont il dépendra entièrement de moi que je me fasse aimer ! Que
> je voudrais lui donner de sa mère une idée qui le préserve de
> tout toute sa vie ! Il s'agit d'être encore plus stricte avec soi,
> de se sauver de toute bassesse, de vivre droit, sûr, net et pur,
> pour qu'un être puisse garder plus tard l'image la plus belle
> possible de vous, tendrement et sans reproche. Il est une révision,
> ou plutôt une seconde création de moi ; je le fais ensemble et
> je me refais. Je le porte et il me porte. Je me fonds en lui. Je
> coule en lui mon bien. Je souhaite avec passion qu'il me
> ressemble dans ce que j'ai de mieux.

FERRANTE.

> Et, ce qu'il vous reprochera, c'est cela même : d'avoir voulu qu'il
> fût pareil à vous. Allez, je connais tout cela.

INÈS.

> S'il ne pense pas comme moi, il me sera un étranger, lui qui est moi. Mais non. Il est le rêve de mon sang. Mon sang ne peut pas me tromper.

FERRANTE.

> Le rêve... Vous ne croyez pas si bien dire. Vous êtes en pleine rêverie.

INÈS.

> Est-ce rêverie, cette chair que je crée de la mienne ? Oh ! cela est grisant et immense.

FERRANTE.

> On dirait vraiment que vous êtes la première femme qui met au monde.

INÈS.

> Je crois que toute femme qui enfante pour la première fois est en effet la première femme qui met au monde.

FERRANTE.

> Je n'aime pas la naïveté. Je hais le vice et le crime. Mais, en regard de la naïveté, je crois que je préfère encore le vice et le crime.

INÈS.

> Il me semble que je le vois, dans cinq ou six ans. Tenez, il vient de passer en courant sur la terrasse. En courant, mais il s'est retourné aussi. Mon petit garçon.

FERRANTE.

> Un jour, en passant, il ne se retournera plus. Mais qui vous a dit que c'était un garçon ? L'astrologue ?

INÈS.

> Je le veux trop ainsi.

FERRANTE.

> Je comprends qu'un second Pedro soit en effet une perspective enivrante.

INÈS.

> Oui, enivrante. Il s'appellera Dionis. Mon petit garçon aux cils invraisemblables, à la fois beau et grossier, comme sont les garçons. Qui demande qu'on se batte avec lui, qu'on danse avec lui. Qui ne supporte pas qu'on le touche. Qu'un excès de plaisir fait soupirer. Et, s'il n'est pas beau, je l'aimerai davantage encore pour le consoler et lui demander pardon de l'avoir souhaité autre qu'il n'est.

FERRANTE.

J'ai connu tout cela. Comme il embrassait, ce petit ! On l'appelait Pedrito (mais quelquefois, s'il dormait, et qu'on lui murmurât son nom, il disait dans son sommeil : « Pedrito ? qui est-ce ? »). Son affection incompréhensible. Si je le taquinais, si je le plaisantais, si je le grondais, à tout il répondait en se jetant sur moi et en m'embrassant. Et il me regardait longuement, de près, avec un air étonné...

INÈS.

Déjà !

FERRANTE.

Au commencement, j'en étais gêné. Ensuite, j'ai accepté cela. J'ai accepté qu'il connût ce que je suis. Il m'agaçait un peu quand il me faisait des bourrades. Mais, lorsqu'il ne m'en a plus fait... Car il est devenu un homme, c'est-à-dire la caricature de ce qu'il était. Vous aussi, vous verrez se défaire ce qui a été votre enfant. Jusqu'à ce qu'il n'en reste pas plus en vous que n'est restée cette page où pour la première fois, à cinq ans, le mien écrivit son prénom, cette page que je conservais durant des années, et qu'enfin j'ai déchirée et jetée au vent.

INÈS.

Mais un jour, peut-être, si vous l'aviez gardée, en la revoyant vous vous mettriez à pleurer.

FERRANTE.

Non, leurs mots ni leurs traits exquis ne sauvent pas les êtres, à l'heure des grands règlements de comptes.

INÈS.

J'accepte de devoir mépriser l'univers entier, mais non mon fils. Je crois que je serais capable de le tuer, s'il ne répondait pas à ce que j'attends de lui.

FERRANTE.

Alors, tuez-le donc quand il sortira de vous. Donnez-le à manger aux pourceaux. Car il est sûr que, autant par lui vous êtes en plein rêve, autant par lui vous serez en plein cauchemar.

....

Scène VII

FERRANTE, puis UN GARDE, puis LE CAPITAINE BATALHA

FERRANTE.

Pourquoi est-ce que je la tue ? Il y a sans doute une raison, mais je ne la distingue pas. Non seulement Pedro n'épousera pas l'Infante, mais je l'arme contre moi, inexpiablement. J'ajoute encore un risque à cet horrible manteau de risques que je traîne sur moi et derrière moi, toujours plus lourd, toujours plus chargé, que je charge moi-même à plaisir, et sous lequel un jour... Ah ! la mort, qui vous met enfin hors d'atteinte... — Pourquoi est-ce que je la tue ? Acte inutile, acte funeste. Mais ma volonté m'aspire, et je commets la faute, sachant que c'en est une. Eh bien ! qu'au moins je me débarrasse tout de suite de cet acte. Un remords vaut mieux qu'une hésitation qui se prolonge.

(Appelant.)

Page ! — Oh non ! pas un page. Garde !

(Entre un garde.)

Appelez-moi le capitaine Batalha.

(Seul.)

Plus je mesure ce qu'il y a d'injuste et d'atroce dans ce que je fais, plus je m'y enfonce, parce que plus je m'y plais.

(Entre le capitaine.)

Capitaine, doña Inès de Castro sort d'ici et se met en route vers le Mondego, avec quatre hommes à elle, peu armés. Prenez du monde, rejoignez-la, et frappez. Cela est cruel, mais il le faut. Et ayez soin de ne pas manquer votre affaire. Les gens ont toutes sortes de tours pour ne pas mourir. Et faites la chose d'un coup. Il y en a qu'il ne faut pas tuer d'un coup : cela est trop vite. Elle, d'un coup. Sur mon âme, je veux qu'elle ne souffre pas.

LE CAPITAINE.

Je viens de voir passer cette dame. A son air, elle était loin de se douter...

FERRANTE.

Je l'avais rassurée pour toujours.

LE CAPITAINE.

Faut-il emmener un confesseur ?

FERRANTE.

Inutile. Son âme est lisse comme son visage.

(Fausse sortie du capitaine.)

Capitaine, prenez des hommes sûrs.

LE CAPITAINE, *montrant son poignard.*

Ceci est sûr.

FERRANTE.

Rien n'est trop sûr quand il s'agit de tuer. Ramenez le corps dans l'oratoire du palais. Il faudra que je le voie moi-même. Quelqu'un n'est vraiment mort que lorsqu'on l'a vu mort de ses yeux, et qu'on l'a tâté. Hélas, je connais tout cela.

(Exit le capitaine.)

> Il serait encore temps que je donne un contre-ordre. Mais le pourrais-je ? Quel baillon invisible m'empêche de pousser le cri qui la sauverait ?

(Il va regarder à la fenêtre.)

> Il fera beau demain : le ciel est plein d'étoiles... — Il serait temps encore. — Encore maintenant. Des multitudes d'actes, pendant des années, naissent d'un seul acte, d'un seul instant. Pourquoi ? — Encore maintenant. Quand elle regardait les étoiles, ses yeux étaient comme des lacs tranquilles... Et dire qu'on me croit faible !

(Avec saisissement.)

> Oh ! — Maintenant il est trop tard. Je lui ai donné la vie éternelle, et moi, je vais pouvoir respirer. — Gardes ! apportez des lumières ! Faites entrer tous ceux que vous trouverez dans le palais. Allons, qu'attendez-vous, des lumières ! des lumières ! Rien ici ne s'est passé dans l'ombre. Entrez, Messieurs, entrez !

La Reine morte, Théâtre. Bibliothèque de la Pléiade, Gallimard.

Jean-Paul SARTRE

TEXTE XIX   Les Mouches (1943)

Par son sujet, son style et son message, la première œuvre théâtrale de Sartre, *Les Mouches*, est le type même du *drame philosophique*. Recourant, selon une recette maintes fois éprouvée, à la trame d'un mythe antique interprété à la lueur de la métaphysique moderne, Sartre entend illustrer dans cette « tragédie de la liberté » *le conflit de l'homme et de Dieu*.

Au lendemain de son crime, Oreste est en proie aux Érinnyes vengeresses, porteuses de remords. Jupiter, dieu las et impuissant, après avoir vainement tenté d'éviter un meurtre qui portait atteinte au prestige royal et fondait l'avènement de la liberté humaine, s'efforce lourdement de restaurer son autorité en invitant les coupables au repentir. Mais s'il trouve en Électre une âme faible prête à se renier en désavouant ses propres actes et à retrouver la sécurité spirituelle dans la soumission et la superstition, Oreste, accablé et illuminé par un geste dont il assume l'entière *responsabilité*, refuse toute allégeance à la tyrannie humaine ou divine. Son crime le voue à la souffrance, à la solitude et à la haine de ceux mêmes qu'il a délivrés de l'usurpateur Égisthe et de la reine adultère, mais l'affirmation de son acte l'a doté d'une irréductible liberté qui le soustrait à tout jamais et comme malgré lui à la domination étrangère. *Héros et martyr de la liberté*, il sonne le glas du règne divin.

Si l'homme peut ainsi s'affirmer contre un dieu qui se définit lui-même comme l'Être et le Bien, c'est parce que ce dieu, pure projection de la pensée humaine, n'a aucune existence réelle, n'est que l'idée que les hommes se font de lui. Son pouvoir n'est fondé que sur la terreur et la lâcheté de l'homme prêt à aliéner sa liberté fondamentale pour une illusoire sécurité morale. Mais l'évidence de la liberté humaine ne peut coexister avec la toute-puissance de Dieu qu'elle anéantit en la niant. Par le refus de la transcendance et l'affirmation de l'irréductible liberté humaine, *Les Mouches* illustrent les thèses de *l'existentialisme athée* et métamorphosent la tragédie en drame.

Acte III, scène II

JUPITER, ORESTE, ÉLECTRE, LES ÉRINNYES

JUPITER.

Oreste ! Je t'ai créé et j'ai créé toute chose : regarde.

(Les murs du temple s'ouvrent. Le ciel apparaît, constellé d'étoiles qui tournent. Jupiter est au fond de la scène. Sa voix est devenue énorme — microphone — mais on le distingue à peine.)

Vois ces planètes qui roulent en ordre, sans jamais se heurter : c'est moi qui en ai réglé le cours, selon la justice. Entends l'harmonie des sphères, cet énorme chant de grâces minéral qui se répercute aux quatre coins du ciel.

(Mélodrame.)

Par moi les espèces se perpétuent, j'ai ordonné qu'un homme engendre toujours un homme et que le petit du chien soit un chien, par moi la douce langue des marées vient lécher le sable et se retire à heure fixe, je fais croître les plantes, et mon souffle guide autour de la terre les nuages jaunes du pollen. Tu n'es pas chez toi, intrus ; tu es dans le monde comme l'écharde dans la chair, comme le braconnier dans la forêt seigneuriale : car le monde est bon ; je l'ai créé selon ma volonté et je suis le Bien. Mais toi, tu as fait le mal, et les choses t'accusent de leurs voix pétrifiées : le Bien est partout, c'est la moelle du sureau, la fraîcheur de la source, le grain du silex, la pesanteur de la pierre ; tu le retrouveras jusque dans la nature du feu et de la lumière, ton corps même te trahit, car il se conforme à mes prescriptions. Le Bien est en toi, hors de toi : il te pénètre comme une faux, il t'écrase comme une montagne, il te porte et te roule comme une mer ; c'est lui qui permit le succès de ta mauvaise entreprise, car il fut la clarté des chandelles, la dureté de ton épée, la force de ton bras. Et ce Mal dont tu es si fier, dont tu te nommes l'auteur, qu'est-il sinon un reflet de l'être, un faux-fuyant, une image trompeuse dont l'existence même est soutenue par le Bien. Rentre en toi-même, Oreste : l'univers te donne tort, et tu es un ciron dans l'univers. Rentre dans la nature, fils dénaturé : connais ta faute, abhorre-la, arrache-la de toi comme une dent cariée et puante. Ou redoute que la mer ne se retire devant toi, que les sources ne se tarissent sur ton chemin, que les pierres et les rochers ne roulent hors de ta route et que la terre ne s'effrite sous tes pas.

ORESTE.

Qu'elle s'effrite ! Que les rochers me condamnent et que les plantes se fanent sur mon passage : tout ton univers ne suffira pas à me donner tort. Tu es le roi des Dieux, Jupiter, le roi des pierres et des étoiles, le roi des vagues de la mer. Mais tu n'es pas le roi des hommes.

(Les murailles se rapprochent, Jupiter réapparaît, las et voûté ; il a repris sa voix naturelle.)

JUPITER.

Je ne suis pas ton roi, larve impudente. Qui donc t'a créé ?

ORESTE.

Toi. Mais il ne fallait pas me créer libre.

JUPITER.

Je t'ai donné ta liberté pour me servir.

ORESTE.

Il se peut, mais elle s'est retournée contre toi et nous n'y pouvons rien, ni l'un, ni l'autre.

JUPITER.

Enfin ! Voilà l'excuse.

ORESTE.

Je ne m'excuse pas.

JUPITER.

Vraiment ? Sais-tu qu'elle ressemble beaucoup à une excuse, cette liberté dont tu te dis l'esclave ?

ORESTE.

Je ne suis ni le maître, ni l'esclave, Jupiter. Je *suis* ma liberté ! A peine m'as-tu créé que j'ai cessé de t'appartenir.

ÉLECTRE.

Par notre père, Oreste, je t'en conjure, ne joins pas le blasphème au crime.

JUPITER.

Écoute-la. Et perds l'espoir de la ramener par tes raisons : ce langage semble assez neuf pour ses oreilles — et assez choquant.

ORESTE.

Pour les miennes aussi, Jupiter. Et pour ma gorge qui souffle les mots et pour ma langue qui les façonne au passage : j'ai de la peine à me comprendre. Hier encore tu étais un voile sur mes yeux, un bouchon de cire dans mes oreilles ; c'était hier que j'avais une excuse : tu étais mon excuse d'exister, car tu m'avais mis au monde pour servir tes desseins, et le monde était une vieille entremetteuse qui me parlait de toi, sans cesse. Et puis tu m'as abandonné.

JUPITER.

T'abandonner, moi ?

ORESTE.

Hier, j'étais près d'Électre ; toute la nature se pressait autour de moi ; elle chantait ton Bien, la sirène, et me prodiguait les conseils. Pour m'inciter à la douceur, le jour brûlant s'adoucissait comme un regard se voile ; pour me prêcher l'oubli des offenses, le ciel s'était fait suave comme un pardon. Ma jeunesse, obéissant à tes ordres, s'était levée, elle se tenait devant mon regard, suppliante comme une fiancée qu'on va délaisser : je voyais ma jeunesse pour la dernière fois. Mais tout à coup, la liberté a fondu sur moi et m'a transi, la nature a sauté en arrière, et je n'ai plus eu d'âge, et je me suis senti tout seul, au milieu de ton petit monde bénin, comme quelqu'un qui a perdu son ombre ; et il n'y a plus rien eu au ciel, ni Bien, ni Mal, ni personne pour me donner des ordres.

JUPITER.

Eh bien ? Dois-je admirer la brebis que la gale retranche du troupeau, ou le lépreux enfermé dans son lazaret ? Rappelle-toi, Oreste : tu as fait partie de mon troupeau, tu paissais l'herbe de mes champs au milieu de mes brebis. Ta liberté n'est qu'une gale qui te démange, elle n'est qu'un exil.

ORESTE.

Tu dis vrai : un exil.

JUPITER.

Le mal n'est pas si profond : il date d'hier. Reviens parmi nous. Reviens : vois comme tu es seul, ta sœur même t'abandonne. Tu es pâle, et l'angoisse dilate tes yeux. Espères-tu vivre ? Te voilà rongé par un mal inhumain, étranger à ma nature, étranger à toi-même. Reviens : je suis l'oubli, je suis le repos.

ORESTE.

Étranger à moi-même, je sais. Hors nature, contre nature, sans excuse, sans autre recours qu'en moi. Mais je ne reviendrai pas sous ta loi : je suis condamné à n'avoir d'autre loi que la mienne. Je ne reviendrai pas à ta nature : mille chemins y sont tracés qui conduisent vers toi, mais je ne peux suivre que mon chemin. Car je suis un homme, Jupiter, et chaque homme doit inventer son chemin. La nature a horreur de l'homme, et toi, toi, souverain des Dieux, toi aussi tu as les hommes en horreur.

JUPITER.

Tu ne mens pas : quand ils te ressemblent, je les hais.

ORESTE.

Prends garde : tu viens de faire l'aveu de ta faiblesse. Moi, je ne te hais pas. Qu'y a-t-il de toi à moi ? Nous glisserons l'un contre l'autre sans nous toucher, comme deux navires. Tu es un Dieu et je suis libre : nous sommes pareillement seuls et notre angoisse est pareille. Qui te dit que je n'ai pas cherché le remords, au cours de cette longue nuit ? Le remords. Le sommeil. Mais je ne peux plus avoir de remords. Ni dormir.

(Un silence.)

JUPITER.

Que comptes-tu faire ?

ORESTE.

Les hommes d'Argos sont mes hommes. Il faut que je leur ouvre les yeux.

JUPITER.

Pauvres gens ! Tu vas leur faire cadeau de la solitude et de la honte, tu vas arracher les étoffes dont je les avais couverts, et tu leur montreras soudain leur existence, leur obscène et fade existence, qui leur est donnée pour rien.

ORESTE.

Pourquoi leur refuserais-je le désespoir qui est en moi, puisque c'est leur lot ?

JUPITER.

Qu'en feront-ils ?

ORESTE.

Ce qu'ils voudront : ils sont libres, et la vie humaine commence de l'autre côté du désespoir.

(Un silence.)

JUPITER.

Eh bien, Oreste, tout ceci était prévu. Un homme devait venir annoncer mon crépuscule. C'est donc toi ? Qui l'aurait cru, hier, en voyant ton visage de fille ?

ORESTE.

L'aurais-je cru moi-même ? Les mots que je dis sont trop gros pour ma bouche, ils la déchirent ; le destin que je porte est trop lourd pour ma jeunesse, il l'a brisée.

JUPITER.

Je ne t'aime guère et pourtant je te plains.

ORESTE.

Je te plains aussi.

JUPITER.

Adieu, Oreste.

(Il fait quelques pas.)

Quant à toi, Électre, songe à ceci : mon règne n'a pas encore pris fin, tant s'en faut — et je ne veux pas abandonner la lutte. Vois si tu es avec moi ou contre moi. Adieu.

ORESTE.

Adieu.

(Jupiter sort.)

J.-P. SARTRE, *Les Mouches*, Théâtre, N.R.F., Gallimard, éditeur.

Albert CAMUS

TEXTE XX Le Malentendu (1943)

Postérieur d'une année au *Mythe de Sisyphe*, *Le Malentendu* est l'illustration dramatique de la philosophie de l'absurde que Camus avait développée dans son essai. La dernière scène du drame oppose deux femmes que sépare le cadavre de leur frère et mari, victime d'un atroce « malentendu ». Entre la sœur criminelle, froide et hautaine, raidie dans sa solitude et sa haine, et l'épouse éplorée, ardente et passionnée, écrasée de souffrance et de désolation, se noue un dialogue intense, dont le dépouillement et la sobriété, la violence contenue et les brusques élans, prêtent à l'expression d'idées philosophiques la passion et la chaleur de la vie.

L'univers dramatique du *Malentendu* est celui de *l'absurde*. Absurde le crime commis par une mère et une sœur sur celui qui venait leur apporter la fortune et le bonheur. Absurde l'immense appétit de bonheur qui soulève le cœur humain et se heurte à l'énigme de la mort. Absurde un amour voué à l'incompréhension et à l'échec. Absurde tout sentiment de joie ou de haine, d'espoir ou de douleur, tout ce qui échappe à la morne indifférence qui est la clef de la sagesse dans un monde privé de toute signification, et où il n'est d'autre ordre qu'un désordre absolu.

Sur cet univers chaotique ne veille aucune providence, ne règne aucune divinité, si ce n'est on ne sait quelle destinée sourde et muette, hostile et impitoyable comme l'étrange personnage qui dans le drame semble narguer la douleur humaine. Vain est tout appel à un Dieu absent ou indifférent. C'est *l'absence même de transcendance* qui ôte au drame toute dimension tragique et, interdisant tout recours à une finalité ordonnatrice, laisse à l'aventure humaine sa gratuité dramatique. Par son refus du tragique, *Le Malentendu* offre l'exemple d'un univers purement dramatique, où, écrit M. Henri Gouhier dans *Le Théâtre et l'Existence*, « le véritable drame de l'homme est alors de ne pas être une tragédie »[1].

---

1. H. GOUHIER, *Le Théâtre et l'Existence*, p. 45.

Acte III, scène III

MARTHA.

Qui est-là ?

MARIA.

Une voyageuse.

MARTHA.

On ne reçoit plus de clients.

MARIA.

Je viens rejoindre mon mari.

(Elle entre.)

MARTHA, *la regardant.*

Qui est votre mari ?

MARIA.

Il est arrivé ici hier et devait me rejoindre ce matin. Je suis étonnée qu'il ne l'ait pas fait.

MARTHA.

Il avait dit que sa femme était à l'étranger.

MARIA.

Il a ses raisons pour cela. Mais nous devions nous retrouver maintenant.

MARTHA, *qui n'a pas cessé de la regarder.*

Cela vous sera difficile. Votre mari n'est plus ici.

MARIA.

Que dites-vous là ? N'a-t-il pas pris une chambre chez vous ?

MARTHA.

Il avait pris une chambre, mais il l'a quittée dans la nuit.

MARIA.

Je ne puis le croire, je sais toutes les raisons qu'il a de rester dans cette maison. Mais votre ton m'inquiète. Dites-moi ce que vous avez à me dire.

MARTHA.

Je n'ai rien à vous dire, sinon que votre mari n'est plus là.

MARIA.

Il n'a pu partir sans moi, je ne vous comprends pas. Vous a-t-il quittées définitivement ou a-t-il dit qu'il reviendrait ?

MARTHA.

Il nous a quittées définitivement.

MARIA.

> Écoutez. Depuis hier je supporte, dans ce pays étranger, une attente qui a épuisé toute ma patience. Je suis venue, poussée par l'inquiétude, et je ne suis pas décidée à repartir sans avoir vu mon mari ou sans savoir où le retrouver.

MARTHA.

> Ce n'est pas mon affaire.

MARIA.

> Vous vous trompez. C'est aussi votre affaire. Je ne sais pas si mon mari approuvera ce que je vais vous dire, mais je suis lasse de ces complications. L'homme qui est arrivé chez vous, hier matin, est le frère dont vous n'entendiez plus parler depuis des années.

MARTHA.

> Vous ne m'apprenez rien.

MARIA, *avec éclat.*

> Mais alors, qu'est-il donc arrivé ? Pourquoi votre frère n'est-il pas dans cette maison ? Ne l'avez-vous pas reconnu et, votre mère et vous, n'avez-vous pas été heureuses de ce retour ?

MARTHA.

> Votre mari n'est plus là parce qu'il est mort.

(Maria a un sursaut et reste un moment silencieuse, regardant fixement Martha. Puis elle fait mine de s'approcher d'elle et sourit.)

MARIA.

> Vous plaisantez, n'est-ce pas ? Jan m'a souvent dit que, petite fille, déjà, vous vous plaisiez à déconcerter. Nous sommes presque sœurs et...

MARTHA.

> Ne me touchez pas. Restez à votre place. Il n'y a rien de commun entre nous.

(Un temps).

> Votre mari est mort cette nuit, je vous assure que cela n'est pas une plaisanterie. Vous n'avez plus rien à faire ici.

MARIA.

> Mais vous êtes folle, folle à lier ! C'est trop soudain et je ne peux pas vous croire. Où est-il ? Faites que je le voie mort et alors seulement je croirai ce que je ne puis même pas imaginer.

MARTHA.

> C'est impossible. Là où il est, personne ne peut le voir.

(Maria a un geste vers elle.)

> Ne me touchez pas et restez où vous êtes... Il est au fond de la rivière où ma mère et moi l'avons porté, cette nuit, après l'avoir endormi. Il n'a pas souffert, mais il n'empêche qu'il est mort, et c'est nous, sa mère et moi, qui l'avons tué.

MARIA, *elle recule.*

> Non, non... c'est moi qui suis folle et qui entends des mots qui n'ont encore jamais retenti sur cette terre. Je savais que rien de bon ne m'attendait ici, mais je ne suis pas prête à entrer dans cette démence. Je ne comprends pas, je ne vous comprends pas...

MARTHA.

> Mon rôle n'est pas de vous persuader, mais seulement de vous informer. Vous viendrez de vous-même à l'évidence.

MARIA, *avec une sorte de distraction.*

> Pourquoi, pourquoi avez-vous fait cela ?

MARTHA.

> Au nom de quoi me questionnez-vous ?

MARIA, *dans un cri.*

> Au nom de mon amour !

MARTHA.

> Qu'est-ce que ce mot veut dire ?

MARIA.

> Il veut dire tout ce qui, à présent, me déchire et me mord, ce délire qui ouvre mes mains pour le meurtre. N'était cette incroyance entêtée qui me reste dans le cœur, vous apprendriez, folle, ce que ce mot veut dire, en sentant votre visage se déchirer sous mes ongles.

MARTHA.

> Vous parlez décidément un langage que je ne comprends pas. J'entends mal les mots d'amour, de joie ou de douleur.

MARIA, *avec un grand effort.*

> Écoutez, cessons ce jeu, si c'en est un. Ne nous égarons pas en paroles vaines. Dites-moi, bien clairement, ce que je veux savoir bien clairement, avant de m'abandonner.

MARTHA.

> Il est difficile d'être plus claire que je l'ai été. Nous avons tué votre mari cette nuit, pour lui prendre son argent, comme nous l'avions fait déjà pour quelques voyageurs avant lui.

MARIA.

> Sa mère et sa sœur étaient donc des criminelles ?

MARTHA.

> Oui.

MARIA, *toujours avec le même effort.*

> Aviez-vous appris déjà qu'il était votre frère ?

MARTHA.

> Si vous voulez le savoir, il y a eu malentendu. Et pour peu que vous connaissiez le monde, vous ne vous en étonnerez pas.

MARIA, *retournant vers la table, les poings contre la poitrine, d'une voix sourde.*

> Oh ! mon Dieu, je savais que cette comédie ne pouvait être que sanglante, et que lui et moi serions punis de nous y prêter. Le malheur était dans ce ciel.

(Elle s'arrête devant la table et parle sans regarder Martha.)

> Il voulait se faire reconnaître de vous, retrouver sa maison, vous apporter le bonheur, mais il ne savait pas trouver la parole qu'il fallait. Et pendant qu'il cherchait ses mots, on le tuait.

(Elle se met à pleurer.)

> Et vous, comme deux insensées, aveugles devant le fils merveilleux qui vous revenait... car il était merveilleux, et vous ne savez pas quel cœur fier, quelle âme exigeante vous venez de tuer ! il pouvait être votre orgueil, comme il a été le mien. Mais, hélas, vous étiez son ennemie, vous êtes son ennemie, vous qui pouvez parler froidement de ce qui devrait vous jeter dans la rue et vous tirer des cris de bête !

MARTHA.

> Ne jugez de rien, car vous ne savez pas tout. A l'heure qu'il est, ma mère a rejoint son fils. Le flot commence à les ronger. On les découvrira bientôt et ils se retrouveront dans la même terre. Mais je ne vois pas qu'il y ait encore là de quoi me tirer des cris. Je me fais une autre idée du cœur humain et, pour tout dire, vos larmes me répugnent.

MARIA, *se retournant contre elle avec haine.*

> Ce sont les larmes des joies perdues à jamais. Cela vaut mieux pour vous que cette douleur sèche qui va bientôt me venir et qui pourrait vous tuer sans un tremblement.

MARTHA.

> Il n'y a pas là de quoi m'émouvoir. Vraiment, ce serait peu de chose. Moi aussi, j'en ai assez vu et entendu, j'ai décidé de mourir à mon tour. Mais je ne veux pas me mêler à eux. Qu'ai-je à faire dans leur compagnie ? Je les laisse à leur tendresse retrouvée, à leurs caresses obscures. Ni vous ni moi n'y avons plus de part, ils nous sont infidèles à jamais. Heureusement, il me reste ma chambre, il sera bon d'y mourir seule.

MARIA.

> Ah ! vous pouvez mourir, le monde peut crouler, j'ai perdu celui que j'aime. Il me faut maintenant vivre dans cette terrible solitude où la mémoire est un supplice.

(Martha vient derrière elle et parle par-dessus sa tête.)

MARTHA.

N'exagérons rien. Vous avez perdu votre mari et j'ai perdu ma mère. Après tout, nous sommes quittes. Mais vous ne l'avez perdu qu'une fois, après en avoir joui pendant des années et sans qu'il vous ait rejetée. Moi, ma mère m'a rejetée. Maintenant elle est morte et je l'ai perdue deux fois.

MARIA.

Il voulait vous apporter sa fortune, vous rendre heureuses toutes les deux. Et c'est à cela qu'il pensait, seul, dans sa chambre, au moment où vous prépariez sa mort.

MARTHA, *avec un accent soudain désespéré.*

Je suis quitte aussi avec votre mari, car j'ai connu sa détresse. Je croyais comme lui avoir ma maison. J'imaginais que le crime était notre foyer et qu'il nous avait unies, ma mère et moi, pour toujours. Vers qui donc, dans le monde, aurais-je pu me tourner, sinon vers celle qui avait tué en même temps que moi ? Mais je me trompais. Le crime aussi est une solitude, même si on se met à mille pour l'accomplir. Et il est juste que je meure seule, après avoir vécu et tué seule.

(Maria se tourne vers elle dans les larmes.)

MARTHA, *reculant et reprenant sa voix dure.*

Ne me touchez pas, je vous l'ai déjà dit. A la pensée qu'une main humaine puisse m'imposer sa chaleur avant de mourir, à la pensée que n'importe quoi qui ressemble à la hideuse tendresse des hommes puisse me poursuivre encore, je sens toutes les fureurs du sang remonter à mes tempes.

(Elles se font face, très près l'une de l'autre.)

MARIA.

Ne craignez rien. Je vous laisserai mourir comme vous le désirez. Je suis aveugle, je ne vous vois plus ! Et ni votre mère, ni vous, ne serez jamais que des visages fugitifs, rencontrés et perdus au cours d'une tragédie qui n'en finira pas. Je ne sens pour vous ni haine ni compassion. Je ne peux plus aimer ni détester personne.

(Elle cache soudain son visage dans ses mains.)

En vérité, j'ai à peine eu le temps de souffrir ou de me révolter. Le malheur était plus grand que moi.

(Martha, qui s'est détournée et a fait quelques pas vers la porte, revient vers Maria.)

MARTHA.

Mais pas encore assez grand puisqu'il vous a laissé des larmes. Et avant de vous quitter pour toujours, je vois qu'il me reste quelque chose à faire. Il me reste à vous désespérer.

MARIA, *la regardant avec effroi.*

Oh ! laissez-moi, allez-vous-en et laissez-moi !

MARTHA.

Je vais vous laisser, en effet, et pour moi aussi ce sera un soulagement, je supporte mal votre amour et vos pleurs. Mais je ne puis mourir en vous laissant l'idée que vous avez raison, que l'amour n'est pas vain, et que ceci est un accident. Car c'est maintenant que nous sommes dans l'ordre. Il faut vous en persuader.

MARIA.

Quel ordre ?

MARTHA.

Celui où personne n'est jamais reconnu.

MARIA, *égarée.*

Que m'importe, je vous entends à peine. Mon cœur est déchiré. Il n'a de curiosité que pour celui que vous avez tué.

MARTHA, *avec violence.*

Taisez-vous ! Je ne veux plus entendre parler de lui, je le déteste. Il ne vous est plus rien. Il est entré dans la maison amère où l'on est exilé pour toujours. L'imbécile ! il a ce qu'il voulait, il a retrouvé celle qu'il cherchait. Nous voilà tous dans l'ordre. Comprenez que ni pour lui ni pour nous, ni dans la vie ni dans la mort, il n'est de patrie ni de paix.

(Avec un rire méprisant.)

Car on ne peut appeler patrie, n'est-ce pas, cette terre épaisse, privée de lumière, où l'on s'en va nourrir des animaux aveugles.

MARIA, *dans les larmes.*

Oh ! mon Dieu, je ne peux pas, je ne peux pas supporter ce langage. Lui non plus ne l'aurait pas supporté. C'est pour une autre patrie qu'il s'était mis en marche.

MARTHA, *qui a atteint la porte, se retournant brusquement.*

Cette folie a reçu son salaire. Vous recevrez bientôt le vôtre.

(Avec le même rire.)

Nous sommes volés, je vous le dis. A quoi bon ce grand appel de l'être, cette alerte des âmes ? Pourquoi crier vers la mer ou vers l'amour ? Cela est dérisoire. Votre mari connaît maintenant la réponse, cette maison épouvantable où nous serons enfin serrés les uns contre les autres.

(Avec haine.)

Vous la connaîtrez aussi, et si vous le pouviez alors, vous vous souviendriez avec délices de ce jour où pourtant vous vous croyiez entrée dans le plus déchirant des exils. Comprenez que votre douleur ne s'égalera jamais à l'injustice qu'on fait à l'homme et pour finir, écoutez mon conseil. Je vous dois bien un conseil, n'est-ce pas, puisque je vous ai tué votre mari !

Priez votre Dieu qu'il vous fasse semblable à la pierre. C'est le bonheur qu'il prend pour lui, c'est le seul vrai bonheur. Faites comme lui, rendez-vous sourde à tous les cris, rejoignez la pierre pendant qu'il en est temps. Mais si vous vous sentez trop lâche pour entrer dans cette paix muette, alors venez nous rejoindre dans notre maison commune. Adieu, ma sœur ! Tout est facile, vous le voyez. Vous avez à choisir entre le bonheur stupide des cailloux et le lit gluant où nous vous attendons.

(Elle sort et Maria, qui a écouté avec égarement, oscille sur elle-même, les mains en avant.)

MARIA, *dans un cri.*
Oh ! mon Dieu ! je ne puis vivre dans ce désert ! C'est à vous que je parlerai et je saurai trouver mes mots.

(Elle tombe à genoux.)
Oui, c'est à vous que je m'en remets. Ayez pitié de moi, tournez-vous vers moi ! Entendez-moi, donnez-moi votre main ! Ayez pitié, Seigneur, de ceux qui s'aiment et qui sont séparés !

(La porte s'ouvre et le vieux domestique paraît.)

Scène IV

LE VIEUX, *d'une voix nette et ferme.*
Vous m'avez appelé ?

MARIA, *se tournant vers lui.*
Oh ! je ne sais pas ! mais aidez-moi, car j'ai besoin qu'on m'aide. Ayez pitié et consentez à m'aider !

LE VIEUX, *de la même voix.*
Non !

Rideau

Le Malentendu, N.R.F., Gallimard, éditeur.

Jean-Paul SARTRE

TEXTE XXI   Les Mains sales (1948)

Fort d'une expérience politique approfondie par la réflexion philosophique, Sartre composa en 1948 un drame prenant où s'affrontent, à travers des personnages vivants, les thèses adverses du *réalisme* et de *l'idéalisme politiques*.

Dans l'Illyrie en guerre contre l'U.R.S.S., un dirigeant communiste influent, Hoederer, entame avec le Pouvoir des tractations jugées inopportunes par son propre parti. Hugo, un jeune intellectuel d'origine bourgeoise révolté contre sa classe et entré au service du Parti, a été introduit auprès d'Hoederer avec mission d'abattre le promoteur d'une politique aventureuse. Mal résigné à assassiner un homme dont il admire l'assurance, Hugo tentera de le convaincre de renoncer à des négociations incompatibles avec l'orthodoxie communiste. Le débat qui s'élève entre les deux hommes illustre l'opposition de la *pureté* et de *l'efficacité* politique, de l'idéalisme intellectuel et de l'engagement réaliste.

Plus intellectuel qu'homme d'action, Hugo défend une cause et des principes au nom desquels il n'admet ni gauchissement ni compromission. Pour préserver la pureté de son idéal de justice et de vérité, il est prêt à renoncer à la prise du pouvoir et à sacrifier, s'il le faut, des milliers de vies humaines. Les idées pour lui comptent plus que les hommes et les principes plus que les actes.

Plus mûr et plus profondément engagé dans l'action, Hoederer pratique au contraire une politique de l'efficacité. Sans illusion sur l'homme et peu scrupuleux sur les moyens, il entend assurer le triomphe du Parti aux dépens d'une vaine pureté politique. Plus soucieux de l'homme concret que d'un idéal abstrait, dissimulant sous la brusquerie du militant une profonde tendresse humaine, il accepte de recourir à la ruse et au mensonge pour préserver l'influence du Parti et économiser le sang des combattants. Opportuniste et exclusivement attentif aux exigences du présent, il justifie par avance la volte-face du Parti qui le réhabilitera peu après l'avoir fait assassiner.

A l'expression de ces arides théories politiques, le talent de Sartre a su prêter *l'animation et la vie.* La détente d'une veillée après une journée fertile en incidents, la vérité humaine des personnages psychologiquement accordés aux idées qu'ils incarnent, le réalisme d'un style tour à tour didactique et familier, contribuent à créer un climat dramatique singulièrement vivant malgré l'austérité des thèses qui alimentent le dialogue.

Cinquième tableau, scène III

HUGO, JESSICA, HŒDERER

HUGO.

... Vous n'avez pas le droit d'entraîner le Parti dans vos combines.

HŒDERER.

Pourquoi pas ?

HUGO.

C'est une organisation révolutionnaire et vous allez en faire un parti de gouvernement.

HŒDERER.

Les partis révolutionnaires sont faits pour prendre le pouvoir.

HUGO.

Pour le prendre. Oui. Pour s'en emparer par les armes. Pas pour l'acheter par un maquignonnage.

HŒDERER.

C'est le sang que tu regrettes ? J'en suis fâché mais tu devrais savoir que nous ne pouvons pas nous imposer par la force. En cas de guerre civile, le Pentagone a les armes et les chefs militaires. Il servirait de cadre aux troupes contre-révolutionnaires.

HUGO.

Qui parle de guerre civile ? Hœderer, je ne vous comprends pas ; il suffirait d'un peu de patience. Vous l'avez dit vous-même : l'armée rouge chassera le Régent et nous aurons le pouvoir pour nous seuls.

HŒDERER.

Et comment ferons-nous pour le garder ?

(Un temps.)

Quand l'Armée rouge aura franchi nos frontières, je te garantis qu'il y aura de durs moments à passer.

HUGO.

L'Armée rouge...

363

HŒDERER.

Oui, oui. Je sais. Moi aussi, je l'attends. Et avec impatience. Mais il faut bien que tu te le dises : toutes les armées en guerre, libératrices ou non, se ressemblent : elles vivent sur le pays occupé. Nos paysans détesteront les Russes, c'est fatal, comment veux-tu qu'ils nous aiment, nous que les Russes auront imposés ? On nous appellera le parti de l'étranger ou peut-être pis. Le Pentagone rentrera dans la clandestinité ; il n'aura même pas besoin de changer ses slogans.

HUGO.

Le Pentagone, je...

HŒDERER.

Et puis, il y a autre chose : le pays est ruiné ; il se peut même qu'il serve de champ de bataille. Quel que soit le gouvernement qui succédera à celui du Régent, il devra prendre des mesures terribles qui le feront haïr. Au lendemain du départ de l'Armée rouge, nous serons balayés par une insurrection.

HUGO.

Une insurrection, ça se brise. Nous établirons un ordre de fer.

HŒDERER.

Un ordre de fer ? Avec quoi ? Même après la Révolution le prolétariat restera le plus faible et pour longtemps. Un ordre de fer ! Avec un parti bourgeois qui fera du sabotage et une population paysanne qui brûlera ses récoltes pour nous affamer ?

HUGO.

Et après ? Le Parti bolchevik en a vu d'autres en 17.

HŒDERER.

Il n'était pas imposé par l'étranger. Maintenant écoute, petit, et tâche de comprendre ; nous prendrons le pouvoir avec les libéraux de Karsky et les conservateurs du Régent. Pas d'histoires, pas de casse : l'Union nationale. Personne ne pourra nous reprocher d'être installé par l'étranger. J'ai demandé la moitié des voix au Comité de Résistance mais je ne ferai pas la sottise de demander la moitié des portefeuilles. Une minorité, voilà ce que nous devons être. Une minorité qui laissera aux autres partis la responsabilité des mesures impopulaires et qui gagnera la popularité en faisant de l'opposition à l'intérieur du gouvernement. Ils sont coincés : en deux ans tu verras la faillite de la politique libérale et c'est le pays tout entier qui nous demandera de faire notre expérience.

HUGO.

Et à ce moment-là le parti sera foutu.

HŒDERER.

Foutu ? Pourquoi ?

HUGO.

Le Parti a un programme : la réalisation d'une économie socialiste et un moyen : l'utilisation de la lutte de classes. Vous allez vous servir de lui pour faire une politique de collaboration de classes dans le cadre d'une économie capitaliste. Pendant des années vous allez mentir, ruser, louvoyer, vous irez de compromis en compromis ; vous défendrez devant nos camarades des mesures réactionnaires prises par un gouvernement dont vous ferez partie. Personne ne comprendra : les durs nous quitteront, les autres perdront la culture politique qu'ils viennent d'acquérir. Nous serons contaminés, amollis, désorientés ; nous deviendrons réformistes et nationalistes ; pour finir, les partis bourgeois n'auront qu'à prendre la peine de nous liquider. Hœderer ! ce Parti, c'est le vôtre, vous ne pouvez pas avoir oublié la peine que vous avez prise pour le forger, les sacrifices qu'il a fallu demander, la discipline qu'il a fallu imposer. Je vous en supplie : ne le sacrifiez pas de vos propres mains.

HŒDERER.

Que de bavardages ! Si tu ne veux pas courir de risques il ne faut pas faire de politique.

HUGO.

Je ne veux pas courir ces risques-là.

HŒDERER.

Parfait : alors comment garder le pouvoir ?

HUGO.

Pourquoi le prendre ?

HŒDERER.

Es-tu fou ? Une armée socialiste va occuper le pays et tu la laisserais repartir sans profiter de son aide ? C'est une occasion qui ne se reproduira jamais plus : je te dis que nous ne sommes pas assez forts pour faire la Révolution seuls.

HUGO.

On ne doit pas prendre le pouvoir à ce prix.

HŒDERER.

Qu'est-ce que tu veux faire du Parti ? Une écurie de courses ? À quoi ça sert-il de fourbir un couteau tous les jours si l'on n'en use jamais pour trancher ? Un parti, ce n'est jamais qu'un moyen. Il n'y a qu'un seul but : le pouvoir.

HUGO.

Il n'y a qu'un seul but : c'est de faire triompher nos idées, toutes nos idées et rien qu'elles.

HŒDERER.

C'est vrai : tu as des idées, toi. Ça te passera.

HUGO.

Vous croyez que je suis le seul à en avoir ! Ça n'était pas pour des idées qu'ils sont morts, les copains qui se sont fait tuer par la police du Régent ? Vous croyez que nous ne les trahirions pas, si nous faisions servir le Parti à dédouaner leurs assassins ?

HŒDERER,

Je me fous des morts. Ils sont morts pour le Parti et le Parti peut décider ce qu'il veut. Je fais une politique de vivant, pour les vivants.

HUGO.

Et vous croyez que les vivants accepteront vos combines ?

HŒDERER.

On les leur fera avaler tout doucement.

HUGO.

En leur mentant ?

HŒDERER.

En leur mentant quelquefois.

HUGO.

Vous...vous avez l'air si vrai, si solide ! Ça n'est pas possible que vous acceptiez de mentir aux camarades.

HŒDERER.

Pourquoi ? Nous sommes en guerre et ça n'est pas l'habitude de mettre le soldat heure par heure au courant des opérations.

HUGO.

Hœderer, je... je sais mieux que vous ce que c'est que le mensonge ; chez mon père tout le monde se mentait, tout le monde me mentait. Je ne respire que depuis mon entrée au Parti. Pour la première fois j'ai vu des hommes qui ne mentaient pas aux autres hommes. Chacun pouvait avoir confiance en tous et tous en chacun, le militant le plus humble avait le sentiment que les ordres des dirigeants lui révélaient sa volonté profonde et, s'il y avait un coup dur, on savait pourquoi on acceptait de mourir. Vous n'allez pas...

HŒDERER.

Mais de quoi parles-tu ?

HUGO.

De notre Parti.

HŒDERER.

De notre Parti ? Mais on y a toujours un peu menti. Comme partout ailleurs. Et toi Hugo, tu es sûr que tu ne t'es jamais menti, que tu n'as jamais menti, que tu ne mens pas à cette minute même.

HUGO.

Je n'ai jamais menti aux camarades. Je... A quoi ça sert de lutter pour la libération des hommes, si on les méprise assez pour leur bourrer le crâne ?

HŒDERER.

Je mentirai quand il faudra et je ne méprise personne. Le mensonge, ce n'est pas moi qui l'ai inventé : il est né dans une société divisée en classes et chacun de nous l'a hérité en naissant. Ce n'est pas en refusant de mentir que nous abolirons le mensonge : c'est en usant de tous les moyens pour supprimer les classes.

HUGO.

Tous les moyens ne sont pas bons.

HŒDERER.

Tous les moyens sont bons quand ils sont efficaces.

HUGO.

Alors, de quel droit condamnez-vous la politique du Régent ? Il a déclaré la guerre à l'U.R.S.S. parce que c'était le moyen le plus efficace de sauvegarder l'indépendance nationale.

HŒDERER.

Est-ce que tu t'imagines que je la condamne ? Il a fait ce que n'importe quel type de sa caste aurait fait à sa place. Nous ne luttons ni contre des hommes ni contre une politique mais contre la classe qui produit cette politique et ces hommes.

HUGO.

Et le meilleur moyen que vous ayez trouvé pour lutter contre elle, c'est de lui offrir de partager le pouvoir avec vous ?

HŒDERER.

Parfaitement. Aujourd'hui, c'est le meilleur moyen.

(Un temps.)

Comme tu tiens à ta pureté, mon petit gars ! Comme tu as peur de te salir les mains. Eh bien reste pur ! A qui cela servira-t-il et pourquoi viens-tu parmi nous ? La pureté ? c'est une idée de fakir et de moine. Vous autres, les intellectuels, les anarchistes bourgeois, vous en tirez prétexte pour ne rien faire. Ne rien faire, rester immobile, serrer les coudes contre le corps, porter des gants. Moi j'ai les mains sales. Jusqu'aux coudes. Je les ai plongées dans la merde et dans le sang. Et puis après ? Est-ce que tu t'imagines qu'on peut gouverner innocemment ?

HUGO.

On s'apercevra peut-être un jour que je n'ai pas peur du sang.

HŒDERER.

Parbleu : des gants rouges, c'est élégant. C'est le reste qui te fait peur. C'est ce qui pue à ton petit nez d'aristocrate.

HUGO.

Et nous y voilà revenus : je suis un aristocrate, un type qui n'a jamais eu faim ! Malheureusement pour vous, je ne suis pas seul de mon avis.

HŒDERER.

Pas seul ? Tu savais donc quelque chose de mes négociations avant de venir ici ?

HUGO.

N-non. On en avait parlé en l'air, au Parti et la plupart des types n'étaient pas d'accord et je peux vous jurer ce que n'étaient pas des aristocrates.

HŒDERER.

Mon petit, il y a malentendu : je les connais, les gars du parti qui ne sont pas d'accord avec ma politique et je peux te dire qu'ils sont de mon espèce, pas de la tienne — et tu ne tarderas pas à le découvrir. S'ils ont désapprouvé ces négociations, c'est tout simplement qu'ils les jugent inopportunes ; en d'autres circonscances ils seraient les premiers à les engager. Toi, tu en fais une affaire de principes.

HUGO.

Qui a parlé de principes ?

HŒDERER.

Tu n'en fais pas une affaire de principe ? Bon. Alors voici qui doit te convaincre : si nous traitons avec le Régent, il arrête la guerre ; les troupes illyriennes attendent gentiment que les Russes viennent les désarmer ; si nous rompons les pourparlers, il sait qu'il est perdu et il se battra comme un chien enragé ; des centaines de milliers d'hommes y laisseront leur peau. Qu'en dis-tu ?

(Un silence.)

Hein ? Qu'en dis-tu ? Peux-tu rayer cent mille hommes d'un trait de plume ?

HUGO, *péniblement.*

On ne fait pas la révolution avec des fleurs. S'ils doivent y rester...

HŒDERER.

Eh bien ?

HUGO.

Eh bien tant pis !

HŒDERER.

Tu vois ! tu vois bien ! Tu n'aimes pas les hommes, Hugo. Tu n'aimes que les principes.

HUGO.

Les hommes ? Pourquoi les aimerais-je ? Est-ce qu'ils m'aiment ?

HŒDERER.

Alors pourquoi es-tu venu chez nous ? Si on n'aime pas les hommes on ne peut pas lutter pour eux.

HUGO.

Je suis entré au Parti parce que sa cause est juste et j'en sortirai quand elle cessera de l'être. Quant aux hommes, ce n'est pas ce qu'ils sont qui m'intéresse mais ce qu'ils pourront devenir.

HŒDERER.

Et moi, je les aime pour ce qu'ils sont. Avec toutes leurs saloperies et tous leurs vices. J'aime leurs voix et leurs mains chaudes qui prennent et leur peau, la plus nue de toutes les peaux, et leur regard inquiet et la lutte désespérée qu'ils mènent chacun à son tour contre la mort et contre l'angoisse. Pour moi, ça compte un homme de plus ou de moins dans le monde. C'est précieux. Toi, je te connais bien mon petit, tu es un destructeur. Les hommes, tu les détestes parce que tu te détestes toi-même ; ta pureté ressemble à la mort et la Révolution dont tu rêves n'est pas la nôtre : tu ne veux pas changer le monde, tu veux le faire sauter.

HUGO, *s'est levé*.

Hœderer !

HŒDERER.

Ce n'est pas ta faute : vous êtes tous pareils. Un intellectuel, ça n'est pas un vrai révolutionnaire ; c'est tout juste bon à faire un assassin.

HUGO.

Un assassin. Oui !

JESSICA.

Hugo !

(Elle se met entre eux.)

Les Mains Sales, N.R.F. Gallimard, éditeur.

Eugène IONESCO

TEXTE XXII   Le Rhinocéros (1959)

Les dernières pièces de Ionesco ne sont peut-être pas les plus caractéristiques de son style dramatique, car elles contiennent une idée traduisible en termes logiques et se rapprochent par là d'un théâtre didactique dont Ionesco a toujours dénoncé l'hérésie. Mais la *leçon humaniste* du *Rhinocéros,* grâce à la force suggestive du mythe qui l'exprime, ne compromet pas la valeur dramatique de l'œuvre.

Bérenger est un personnage familier de Ionesco. Dans *Tueur sans gages,* comme dans *Le Rhinocéros,* il était l'adversaire irréductible de toutes les forces obscures qui pèsent sur la liberté matérielle et morale de l'humanité. Dans une ville en proie à une étrange contagion, où honnêtes bourgeois et esprits forts, succombant à un irrésistible attrait, se métamorphosent sans exception en rhinocéros, Bérenger demeure seul humain assiégé par les monstres, abandonné même de sa fiancée séduite par le charme des bêtes sauvages.

Dans ses *Notes et Contre-Notes,* Ionesco interprète très clairement les intentions et la signification du mythe. La « rhinocérite » est le symbole de *l'hystérie collective* dont le nazisme est l'exemple le plus monstrueux, mais dont certaines formes plus bénignes ne cessent de menacer la société moderne investie par la propagande et les slogans idéologiques. Devant l'universalité de l'aliénation, l'homme, d'abord sceptique ou réticent, en vient à douter de la légitimité de sa résistance. Mais si l'effort de la volonté est incapable de balancer le poids de l'entraînement collectif, il est des natures foncièrement et inexplicablement réfractaires à la frénésie des foules, *allergiques à la déshumanisation.* La solitude de Bérenger est celle de tout être irréductiblement original et incapable, malgré toutes les sollicitations historiques, sociales et idéologiques, de renier cet *individualisme* qui est le fondement d'un humanisme authentique.

A cette tentative de « démystification », Ionesco a su prêter la forme d'un *mythe* surprenant, fantaisiste, fantastique et burlesque, mais profondément humain et sacré.

Le thème de la métamorphose, emprunté au roman de Kafka, mais remontant à travers Ovide jusqu'à la plus haute antiquité, est la plus saisissante image de l'horreur humaine devant la bestialité. Le spectacle des métamorphoses et la prolifération des rhinocéros introduisent dans la pièce de Ionesco un « réalisme » obsédant et confèrent à l'idée une force visuelle, une présence angoissante, qui en légitiment l'expression dramatique.

Acte III

BÉRENGER (*se regardant toujours dans la glace*).

Ce n'est tout de même pas si vilain que ça, un homme. Et pourtant, je ne suis pas parmi les plus beaux ! Crois-moi, Daisy !

(Il se retourne.)

Daisy ! Daisy ! Où es-tu, Daisy ? Tu ne vas pas faire ça !

(Il se précipite vers la porte.)

Daisy !

(Arrivé sur le palier, il se penche sur la balustrade.)

Daisy ! remonte ! reviens, ma petite Daisy ! Tu n'as même pas déjeuné ! Daisy, ne me laisse pas tout seul ! Qu'est-ce que tu m'avais promis ? Daisy ! Daisy !

(Il renonce à l'appeler, fait un geste désespéré et rentre dans sa chambre.)

Évidemment. On ne s'entendait plus. Un ménage désuni. Ce n'était plus viable. Mais elle n'aurait pas dû me quitter sans s'expliquer.

(Il regarde partout.)

Elle ne m'a pas laissé un mot. Ça ne se fait pas. Je suis tout à fait seul maintenant.

(Il va fermer la porte à clé, soigneusement, mais avec colère.)

On ne m'aura pas, moi.

(Il ferme soigneusement les fenêtres.)

Vous ne m'aurez pas, moi.

(Il s'adresse à toutes les têtes de rhinocéros.)

Je ne vous suivrai pas, je ne vous comprends pas ! Je reste ce que je suis. Je suis un être humain. Un être humain.

(Il va s'asseoir dans le fauteuil.)

La situation est absolument intenable. C'est ma faute, si elle est partie. J'étais tout pour elle. Qu'est-ce qu'elle va devenir ? Encore quelqu'un sur la conscience. J'imagine le pire, le pire est possible. Pauvre enfant abandonnée dans cet univers de monstres ! Personne ne peut m'aider à la retrouver, personne, car il n'y a plus personne.

(Nouveaux barrissements, courses éperdues, nuages de poussière.)

Je ne veux pas les entendre. Je vais mettre du coton dans les oreilles.

(Il se met du coton dans les oreilles et se parle à lui-même, dans la glace.)

Il n'y a pas d'autre solution que de les convaincre, les convaincre, de quoi ? Et les mutations sont-elles réversibles ? Hein, sont-elles réversibles ? Ce serait un travail d'Hercule, au-dessus de mes forces. D'abord, pour les convaincre, il faut leur parler. Pour leur parler, il faut que j'apprenne leur langue. Ou qu'ils apprennent la mienne ? Mais quelle langue est-ce que je parle ? Quelle est ma langue ? Est-ce du français, ça ? Ce doit bien être du français ? Mais qu'est-ce que du français ? On peut appeler ça du français, si on veut, personne ne peut le contester, je suis seul à le parler. Qu'est-ce que je dis ? Est-ce que je me comprends, est-ce que je me comprends ?

(Il va vers le milieu de la chambre.)

Et si, comme me l'avait dit Daisy, si c'est eux qui ont raison ?

(Il retourne vers la glace.)

Un homme n'est pas laid, un homme n'est pas laid !

(Il se regarde en passant la main sur sa figure.)

Quelle drôle de chose ! A quoi je ressemble alors ? A quoi ?

(Il se précipite vers un placard, en sort des photos, qu'il regarde.)

Des photos ! Qui sont-ils tous ces gens-là ? M. Papillon, ou Daisy plutôt ? Et celui-là, est-ce Botard ou Dudard, ou Jean ? ou moi, peut-être !

(Il se précipite de nouveau vers le placard d'où il sort deux ou trois tableaux.)

Oui, je me reconnais ; c'est moi, c'est moi !

(Il va raccrocher les tableaux sur le mur du fond, à côté des têtes de rhinocéros.)

C'est moi, c'est moi.

(Lorsqu'il accroche les tableaux, on s'aperçoit que ceux-ci représentent un vieillard, une grosse femme, un autre homme. La laideur de ces portraits contraste avec les têtes des rhinocéros qui sont devenues très belles. Bérenger s'écarte pour contempler les tableaux.)

Je ne suis pas beau, je ne suis pas beau.

(Il décroche les tableaux, les jette par terre avec fureur, il va vers la glace.)

Ce sont eux qui sont beaux. J'ai eu tort ! Oh, comme je voudrais être comme eux. Je n'ai pas de corne, hélas ! Que c'est laid, un front plat. Il m'en faudrait une ou deux, pour rehausser mes traits tombants. Ça viendra peut-être, et je n'aurai plus honte, je pourrai aller tous les retrouver. Mais ça ne pousse pas !

(Il regarde les paumes de ses mains.)

Mes mains sont moites. Deviendront-elles rugueuses ?

(Il enlève son veston, défait sa chemise, contemple sa poitrine dans la glace.)

J'ai la peau flasque. Ah! ce corps trop blanc, et poilu ! Comme je voudrais avoir une peau dure et cette magnifique couleur d'un vert sombre, une nudité décente, sans poils, comme la leur !

(Il écoute les barrissements.)

Leurs chants ont du charme, un peu âpre, mais un charme certain ! Si je pouvais faire comme eux.

(Il essaye de les imiter.)

Ahh, Ahh, Brr ! Non, ça n'est pas ça ! Essayons encore, plus fort ! Ahh, Ahh, Brr ! Non, non, ce n'est pas ça, que c'est faible, comme cela manque de vigueur ! Je n'arrive pas à barrir. Je hurle seulement. Ahh, Ahh, Brr ! Les hurlements ne sont pas des barrissements ! Comme j'ai mauvaise conscience, j'aurais dû les suivre à temps. Trop tard maintenant ! Hélas, je suis un monstre, je suis un monstre. Hélas, jamais je ne deviendrai rhinocéros, jamais, jamais ! Je ne peux plus changer. Je voudrais bien, je voudrais tellement, mais je ne peux pas. Je ne peux plus me voir. J'ai trop honte !

(Il tourne le dos à la glace.)

Comme je suis laid ! Malheur à celui qui veut conserver son originalité !

(Il a un brusque sursaut.)

Eh bien tant pis ! Je me défendrai contre tout le monde ! Ma carabine, ma carabine !

(Il se retourne face au mur du fond où sont fixées les têtes des rhinocéros, tout en criant :)

Contre tout le monde, je me défendrai, contre tout le monde, je me défendrai ! Je suis le dernier homme, je le resterai jusqu'au bout ! Je ne capitule pas !

IONESCO, *Le Rhinocéros*, N.R.F., Gallimard.

ANNEXES

1. Chronologie

DATE	THÉORIES, CRITIQUES ET TRADUCTIONS	DRAMES ET REPRÉSENTATIONS
1730		Lamotte-Houdar : *Œdipe*
1732		Destouches : *Le Glorieux*
1733		Nivelle de La Chaussée : *La Fausse Antipathie*
1735		Nivelle de La Chaussée : *Le Préjugé à la mode*
		Marivaux : *La Mère confidente*
1736		Voltaire : *L'Enfant prodigue*
1740		
1741		Nivelle de La Chaussée : *Mélanide*
1742		Landois : *Silvie, ou le Jaloux*
1744		Nivelle de La Chaussée : *L'École des mères*
1745	La Place : *Théâtre anglais*	
1747		Nivelle de la Chaussée : *La Gouvernante*
		Hénault : *François II*
1748	Diderot : *Les Bijoux indiscrets*	
1749		Voltaire : *Nanine*
1750		Madame de Graffigny : *Cénie*
1754	Fondation du *Journal étranger*	
1756	Patu : *Choix de petites pièces du Théâtre anglais*	
1757	Diderot : *Entretiens avec Dorval*	Diderot : *Le Fils naturel*
	Palissot : *Petites Lettres sur de grands philosophes*	
	Rousseau : *Lettre à d'Alembert sur les spectacles*	
1758	Diderot : *Discours sur la poésie dramatique*	Diderot : *Le Père de famille*
1760		Voltaire : *L'Écossaise*
1761	Rousseau : *La Nouvelle Héloïse*	
1765		Sedaine : *Le Philosophe sans le savoir*
		De Belloy : *Le Siège de Calais*
		Baculard d'Arnault : *Le Comte de Comminge*
1766		Collé : *La Partie de chasse de Henri IV*
1767	Beaumarchais : *Essai sur le genre dramatique sérieux*	Beaumarchais : *Eugénie*
		Fenouillot de Falbaire : *L'Honnête Crimines*
1768		Saurin : *Beverley*
		Baculard d'Arnaud : *Euphémie*
1769		Mercier : *Jenneval, ou le Barnevelt français*
		Ducis : *Hamlet*
1770	Linguet : *Théâtre espagnol*	Mercier : *Le Déserteur*
	Restif de la Bretonne : *Le Mimographe*	Rousseau : *Pygmalion*
		Beaumarchais : *Les Deux Amis, ou le Négociant de Lyon*
1771		*Le Fils naturel* au Théâtre-Français
1772	Junker et Liébault : *Théâtre allemand*	Mercier : *L'Indigent*
		Mercier : *Jean Hennuyer, évêque de Lisieux*
1773	Mercier : *Du Théâtre, ou Nouvel Essai sur l'Art dramatique.*	

DATE	ANGLETERRE	ALLEMAGNE	ITALIE et ESPAGNE
1730			
1731	Lillo : *Le Marchand de Londres, ou l'Histoire de Georges Barnwell*		
1736	Lillo : *La Fatale Curiosité*		
1737	Dodsley : *Le Roi et le meunier de Mansfield*		
1740			
1750			Goldoni : *Le Véritable Ami*
1753	Edward Moore : *Le Joueur*		
1755		Lessing : *Miss Sarah Sampson*	
1760			
1767	J. Dodsley : *Dorval, or the test of virtue*	Lessing : *Dramaturgie de Hambourg* Lessing : *Minna von Barnhelm*	
1769		Klopstock : *La Bataille d'Arminius*	
1770			
1771		Lessing : *Emilia Galotti*	Goldoni : *Le Bourru bienfaisant*
1772		Goethe : *Goetz von Berlichingen*	Cerini : *Clary*
1773			Jovellanos : *Criminel par honneur*

DATE	THÉORIES, CRITIQUES ET TRADUCTIONS	DRAMES ET REPRÉSENTATIONS
1774		Mercier : *Le Juge* Rochon de Chabannes : *Les Amants généreux* *La Partie de Chasse de Henri IV* au Théâtre-Français
1775		Mercier : *La Brouette du Vinaigrier* *Pygmalion* au Théâtre-Français
1776		Cubières : *Le Dramomane*
1778	Mercier : *De la Littérature et des Littérateurs, suivi d'un nouvel examen de la Tragédie française*	De la Rivière : *Werther, ou le Délire de l'amour*
1780		Diderot : *Est-il bon ? Est-il méchant ?* (publié en 1834)
1781		Mercier : *Les Tombeaux de Vérone*
1782	Friedel et Bonneville : *Nouveau Théâtre allemand*	
1785	Lessing : *La Dramaturgie de Hambourg*	Mercier : *Le Déserteur* (dénouement modifié par Patrat)
1787		
1790		*Le Comte de Comminges* 〉 au Théâtre- *L'Honnête Criminel* 〉 Français
1792		Marie-Joseph Chénier : *Jean Calas, ou l'École des Juges*
1797		Lamartellière : *Robert chef de Brigands* Beaumarchais : *La Mère coupable*
1800		Pixérécourt : *Cœlina ou l'Enfant du Mystère*
1809	Benjamin Constant : *Réflexions sur la Tragédie de Wallstein et sur le Théâtre allemand*	Lemercier : *Christophe Colomb*
1810		Pixérécourt : *Les Ruines de Babylone*

DATE	ANGLETERRE	ALLEMAGNE	ESPAGNE
1774		Goethe : *Clavigo* Lenz : *Notes sur le théâtre* Schiller : *Intrigue et amour*	
1776		Lenz : *Les Soldats* Klinger : *Les Jumeaux*	
1777		Klinger : *Sturm und Drang*	
1780			
1781		Schiller : *Les Brigands*	
1782		Schiller : *La Conjuration de Fiesque*	
1784		Klopstock : *Arminius et les princes*	
1787		Klopstock : *La Mort d'Arminius*	
1790			
1794	Cumberland : *Le Juif* Southey et Coleridge : *La Chute de Robespierre* Wordsworth : *Les Gens des Marches*		
1799		Schiller : *Wallenstein* Tieck : *Vie et mort de Sainte Geneviève*	
1800		Tieck : *L'Empereur Octavien*	Quintana : *Le Duc de Viséo*
1801		Schiller : *Marie Stuart*	
1802		Frédéric Schlegel : *Alarcos*	
1803		Schiller : *La Fiancée de Messine*	
1804		Schiller : *Guillaume Tell*	
1807		Guillaume Schlegel : *Comparaison entre la Phèdre de Racine et celle d'Euripide*	
1808		Guillaume Schlegel : *Cours de Littérature dramatique* Goethe : *Faust* Kleist : *La Bataille d'Arminius* Kleist : *Penthésilée*	
1810		Kleist : *Le Prince de Hombourg* Kleist : *La Petite Catherine de Heilbronn*	

DATE	THÉORIES, CRITIQUES ET TRADUCTIONS	DRAMES ET REPRÉSENTATIONS
1813	Simonde de Sismondi : *La Littérature du Midi de l'Europe* Guillaume Schlegel : *Cours de Littérature dramatique* Mme de Staël : *De la Littérature*	
1820		
1821	*Chefs-d'œuvre du Théâtre étranger* (Librairie Ladvocat)	
1823	Stendhal : *Racine et Shakspeare* (I)	
1824		Ancelot : *Fiesque*
1825	Stendhal : *Racine et Shakspeare* (II)	Mérimée : *Théâtre de Clara Gazul*
1827	Hugo : *Préface de Cromwell*	Hugo : *Cromwell* Loève-Veimars (Comtesse de Chamilly) : *Scènes historiques et scènes contemporaines*
1829	Vigny : *Lettre à Lord *** sur la soirée du 24 octobre 1829 et sur un système dramatique*	Mérimée : *La Jacquerie* Casimir Delavigne : *Marino Faliero* Hugo : *Marion Delorme* Vigny : *Le More de Venise* Dumas : *Henri III et sa Cour*
1830		Hugo : *Hernani* Dumas : *Christine*

1831		Dumas : *Antony*
		    Charles VII et ses grands vassaux
		    Richard Darlington
		Vigny : *La Maréchale d'Ancre*
		Marion Delorme au Théâtre de la Porte Saint-Martin

1832		Dumas : *La Tour de Nesle* Hugo : *Le Roi s'amuse*
1833		Hugo : *Lucrèce Borgia* *Marie Tudor* Musset : *Andrea del Sarto*
1834		Musset : *Lorenzaccio* Vigny : *Chatterton*
1835		Hugo : *Angelo, tyran de Padoue*
1838		Hugo : *Ruy Blas*, au Théâtre de la Renaissance
1840		Hugo : *Les Burgraves*
1843		Ponsard : *Lucrèce*

DATE	ANGLETERRE	ALLEMAGNE et RUSSIE	ITALIE et ESPAGNE
1813	Keats : *Othon le Grand*		
1814			Silvio Pellico : *Francesca da Rimini*
1817	Coleridge : *Osorio*		
	Byron : *Manfred*		
1819	Shelley : *Les Cenci*		
1820			Manzoni : *Le Comte de Carmagnola*
1821	Byron : *Caïn* Byron : *Sardanapalus*		
1822			Manzoni : *Adelchi*
1823			Manzoni : *Lettre à M. C... sur l'unité de temps et de lieu dans la tragédie*
1825		Pouchkine : *Boris Godounov*	
1826	Byron : *Marino Faliero*		
1829		Grabbe : *Don Juan et Faust*	
1830			Martinez de la Rosa : *Aben Humeya*
1832		Goethe : *Faust* (2e partie)	
1834			Larra : *Macias*
1835		Büchner : *La Mort de Danton* Büchner : *Woyzeck*	Duc de Rivas : *Don Alvaro ou La Force du Destin*
1836		Grabbe : *La Bataille d'Arminius*	Garcia Gutierrez : *Le Troubadour*
1837	R. Browning : *Strafford*	Lenau : *Faust*	Hartzenbusch : *Les Amants de Teruel*
1840			Niccolini : *Arnaud de Brescia*
1843		Hebbel : *Marie-Madeleine*	
1844			Zorrilla : *Don Juan Tenorio*

DATE	THÉORIES ET MANIFESTES	DRAMES ET REPRÉSENTATIONS
1847	Pixérécourt : *Dernières réflexions sur le mélo-drame*	Dumas : *La Reine Margot* au Théâtre historique
1848		Dumas : *Monte-Cristo*
1850		Lamartine : *Toussaint-Louverture*
1852		Dumas fils : *La Dame aux Camélias*
		Dumas fils : *Le Fils naturel*
1859		
1860		
1861	Baudelaire : *Richard Wagner et Tannhaüser à Paris*	
1864	Hugo : *William Shakespeare*	
1865		Les Goncourt : *Henriette Maréchal*
		Villiers de L'Isle-Adam : *Elen*
1866		Villiers de L'Isle-Adam : *Morgane*
1870		
1874		Flaubert : *Le Candidat*
1875	Schuré : *Le Drame musical*	
1878		Zola : *Bouton de Rose*
1880		
1881	Zola : *Le Naturalisme au Théâtre* *Nos Auteurs dramatiques*	
1882		Becque : *Les Corbeaux*

DATE	ESPAGNE	ALLEMAGNE	ITALIE	SCANDINAVIE et RUSSIE
1845	Vega : *L'Homme du monde*	Wagner : *Tannhaüser*		
1850		Wagner : *Lohengrin*		
1851		Wagner : *Opéra et Drame*		
1855	Tamayo y Baus : *Folie d'amour*			
1859		Wagner : *Tristan et Iseult*		Ostrovski : *L'Orage*
1860				
1861			Giacometti : *La Mort civile*	
1862		Hebbel : *Les Niebelungen*		
1864			Verga : *Cavalleria Rusticana*	
1866				Ibsen : *Brand*
1867	Tamayo y Baus : *Un Drame nouveau*			Ibsen : *Peer Gynt*
1867-1870				A. K. Tolstoï : *La Mort d'Ivan Ilitch*
1868		Wagner : *L'Or du Rhin* Wagner : *Les Maîtres chanteurs de Nuremberg*		A. K. Tolstoï : *Le Tsar Fédor*
1870		Wagner : *La Walkyrie*		A. K. Tolstoï : *Le Tsar Boris*
1876		Wagner : *Siegfried* Wagner : *Le Crépuscule des Dieux*		Ibsen : *Les Soutiens de la Société*
1879				Ibsen : *Maison de poupée*
1880				
1881	Echegaray : *Le Grand Galeoto*			Ibsen : *Les Revenants*
1882		Wagner : *Parsifal*		Ibsen : *Un Ennemi du peuple*
1883				Strindberg : *Au-delà des forces humaines* (1re partie)
1884				Ibsen : *Le Canard sauvage*

DATE	THÉORIES ET MANIFESTES	DRAMES ET REPRÉSENTATIONS
1885	Mallarmé : *Richard Wagner, rêverie d'un poète français*	Becque : *La Parisienne*
		Villiers de L'Isle-Adam : *Axël*
1886		Pierre Quillard : *La Fille aux mains coupées*
1888		Ancey : *Monsieur Lamblin*, au Théâtre libre
1889		Maeterlinck : *La Princesse Maleine*
1890		Claudel : *Tête d'Or*
		Maeterlinck : *L'Intruse*
		Les Aveugles
		Les Revenants au Théâtre libre
1891	Jules Huret : *Enquête sur l'évolution littéraire*	Dujardin : *Antonia*
		Rachilde : *Madame la Mort*
		Le Canard sauvage, au Théâtre libre
		Les Cenci, au théâtre Montparnasse
1892	Camille Mauclair : *Notes sur un essai de Dramaturgie symbolique (Rev. Indép.)*	Maeterlinck : *Pelléas et Mélisande*
		Dujardin : *Le Chevalier du passé*
	François Coulon : *De l'action dans le Drame symbolique (La Plume)*	Rachilde : *L'Araignée*
	François Coulon : *Notes à propos de la vérité dans le Drame symbolique (L'Art littéraire)*	*La Dame de la mer*, au Théâtre Moderne
1893		Claudel : *La Ville* (1re version)
		Dujardin : *La Fin d'Antonia*
		Rosmersholm ⎫ au Théâtre
		Un ennemi du Peuple ⎬ de
		Ames solitaires ⎭ l'Œuvre
1894		Maeterlinck : *Intérieur*
		Maurice de Beaubourg : *L'Image*
		La Vie muette
		Au-delà des Forces humaines ⎫ au Théâtre
		Solness le Constructeur ⎬ de
		Père ⎭ l'Œuvre
1895		Judith Cladel : *Le Volant*
		Péladan : *Babylone*
		La Prométhéide
		Brand, au Théâtre de l'Œuvre
1896	Maeterlinck : *Le Trésor des Humbles*	Maeterlinck : *Aglavaine et Sélysette*
		Péladan : *Le Prince de Byzance*
		Jarry : *Ubu-Roi*
		Les Soutiens de la Société ⎫ au Théâtre
		Peer Gynt ⎭ de l'Œuvre
1897	Mallarmé : *Divagations*	Rostand : *Cyrano de Bergerac*
		La Cloche engloutie ⎫ au Théâtre
		John Gabriel Borckman ⎭ de l'Œuvre
		Gide : *Saül*
1898		Romain Rolland : *Aërt*
		Les Loups
		Saint-Georges de Bouhelier : *La Victoire*

DATE	ANGLETERRE et IRLANDE	ALLEMAGNE	ITALIE et ESPAGNE	SCANDINAEIE	RUSSIE
				Ibsen : *Rosmers-holm*	Tolstoï : *La Puissance des Ténèbres*
1887				Strindberg : *Père*	Tchékov : *Ivanov*
1888			Giacosa : *Tristes Amours*	Ibsen : *La Dame de la Mer*	
1889		H a u p t m a n n : *Avant le lever du soleil* S u d e r m a n : *L'Honneur*	Capuana : *Giacinta*	Strindberg : *Mademoiselle Julie* Strindberg : *Le Drame moderne et le théâtre moderne*	
1890		H a u p t m a n n : *Âmes solitaires* W e d e k i n d : *L ' É v e i l du Printemps*		S t r i n d b e r g : *Créanciers* Ibsen : *Hedda Gabler*	
1891		Hofmannsthal : *Hier* Sudermann : *La Fin de Sodome*			
1892	Yeats : *La Comtesse Cathleen*	H a u p t m a n n : *Les Tisserands*	Echegaray : *Le Fils de Don Juan* Perez Galdos : *Réalité*	Ibsen : *Solness le Constructeur*	
1893		Wedekind : *L'Esprit de la Terre*			
1894	Yeats : *Le Pays du désir du cœur*		Giacosa : *Les Droits de l'âme*	Ibsen : *Le Petit Eyolf*	
1895		H a u p t m a n n : *Florian Geyer*		S t r i n d b e r g : *Au-delà des forces humaines* (2e partie)	
1896	Wilde : *Salomé*	Hauptmann : *La Cloche engloutie* Schnitzler : *La Ronde*	Verga : *La Louve*	Ibsen : *John Gabriel Borkman*	Tchékov : *La Mouette*
1897	Shaw : *Candida* Jones : *Les Menteurs*	Hofmannsthal : *Le Petit Théâtre du monde*			Tchékov : *Oncle Vania*
1898		H a u p t m a n n : *Le voiturier Henschel*	D'Annunzio : *La Ville morte*	S t r i n d b e r g : *Le Chemin de Damas* (I et II)	

385

DATE	THÉORIES ET MANIFESTES	DRAMES ET REPRÉSENTATIONS
1899		Maurice de Faramond : *La Noblesse de la Terre* Romain Rolland : *Le Triomphe de la Raison*
1900		Schuré : *Théâtre de l'Âme* Rostand : *L'Aiglon* Verhaeren : *Le Cloître* Jules Renard : *Poil de Carotte*
1901		Claudel : *L'Arbre* Gide : *Le Roi Candaule* Romain Rolland : *Danton*
1902		Romain Rolland : *Le Quatorze Juillet* Maeterlinck : *Ariane et Barbe-Bleue* *Monna Vanna*
1903	Romain Rolland : *Le Théâtre du peuple, essai d'esthétique d'un théâtre nouveau*	Péladan : *Œdipe et le Sphinx*
1904	Gide : *L'Évolution du Théâtre* (publié dans *Nouveaux prétextes*, 1911)	Péladan : *Sémiramis*
1905		Claudel : *Partage de Midi* Bernstein : *La Rafale*
1908		Maeterlinck : *L'Oiseau bleu*
1910		Rostand : *Chantecler* Saint-Georges de Bouhelier : *Le Carnaval des enfants*
1911		Duhamel : *La Lumière* Claudel : *L'Otage*
1912		Claudel : *L'Annonce faite à Marie* Milosz : *Miguel Manara*
1913		Dujardin : *Marthe et Marie* Milosz : *Méphiboseth*
1914		*L'Échange*, au Théâtre du Vieux-Colombier *L'Otage*, au Théâtre de l'Œuvre
1917		Cocteau : *Parade* Apollinaire : *Les Mamelles de Tirésias* François Porché : *Les Butors et la Finette*

DATE	ANGLETERRE et IRLANDE	ALLEMAGNE	ITALIE et ESPAGNE	SCANDINAVIE	RUSSIE
1899	Fondation du « Théâtre littéraire irlandais »	Hofmannsthal : *Le Fou et la mort* Schnitzler : *Le Perroquet vert*	D'Annunzio : *La Gioconda*	Strindberg : *Erik XIV* Strindberg : *Gustave Vasa*	Tchékov : *Les trois Sœurs*
1900	Shaw : *César et Cléopâtre*		Giacosa : *Comme les feuilles*	Strindberg : *La Danse de mort*	
1901	Pinero : *Iris*	Hofmannsthal : *La Mort du Titien*	D'Annunzio : *Francesca da Rimini* Perez Galdos : *Electre*	Strindberg : *Pâques*	
1902	Yeats : *Catherine à Houlihan*			Strindberg : *le Songe*	Gorki : *Les Bas-Fonds* Andréev : *La Pensée*
1903	Synge : *L'Ombre de la vallée*	Hauptmann : *Rose Bernd*			
1904	Synge : *A cheval vers la mer*		D'Annunzio : *La Fille de Jorio*	Strindberg : *Le Chemin de Damas* (III)	Tchékov : *La Cerisaie*
1905	Synge : *La Fontaine aux saints*	Sudermann : *Parmi les pierres*			
1906	Yeats : *Deirdre*				
1907				Strindberg : *Sonate des spectres*	Andréev : *Savva* Andréev : *La Vie de l'homme* Andréev : *Anfissa*
1909	Galsworthy : *La Boîte en argent*		D'Annunzio : *Phaedra* Benavente : *Les Intérêts créés*		
1910	Galsworthy : *Justice* Synge : *Deirdre des douleurs*				
1911		Hofmannsthal : *Jedermann*	D'Annunzio : *Le Martyre de saint Sébastien*		
1913			D'Annunzio : *La Pisanelle* Benavente : *La mal aimée*		
1914		Kaiser : *Les Bourgeois de Calais*			
1915					
1916		Kaiser : *De l'aube à minuit*			Blok : *La Rose et la croix*
1917		Unruh : *Une famille*	Pirandello : *Chacun sa Vérité* Pirandello : *La Volupté de l'honneur*		

DATE	THÉORIES ET MANIFESTES	DRAMES ET REPRÉSENTATIONS
1918		Apollinaire : *Couleur du temps* Claudel : *Le Pain dur*
1920		Cocteau : *Le Bœuf sur le toit* Claudel : *Le Père humilié* Henri Ghéon : *Le Pauvre sous l'escalier* Charles Vildrac : *Le Paquebot Tenacity*
1921		Jules Romains : *Cromedeyre-le-Vieil* Henri Lenormand : *Le Simoun* Crommelynck : *Le Cocu magnifique* *Les Amants puérils*
1922		Jean-Jacques Bernard : *Martine* François de Curel : *Terre inhumaine* Gabriel Marcel : *Un Homme de Dieu* Cocteau : *Les Mariés de la Tour Eiffel* *La Volupté de l'honneur* (Charles Dullin)
1923		Dujardin : *Le Mystère du Dieu mort et ressuscité* *Six Personnages en quête d'Auteur* (Pitoëff)
1924		Jean-Jacques Bernard : *L'Invitation au voyage* Gantillon : *Maya* *Chacun sa vérité* (Charles Dullin)
1927		Cocteau : *Orphée*
1928		Claudel : *Le Soulier de satin* Giraudoux : *Siegfried* Ghelderode : *Barrabas*
1929		Ghelderode : *Fastes d'enfer*
1930		Georges Neveux : *Juliette ou La Clef des songes*
1931		Gide : *Œdipe* Salacrou : *Atlas-Hôtel* Anouilh : *L'Hermine*
1932		Anouilh : *La Sauvage* Gabriel Marcel : *Le Monde cassé* Gantillon : *Bifur*
1934		Salacrou : *L'Inconnue d'Arras* Cocteau : *La Machine infernale*

388

DATE	ANGLETERRE et IRLANDE	ALLEMAGNE	ITALIE et ESPAGNE	RUSSIE	ÉTATS-UNIS
1918		Brecht : *Baal*			
1919	Bernard Shaw : *La Maison des cœurs brisés*	Toller : *La Transformation*			
1920		Werfel : *L'Homme au miroir*	Valle - Inclan : *Divines Paroles*		O'Neill : *Empereur Jones*
1921		Toller: *L'Homme-masse*	Pirandello : *Six Personnages en quête d'auteur* Pirandello : *La Vie que je t'ai donnée*		O'Neill : *Anna Christi*
1922	Galsworthy : *Loyautés*	Goll : *Mathusalem*	Pirandello : *Henri IV* Pirandello : *Comme ci, Comme çà*		
1923	Bernard Shaw: *Sainte Jeanne*	Kaiser : *Côte à côte* Toller : *Hinkemann*			Rice : *La Machine à calculer*
1924	O'Casey : *Junon et le paon*				O'Neill : *Le désir sous les ormes* O'Neill : *Tous les fils de Dieu ont des ailes*
1925		Hoffmannsthal : *La Tour*			
1926	O'Casey : *La Charrue et les étoiles*	Brecht : *Homme pour homme*	Betti : *La Maîtresse*		O'Neill : *Le grand dieu Brown*
				Ivanov : *Le Train blindé*	
1928		Brecht : *L'Opéra de quat'sous*			O'Neill : *L'étrange intermède*
1929	Sheriff : *La Fin du voyage*	Piscator : *Le Théâtre politique*		Maiakovski : *La Punaise*	
1930		Brecht : *L'Exception et la Règle*	Pirandello : *Ce soir on improvise*		Connelly : *Les verts pâturages*
1931			Alberti : *Firmin Galan*		
1932				Gorki : *Egor Boulitchev et Cⁱᵉ*	O'Neill : *Le deuil sied à Électre*
1933		Kaiser : *Drames Grecs*	Garcia Lorca : *Noces de sang*		
1934		Brecht : *Grand Peur et Misère du IIIᵉ Reich*	Garcia Lorca : *Yerma* Peman : *Cisneros*		O'Neill : *Jours sans fin*

389

DATE	THÉORIES ET MANIFESTES	DRAMES ET REPRÉSENTATIONS
1935		Ghelderode : *Hop signor !*
1936		Anouilh : *Le Voyageur sans bagages*
		Gabriel Marcel : *Le Dard*
1937		Cocteau : *Les Chevaliers de la Table ronde*
		Giraudoux : *L'Impromptu de Paris*
1938	Antonin Artaud : *Le Théâtre et son double*	Cocteau : *Les Parents terribles*
		Salacrou : *La Terre est ronde*
		Mauriac : *Asmodée*
1940		Cocteau : *Les Monstres sacrés*
1941		Mauriac : *Les Mal-Aimés*
1942		Cocteau : *La Machine à écrire*
		Anouilh : *Eurydice*
		Montherlant : *La Reine morte*
1943		Sartre : *Les Mouches*
		Camus : *Le Malentendu*
		Montherlant : *Fils de personne*
		Anouilh : *Antigone*
		Le Soulier de satin, à la Comédie-Française
1944	Henri Ghéon : *L'Art du Théâtre*	Sartre : *Huis-Clos*
1945		Maurice Clavel : *Les Incendiaires*
		Simone de Beauvoir : *Les Bouches inutiles*
		Camus : *Caligula*
1946		Cocteau : *L'Aigle à deux têtes*
		Salacrou : *L'Archipel Lenoir*
		Genêt : *Les Bonnes*
		Montherlant : *Malatesta*
		Sartre : *Morts sans sépulture*
		Salacrou : *Les Nuits de la Colère*
1947		Audiberti : *Le Mal court*
		Mauriac : *Le Passage du Malin*
		Montherlant : *Le Maître de Santiago*
		Pichette : *Les Épiphanies*
1948		Sartre : *Les Mains sales*
		Camus : *L'État de siège*
		Emmanuel Roblès : *Montserrat*
1949		Bernstein : *La Soif*
		Bernanos : *Dialogues des Carmélites*
		Camus : *Les Justes*

390

DATE	ANGLETERRE et IRLANDE	ALLEMAGNE	ITALIE et ESPAGNE	RUSSIE	ÉTATS-UNIS
1935	T. S. Eliot : *Meurtre dans la Cathédrale* O'Casey : *La Coupe d'argent*				Anderson : *Winterset*
1936			Garcia Lorca : *La Maison de Bernarda Alba*		Odets : *En attendant Lefty*
1937			Alberti : *Radio-Séville*		
1938		Brecht : *Mère Courage et ses enfants*	Alberti : *D'un moment à l'autre*		
1939	T. S. Eliot : *La Réunion de famille*	Brecht : *Galileo Galilei* Brecht : *La bonne Âme de Se Chouan*			
1940	O'Casey : *L'Étoile devient rouge*				O'Neill : *Le Long Voyage dans la nuit*
1941			Betti : *Nos Rêves*		
1942	O'Casey : *Roses rouges pour moi*	Brecht : *La résistible ascension d'Arturo UI*	Betti : *Le Pays des vacances*		
1944			Alberti : *Le Repoussoir*		Th. Wilder : *Nous l'avons échappé belle (The skin of our teeth)*
1945	Duncan : *Saint Antoine au tombeau*	Brecht : *Le Cercle de craie caucasien*	Betti : *Le Vent de la nuit*		T. Williams : *La Ménagerie de verre*
1946	O'Casey : *Feuilles de chêne et lavande*	Zuckmayer : *Le Général du Diable* Borchert : *Dehors devant la porte*		Arbouzov : *Tania*	O'Neill : *Le Marchand de glace est passé*
1947	Priestley : *Un inspecteur vous demande*				Tennesse Williams : *Un Tramway nommé désir* A. Miller : *Ils étaient tous mes fils* Gelber : *La Liaison*
1949	T. S. Eliot : *La Cocktail-party* Beckett : *Waiting for Godot (En attendant Godot)*		Betti : *Scandale au Palais de justice*		A. Miller : *La Mort d'un commis-voyageur*

DATE	THÉORIES ET MANIFESTES	DRAMES ET REPRÉSENTATIONS
1950		J. Mogin : *A chacun selon sa faim* Thierry Maulnier : *Le Profanateur* Mauriac : *Le Feu sur la Terre* Ionesco : *La Cantatrice chauve*
1951		Sartre : *Le Diable et le Bon Dieu* Salacrou : *Dieu le savait* Gabriel Marcel : *Rome n'est plus dans Rome* Cocteau : *Bacchus* Montherlant : *La Ville dont le Prince est un enfant* Ionesco : *La Leçon* *Mère Courage* au T.N.P.
1952		Pichette : *Nucléa* Adamov : *La Parodie* Ionesco : *Les Chaises* Emmanuel Roblès : *La Vérité est morte*
1953		Ionesco : *Victimes du Devoir* Beckett : *En attendant Godot* Adamov : *Le Professeur Taranne* Julien Green : *Sud*
1954		Montherlant : *Port-Royal* Malraux, adapté par Thierry Maulnier : *La Condition humaine* Jules Roy : *Les Cyclones*
1955		Adamov : *Le Ping-Pong* Camus : adaptation d'*Un cas intéressant* de Buzatti *La Ville*, au T.N.P.
1956		Schéhadé : *Histoire de Vasco* Genêt : *Le Balcon* Anouilh : *Pauvre Bitos* Camus : *Requiem pour une Nonne*
1957		Ionesco : *Tueur sans gages* Beckett : *Fin de partie* Vinaver : *Les Coréens* Adamov : *Paolo-Paoli*
1958		Yacine : *Le Cadavre encerclé* Genêt : *Les Nègres*
1959		*Tête d'Or*, au Théâtre de France (Jean-Louis Barrault) Anouilh : *Becket ou l'Honneur de Dieu* Ionesco : *Le Rhinocéros* Sartre : *Les Séquestrés d'Altona* Gatti : *Le Crapaud-Buffle*

DATE	ANGLETERRE et IRLANDE	ALLEMAGNE et LANGUE ALLEMANDE	ITALIE	ÉTATS-UNIS
1950			Betti : *L'île des chèvres* Fabbri : *Inquisition*	
1951	Chr. Fry : *Le Songe des prisonniers*			
1953	Ch. Morgan : *Le Verre qui brûle*		Sastre : *La Patrouille des condamnés à mort* Betti : *La Reine et les insurgés* Buzatti : *Un Cas intéressant (Un Cas clinique)*	Faulkner : *Requiem pour une nonne* Anderson : *Thé et sympathie* T. Williams : *Camino Real* A. Miller : *Le Creuset (Les Sorcières de Salem)*
1954	T. S. Eliot : *Le Secrétaire particulier* Behan : *Le Condamné à mort* Chr. Fry : *La Nuit a sa clarté* Whiting : *Chant de Marche*			T. Williams : *La Chatte sur un toit brûlant* Cl. Odets : *La Pêche en fleur*
1955			Fabbri : *Procès à Jésus* Fabbri : *Veillée d'armes*	A. Miller : *Vu du pont*
1956	Osborne : *La Paix du dimanche (Look back in anger)*	Dürrenmatt : *La Visite de la vieille dame*	Buero Vallejo : *Jour de fête*	Hackett : *Le Journal d'Anne Franck*
1957	H. Pinter : *La Chambre* H. Pinter : *La Fête d'anniversaire*			
1958	Hall : *Adieu Wellington (The long and the short and the tall)* Wesker : *Soupe de poulet à l'orge*	Max Frisch : *Biedermann et les Incendiaires*		
1959	T. S. Eliot : *Fin de carrière* Behan : *L'Otage* Wesker : *Racines*			P. Chayefsky : *Le Dixième Homme*

DATE	THÉORIES ET MANIFESTES	DRAMES ET REPRÉSENTATIONS
1960		Montherlant : *Le Cardinal d'Espagne*
		Salacrou : *Boulevard Durand*
		au T.N.P. — *Erik XIV* / *Roses rouges pour moi* / *La résistible Ascension d'Arturo UI*
1961		Adamov : *Printemps 71*
		Genêt : *Les Paravents*
1962	Ionesco : *Notes et Contre-notes*	Ionesco : *Le Roi se meurt*
	Adamov : traduction du *Théâtre politique* de Piscator (L'Arche)	Claudel : *L'Otage, Le Pain dur et le Père humilié* au Théâtre du Vieux-Colombier
		Dubillard : *Naïves Hirondelles*
		Gatti : *Chroniques d'une Planète provisoire* / *La Vie imaginaire de l'éboueur Auguste G.*
1963	Traduction des *Écrits pour le théâtre* de Brecht (L'Arche)	Beckett : *Les Beaux Jours*
		Cousin : *Le Drame du Fukuryu Maru*
1964		Billetdoux : *Il faut passer par les nuages*
		Montherlant : *La Guerre civile*
1965		Césaire : *La Tragédie du roi Christophe*
		Ionesco : *La Soif et la Faim*
		Gatti : *Chant public devant deux chaises électriques*
		Le Repos du septième jour au Théâtre de l'Œuvre
1966		*Les Paravents*, au Théâtre de France

DATE	ANGLETERRE et IRLANDE	ALLEMAGNE et LANGUE ALLEMANDE	ITALIE	ÉTATS-UNIS
1960	H. Pinter : *Le Gardien* Wesker : *Je parle de Jérusalem*		Sastre : *Terre rouge*	Albee : *L'Aventure du zoo*
1961	Osborne : *Luther*	Max Frisch : *Andorra*		Albee : *Qui a peur de Virginia Woolf ?*
1964	Chr. Fry : *Curtmantle* Osborne : *Inadmissible évidence* Shaffer : *La Chasse royale du soleil*	Hochhuth : *Le Vicaire* Kipphardt : *L'affaire Oppenheimer* Kipphardt : *Joël Brand* Peter Weiss : *L'Instruction*		

2. Bibliographie

BIBLIOGRAPHIES THÉATRALES

Les ouvrages de base demeurent :

LANSON : *Manuel bibliographique de la Littérature française moderne* (Paris, Hachette, 1921).
Cf. pour le XVIIIe siècle : Section I, chapitre VII ; pour le XIXe siècle : Section II,
chapitres XV, XVI et XVII.

J. GIRAUD : *Manuel bibliographique de la Littérature française, 1921-1935* (Paris, Vrin, 1939). Pour
le XVIIIe siècle, cf. p. 196 et 197.

Hugo P. THIÈME : *Bibliographie de la Littérature française de 1800 à 1930* (Genève, Droz, 1933).
Cf. surtout tome III, « La Civilisation », et les chapitres concernant le théâtre, page 81-99.

S. DREHER et M. ROLLI : *Bibliographie de la Littérature française de 1930 à 1938* (Genève, Droz,
1948).

M. DREVET : *Bibliographie de la Littérature française 1940-1949* (Genève, Droz, 1955).

Plus récents, mais plus limités sont :

Otto KLAPP : *Bibliographie der französischen Litteraturwissenschaft.* Tome I : 1956-1958 ; tome II :
1959-1961 ; tome III : 1961-1962 ; tome IV : 1963-1964 (Vittorio Klostermann, Francfort,
1960-1965).

M. GIRARD : *Guide illustré de la Littérature française moderne*, Paris (Seghers, nouvelle édition,
1962). Bibliographie théâtrale, pages 296-297 et 323.

La *Revue d'Histoire du Théâtre* offre enfin, outre de substantiels articles et comptes rendus, une
très riche bibliographie des ouvrages et critiques concernant le théâtre de toutes les nations.

GÉNÉRALITÉS

Une *étude historique et sémantique du terme de « Drame »* est offerte par Gunnar von PROS-
CHWITZ. « Le mot « Drame » et ses changements de valeur du « Diable Boiteux » à « La Comédie
humaine » (*Cahiers de l'Association internationale des Etudes françaises*, n° 16, mars 1964).

Un panorama de l'histoire du théâtre se trouve dans :

DUBECH et HORN-MONVAL : *Histoire générale du Théâtre* (Paris, Librairie de France, 5 volumes,
1931-1934).

M. HORN-MONVAL a donné un *Répertoire bibliographique des traductions et adaptations françaises
du théâtre étranger du XVe siècle à nos jours* (Paris, C.N.R.S., 1961-1964) :

Tome I : Le Théâtre grec antique. — Tome II : Le Théâtre latin antique et moderne. —
Tome III : Le Théâtre italien. Les livrets d'opéra italiens. — Tome IV : Le Théâtre espagnol.
Amérique latine et Portugal. — Tome V : Le Théâtre anglais et américain. — Tome VI : Le Théâtre
allemand. — Tome VII : Le Théâtre scandinave. — Tome VIII : Le Théâtre slave. Extrême-Orient,
Inde, Afrique.

Une vaste *Anthologie des théories dramatiques* se trouve dans le recueil d'Odette ASLAN,
L'Art du Théâtre (Paris, Seghers, 1963).

Parmi les études modernes consacrées à la **signification** et aux **techniques du théâtre,** les plus importantes sont :

La « trilogie » critique de M. Henri GOUHIER, comprenant :
>   *L'Essence du Théâtre* (Plon, Présences, 1943).
>   *Le Théâtre et l'Existence* (Paris, Aubier, 1952).
>   *L'Œuvre théâtrale* (Flammarion, Bibliothèque d'Esthétique, 1958).

Pierre-Aimé TOUCHARD : *Dionysos, Apologie pour le Théâtre* (édition revue, Paris, Le Seuil, 1949). Cf. surtout pour le drame chapitre v : « Le Théâtre de la sensibilité ».

P. ARNOLD : *Frontières du Théâtre* (Éditions du Pavois, 1946), excellente étude du surnaturel au théâtre.

Gabriel MARCEL : *Théâtre et Religion* (E. Vitte, Lyon, 1958), analyse d'un problème capital du drame moderne.

ALAIN : *Système des Beaux-Arts* (Gallimard, Pléiade, 1958). Cf. les chapitres sur les catégories et les ressorts dramatiques.

R. CHAMPIGNY : *Le Genre dramatique* (Monte-Carlo, Éd. Regain, 1965).

Claude ROY : *Descriptions critiques. VI : L'amour du théâtre* (Gallimard, 1965).

Les revues et périodiques les plus riches sont, outre la *Revue d'histoire du Théâtre* déjà signalée :

Théâtre populaire, surtout consacré aux activités du T.N.P., mais foisonnant d'aperçus et d'études sur une foule de dramaturges modernes ou classiques.

Les *Cahiers de la Compagnie Madeleine Renaud-Jean-Louis Barrault,* organe officiel d'une grande troupe nationale.

La revue *Europe* (avril 1962) et la revue *Esprit* (mai 1965) ont consacré des numéros spéciaux au théâtre.

Quelques **collections** récentes offrent de riches **ensembles critiques ou dramatiques :**

Les Grands Dramaturges (L'Arche, éditeur), présentent une série de monographies comportant une étude, une chronologie et une bibliographie sur de grands auteurs dramatiques de tous les temps.

Pratique du théâtre (Gallimard, éditeur), rassemble les écrits les plus marquants des auteurs, acteurs ou metteurs en scène modernes.

Théâtre de tous les temps (Seghers, éditeur) offre des textes, documents, critiques, témoignages, illustrations, éléments chronologiques et bibliographiques concernant les principaux dramaturges.

Mise en scène (Le Seuil, éditeur), contient de riches commentaires des œuvres par les principaux metteurs en scène contemporains.

Répertoire (L'Arche, éditeur), édite les pièces créées par le Théâtre national populaire.

LE DRAME DANS L'HISTOIRE DU THÉÂTRE FRANÇAIS

1. Le Drame bourgeois

Les **textes** les plus courants sont :

DIDEROT : *Œuvres complètes* (édition Assézat et Tourneux, 20 volumes, Paris, Garnier, 1875-1879). Les œuvres dramatiques sont réunies dans les tomes VII et VIII.

BEAUMARCHAIS : *Théâtre,* édité par Maurice Allem, avec les *Lettres* concernant le théâtre (Gallimard, Pléiade, 1934).
— *Théâtre complet,* édité par R. d'Hermies, avec le texte des *Parades* (Les Classiques Verts, Magnard, 1952).

L'ensemble le plus monumental de drames est réuni dans :

PÉTITOT : *Répertoire du Théâtre français* (Paris, 1817-1819, 25 volumes), tomes VII, XV et XXIV.
— *Répertoire du Théâtre français du troisième ordre* (1819-1820, 8 volumes), tomes V, VI, VII et VIII.
— *Théâtre des Auteurs du premier et du second ordre* (1818, 67 volumes), tomes XXXIX et XL.
— *Suite du Répertoire* (1822, 81 volumes), tomes XVII, XXXIV, XXXV, XXXVI, XXXVII et XXXVIII.
— *Fin du Répertoire* (1824-1825, 45 volumes), tomes XXVIII et XXIX.

Les **études critiques** les plus riches sont :

LANSON : *Nivelle de la Chaussée et la Comédie larmoyante* (Paris, Hachette, 1885).

F. GAIFFE : *Le Drame en France au XVIIIe siècle* (Paris, Colin, 1910).

> Cette thèse exhaustive est l'étude la plus impartiale et la mieux documentée sur un genre sacrifié. Elle contient, outre une brève mais claire bibliographie, un très riche index des auteurs et des œuvres.

Jean FABRE : *Le Théâtre au XVIIIe siècle* dans l'*Encyclopédie de la Pléiade, Histoire des Littératures*, tome III, page 791-813. Pénétrante synthèse des principaux courants dramatiques au XVIIIe siècle, suivie d'une bibliographie sélective, page 813.

Jacques SCHÉRER : *La Dramaturgie de Beaumarchais* (Paris, Nizet, 1954). Exemple d'étude historique et esthétique, situant l'œuvre de Beaumarchais dans l'évolution du théâtre au XVIIIe siècle et caractérisant les principaux traits de sa technique.

2. Le Drame romantique

Plusieurs **éditions critiques** comportent d'abondants commentaires :

HUGO : *Œuvres*, édition de l'Imprimerie Nationale (Librairie Ollendorff, Albin Michel, 1905-1952, 45 volumes).

— *Théâtre complet* (Gallimard, Bibliothèque de la Pléiade, 1963-1964, 2 volumes).

MUSSET : *Comédies et Proverbes*, édition Pierre et Françoise Gastinel (Les Textes français, Paris, les Belles Lettres, 1952, 4 volumes)

VIGNY : *Théâtre*, édition Baldensperger (Paris, Louis Conard, 1926-1927).

STENDHAL : *Racine et Shakspeare*, édition Martino (Paris, Champion, 1925, 2 volumes).

MÉRIMÉE : *Théâtre de Clara Gazul*, édition P. Trahard (Paris, Champion, 1927).

On consultera avec fruit les **témoignages contemporains** :

DELÉCLUZE : *Journal* (Paris, Grasset, 1948).

— *Souvenirs de soixante années* (Paris, Bibliothèque contemporaine, 1862).

A. DUMAS : *Souvenirs dramatiques* (Paris, Calmann-Lévy, 1868-1881, 2 volumes).

Th. GAUTIER : *Histoire du Romantisme* (Paris, Fasquelle, 1911).

— *Histoire de l'Art dramatique en France depuis 25 ans* (Paris, Hetzel, 1858-1859, 6 volumes).

Jules JANIN : *Histoire de la Littérature dramatique* (Paris, Michel Lévy, 1853-1858, 6 volumes).

Dans la **presse contemporaine**, d'importants articles ont été recueillis par

P. TRAHARD : *Le Romantisme défini par « Le Globe »* (Paris, Presses françaises, 1924).

Parmi l'abondante **littérature critique** consacrée au drame romantique, les ouvrages essentiels sont :

Maurice DESCOTES : *Le Drame romantique et ses grands créateurs* (Paris, Presses Universitaires Françaises, 1955).

> Cet ouvrage capital est la plus importante étude de la vie du théâtre et des principaux événements dramatiques de l'époque romantique. Il comporte une très abondante bibliographie, p. 348-368.

Gaëtan PICON : *Le Théâtre au XIXe siècle*, dans l'*Encyclopédie de la Pléiade, Histoire des Littératures*, tome III, p. 1109-1133. Synthèse des grands courants dramatiques du siècle, suivie d'une bibliographie succincte, p. 1133.

Max FUCHS : *Le Théâtre romantique* dans *La Littérature française* (Paris, Larousse, 1949), tome II, p. 234-248. Revue des principales tendances et des grandes œuvres du théâtre romantique.

EGGLI et MARTINO : *Le Débat romantique en France, 1813-1830* (Paris, Les Belles Lettres, 1933). Riche panorama des premières manifestations romantiques.

MARTINO : *L'Époque romantique en France* (Paris, Boivin, 1944), contient un substantiel chapitre consacré au drame.

J. GIRAUD : *L'École romantique française* (Paris, Colin, 1927), résume la genèse et le développement du drame.

René BRAY : *Chronologie du Romantisme* (Paris, Boivin, 1932), marque les principaux événements qui jalonnèrent la révolution romantique.

Jules MARSAN : *La Bataille romantique* (Paris, Hachette, 1912-1925, 2 volumes), comporte de précieux renseignements sur le théâtre historique et la formation du drame.

SOURIAU : *La Préface de Cromwell* (Paris, Boivin, 1897), étudie le contexte et le contenu du célèbre manifeste.

L'histoire et la technique du **mélodrame** ont été étudiées par :

W. G. HARTOG : *Guilbert de Pixérécourt* (thèse, Paris, Champion, 1912).

P. GINISTY : *Le Mélodrame* (Paris, Bibliothèque théâtrale illustrée, 1911).

3. Le Drame symboliste

Une revue des principales **œuvres dramatiques** du symbolisme se trouve dans l'ouvrage de Dorothy KNOWLES : *La Réaction idéaliste au théâtre depuis* 1890 (Genève, Droz, 1934). Bibliographie des œuvres, p. 505-534.

Il convient d'ajouter :

Richard WAGNER : *Œuvres en prose*, taduites par J.-G. Prod'homme (Paris, Delagrave, 1907-1924, 13 volumes).

Paul CLAUDEL : *Œuvres complètes* (Paris, Gallimard, N.R.F., 1950), dont les tomes VI à XIV contiennent les œuvres dramatiques suivies d'une bibliographie.

Paul CLAUDEL : *Théâtre* (Paris, Gallimard, Bibliothèque de la Pléiade, 1956, 2 volumes).

Les principales **études critiques,** outre la thèse déjà mentionnée de Dorothy Knowles, sont :

Guy MICHAUD : *Le Message poétique du symbolisme* (Paris, Nizet, 1951), 3 volumes. Cet ouvrage essentiel comporte plusieurs références au théâtre symboliste, en particulier dans le chapitre Ier de la IIIe partie, et une importante bibliographie, p. 669-679 du tome III.

Jacques ROBICHEZ : *Le Symbolisme au théâtre, Lugné-Poe et les débuts de l'Œuvre* (Paris, L'Arche, 1957). Très riche étude de la carrière de Lugné-Poe et des premières réalisations du Théâtre de l'Œuvre, suivie d'un catalogue des œuvres interprétées par l'acteur.

Maurice GOT : *Théâtre et Symbolisme. Recherches sur l'essence et la signification spirituelle de l'Art symboliste* (Paris, Le Cercle du Livre, 1955). Pertinente étude d'esthétique dramatique, tendant de dégager la métaphysique implicitement contenue dans un théâtre symboliste.

L'influence de WAGNER a été particulièrement étudiée par :

G. WOOLEY : *Richard Wagner et le symbolisme français. Les rapports principaux entre le wagnérisme et l'idée symboliste* (Paris, P.U.F., 1931).

L. GUICHARD : *La Musique et les Lettres en France au temps du wagnérisme* (Paris, P.U.F., 1963).

Parmi les **monographies** consacrées aux dramaturges symbolistes, il faut retenir entre autres :

J. MADAULE : *Le Drame de Paul Claudel* (Paris, Desclée De Brouwer, 1964).

A. GUARDINO : *Le Théâtre de Maeterlinck* (Paris, 1934).

4. Le Drame contemporain

La librairie Gallimard a édité les principales œuvres dramatiques de : Apollinaire, Cocteau, Gide, Salacrou, Sartre, Camus, Thierry Maulnier, Montherlant, Ionesco, Adamov, Ghelderode, Garcia Lorca.

Les pièces de Giraudoux et Mauriac sont éditées par la librairie Grasset.

Les œuvres d'Anouilh ont paru aux éditions de La Table Ronde et Calmann Lévy.

Une très riche **anthologie** est celle de

Georges PILLÉMENT : *Anthologie du Théâtre français contemporain* (Paris, Éditions du Bélier, 1945-1948, 3 volumes) :

> Tome   I : *Le Théâtre d'avant-garde.*
> Tome   II : *Le Théâtre du boulevard.*
> Tome   III : *Le Théâtre des Romanciers et des Poètes.*

Les plus vivants **panoramas de la production dramatique** française sont ceux de :

Paul SURÉR : *Le Théâtre français contemporain* (S.E.D.E.S., 1964).

Edmond SÉE : *Le Théâtre contemporain* (Paris, Colin, 1928. Collection Armand Colin, no 106).

Marcel DOISY : *Le Théâtre français contemporain* (Bruxelles, La Boétie, 1947).

René LALOU : *Le Théâtre français depuis* 1900 (Paris, P.U.F., 1951. Collection « Que sais-je ? », no 461).

Marc BEIGBEDER : *Le Théâtre en France depuis la Libération* (Paris, Bordas, 1959).

Wallace FOWLIE : *Dionysus in Paris, a guide to contemporary French theatre* (New-York, Meridian books Inc., 1960).

Une vue générale des principaux courants dramatiques occidentaux est donnée par :

Frédéric LUMLEY : *Trends in 20th century drama* (Londres, Rockliff, 1956).

Parmi les innombrables **ouvrages critiques** consacrés au théâtre moderne, il faut retenir :

Pierre-Henri SIMON : *Théâtre et destin. La signification de la renaissance dramatique en France au XXe siècle* (Paris, Colin, 1959). Ce recueil de conférences contient d'excellentes études sur l'œuvre dramatique de Montherlant, Giraudoux, Anouilh, Mauriac, Camus, Sartre, Claudel, Salacrou, et un appendice sur le *Dionysos* de Pierre-Aimé Touchard.

Gabriel MARCEL : *L'heure théâtrale. Chroniques dramatiques, de Giraudoux à Jean-Paul Sartre* (Paris, Plon, 1959), recueil d'impressions de théâtre notées par un philosophe qui est aussi un dramaturge et un critique.

Paul SURÉR : « Études sur le Théâtre français contemporain » (*L'Information littéraire,* 1951-1962).

De brèves mais pénétrantes études sur :
    Giraudoux (1951, 1);
    Anouilh (1951, 4);
    Le Théâtre intimiste (1952, 5);
    H.-R. Lenormand (1953, 4);
    Le Théâtre violent (1954, 4);
    Paul Claudel (1955, 5);
    La Comédie satirique (1956, 5);
    La Farce et la Comédie légère (1957, 4 et 5);
    Les Lunaires (1958, 5);
    Les Arlequins (1959, 4);
    Le Théâtre comique depuis la Libération (1960, 4);
    Le Théâtre tragique depuis la Libération (1961, 2 et 4);
    Les animateurs de la scène (1962, 4).
    Plus particulièrement consacrées au *drame d'avant-garde* sont les études de :
Léonard C. PRONKO : *Théâtre d'avant-garde* (Paris, Denoel, 1963).
Martin ESSLIN : *Le Théâtre de l'absurde* (Paris, Buchet-Chastel, 1963).
Michel CORVIN : *Le Théâtre nouveau en France* (P.U.F., 1966, « Que sais-je? » nº 1 072).
Michel CORVIN : *Le Théâtre nouveau à l'étranger* (P.U.F., 1964, « Que sais-je? » nº 1 136).
Geneviève SERREAU : *Histoire du « nouveau Théâtre »* (Paris, Gallimard, « Idées », 1966).
    Il faut signaler enfin deux **recueils collectifs,** comportant de nombreux articles sur les divers problèmes et les techniques du théâtre moderne :
Le Théâtre contemporain (Recherches et Débats, Cahier nº 2, octobre 1952, Paris, Fayard, 1952), où il est surtout traité de la présence de Dieu et des problèmes sacrés dans le théâtre contemporain.
Le Théâtre moderne, Hommes et Tendances (Paris, C.N.R.S., 1958), résumant les « Entretiens d'Arras » et abordant les principales questions techniques et dramatiques à l'ordre du jour.

3. Index

Les *mentions* des auteurs, des œuvres et des thèmes sont en caractères romains.

Les renvois aux *extraits*, critiques et dramatiques, sont en **caractères gras.**

Les références à la *chronologie* sont en *italique.*

Les références à la *bibliographie* sont (entre **parenthèses**).

Index des auteurs

Index des œuvres

ŒUVRES CRITIQUES

INDEX

Index des thèmes

TABLE DES MATIÈRES

IIIᵉ PARTIE : ANTHOLOGIE DRAMATIQUE

Achevé d'imprimer sur les Presses des Imprimeries Martin et Tari - 94 - Cachan
1er dépôt légal 1er trimestre 1963 - Dépôt légal 1er trimestre 1968 - N° d'ordre librairie A. Colin 4.346